중학교

역사 ②
자습서

박근칠 교과서편

구성과
특징

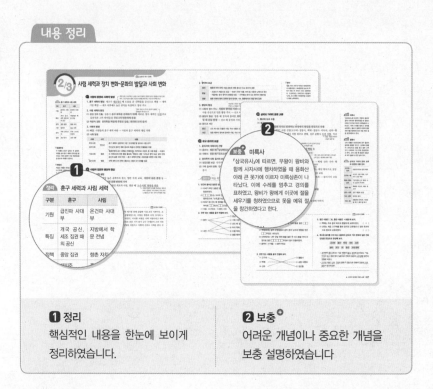

| 개념 정리 |

교과서의 내용을 한눈에 파악할 수 있도록 정리하였습니다. 또한 해설을 첨삭으로 달아 보다 쉽게 이해할 수 있도록 하였습니다.

| 자료 이해하기 |

교과서에 제시된 사진, 개념, 자료에 대해 보충 설명과 해설을 제시하였습니다.

1 정리
핵심적인 내용을 한눈에 보이게 정리하였습니다.

2 보충⁺
어려운 개념이나 중요한 개념을 보충 설명하였습니다

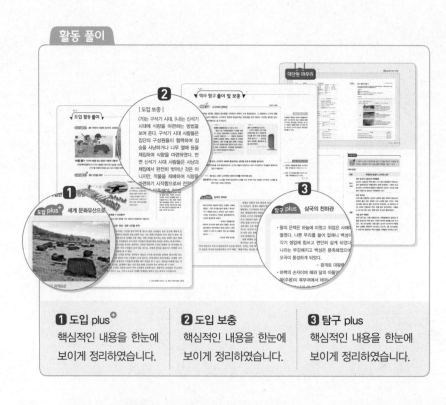

| 활동 정답 |

도입 및 탐구 활동의 답안을 제시하였습니다. 〈친절한 활동 길잡이〉를 통해 탐구 풀이에 도움을 주고, 〈자료 이해 확인 문제〉를 통해 탐구 자료의 이해도를 점검할 수 있습니다.

| 대단원 마무리 정답 |

한눈에 정리하기 및 수행 평가의 답안을 제시하였습니다.

1 도입 plus⁺
핵심적인 내용을 한눈에 보이게 정리하였습니다.

2 도입 보충
핵심적인 내용을 한눈에 보이게 정리하였습니다.

3 탐구 plus
핵심적인 내용을 한눈에 보이게 정리하였습니다.

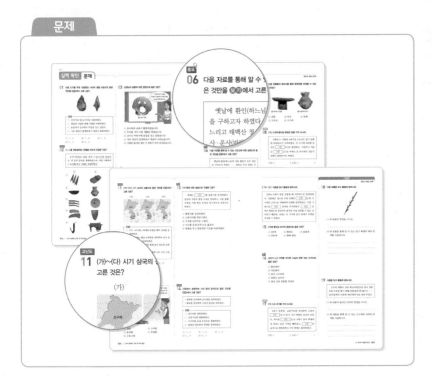

이책의 차례

IV 조선의 성립과 발전

V 조선 사회의 변동

VI 근·현대 사회의 전개

I

선사 문화와
고대 국가의 형성

이 단원의 구성

I

선사 문화와
고대 국가의 형성

1. 선사 문화와 고조선
2. 여러 나라의 성장
3. 삼국의 성립과 발전
4. 삼국의 문화와 대외 교류

이 단원에서는 인류의 출현에서부터 삼국 시대까지 만주와 한반도 지역의 선사 문화, 고조선과 삼국의 성장 과정과 통치 체제의 특성, 그리고 삼국 문화의 성격과 대외 교류의 양상을 다룬다. 먼저 만주와 한반도 지역의 선사 문화 및 청동기 문화의 특성과 고조선의 사회 성격을 살펴보고, 철기 문화를 바탕으로 성립한 여러 나라의 생활상을 파악한다. 이어 삼국이 성립하여 발전하는 과정을 살펴본다. 마지막으로 고분 문화의 봉교분야를 중심으로 삼국 문화의 성격을 비교하고 이들 대외 교류와의 관계 속에서 이해한다.

📍 강화 부근리 지석묘(인천 강화)

▶ 사진으로 살펴보기

사진은 우리나라의 대표적인 고인돌로, 높이 2.6 m의 굄돌 2개가 길이 7.1 m, 너비 5.6 m의 거대한 덮개돌을 받치고 있는 강화 부근리 지석묘입니다. 거대한 덮개돌의 규모로 보아 많은 사람을 동원할 수 있는 지배자가 등장했음을 알 수 있습니다.

▶ 단원 열기

이 단원에서는 선사 문화와 고조선의 건국과 발전, 여러 나라의 성장과 생활 모습, 삼국과 가야의 성립과 발전, 삼국과 가야의 문화와 대외 교류에 대해 다룹니다.

1/2 선사 문화와 고조선~ 여러 나라의 성장

01 구석기·신석기 문화

1. 구석기 문화

(1) 인류의 출현: 약 400만 년 전 출현 → 약 70만 년 전 만주와 한반도 지역에 거주 시작, 직립 보행, 불과 언어 사용

└ 중국 북동부 지역을 가리키는 말로 랴오닝성, 지린성, 헤이룽장성의 3성으로 이루어진 지역임

└ 직립 보행 이후 뇌 용량이 커지고 손의 자유를 가져옴

(2) 구석기 시대의 생활 모습

① 뗀석기 사용: 찍개, 주먹도끼(초기) → 슴베찌르개(후기)

② 생활 방식: 채집과 사냥, 무리를 지어 이동 생활, 동굴이나 강가의 막집에 거주

└ 나뭇가지나 가죽 등을 이용해 만든 집

③ 대표 유적: 평양 상원 검은모루 동굴, 경기도 연천 전곡리, 충남 공주 석장리, 충북 제천 점말 동굴 유적 등

2. 신석기 문화

(1) 신석기 시대: 약 1만 년 전 빙하기가 끝나면서 시작, 기후 온난화와 해수면 상승 → 작은 짐승 번성, 물고기 풍부

(2) 신석기 시대의 생활 모습

① 농경 시작: 조, 피 등 재배 → 정착 생활

② 주거 생활: 강가나 바닷가에 움집을 짓고 마을 형성

③ 간석기 사용: 돌 화살촉, 돌괭이, 돌낫 등

④ 토기 제작: 식량 저장 및 조리용, 빗살무늬 토기가 대표적

⑤ 원시적 신앙과 예술: 내세 관념(시신 매장), 조개 가면·흙 인형 등 제작

⑥ 대표 유적: 서울 암사동, 강원도 양양 오산리, 부산 동삼동 등

└ 내세란 죽은 뒤에 다시 태어나 사는 세상을 이르는 말로, 내세 관념은 내세가 존재한다는 생각 또는 견해임

02 고조선의 건국과 변화

1. 청동기 문화

(1) 만주와 한반도의 청동기 문화

① 시기: 기원전 2000년경 만주에 전래 → 한반도 전역으로 확산

② 청동기의 용도: 지배자의 검이나 장신구, 제사 도구 등으로 사용

(2) 청동기 시대의 생활 모습

┌ 논이나 밭에 물을 대거나 뺄 수 있도록 만든 장치

① 농업 발달: 조·보리·콩 재배, 관개 시설을 이용한 벼농사(반달 돌칼로 수확)

② 토기 사용: 밑바닥이 납작하고 무늬가 없는 민무늬 토기 사용

 불 사용의 의미

불을 사용하기 전 인류는 음식을 날것으로 먹어 질병에 걸릴 확률이 높았고, 먹을 수 있는 음식의 종류도 제한되었다. 이후 불을 사용하여 날고기나 식물 줄기처럼 질겨서 먹지 못하던 것을 익혀 먹게 되면서 소화가 더 잘 되고 단백질도 보충할 수 있었다. 그 결과 먹을거리가 다양해지고 질병이 줄어들어 수명이 크게 늘어났다.

기후 온난화가 미친 영향

기후가 따뜻해지면서 추운 기후에 살던 매머드 등의 대형 동물들이 북쪽으로 이동하고, 따뜻해진 지역에는 물소, 강치, 고래 등이 증가하였다. 식물도 침엽수보다는 활엽수가 많아져 밤, 도토리 등을 쉽게 얻을 수 있게 되었다.

청동기를 지배자가 주로 사용한 이유

청동은 700~900 ℃ 정도의 온도에 녹아 당시 기술 수준으로도 비교적 만들기 쉬운 금속이었다. 그러나 구리에 주석과 아연 등을 섞은 합금이었기에 이들 광석을 모두 구할 수 있는 곳이 아니면 만들기 어려웠다. 따라서 사회에서 강력한 지배력을 가진 집단이 주로 사용할 수 있었다.

자료 이해하기 농경문 청동기

◆ 농경문 청동기(국립 중앙 박물관)

| 내용 알기 | 농경문 청동기는 폭이 12.8 cm로 아랫부분은 파손되어 남아 있지 않다. 몸체 가장 윗부분에는 끈을 매달아 사용했던 것으로 보이는 구멍이 있어 파종기와 추수기에 행해진 농경 의례 때 제사장이 옷에 매달고 사용했던 의기로 생각된다. 앞면에는 따비와 괭이를 들고 파종기의 밭을 가는 장면, 질그릇에 무엇인가를 담는 추수기의 수확을 표현하는 장면이 새겨져 있다. 뒷면에는 좌우 모두 두 갈래로 갈라진 나무 끝에 새가 한 마리씩 앉아 있는 모습이 묘사되어 있다. 새는 예로부터 마을의 안녕과 풍요를 가져오고 하늘의 신과 땅의 샤먼을 연결해 주는 매개자로 인식되었다.

③ 주거 생활: 농업 생산량 증가에 따른 갈등 → 방어 시설 축조(도랑, 울타리 등)

④ 지배자의 등장: 사유 재산 발생에 따른 계급 분화, 권력을 가진 지배자 등장, 지배자의 무덤으로 고인돌·돌널무덤 제작
  └ 깬 돌이나 판돌을 잇대어 널을 만든 후 사용한 무덤

⑤ 예술 활동: 동물, 검, 태양, 사냥 등을 표현한 바위그림 제작

2. 고조선의 성립과 발전

(1) 건국
  ① 배경: 청동기 문화의 보급 → 정복 전쟁 활발, 정치적 통합 달성
  ② 건국: 단군왕검이 우리 역사상 최초의 국가 고조선 건국
  ③ 문화권: 비파형 동검, 미송리식 토기, 탁자식 고인돌 출토 지역
    └ 악기인 비파를 닮아 '비파형 동검'이라고 부름

(2) 철기 문화의 수용 및 발전
  ① 시기: 기원전 5~기원전 4세기경 철기 문화 수용 → 철제 농기구와 무기 제작
    (거친무늬 거울은 문양이 거칠고 선이 굵으며, 잔무늬 거울은 문양이 정교함)
  ② 독자적 청동기 문화: 비파형 동검 → 세형 동검, 거친무늬 거울 → 잔무늬 거울
  ③ 성장: 기원전 4세기경 중국의 연과 경쟁, 연과의 전쟁 이후 평양 중심으로 발전
    └ 중국 주의 제후국으로 전국 7웅에 속할 만큼 강성해짐
    └ 비파형 동검에 비해 폭이 좁고 가늘기 때문에 세형 동검이라고 부름

(3) 위만 조선의 성립과 발전
  ① 성립: 중국에서 이주한 위만이 준왕을 몰아내고 즉위(기원전 194)
  ② 발전: 발달한 철기 문화를 바탕으로 영향력 확대, 한반도 남부의 진과 중국의 한 사이에서 중계 무역을 통해 발전
    └ 다른 나라로부터 수입한 물자를 그대로 제3국에 수출하여 매매 차익을 취득할 것을 목적으로 하는 무역 형태

(4) 고조선의 멸망
  ① 멸망: 중계 무역으로 인해 한과 마찰 → 한의 침입으로 멸망(기원전 108)
  ② 한의 군현 설치: 고조선 옛 땅에 낙랑군 등 설치 → 토착 세력의 반발로 약화
    └ 한 무제가 조선 지역에 설치한 군으로, 평안남도와 황해도 일대에 있었을 것으로 추정됨

3. 고조선의 사회 모습

(1) 법에 의한 통치: 8조법(사회 질서 유지 목적, 3개 조만 전해짐)

(2) 8조법을 통해 본 고조선 사회의 특징: 사람의 생명과 노동력 중시, 농경 사회, 사유 재산 인정, 노비가 존재하는 신분제 사회 등
  └ 전통적 신분제 사회에서 최하층 신분으로 국가나 개인 소유의 재산으로 취급됨

♡ 바위그림
바위에 각종 동물이나 기호 등을 새겨 넣은 것으로, 일반적으로는 청동기 시대의 것으로 여겨진다. 반구대 바위그림은 사냥하는 사람, 고래를 잡는 어부 등이 있어 사냥과 고기잡이의 성공을 기원하였음을 알 수 있다. 고령 장기리 알터 유적에서는 태양을 상징하는 동심원 무늬가 발견되었다.

♡ 미송리식 토기
평안북도 의주 미송리 동굴 유적에서 집중적으로 출토되었다. 밑바닥이 납작하고 몸체는 통통한 편이며, 목이 위로 올라가면서 넓어지는 형태이다.

보충⊕ 위만 조선
『사기』의 조선 열전에 따르면, 위만은 전한의 고조(유방)가 연왕으로 책봉한 노관의 부하였다. 그는 전한 초기에 자신의 세력을 이끌고 전한과 고조선의 경계 지역으로 이주했다. 이때 위만은 상투를 틀고 오랑캐 옷을 입고 있었으며, 위만 조선에는 토착민 출신으로 높은 지위에 오른 사람이 많았다. 따라서 위만 조선은 이전의 고조선을 계승한 국가라고 할 수 있다.

보충⊕ 명도전

'명(明)' 자가 새겨진 칼 모양의 중국 화폐이다. 고조선의 활발한 교역 활동을 보여 준다.

중단원 핵심 확인하기 풀이

📖 교과서 15쪽

1. 빈칸에 들어갈 알맞은 말을 써 보자.

⑴ 구석기인은 돌을 내리쳐서 만든 ☐☐☐을/를 사용하여 식물의 열매나 뿌리를 채집하거나 짐승을 ☐☐하여 먹을거리를 마련하였다.

⑵ 신석기인은 흙으로 만든 ☐☐에 식량을 저장하거나 음식을 조리해 먹었다.

⑶ 청동기 시대에는 사람이 죽으면 ☐☐☐와/과 돌널무덤 등의 무덤을 만들었다.

⑴ 뗀석기, 사냥 ⑵ 토기 ⑶ 고인돌

2. 관련 있는 내용을 옳게 연결해 보자.

⑴ 구석기 시대 ─── ┐ ┌─── ㉠ 국가 등장

⑵ 신석기 시대 ─── ┤ ├─── ㉡ 이동 생활

⑶ 청동기 시대 ─── ┘ └─── ㉢ 농경 시작

3. 옳은 내용은 ○표, 틀린 내용은 ×표를 해 보자.

⑴ 구석기 시대에 농업 생산력이 증가하여 사유 재산이 발생하고 계급이 분화되었다. (×)

⑵ 청동기 문화를 바탕으로 세워진 우리 역사상 최초의 국가는 고조선이다. (○)

4. 제시된 용어를 3개 이상 사용하여 고조선 사회의 특징을 문장으로 완성해 보자.

| 계급 | 채집 | 농경 | 노비 |
| 사유 재산 | 노동력 | 생명 |

고조선은 생명과 노동력을 중시하며 사유 재산을 인정하고 노비가 존재하는 계급 사회였다.

사출도
부여 5부족 연맹체의 수도에서 사방으로 통하는 큰 길과 그 길을 중심으로 형성된 4개의 지역으로, 연맹 왕국의 특징을 반영하고 있는 체제이다. 부여는 각 지역의 부족들이 연합하여 구성한 연맹 왕국의 형태였는데, 큰 부족의 족장은 짐승의 이름을 딴 마가·우가·구가·저가 등으로 불렸다.

제가 회의
고구려는 국가의 중대사를 여러 부족의 장들이 모여 결정하였는데, 제가 회의는 이들 부족장들이 모여 국가의 정책을 심의·의결하던 최고 기구이다.

보충 여러 나라의 혼인 풍습
부여의 형사취수제는 죽은 형의 재산과 어린 자식이 분리되지 않도록 해 가족 제도를 지키고자 한 것이었다. 고구려의 서옥제와 옥저의 민며느리제는 상반돼 보이지만, 혼인 때문에 노동력이 줄어드는 가족 집단에 대해 일정한 대가를 치렀다는 점에서 서로 유사한 면이 있다.

소도
『삼국지』 「위서」 동이전에 따르면 삼한의 소국에는 소도라는 별읍이 있어 북과 방울을 매단 장대를 세워 놓고 귀신에게 제사를 지냈으며, 도망자가 피신해 오면 잡아가지 못하여 도적질이 많았다고 한다. 즉 소도는 세속적 권력이 미치지 못하는 신성 지역이다.

03 철기 문화와 여러 나라의 성립

1. 철기 문화의 확산
└ 기원전 2~기원전 1세기에 한반도 전역으로 확산

(1) 철제 농기구와 무기 사용: 농업 생산량 증가, 정복 전쟁 활발 → 여러 나라의 등장

(2) 생활 변화: ㄱ자형 온돌, 독무덤·널무덤, 철기를 화폐로 사용, 오수전 수입, 붓 사용
　　　　큰 독이나 항아리 등을 널로 사용한 무덤 ┘　　└ 구덩이를 파고 넓적한 나무널로 사각의 벽을 만든 무덤　　└ 한 무제 때 처음 발행한 화폐로 오수는 3.25그램임

2. 여러 나라의 성립

(1) 부여: 쑹화강 유역의 평야 지대에 성립, 농경과 목축 발달, 중국 군현과 활발한 교류, 왕 아래의 마가·우가·저가·구가가 사출도를 독자적으로 지배

(2) 고구려: 압록강 유역의 산간 지대에 성립, 농경지 부족, 정복 활동을 통해 성장, 왕 아래 상가·고추가 등 제가들이 제가 회의를 통해 합의로 결정

(3) 옥저와 동예: 동해안에 성립, 토지 비옥, 해산물 풍부, 왕이 없음, 읍군·삼로라 불리는 군장이 자기 영역 통치 → 고구려에 복속

(4) 삼한: 고조선에서 남하한 세력과 토착민의 결합, 여러 소국으로 형성, 벼농사 발달, 철 생산(마한·동예·낙랑·왜에 수출, 교역 시 화폐처럼 사용)
└ 삼국 시대 이전 한반도 중남부 지방에 형성되어 있었던 정치 집단에 대한 통칭으로 마한, 진한, 변한을 가리킴

04 여러 나라의 생활과 풍습

1. 각 나라의 풍습
┌ 형이 죽으면 형수를 아내로 삼는 풍습　　┌ 어린 여자 아이를 남자 집에서 키운 후 성인이 되면 혼인함

구분	부여	고구려	옥저	동예	삼한
혼인 풍습	형사취수제	형사취수제, 서옥제	민며느리제	족외혼	
장례 풍습	순장	금, 은 등 사용	가족 공동 무덤		큰 새 깃털 사용
제천 행사	영고(12월)	동맹(10월)		무천(10월)	5월제, 10월제

└ 일종의 데릴사위제　　└ 하늘에 제사 지내는 행사　　┌ 동족끼리 결혼하지 않음

2. 삼한의 제정 분리 사회: 천군(제사장), 소도(신성 지역) 존재
└ 제사(종교)와 정치가 분리되었다는 의미로 종교와 정치적 권력이 분리되지 않은 제정일치 사회보다 더 발달한 것으로 봄

3. 엄격한 법의 시행

(1) 부여: 살인자는 사형시키고 그 가족은 노비로 삼음, 1책 12법 ┐남의 물건을 훔쳤을 때 물건 값의 12배를 배상하도록 함

(2) 고구려: 죄인은 제가들이 의논 후 바로 사형시키고 그 가족은 노비로 삼음

(3) 동예: 책화(마을끼리 서로 침범하면 노비나 소, 말로 배상)

중단원 핵심 확인하기 풀이
📖 교과서 21쪽

1. 빈칸에 들어갈 알맞은 말을 써 보자.

(1) ☐☐에는 왕 아래 마가, 우가, 저가, 구가 등의 제가들이 있었다.

(2) ☐☐와/과 ☐☐은/는 왕이 없었으며, 읍군이나 삼로라 불리는 군장이 다스렸다.

(1) 부여　(2) 옥저, 동예

2. 관련 있는 내용을 옳게 연결해 보자.

(1) 부여 — ㉢ 책화
(2) 고구려 — ㉣ 서옥제
(3) 옥저 — ㉤ 민며느리제
(4) 동예 — ㉠ 소도
(5) 삼한 — ㉡ 영고

3. 옳은 내용은 ○표, 틀린 내용은 ×표를 해 보자.

(1) 삼한은 정치적인 군장이 제사장을 겸하는 제정일치 사회였다. (×)

(2) 고구려에서는 제가 회의를 열어 나라의 중대한 일을 결정하였다. (○)

4. 제시된 용어를 3개 이상 사용하여 여러 나라의 등장 과정을 문장으로 완성해 보자.

> 철기　청동기　무기　농기구
> 전쟁　왕　군장　관리

철기 문화가 보급되어 철제 무기가 널리 사용되면서 정복 전쟁이 자주 일어났고, 그 과정에서 여러 나라가 등장하였다.

도입 활동 풀이

교과서 도입 **01 구석기 시대와 신석기 시대의 식량 마련 방법**

교과서 10쪽

○ 가, 나 두 시기에 식량을 얻는 방법은 어떻게 다를까?

도입 예시 답안 | (가) 시기의 사람들은 뗀석기로 짐승을 사냥하여 식량을 마련하였고, (나) 시기의 사람들은 간석기를 이용해 씨앗을 심고 길러 식량을 마련하였다.

| 도입 보충 |

(가)는 구석기 시대, (나)는 신석기 시대에 식량을 마련하는 방법을 보여 준다. 구석기 시대 사람들은 집단의 구성원들이 협력하여 짐승을 사냥하거나 나무 열매 등을 채집하여 식량을 마련하였다. 반면 신석기 시대 사람들은 사냥과 채집에서 완전히 벗어난 것은 아니지만, 작물을 재배하여 식량을 마련하기 시작함으로써 전적으로 자연에 의존해야 하는 상황에서 벗어나게 되었다.

교과서 도입⁺ **02 고인돌 제작**

교과서 13쪽

◁ **고인돌**(인천 강화)

청동기 시대에 만주와 한반도 지역에서는 고인돌이라는 거대한 무덤이 나타난다. 대형 고인돌은 덮개돌의 무게만 수십 톤에 이르러, 이를 만드는 데에 수많은 사람이 필요했을 것으로 보인다.

| 도입 보충 |

고인돌은 청동기 시대를 대표하는 무덤 양식으로, 강화도 부근리 고인돌은 덮개돌의 무게가 50톤에 달할 만큼 거대한 규모이다. 이처럼 커다란 덮개돌을 옮겨 고인돌을 만드는 데는 많은 사람의 힘이 필요했을 것이다. 따라서 고인돌의 제작은 정치적으로 결집된 세력 집단이 형성되었기에 가능한 것으로 보고 있다.

○ 고인돌을 만드는 데 어떻게 수많은 사람을 동원할 수 있었을까?

도입 예시 답안 | 많은 사람을 동원할 수 있을 정도의 강한 권력을 가진 지배자가 존재하였기 때문이다.

도입 plus⁺ **세계 문화유산으로 지정된 고창·화순·강화 고인돌 유적**

❶ **고창 죽림리 지석묘군**

우리나라는 '고인돌 왕국'이라 할 정도로 많은 고인돌이 전국 곳곳에 세워져 있다. 현재까지 발견된 것만 4만여 기로, 이는 세계 고인돌의 40 % 정도가 된다. 세계 문화유산으로 등재된 고창·화순·강화 고인돌 유적지는 보존 상태가 좋고 형태가 다른 고인돌들이 모여 있어 고인돌의 형성과 발전 과정을 살피는 데 용이하다.

고창 고인돌 유적은 전라북도 고창군 죽림리와 도산리 일대의 산 경사면을 따라 440여 기의 고인돌이 모여 있는 곳으로, 모양과 형식은 물론이고 다양한 크기의 고인돌을 볼 수 있다.

화순 고인돌 유적은 전라남도 화순군 도곡면 효산리와 춘양면 대신리를 잇는 계곡에 560여 기의 고인돌이 모여 있으며, 무게 280여 톤에 달하는 거대한 고인돌이 있다. 이곳에는 덮개돌을 채석한 채석장이 발견되어 고인돌의 덮개돌 채석 과정을 알 수 있고, 채석장 아래에 있는 지석이 고인 바둑판식 고인돌, 석실이 노출된 고인돌, 덮개돌이 없는 석실 등을 통해 고인돌의 축조 과정을 볼 수 있다.

강화 고인돌 유적은 인천광역시 강화군의 고려산 기슭에 120여 기의 고인돌이 분포해 있다. 대표적인 고인돌은 부근리에 있는 고인돌로, 높이 2.6 m의 굄돌 2개가 길이 7.1 m, 너비 5.6 m의 거대한 덮개돌을 받치고 있는 탁자식 고인돌이다.

교과서 도입 03 부여와 고구려의 국가 중대사 결정 방법

| 도입 보충 |

부여와 고구려에는 왕 아래에 독자적 지배권을 갖는 세력이 있어 국가의 중요한 일은 이들이 회의를 통해 합의하여 결정하였다. 이는 부여와 고구려가 여러 집단이 연맹을 맺어 성립한 연맹 왕국이었음을 보여 준다.

◆ 부여와 고구려는 나라의 중요한 일을 어떤 방식으로 결정하였을까?

도입 예시 답안 | 각 집단의 대표들이 회의를 통해 합의하여 결정하였다.

교과서 도입⁺ 04 여러 나라의 제천 행사

| 도입 보충 |

철기 시대에 성립된 여러 나라의 제천 행사로는 부여의 영고, 고구려의 동맹, 동예의 무천, 삼한의 5월제와 10월제 등을 꼽을 수 있다. 고대인들은 이를 통해 하늘을 숭배하고 국가 조직원 내의 단합을 도모하였다.

◆ 여러 나라에서는 왜 하늘에 제사를 지냈을까?

도입 예시 답안 | • 함께 모여 단합을 도모하고 나라에 대한 소속감을 느끼기 위함이었다.
　　　　　　　 • 하늘에 제사를 지내 수확에 감사하고 풍요를 기원하기 위해서였다.

도입 plus⁺ 제천 행사의 의미

◑ 고구려의 국동대혈(중국 지안) 국내성 동쪽에 위치한 큰 동굴이다. 제천 행사인 동맹이 열릴 때 국동대혈에 있는 여신(나무로 만든)을 압록강 변으로 모셔 제사를 거행하였다.

　　제천 행사는 씨를 뿌린 뒤 농사의 풍요를 하늘에 기원하고 곡식을 거둔 뒤 하늘에 감사하는 행사로, 대부분의 농업 지역에서 행해졌다. 원시 공동체 사회 이래 사람들은 자연계에서 벌어지는 갖가지 변화에 대한 경외심과 그 변화의 이유에 대한 나름의 해석을 토대로 다양한 종교적 현상을 만들어 냈다. 이러한 원시 신앙을 바탕으로 고대인들이 신앙 체계의 정점에 둔 것은 하늘의 신이 최고의 신이라고 믿는 천신 신앙이었다. 이러한 천신 신앙을 바탕으로 여러 나라에서는 하늘에 제사를 지내는 제천 행사가 치러졌다.

　　『삼국지』「위서 동이전」의 기록을 보면, 제천 행사 때는 며칠씩 술을 마시고 노래하고 춤을 추며 즐겼고, 나라에서는 형벌을 중단하고 죄수들을 석방시켰다고 한다. 이를 통해 노동과 전쟁에 지친 사람들에게 해방감을 주어 새로운 삶의 활력소를 만들어 주었고, 집단의 단결력을 강화시킬 수 있었다. 예로부터 우리 조상들이 노래와 춤을 즐겼다는 것도 제천 행사 때의 모습에서 기원을 찾을 수 있다.

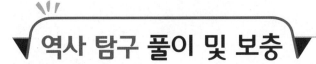

역사 탐구 풀이 및 보충

 역사 탐구 — 단군왕검 이야기 속의 역사적 사실 ———————— 교과서 14쪽

널리 이롭게 할 만하군.

환웅

옛날에 환인(하느님)의 아들인 환웅이 인간 세상을 구하고자 하였다. 아버지가 아들의 뜻을 알고 태백산 지역을 내려다보니 인간을 널리 이롭게 할 만한지라, 이에 천부인 3개를 주어 가서 다스리게 하였다.

환웅은 무리 3천을 거느리고 태백산 정상 신단수 밑에 내려와 풍백·우사·운사(바람·비·구름을 다스리는 신)를 거느리고 인간 세계를 다스렸다. …… 곰은 쑥과 마늘을 먹고 여자가 되었으며, 나중에 환웅과 혼인하여 단군왕검을 낳았다.

위서에 이르기를 지금으로부터 2천여 년 전에 단군왕검이 아사달에 도읍을 정하였다. 나라를 창건하여 조선이라 이름하였으니 중국 요임금과 같은 시대이다. — 일연, 『삼국유사』

1. 위의 단군왕검 이야기에서 고조선이 농경 사회였음을 알 수 있는 부분을 찾아 밑줄을 그어 보자.

정답 풀이 | 풍백·우사·운사(바람·비·구름을 다스리는 신)

2. 단군(제사장)과 왕검(정치적 군장)이라는 호칭을 통해 알 수 있는 고조선의 정치적인 특징을 이야기해 보자.

정답 풀이 | 고조선은 정치와 제사가 결합된 제정일치 사회였다.

친절한 활동 길잡이

이 활동의 핵심은 단군왕검 이야기를 통해 고조선 성립 과정의 역사적 사실을 추론하는 데 있다. 주어진 글을 통해 부족 간의 연맹으로 고조선이 성립했음과 고조선이 농경 사회였음을 알 수 있다.

자료 이해 확인 문제

1. 고조선은 신석기 문화를 배경으로 성립한 국가이다. (○ / ×)

2. 단군왕검이라는 호칭을 통해 고조선은 제정일치 사회였음을 알 수 있다. (○ / ×)

≫ 정답 1. × 2. ○

 역사 탐구 여러 나라의 자연환경 ———————— 교과서 19쪽

| 자료 1 |

부여

산과 넓은 들이 많아서 동이 지역 중에서 가장 넓고 평탄한 곳이다. 토질은 곡물이 자라기에 적당하지만, 다섯 과일은 나지 않는다.

— 진수, 『삼국지』 「위서 동이전」

| 자료 2 |

고구려

큰 산과 깊은 골짜기가 많고 넓은 들은 없어 계곡에 의지하여 살면서 산골의 물을 식수로 한다. 좋은 경지가 없으므로 부지런히 농사를 지어도 식량이 부족하다.

— 진수, 『삼국지』 「위서 동이전」

| 자료 3 |

옥저

옥저는 고구려의 '개마대산' 동쪽에 있으며, 큰 바닷가에 살고 있다. …… 그 땅은 기름지고, 산을 등지고 바다를 향해 있다. 곡물이 잘 자라며, 농사를 짓기에 적합하다.

— 진수, 『삼국지』 「위서 동이전」

1. | 자료 1 | ~ | 자료 3 |을 읽고, 부여, 고구려, 옥저의 자연환경을 옳게 연결해 보자.

정답 풀이 | 부여: 평야 지대, 고구려: 산간 지대, 옥저: 해안가

2. 1에서 답한 자연환경을 바탕으로 나타나는 특성에 관해 이야기해 보자.

정답 풀이 | • 부여는 농경이 발달하였고, 고구려는 좋은 농경지가 없어 식량이 부족하였다.
· 옥저는 해산물이 풍부하였다.

친절한 활동 길잡이

이 활동은 여러 나라가 처한 자연환경의 차이로 인해 나타나는 특성을 이해하는 것이다. 부여, 고구려, 옥저가 각각 평야 지대, 산간 지대, 해안가에 위치함으로써 나타나는 특징을 자료에서 찾아볼 수 있다.

자료 이해 확인 문제

1. 부여는 여러 나라 중 가장 북쪽에 위치하여 농사짓기에 적합하지 않았다. (○ / ×)

2. 산간 지대에 위치한 고구려는 식량이 부족하여 정복 활동을 펼쳤다. (○ / ×)

≫ 정답 1. × 2. ○

01 다음 도구를 주로 사용했던 시대의 생활 모습으로 옳은 것만을 보기 에서 고른 것은?

보기
ㄱ. 간석기로 된 농기구를 사용하였다.
ㄴ. 채집과 사냥을 통해 식량을 마련하였다.
ㄷ. 동굴이나 강가에서 막집을 짓고 살았다.
ㄹ. 사유 재산이 발생하면서 계급이 분화되었다.

① ㄱ, ㄴ   ② ㄱ, ㄷ   ③ ㄴ, ㄷ
④ ㄴ, ㄹ   ⑤ ㄷ, ㄹ

고난도
02 ㉠, ㉡을 뒷받침하는 유물을 바르게 연결한 것은?

> 신석기인들은 돌을 갈아 ㉠농기구를 만들어 조, 피 등의 잡곡을 재배하였으며, 이를 수확하여 ㉡조리해 먹고 식량을 저장하였다.

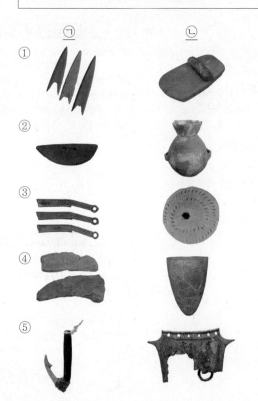

          ㉠   ㉡

03 선생님의 질문에 대한 답변으로 옳은 것은?

사진과 같은 유물을 만들어 사용하던 시대의 생활 모습을 말해 볼까요?

◆ 조개 가면

① 중국과의 교류가 활발하였습니다.
② 무리를 지어 이동 생활을 하였습니다.
③ 강가나 바닷가에 움집을 짓고 살았습니다.
④ 사유 재산이 발생하면서 계급이 나타났습니다.
⑤ 식량을 둘러싼 집단 간 전투가 자주 일어났습니다.

중요
04 (가), (나) 유물을 통해 알 수 있는 당시의 생활 모습으로 옳은 것만을 보기 에서 고른 것은?

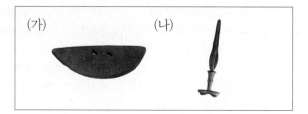

(가)   (나)

보기
ㄱ. (가)-간석기 농기구로 농사를 지었다.
ㄴ. (가)-작은 짐승을 잡기 위한 사냥 도구를 만들었다.
ㄷ. (나)-청동기는 주로 지배자가 사용하였다.
ㄹ. (나)-사냥감을 찾아 무리를 지어 이동하였다.

① ㄱ, ㄴ   ② ㄱ, ㄷ   ③ ㄴ, ㄷ
④ ㄴ, ㄹ   ⑤ ㄷ, ㄹ

중요

05 다음 유적을 통해 알 수 있는 당시의 생활 모습으로 옳은 것은?

① 오수전 등 중국 화폐를 수입하였다.
② 주로 사냥을 통해 식량을 마련하였다.
③ 무리를 지어 이동하였으며 동굴에서 살았다.
④ 계급 분화가 이루어지고 지배자가 등장하였다.
⑤ 토기를 만들어 식량을 저장하고 음식을 조리해 먹었다.

중요

06 다음 자료를 통해 알 수 있는 고조선에 대한 설명으로 옳은 것만을 **보기**에서 고른 것은?

> 옛날에 환인(하느님)의 아들 환웅이 인간 세상을 구하고자 하였다. …… 환웅은 무리 3천을 거느리고 태백산 정상 신단수 밑에 내려와 풍백·우사·운사(바람·비·구름을 다스리는 신)를 거느리고 인간 세계를 다스렸다. …… 곰은 쑥과 마늘을 먹고 여자가 되었으며, 나중에 환웅과 혼인하여 단군왕검을 낳았다.
> 위서에 이르기를 지금으로부터 2천여 년 전에 단군왕검이 아사달에 도읍을 정하였다. 나라를 창건하여 조선이라 이름하였으니, 중국 요임금과 같은 시대이다. – 일연, 「삼국유사」

보기
ㄱ. 제정일치 사회였다.
ㄴ. 농경 중심의 사회였다.
ㄷ. 계급이 없는 평등 사회였다.
ㄹ. 철기 문화를 배경으로 성립하였다.

① ㄱ, ㄴ   ② ㄱ, ㄷ   ③ ㄴ, ㄷ
④ ㄴ, ㄹ   ⑤ ㄷ, ㄹ

07 다음 유물들의 분포지를 통해 문화권을 추정할 수 있는 나라는?

△ 탁자식 고인돌   △ 미송리식 토기

① 삼한   ② 옥저   ③ 동예
④ 고조선   ⑤ 고구려

단답형

08 (가), (나)에 들어갈 알맞은 말을 각각 쓰시오.

> 기원전 5~기원전 4세기경 고조선은 철기 문화를 받아들이기 시작하였다. 이 시기에 비파형 동검은 ___(가)___ (으)로 발전하고, 거친무늬 거울은 ___(나)___ (으)로 바뀌는 등 독자적인 청동기 문화가 발달하기도 하였다.

(가): (   ), (나): (   )

09 (가) 시기 고조선에서 있었던 사실로 적절한 것은?

> • 중국의 혼란을 피해 고조선으로 이주한 위만은 고조선의 준왕을 몰아내고 왕위에 올랐다.
> ↓
> • ___(가)___
> ↓
> • 위만 조선은 한과 마찰이 생겨 대립하다가 결국 1여 년의 항쟁 끝에 멸망하였다.

① 낙랑군을 비롯한 군현을 설치하였다.
② 연과의 전쟁으로 서쪽 지역을 잃었다.
③ 중국의 철기 문화를 받아들이기 시작하였다.
④ 청동기 문화를 바탕으로 주변 지역을 정복하였다.
⑤ 한반도 남부의 진과 중국의 한 사이에서 중계 무역을 통해 발전하였다.

중요

10 다음을 통해 알 수 있는 고조선의 사회 모습으로 옳지 않은 것은?

> • 사람을 죽인 자는 사형에 처한다.
> • 남을 다치게 한 자는 곡물로 갚는다.
> • 도둑질한 사람은 노비로 삼으며, 용서를 받으려면 50만 전을 내야 한다.

① 신분제 사회였다.
② 생명을 중시하였다.
③ 노동력을 중시하였다.
④ 사유 재산을 인정하였다.
⑤ 종교와 정치가 분리된 사회였다.

고난도

11 철기 문화의 확산에 따른 결과로 옳은 것만을 보기에서 고른 것은?

> **보기**
>
> ㄱ. 고조선, 부여, 고구려 등의 여러 나라가 등장하였다.
> ㄴ. 철제 무기가 널리 이용되면서 정복 전쟁도 자주 일어났다.
> ㄷ. 독무덤과 널무덤을 대신하여 고인돌과 돌널무덤을 만들었다.
> ㄹ. 따비, 삽, 쇠스랑 등의 철제 농기구를 이용하여 농지를 넓혀 갔다.

① ㄱ, ㄴ   ② ㄱ, ㄷ   ③ ㄴ, ㄷ
④ ㄴ, ㄹ   ⑤ ㄷ, ㄹ

12 다음에서 설명하는 나라는?

> • 쑹화강 유역의 평야 지대에 위치하였다.
> • 형사취수제의 혼인 풍습과 순장이라는 장례 풍습이 있었다.
> • 중국 군현과 우호적인 관계를 유지하며 활발하게 교류하였다.

① 부여   ② 옥저   ③ 동예
④ 삼한   ⑤ 고구려

[13~14] 다음은 철기 문화를 배경으로 등장한 여러 나라를 표시한 지도이다. 이를 보고 물음에 답하시오.

13 다음 설명에 공통으로 해당하는 나라들을 바르게 묶은 것은?

> • 왕이 없고 군장이 나라를 다스렸다.
> • 토지가 비옥하고 해산물이 풍부하였다.
> • 고구려에 특산물을 바치는 등 압력을 받다가 결국 고구려에 복속되었다.

① (가), (나)   ② (다), (라)
③ (가), (나), (라)   ④ (나), (다), (라)
⑤ (다), (라), (마)

14 (가)~(마) 나라에 대한 설명으로 옳은 것은?

① (가) – 산간 지대에 위치하여 일찍부터 주변 지역을 정복하며 성장하였다.
② (나) – 고조선에서 남하한 세력과 토착민이 결합하여 성립되었다.
③ (다) – 민며느리제라는 혼인 풍습이 있었다.
④ (라) – 나라의 중대한 일은 제가 회의를 열어 합의로 결정하였다.
⑤ (마) – 사람이 죽으면 뼈만 추려 가족 공동 무덤인 나무 덧널에 넣어 두는 풍습이 있었다.

15 각 나라의 제천 행사가 바르게 연결된 것은?

① 부여 – 동맹
② 고구려 – 5월제
③ 옥저 – 책화
④ 동예 – 무천
⑤ 삼한 – 영고

단답형

16 (가), (나)에 들어갈 알맞은 말을 각각 쓰시오.

> 삼한에는 소국마다 천신을 섬기는 제사장인 [(가)]이/가 정치적인 군장과는 별개로 존재하였다. 또한 [(나)](이)라고 불리는 신성 지역이 있었는데, 이곳은 군장의 권력이 미치지 못하여 죄인이 들어와도 잡아가지 못하였다.

(가): (   ), (나): (   )

17 다음의 풍습을 가진 나라에 대한 설명으로 옳은 것은?

> 산천을 중요하게 여겨 마을끼리 함부로 침입하지 않았다. 서로 침범하면 노비나 소, 말로 배상하게 하는 책화가 있었다.

① 서옥제라는 혼인 풍습이 있었다.
② 철이 많이 생산되어 낙랑, 왜 등에 수출하였다.
③ 큰 새의 깃털을 사용하여 장례를 치르는 풍습이 있었다.
④ 읍군이나 삼로라고 불리는 군장이 자기 영역을 다스렸다.
⑤ 나라의 중대한 일은 제가 회의를 열어 합의로 결정하였다.

18 다음 유물을 보고 물음에 답하시오.

⑴ 위 화폐의 명칭을 쓰시오.

⑵ 위 화폐가 고조선의 영역에서 출토된 것을 통해 알 수 있는 역사적 사실을 서술하시오.

19 다음을 통해 알 수 있는 부여와 고구려의 공통된 정치적 특징을 서술하시오.

> • 부여는 왕 아래에 가축의 이름을 딴 마가, 우가, 저가, 구가 등이 있어 이들이 사출도라는 지역을 독자적으로 다스렸고, 나라의 중대사는 회의를 통해 결정하였다.
> • 고구려는 왕 아래에 상가, 고추가 등의 제가들이 있었으며, 나라의 중대한 일은 제가 회의를 열어 회의로 결정하였다.

삼국의 성립과 발전

① 삼국과 가야의 성립

1. 삼국과 가야의 성립 및 삼국의 중앙 집권화

(1) 성립: 고구려(압록강 유역), 백제(한강 유역), 신라와 가야(한반도 동남부)가 <u>주변 지역을 정복하며 성장</u> ┌ 고구려는 부여·옥저·동예 등을, 백제는 마한의
여러 나라를, 신라는 진한의 여러 나라를 통합함

(2) 중앙 집권 국가로의 성장

① 초기의 삼국: 여러 집단의 연맹으로 성립, 유력 집단의 지배자를 왕으로 선출, 집단 대표들의 합의로 주요 사안 결정 ┌ 율은 형벌 위주의 법률, 영(령)은 통치
조직과 관련된 행정 법률임

② 중앙 집권 국가의 성립: 왕권 강화 → 여러 집단의 지배자를 귀족으로 흡수, 관등제로 귀족 서열화, 율령 반포로 국가 체제 정비, 불교 수용으로 사상 통합
┕ 주몽이 건국, 유리왕 때 졸본에서 국내성으로 천도, 활발한 정복 활동 전개

2. 고구려의 성립과 발전 ── 한 무제가 위만 조선을 멸망시킨 후 설치한 군 중 하나임

(1) 태조왕: 옥저 정복, <u>현도군</u> 공격 → 요동 진출 시도

(2) 고국천왕: 5부를 행정 구역으로 개편, 5부의 지배자를 중앙 귀족으로 편입, 진대법 시행(빈민 구제 목적)

(3) 미천왕: 낙랑군과 대방군 점령(중국의 군현 세력 축출)

(4) 소수림왕: 불교 수용, 태학 설립, 율령 반포
┌ 고구려계 이주민과 한강 유역의 토착 세력이 우수한 철기

3. 백제의 성립과 발전 문화와 중국의 선진 문화를 수용하며 성장함 ┌ 충남 직산 부근에 있었던 마한의
소국 중 하나로 삼한을 대표하여
목지국의 군장을 진왕이라 부름

(1) 고이왕: 목지국 병합, 좌평 설치, 관등제의 기초 마련

(2) 근초고왕: 평양성 공격 → 대동강 이남 차지, 마한 정복 → 남해안까지 영역 확장 후 남조 및 가야·왜 등과 교류

(3) 침류왕: 중국의 동진에서 불교 수용
┌ 사로국에서 시작, 박·석·김 3성이 번갈아 왕위(이사금)를 차지함

4. 신라의 성립

(1) 내물왕: 김씨 왕위 세습 시작, 왕호를 마립간으로 개칭, 고구려의 문물 수용

(2) 눌지왕: 고구려 장수왕의 남진 정책으로 나제 동맹 체결
┌ 변한의 여러 소국이 발전하여 성립

5. 가야 연맹의 성립 ┌ 철 생산을 바탕으로 해상 교역을 전개함

(1) 성장: 전기에 금관가야(김해)가 연맹 주도 → 해상 교역의 쇠퇴와 신라를 지원한 고구려의 공격으로 세력 약화

(2) 한계: 중앙 집권 국가로 성장하지 못하고 쇠퇴

 관등제

관리의 등급을 서열화하는 제도로, 연맹 국가를 구성하는 단위 집단의 지배층을 왕권 아래로 편성하여 조직화하는 과정에서 만들어졌다.

보충 졸본

고구려의 첫 수도로 지금의 랴오닝성 환런 지역으로 추정된다. 환런 지역에는 오녀산성이 있고, 그 주변으로 돌무지무덤들이 모여 있어 고구려 국가 형성기의 도읍이었을 것으로 보고 있다.

진대법

가난한 농민들에게 봄에 곡식을 빌려주었다가 가을에 갚게 한 제도이다.

좌평

백제의 벼슬 등급을 나타내는 16관등 중 제1품이다. 원래는 신분과 벼슬의 높고 낮음만을 표시하는 관등이었으나, 점차 구체적인 업무를 가진 관직으로도 쓰인 듯하다.

보충 신라 왕호와 의미의 변천

거서간	군장, 귀인
▼	
차차웅	무당
▼	
이사금	연장자, 계승자
▼	
마립간	대군장
▼	
	왕

자료 이해하기 칠지도 ─────────────────────── 📖 교과서 26쪽

🔺 칠지도

| 내용 알기 | 칠지도는 일본 덴리시의 이소노카미 신궁에 전해져 오는 철제 칼이다. 본래 '육차모(여섯 갈퀴의 창)'라는 이름으로 전해져 왔으나, 1873년 이소노카미 신궁의 대궁사 스가 마사토모가 칼날에 새겨진 명문을 발견하면서 칠지도로 학계에 알려지게 되었다. 명문을 판독하여 우리말로 풀어 보면, 앞면은 '태△ 4년 5월 16일 병오일 한낮에 백 번이나 단련한 강철로 칠지도를 만들었다. 이 칼은 온갖 적병을 물리칠 수 있으니, 제후국의 왕에게 나누어 줄 만하다. △△△△가 만들었다.'이고, 뒷면은 '지금까지 이러한 칼은 없었는데, 백제 왕세자 기생성음이 일부러 왜왕 지(旨)를 위해 만들었으니 후세에 전하여 보이라.'이다. 제작 연대와 명문 해석에 대해서는 한국과 일본의 학자들 사이에 다양한 학설이 있으나, 백제가 일본과 친밀한 관계였음을 알 수 있는 유물이라는 점에서 의미를 갖는다.

02 삼국과 가야의 발전

1. 고구려의 제국 건설

(1) **광개토 대왕**: 요동·동부여·한강 이북 지역 차지 → 만주에서 한반도 중부에 걸친 대제국 건설, 신라에 침입한 왜 격퇴, 금관가야 공격, '영락' 연호 사용

> 왕이 즉위한 후부터 물러날 때까지의 기간을 독자적인 칭호를 붙여 사용한 연대 표기 방식

(2) **장수왕**: 남북조 분열기에 실리 추구, 평양 천도 → 국내성의 귀족 세력 약화, 남진 정책 → 한성을 함락하여 한강 이남까지 영토 확장

> 북위가 5호 16국을 통일한 시점에서 수가 통일하기까지의 기간

2. 백제의 중흥 도모

(1) **백제의 위기**: 장수왕의 공격으로 한강 유역 상실 → 웅진(공주) 천도

(2) **중흥을 위한 노력**
① 동성왕: 신라와 혼인 동맹 체결, 토착 세력을 중앙 귀족으로 수용 → 왕권 강화
② 무령왕: 22담로 설치(왕족 파견, 지방 통제 강화), 중국 남조의 양과 교류
③ 성왕: 사비(부여) 천도, 국호를 '남부여'로 개칭, 행정 조직 정비, 한강 유역 일시적 탈환, 불교를 왜에 전파, 중국 남조 및 왜와 교류 강화

3. 신라의 비약적 성장

(1) **지증왕**: 국호를 '신라', 왕호를 '왕'으로 개칭, 우산국 정벌

> 지금의 울릉도에 있었던 고대의 소국

(2) **법흥왕**: 병부 설치 → 군사권 장악, 율령 반포, 불교 공인, 금관가야 병합

(3) **진흥왕**: 황룡사 창건, 화랑도 개편, 한강 유역 차지, 대가야 정복, 함흥평야 진출

(4) **신라의 제도**: 화백 회의(국가의 주요 사안을 만장일치로 결정), 골품제(정치·사회 활동에 제한)

> '대등'이라고 부르는 신라의 최고 귀족들로 구성. 상대등은 화백을 이끄는 우두머리임.

> 월성 동쪽에 궁궐을 짓다가 그 곳에서 황룡이 나타났다는 말을 듣고 절로 고쳐 지음

4. 가야 연맹의 변화와 멸망

(1) **대가야(고령)의 발전**: 후기 가야 연맹 주도, 전라도 동부까지 영토 확장, 중국 남조의 제 및 왜와 교역 시도, 백제와 신라의 동맹에 참여

(2) **가야 연맹의 멸망**: 금관가야가 신라에 항복(532), 신라의 공격으로 대가야 멸망(562)

보충⁺ 광개토 대왕의 왜 격퇴

광개토 대왕에게 영토를 빼앗긴 백제는 반격을 가하고자 고구려와 친하게 지내는 신라를 공격하려 하였다. 백제가 끌어들인 왜와 가야가 신라를 공격하자 신라는 광개토 대왕에게 도움을 요청하였다. 이에 광개토 대왕은 신라에 군대를 보내 왜를 몰아낸 후, 패퇴하는 왜를 추격하여 금관가야까지 공격하였다. 이후 고구려는 신라에 대해 강력한 정치적 영향력을 행사했으며, 전기 가야 연맹을 주도했던 금관가야는 약화되었다.

◆ 담로
백제가 지방의 중요한 지역에 설치한 것으로, 왕자나 왕족을 보내어 다스렸다. 백제 왕실이 지방을 지배하는 근거지이자 그것을 중심으로 하는 일정한 통치 영역을 나타내는 것이다.

◆ 화랑도
신라의 청소년 수련 조직이다. 많은 인재를 배출해 신라의 삼국 통일뿐만 아니라 골품제 사회에서 여러 계층 간의 긴장과 갈등을 조절·완화하는 데도 이바지하였다.

◆ 골품제
신라 시대 혈통의 높고 낮음에 따라 신분을 구분한 제도이다. 이에 따라 정치적인 출세는 물론, 혼인, 가옥의 규모, 의복의 빛깔, 우마차의 장식에 이르기까지 사회생활 전반에 걸쳐 특권과 제약이 가해졌다.

중단원 핵심 확인하기 풀이 ——— 📖 교과서 31쪽 ———

1. 빈칸에 들어갈 알맞은 말을 써 보자.

(1) 고구려의 소수림왕은 □□을/를 수용하여 국가의 통합을 꾀하였다.

(2) 백제의 □□□왕 때에는 고구려의 평양성을 공격하여 대동강 이남을 차지하였다.

(3) 신라는 내물왕 때 왕호를 대군장을 의미하는 □□□(으)로 바꾸었다.

(1) 불교 (2) 근초고 (3) 마립간

2. 관련 있는 내용을 옳게 연결해 보자.

(1) 고국천왕 ——————— ㉠ 진대법 시행
(2) 고이왕 ——×—— ㉡ 불교 공인
(3) 법흥왕 ——×—— ㉢ 좌평제 마련

3. 옳은 내용은 ○표, 틀린 내용은 ×표를 해 보자.

(1) 고구려의 광개토 대왕은 신라에 침입한 왜를 물리쳤으며, 왜와 연합한 금관가야를 약화하였다. (○)

(2) 백제의 성왕은 수도를 웅진(공주)으로 옮기고 백제의 중흥을 꾀하였다. (×)

(3) 신라의 진흥왕은 화랑도를 국가적인 조직으로 개편하고, 이를 기반으로 영토를 확장하였다. (○)

4. 제시된 용어를 3개 이상 사용하여 신라의 한강 유역 장악의 의미를 문장으로 완성해 보자.

[중국] [물산] [교류] [대가야] [진흥왕] [제철 기술] [삼국 통일]

• 신라는 <u>진흥왕</u> 때 한강 유역을 장악하면서 <u>중국</u>과 직접 <u>교류</u>할 수 있었고 <u>삼국 통일</u>의 기반을 다지게 되었다.

도입 활동 풀이

교과서 24쪽

교과서 도입 01 주몽, 박혁거세, 김수로왕의 탄생 설화

| 도입 보충 |

주몽, 박혁거세, 김수로왕은 알에서 태어났다는 공통점이 있다. 알은 주로 새가 낳는 경우가 많으며, 새는 하늘과 인간을 매개해 주는 신성한 존재로 인식되고 있었다. 따라서 이들의 후손인 각국의 왕은 건국 시조가 알에서 태어났다는 탄생 설화를 바탕으로 자신의 조상이 하늘에서 내려왔음을 내세워 권력을 정당화하려 하였던 것이다.

◆ 위 탄생 설화들의 공통점과 그렇게 지어진 까닭은 무엇일까?

도입 예시 답안 | 건국 시조가 모두 알에서 태어났다는 공통점이 있다. 삼국과 가야는 왕이 하늘로부터 내려온 인물 또는 그 후손임을 내세워 왕의 권위를 강화하고자 탄생 설화를 신비롭게 지었다.

교과서 28쪽

교과서 도입 02 삼국의 한강 유역 쟁탈

| 도입 보충 |

삼국 가운데 백제는 한강 변에서 성장하여 가장 먼저 한강 유역을 차지하였고, 5세기에는 장수왕의 남진 정책으로 고구려가 한강 유역을 차지하였다. 6세기 후반에는 진흥왕이 한강 하류까지 진출하여 신라가 한강 유역을 차지하고 중국과 직접 교류하였다.

고구려가 정복하여 성곽을 쌓았지.

한강은 원래 백제의 것이었어.

최후에는 신라의 땅이다.

한강은 우리나라 중부를 흐르는 강으로, 태백산맥에서 시작하여 황해로 흘러간다. 한강 유역은 삼국 시대부터 서로 차지하려고 각축전을 벌일 만큼 중요시되어 왔다.

◆ 한강 유역을 차지하면 어떤 유리한 점이 있었을까?

도입 예시 답안 | • 한강은 한반도의 중앙을 흐르고 있어 여러 지역으로 나아가기에 편리하였다.
• 이곳을 차지하면 삼국 간 항쟁의 주도권을 장악할 수 있었다.

도입 plus⁺ 삼국의 한강 유역 쟁탈과 관련된 유적

◆ 북한산 순수비

◆ 아차산 보루

아차산성 · 풍납토성 · 몽촌토성 · 석촌동 고분군 · 남한산성

◆ 몽촌토성

몽촌토성은 한성 백제 시대의 성곽이다. 『삼국사기』에는 백제의 수도인 위례성이 북성과 남성으로 나뉘어 있었다고 기록되어 있는데, 북성을 풍납토성으로, 남성을 몽촌토성으로 추측하기도 한다.
삼국 시대에 교통과 통신의 요충지로 중요했던 아차산에는 성과 보루 같은 유적이 많다. 특히 아차산 줄기를 따라 남북으로 배치된 고구려 보루 터에서는 고구려 병사들이 주둔하면서 남긴 철제 무기와 농기구가 많이 발견되었다.
신라의 진흥왕은 한강 유역을 차지한 후 북한산 비봉에 순수비를 세우고 자신의 업적을 과시하였다. 현재 이 비는 국립 중앙 박물관에 보존되어 있으며, 원래 자리에는 모형 비석이 서 있다.

역사 탐구 풀이 및 보충

교과서 29쪽

역사탐구 — 고구려의 천하관

고구려는 광개토 대왕과 장수왕을 거치면서 국력이 크게 확장되었다. 그 과정에서 고구려 대왕이 하느님의 아들이며, 고구려가 천하의 중심이라는 천하관을 갖게 되었다. 이러한 생각은 당시에 세운 비석에서도 잘 드러난다.

| 자료 1 |
광개토 대왕릉비(중국 지린성 지안)

옛날 시조 추모왕(주몽)이 나라를 세웠다. 시조는 북부여에서 나셨는데, 천제(하느님)의 아들이다. …… 대왕의 은혜로운 혜택이 하늘에 미쳤고, 위엄은 온 사방에 떨쳤다. 나쁜 무리를 쓸어 없애니 백성들이 각각 생업에 힘써 편안히 살게 되었다. 나라는 부강해지고, 백성들은 풍족해졌으며, 오곡이 풍성하게 익었도다.
(높이 6.39 m)

| 자료 2 |
충주 고구려비(충북 충주)

고구려 대왕이 신라 매금(마립간)을 만나 영원토록 우호를 맺기 위해 중원(충주)에 왔으나 …… 동이(동쪽의 오랑캐) 매금에게 옷을 내려 주었다.
(높이 2.03 m)

친절한 활동 길잡이

이 활동의 핵심은 광개토 대왕릉비와 충주 고구려비의 비문 내용을 통해 고구려의 천하관을 파악하는 데 있다. 비문의 내용을 통해 고구려의 천손 의식과 고구려 중심의 천하관을 찾아볼 수 있다.

---

1. | 자료 1 |을 읽고, 고구려가 세계의 중심이라는 생각을 갖게 된 배경을 알아보자.

   정답 풀이 | 영토를 크게 확장하였으며, 고구려 대왕의 위엄으로 나라가 부강해지고 백성들이 풍족하게 살았기 때문이다.

2. | 자료 2 |를 읽고, 5세기 고구려와 신라의 관계를 이야기해 보자.

   정답 풀이 | 고구려는 스스로를 세계의 중심이며 신라를 도와 주어야 하는 존재로 인식하여, 신라를 동쪽의 작은 나라로 다루었다.

자료 이해 확인 문제

1. 광개토 대왕릉비를 통해 고구려의 천손 의식을 알 수 있다. (○ / ×)

2. 충주 고구려비를 통해 신라가 고구려를 지배했음을 알 수 있다.
   (○ / ×)

≫ 정답 1. ○ 2. ×

탐구 plus   삼국의 천하관

- 왕의 은택은 하늘에 미쳤고 위엄은 사해에 떨쳤다. 나쁜 무리를 쓸어 없애니 백성이 각기 생업에 힘쓰고 편안히 살게 되었다. 나라는 부강해지고 백성은 풍족해졌으며, 오곡이 풍성하게 되었다.
  – 광개토 대왕릉비문
- 하백의 손자이며 해와 달의 아들인 추모성왕(주몽)이 북부여에서 태어나셨으니 천하 사방은 이 나라 이 고을이 가장 성스러움을 알지니 ……
  – 모두루 무덤 묘지문

광개토 대왕의 대외 활동과 독자적인 세력권의 확장은 고구려의 천하관으로 나타났다. 광개토 대왕의 왕호에 보이는 '태왕'은 중국의 천자 또는 황제에 해당하는 고구려만의 칭호로, 당시 고구려를 다스리는 최고의 존재였다. 광개토 대왕릉비에서 태왕은 은택을 베푸는 존재로 묘사되고 있으며, 태왕의 은택은 고구려 사람들뿐만 아니라 속민인 백제, 신라, 동부여에도 미치는 것으로 기술되어 있다. 이들 속민에 대한 통치는 구체적으로 태왕의 신료인 '노객'을 통해 이루어지는 것으로 인식되었다. 광개토 대왕릉비에는 백제 왕과 신라 왕도 모두 태왕의 노객으로 기술되고 있어, 고구려의 천하는 '태왕-노객-민·속민'의 구조 아래에서 태왕을 정점으로 운영되었던 것이다. 고구려의 이와 같은 천하관은 중국이나 북방 민족의 세계와는 다른 고구려만의 독자적 세계였으며, 그 세계 속에는 물론 백제와 신라도 포함되어 있었다.

한편 백제와 신라도 나름의 독자적인 천하관을 가지고 있었다. 백제는 '대왕'이라는 군주 칭호를 사용하였으며, 마한의 소국 일부를 남쪽 오랑캐라는 뜻의 남만으로 부르고 탐라로부터 조공을 받았다. 신라는 주변 세계를 평정하겠다는 염원에서 황룡사에 목탑을 만들었고, 울주 천전리 각석과 마운령비에서 각각 '태왕', '제왕'이라는 칭호를 사용하였다.

중요

01 (가)에 들어갈 내용으로 적절한 것만을 [보기]에서 고른 것은?

> 고구려, 백제, 신라 삼국은 초기에 여러 집단이 연맹을 맺어 성립하였으며, 가장 유력한 집단의 지배자가 왕이 되었다. 이후 왕이 권력을 강화하면서   (가)

[보기]
ㄱ. 도교를 수용하여 사상을 통합하였다.
ㄴ. 율령을 반포하여 국가 체제를 정비하였다.
ㄷ. 여러 집단의 지배자를 귀족으로 흡수하였다.
ㄹ. 여러 집단의 지배자들이 번갈아가며 왕위를 차지하였다.

① ㄱ, ㄴ   ② ㄱ, ㄷ   ③ ㄴ, ㄷ
④ ㄴ, ㄹ   ⑤ ㄷ, ㄹ

02 (가) 왕에 대한 설명으로 옳은 것은?

> 고구려는 2세기 후반   (가)   때 왕권이 안정되면서 5부는 행정 구역으로 바뀌었으며, 5부의 지배자도 중앙 귀족으로 편입되었다.

① 동해안의 옥저를 정복하였다.
② 낙랑군과 대방군을 점령하였다.
③ 졸본에서 국내성으로 도읍을 옮겼다.
④ 진대법을 시행하여 빈민을 구제하였다.
⑤ 중국 남조 및 가야, 왜 등과 교류하였다.

중요

03 다음에서 설명하는 고구려의 왕은?

> • 태학을 세워 인재를 양성하였다.
> • 율령을 반포하여 국가 체제를 정비하였다.
> • 불교를 수용하여 국가의 통합을 꾀하였다.

① 태조왕   ② 미천왕   ③ 장수왕
④ 고국천왕   ⑤ 소수림왕

04 (가)~(다)는 백제의 역사적 사실들이다. 이를 시기 순으로 바르게 나열한 것은?

> (가) 중국의 동진에서 불교를 받아들였다.
> (나) 마한의 중심 세력인 목지국을 병합하였다.
> (다) 고구려의 평양성을 공격하여 대동강 이남의 땅을 차지하였다.

① (가)-(나)-(다)
② (나)-(가)-(다)
③ (나)-(다)-(가)
④ (다)-(가)-(나)
⑤ (다)-(나)-(가)

중요

05 다음 유물을 통해 알 수 있는 역사적 사실로 적절한 것은?

❂ 호우총 출토 청동 '광개토 대왕'명 호우

① 가야는 고구려의 정치적 지배를 받았다.
② 신라는 고구려를 통해 불교를 수용하였다.
③ 고구려가 신라에 정치적 영향력을 행사하였다.
④ 신라는 백제와 동맹을 맺고 고구려에 저항하였다.
⑤ 백제와 왜는 정치적으로 긴밀한 관계를 유지하였다.

단답형

06 (가) 왕과 (나) 호칭을 각각 쓰시오.

> 신라에서는 4세기 후반 [(가)] 때에 김씨가 왕위를 세습하기 시작하였으며, 왕호는 대군장을 의미하는 [(나)](으)로 바뀌었다.

(가): (   ), (나): (   )

중요

07 전기 가야 연맹에 대한 설명으로 옳은 것만을 **보기**에서 고른 것은?

> **보기**
> ㄱ. 박, 석, 김 3성이 번갈아 가며 왕의 자리를 차지하였다.
> ㄴ. 강력한 중앙 집권 국가로 성장하여 한반도 중남부를 장악하였다.
> ㄷ. 금관가야는 해상 교역이 쇠퇴하고 고구려의 공격을 받아 세력이 약화되었다.
> ㄹ. 금관가야는 풍부한 철 생산을 바탕으로 해상 교역을 펼치며 전기 가야 연맹을 주도하였다.

① ㄱ, ㄴ   ② ㄱ, ㄷ   ③ ㄴ, ㄷ
④ ㄴ, ㄹ   ⑤ ㄷ, ㄹ

중요

08 밑줄 친 ㉠에 해당하는 내용으로 적절한 것만을 **보기**에서 고른 것은?

> 광개토 대왕은 소수림왕 때의 체제 정비를 바탕으로 ㉠정복 활동을 펼쳐 영토를 크게 확장하였다.

> **보기**
> ㄱ. 동부여를 병합하였다.
> ㄴ. 고령의 대가야를 정복하였다.
> ㄷ. 백제를 공격하여 한강 이북을 차지하였다.
> ㄹ. 마한의 남은 세력을 정복하여 남해안까지 영토를 확장하였다.

① ㄱ, ㄴ   ② ㄱ, ㄷ   ③ ㄴ, ㄷ
④ ㄴ, ㄹ   ⑤ ㄷ, ㄹ

09 (가) 왕에 대한 설명으로 옳은 것만을 **보기**에서 고른 것은?

> 광개토 대왕의 뒤를 이은 [(가)]은/는 중국이 남조와 북조로 분열된 상황을 이용하여 실리를 추구하는 외교 정책을 펼쳤다.

> **보기**
> ㄱ. 신라와 혼인을 통해 동맹을 체결하였다.
> ㄴ. 도읍을 대동강 유역의 평양으로 옮겼다.
> ㄷ. 좌평을 두고 관등제의 기초를 마련하였다.
> ㄹ. 남진 정책을 추진하여 한강 이남까지 영토를 확장하였다.

① ㄱ, ㄴ   ② ㄱ, ㄷ   ③ ㄴ, ㄷ
④ ㄴ, ㄹ   ⑤ ㄷ, ㄹ

10 백제가 (가), (나)와 같이 천도한 이유로 옳은 것만을 **보기**에서 고른 것은?

> **보기**
> ㄱ. (가)-장수왕의 공격으로 한강 유역을 빼앗겼다.
> ㄴ. (가)-마한 지역을 완전히 장악하기 위해서였다.
> ㄷ. (나)-백제의 중흥을 도모하기 위해서였다.
> ㄹ. (나)-진흥왕의 공격으로 한강 유역을 빼앗겼다.

① ㄱ, ㄴ   ② ㄱ, ㄷ   ③ ㄴ, ㄷ
④ ㄴ, ㄹ   ⑤ ㄷ, ㄹ

11 (가)~(다) 시기 삼국의 상황으로 옳은 것만을 <u>보기</u>에서 고른 것은?

(가)	(나)	(다)

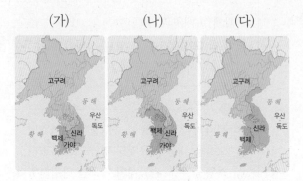

─ 보기 ─

ㄱ. (가)-고구려는 백제와 동맹을 맺어 신라를 공격하였다.

ㄴ. (나)-백제는 해상 교역망을 장악하여 남조 및 가야, 왜 등과 교류하였다.

ㄷ. (다)-신라는 고구려를 통해 중국 북조와 교류하였다.

ㄹ. 시기 순으로 바르게 나열하면 (나)-(가)-(다)이다.

① ㄱ, ㄴ　　② ㄱ, ㄷ　　③ ㄴ, ㄷ

④ ㄴ, ㄹ　　⑤ ㄷ, ㄹ

12 (가)에 들어갈 백제의 왕으로 옳은 것은?

지방의 주요 지역에 22담로를 설치하였고, 중국 남조의 양과 외교 관계를 맺고 문물 교류에 힘썼던 왕은?

역사 퀴즈

(가)

① 성왕　　　　　② 고이왕
③ 동성왕　　　　④ 무령왕
⑤ 근초고왕

13 (가) 왕에 대한 설명으로 적절한 것은?

> 백제는 ___(가)___ 때 중흥기를 맞이하였다. 중앙과 지방의 행정 조직을 정비하고, 이를 통해 국력을 키워 한강 유역을 일시적으로 되찾기도 하였다.

① 황룡사를 창건하였다.
② 금관가야를 멸망시켰다.
③ 국호를 남부여로 고쳤다.
④ 수도를 웅진(공주)으로 옮겼다.
⑤ 좌평을 두고 관등제의 기초를 마련하였다.

14 다음에서 설명하는 신라 왕의 업적으로 옳은 것만을 <u>보기</u>에서 고른 것은?

> • 병부를 설치하여 군사권을 장악하였다.
> • 불교를 공인하여 사상의 통일을 꾀하였다.

─ 보기 ─

ㄱ. 대가야를 정복하였다.

ㄴ. 금관가야를 병합하였다.

ㄷ. 이사부를 보내 우산국을 정벌하였다.

ㄹ. 율령을 반포하여 체제를 정비하였다.

① ㄱ, ㄴ　　② ㄱ, ㄷ　　③ ㄴ, ㄷ

④ ㄴ, ㄹ　　⑤ ㄷ, ㄹ

[15~16] 다음을 읽고 물음에 답하시오.

> 신라는 6세기 중엽 진흥왕 때 비약적으로 발전하였다. 진흥왕은 청소년 수련 단체인 ☐(가)☐ 을/를 국가적인 조직으로 개편하여 인재를 양성하였고, 이를 기반으로 ☐(나)☐ 유역을 차지하였다. ☐(나)☐ 유역은 한반도의 중심이자 중국과 직접 교류할 수 있는 곳이었기 때문에, 신라는 이 시기에 삼국 중에서 우위를 차지할 수 있었다.

15 (가)에 들어갈 조직의 명칭으로 옳은 것은?

① 5부제 ② 화랑도 ③ 골품제
④ 관등제 ⑤ 화백 회의

중요

16 신라가 (나) 지역을 차지한 사실과 관련 있는 비석으로 옳은 것은?

① 황초령비
② 마운령비
③ 충주 고구려비
④ 북한산 순수비
⑤ 창녕 신라 진흥왕 척경비

단답형

17 (가), (나) 국가를 각각 쓰시오.

> 5세기 후반에 금관가야를 대신하여 고령의 ☐(가)☐ 이/가 후기 가야 연맹의 중심이 되었다. 하지만 ☐(가)☐ 은/는 6세기 들어 백제에게 전라도 동부 지역을 빼앗겼고, ☐(나)☐ 의 공격으로 멸망하면서 가야 연맹은 몰락하였다.

(가): (   ), (나): (   )

18 다음 유물을 보고 물음에 답하시오.

⑴ 위 유물의 명칭을 쓰시오.

⑵ 위 유물을 통해 알 수 있는 당시 백제의 대외 관계를 서술하시오.

19 다음을 읽고 물음에 답하시오.

> 고구려 대왕이 신라 매금(마립간)을 만나 영원토록 우호를 맺기 위해 중원(충주)에 왔으나 …… 동이(동쪽의 오랑캐) 매금에게 옷을 내려 주었다.

⑴ 위 내용이 들어간 비석의 명칭을 쓰시오.

⑵ 위 내용을 통해 알 수 있는 고구려와 신라의 관계를 서술하시오.

4 삼국의 문화와 대외 교류

01 고분과 의식주 문화

1. 삼국과 가야의 고분 양식

(1) **고구려**: 초기에는 돌무지무덤(돌널 위에 돌을 쌓음) → 중기 이후 굴식 돌방무덤 (돌로 만든 방과 통로, 모줄임 천장, 널방에 벽화를 그림)으로 변화
└ 시신을 보관하는 돌로 된 관을 가리킴

(2) **백제**: 한성 시기에는 고구려의 영향으로 계단식 돌무지무덤 축조 → 웅진·사비 시기에는 굴식 돌방무덤, 벽돌무덤(무령왕릉, 중국 남조의 영향) 축조

(3) **신라**: 6세기 이전에는 돌무지덧널무덤(나무 덧널 위에 돌을 쌓고 흙으로 덮음, 도굴이 어려움) → 6세기 이후 굴식 돌방무덤 등장

(4) **가야**: 산 언덕을 따라 일렬로 분포, 돌덧널무덤(돌로 벽을 쌓고 시신 매장)과 굴식 돌방무덤 축조

2. 고분 벽화

(1) **고분 벽화의 제작**

① 배경: 현세의 생활이 사후 세계에도 지속된다는 믿음 → 벽화 제작, 껴묻거리 매장
└ 처음에는 벽면에 석회를 바르고 마르기 전에 밑그림을 그리고 채색하였으나, 점차 석회가 마른 다음에 그림을 그림

② 내용: 초기에는 석회 벽면에 생활 풍속과 장식 무늬 → 돌 벽면에 사신도

(2) **고구려인의 일상생활 및 종교와 사상**

① 일상생활: 신분에 따른 복식의 차이, 밥과 반찬의 식생활, 부엌과 푸줏간의 주거 공간 등
└ 의복과 장신구   └ 돼지고기나 소고기 등을 팔던 가게

② 종교와 사상: 불교, 도교의 영향

3. 삼국 시대 사람들의 생활

(1) **의생활**: 직물로 옷 제작, 고위 신분은 금속 장식

(2) **식생활**: 끓이고 삶는 음식 발달, 조나 보리를 주식으로 이용, 쌀은 소수의 지배층만이 이용

(3) **주생활**: 기능과 신분에 따라 다양, 온돌 사용(부뚜막을 통해 난방과 주방 겸함)
└ 아궁이 위에 솥을 걸어 놓는 언저리. 흙과 돌을 섞어 쌓아 편평하게 만듦

보충+ 삼국의 고분 중 무령왕릉만 능으로 불리는 이유

능은 왕이나 왕후의 무덤을 가리키는 용어로, 경주 지역의 무덤에서 금관이 나와도 거기에 묻힌 사람을 왕이라고 단언할 수 없기 때문에 능이라 하지 않는다. 무령왕릉에서는 무령왕의 지석이 발견되었기에 무령왕릉이라고 부른다.

◎ 모줄임 천장

무덤의 네 모퉁이에서 세모의 굄돌을 걸치는 식으로 모를 줄여 가며 올리는 천장 양식이다. 완성된 천장을 올려다 보면 사각형 속에 마름모꼴, 마름모꼴 속에 작은 사각형이 보인다.

◎ 사신도

동서남북의 네 가지 방위를 상징하는 신을 그린 그림이다. 방위신은 모두 동물의 모습을 하고 있는데, 동쪽이 청룡, 서쪽은 백호, 남쪽은 주작, 북쪽은 현무이다.

자료 이해하기 오회분 4호 묘의 해와 달
📖 교과서 35쪽

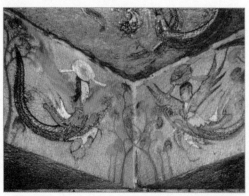

| 내용 알기 | 오회분 4호 묘 널방의 천장고임 북쪽 귀퉁이 삼각 석면에는 해의 신과 달의 신의 모습이 그려져 있다. 서로 마주 보며 해와 달을 머리 위로 받쳐 든 채 날아오르는 자세의 두 신 가운데 오른쪽이 해신이고 왼쪽이 달신이다. 해신은 머리를 풀어 아래로 늘어뜨린 남신으로, 두 손을 머리 위로 들어 둥근 해를 받쳐 들었다. 해 안에는 태양 안에서 사는 세 발 달린 상상의 까마귀인 삼족오가 있다. 해신은 상반신은 사람이지만 하반신은 용이며 황색 깃이 달린 푸른 날개 옷을 입고 두 발을 앞뒤로 힘차게 뻗었다. 달신은 얼굴이 희고 입술이 붉은 여신으로, 긴 머리카락을 휘날리며 머리 위로 둥근 달을 받쳐 들었다. 달 한가운데에는 두꺼비가 있다. 해신과 마찬가지로 위는 사람이고 아래는 용인데, 용의 몸이 오색으로 빛난다.

중국 한나라 때 복희 여와 석각 그림을 보면 복희는 삼족오가 들어 있는 해를 들고 있고, 여와는 개구리 혹은 두꺼비가 들어 있는 달을 들고 있다. 따라서 오회분 4호 묘의 해와 달 그림은 중국 문화의 영향을 받았다고 할 수 있다.

02 삼국과 가야의 문화 교류

1. 불교와 도교 수용
(1) 불교
  ① 수용: 중앙 집권 국가로 발전하는 과정에서 왕실을 중심으로 수용
  ② 불교 예술의 발달: 사원 건립(고구려-정릉사, 백제-정림사·미륵사, 신라-황룡사), 탑 건축(목탑 위주에서 석탑 위주로 변화, 경주 분황사 모전 석탑, 익산 미륵사지 석탑 등)
    └ 돌을 벽돌모양으로 다듬어 쌓은 탑
(2) 도교
  ① 수용: 귀족 사회를 중심으로 유행
    └ 뚜껑 부분에는 도교의 신선이 산다는 이상향이 표현되어 있음
  ② 문화유산: 사신도, 백제 금동 대향로, 산수무늬 벽돌 등
(3) 유학: 중국에서 전래(고구려의 태학에서 유교 경전 교육)
    └ 구름 아래 3개의 봉우리로 이루어진 산이 있고, 하단에는 물이 있음

2. 주변 국가와의 교류
(1) 고구려: 중국의 남북조와 서역 등에서 다양한 문화 수용 → 백제·신라·가야·왜 등에 전파
    └ 중국인이 중국의 서쪽 지역을 총칭하는 데 사용한 호칭으로, 일반적으로 중앙아시아 지역을 가리킴
(2) 백제: 중국 남조와 활발하게 교류, 중국·가야·왜를 연결하는 해상 왕국으로 성장
(3) 신라: 고구려를 통해 중국과 교류 → 독자적으로 중국, 서역과 교류
(4) 가야: 중국 남조, 북방, 백제, 왜를 연결하는 해상 교역로 개척 → 동아시아 교류에서 중요 역할 담당

3. 삼국과 가야 문화의 일본 전파
(1) 백제: 불교 전파, 학자와 기술자 파견 등 가장 적극적으로 교류
(2) 고구려: 종이와 먹을 만드는 기술 전파
(3) 신라: 배를 만드는 기술과 불상 전파
(4) 가야: 철기와 토기 문화 전파 → 일본 고대 국가 기틀 형성에 이바지
    └ 바닷길을 이용하여 왜와 활발히 교류함

보충⁺ 미륵사

『삼국유사』에 따르면, 무왕이 왕비와 함께 사자사에 행차하였을 때 용화산 아래 큰 못가에 이르자 미륵삼존이 나타났다. 이에 수레를 멈추고 경의를 표하였고, 왕비가 왕에게 이곳에 절을 세우기를 청하였으므로 못을 메워 절을 창건하였다고 한다.

보충⁺ 황룡사

신라 진흥왕 14년(553)에 경주 월성의 동쪽에 궁궐을 짓다가, 그곳에서 황룡이 나타났다는 말을 듣고 절로 고쳐 짓기 시작하여 17년 만에 완성하였다고 한다. 고려 고종 때 몽골의 침입으로 모두 불에 타 터만 남아 있다.

정리 삼국과 가야의 문화 교류와 관련된 유물 정리

고구려-서역	아프라시아브 궁전 벽화
고구려-왜	수산리 고분 벽화, 다카마쓰 고분 벽화
백제-중국 남조	「양직공도」의 백제 사신, 남조의 주전자
백제-왜	백제의 귀고리, 왜의 귀고리
신라-서역	경주 계림로 보검
가야-중국	허리띠 장식
가야-왜	바람개비 꾸미개, 가야의 말 투구, 왜의 말 투구

중단원 핵심 확인하기 풀이

📖 교과서 39쪽

1. 빈칸에 들어갈 알맞은 말을 써 보자.

(1) 고구려 초기에는 시신이 담긴 돌널 위에 돌을 쌓은 □□□무덤을 만들었다.
(2) 백제에서는 공주 무령왕릉과 같이 중국 남조의 영향을 받은 □□무덤도 나타났다.
(3) 신라에서는 나무 덧널 위에 돌을 쌓은 후 다시 흙을 언덕 모양으로 덮은 □□□□□무덤이 많이 만들어졌다.

(1) 돌무지 (2) 벽돌 (3) 돌무지덧널

2. 관련 있는 내용을 옳게 연결해 보자.

(1) 고구려 ——————— ㉠ 황룡사
(2) 백제 ——————— ㉡ 금동 대향로
(3) 신라 ——————— ㉢ 장군총

3. 옳은 내용은 ○표, 틀린 내용은 ×표를 해 보자.

(1) 백제는 주로 중국 북조와 활발하게 교류하였다. (×)
(2) 신라는 처음 고구려를 통해 중국과 교류했으나 점차 독자적으로 중국과 교류하였다. (○)

4. 제시된 용어를 3개 이상 사용하여 삼국과 가야 문화의 일본 전파 양상을 문장으로 완성해 보자.

고구려	물산	백제	가야	신라

종이	토기	배	불교	고대 문화

• 고구려의 종이 만드는 기술, 백제의 불교, 신라의 배 만드는 기술, 가야의 토기 문화 등이 일본으로 전해져 일본의 고대 문화 발전에 영향을 끼쳤다.
• 고구려, 백제, 신라, 가야의 문화가 일본으로 전해져 일본의 고대 문화가 발전하였다.

도입 활동 풀이

교과서 32쪽

교과서 도입 01 고분 벽화의 사람 크기가 다른 이유

| 도입 보충 |

고구려인은 사후에도 현세의 생활이 이어진다고 믿었으며, 고분은 현세의 생활을 영위하는 공간이라고 생각했다. 그래서 고분을 만들 때 생활 공간에 따라 방을 구분하였고, 방의 용도에 맞는 벽화를 그렸다. 벽화 속 고분의 주인공은 크게, 주인공을 시중드는 사람은 작게 표현한 것은 실제 사람의 크기가 아니라 신분의 차이를 표현한 것으로 볼 수 있다.

◑ 쌍영총 묘실 내부

평안남도 용강군에 있는 쌍영총의 고분 벽화 「공양 행렬도」에는 네 사람이 등장하는데, 이들의 크기가 모두 다르다.

◆ 고구려 고분 벽화에 등장하는 사람들의 크기가 다른 까닭은 무엇일까?

도입 예시 답안 | 신분의 차이를 나타내려고 무덤의 주인공은 크게, 시중드는 사람은 작게 그렸다.

교과서 37쪽

교과서 도입 02 우리나라와 일본의 반가사유상

| 도입 보충 |

삼국과 가야는 일본과 문화 교류를 활발히 전개하였다. 국립 중앙 박물관에 있는 금동 미륵보살 반가 사유상과 일본 고류사에 있는 목조 미륵보살 반가 사유상은 불상의 재료는 다르지만 형태는 매우 유사하다. 이를 통해 고대 우리나라와 일본의 활발한 문화 교류를 엿볼 수 있다.

◑ 금동 미륵보살 반가 사유상(국립 중앙 박물관)

◑ 목조 미륵보살 반가 사유상(일본 고류사)

◆ 우리나라와 일본에 있는 반가 사유상이 닮은 까닭은 무엇일까?

도입 예시 답안 | 당시 삼국과 일본 사이에는 불교 예술과 관련된 문화 교류가 활발하였기 때문이다.

도입 plus⁺ 닮은 꼴의 두 반가 사유상

◐ 금동 미륵보살 반가 사유상(국립 중앙 박물관)

◐ 목조 미륵보살 반가 사유상(일본 고류사)

많은 사람이 일본 고류사 목조 반가 사유상이 삼국 시대 때 한국에서 일본으로 넘어간 것으로 보고 있다. 이에 대한 근거로는 첫째, 고류사 목조 반가 사유상의 재료인 적송(붉은 소나무)이 한반도에서는 많이 나지만 일본에는 별로 없다는 점이다. 둘째, 일본의 고대 역사서인 『일본서기』 중 '신라의 사신이 불상과 금탑을 갖고 왔으며, 그 가운데 불상은 하테데라(고류사의 다른 이름)에 안치했다.'라는 내용이 있는데, 여기서 말하는 불상이 바로 고류사 목조 반가 사유상이라는 것이다.

이러한 근거만으로 고류사 목조 반가 사유상이 한반도에서 만들어졌다고 말하기는 어렵다. 드물지만 일본에도 적송이 있으며, 『일본서기』에 나오는 불상을 지금의 고류사 목조 미륵보살 반가 사유상이라고 단정할 수도 없기 때문이다. 하지만 당시 한국과 일본의 불상 제작 기법의 수준이나 문화 교류 상황을 살펴보면, 일본이 스스로 반가 사유상을 만들었다고 보기는 어렵다. 따라서 일본의 반가 사유상은 어떤 식으로든지 우리나라의 영향을 받았다고 볼 수 있으며, 당시 삼국과 일본 사이에 불교 예술과 관련된 활발한 교류를 입증해 주는 중요한 유물이다.

역사 탐구 풀이 및 보충

교과서 33쪽

역사 탐구 역사가 숨 쉬는 삼국의 고분

돌무지무덤

고구려 장군총(중국 지린성 지안)

돌무지무덤 양식을 지닌 고분으로 돌을 피라미드 모양으로 쌓아 올린 것이다.

백제 서울 석촌동 고분군(서울 송파)

백제의 고분은 고구려와 달리 안을 흙으로 채우고 바깥에만 돌을 쌓은 형태이다.

굴식 돌방무덤

봉토
널방 · 앞방 · 널길
이음길

고구려 쌍영총의 천장(평남 남포)

돌방무덤 중에는 모줄임천장을 지닌 것이 있다.

고구려 덕흥리 고분 벽화(평남 남포)

돌방무덤의 벽면에는 벽화를 그리기도 하였다.

벽돌무덤

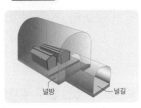

널방 · 널길

백제 공주 무령왕릉(충남 공주)

벽돌무덤은 벽돌로 널방을 만든 중국식 무덤이다.

무령왕 금제 관장식

무령왕릉에서 출토된 왕의 관장식으로, 비단 관모의 좌우나 앞뒤에 꽂아 장식하였다.

돌무지덧널무덤

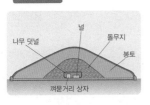

널 · 돌무지
나무 덧널 · 봉토
꺼묻거리 상자

신라 경주 고분군(경북 경주)

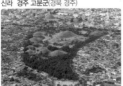

경주 시내에는 돌무지덧널무덤 형식의 거대한 고분이 무리 지어 분포하고 있다.

신라 경주 천마총 장니 천마도(경북 경주)

경주 천마총에서는 말안장에 덧댄 장니 위에 그려진 천마도가 발견되었다.

1. 삼국의 고분 양식을 정리하여 써 보자.

정답 풀이│ 고구려: 돌무지무덤, 굴식 돌방무덤, 백제: 돌무지무덤, 벽돌무덤, 신라: 돌무지덧널무덤

2. 삼국의 고분이 거대하고 화려한 까닭을 말해 보자.

정답 풀이│ 삼국과 가야는 신분제 사회였으므로 왕이나 귀족의 고분을 크고 화려하게 만들었다.

탐구 plus 고분의 구조와 관련된 용어의 의미

- 널: 시신을 넣거나 보관 상자로 사용되는 관
- 나무 덧널: 널을 안치할 수 있는 보호 시설로서 주로 나무로 만듦
- 꺼묻거리 상자: 무덤 속에 죽은 사람을 매장할 때 함께 묻는 물품을 따로 넣어 두는 나무 상자
- 널방: 시신이 안치되어 있는 무덤 속의 방
- 앞방: 두 칸 무덤에서 앞에 있는 무덤 칸으로 주로 제사를 지낼 때 쓴 칸으로 추정됨
- 널길: 고분의 입구에서 널방 또는 앞방까지 이르는 길
- 이음길: 두 칸 무덤에서 앞방과 널방을 연결하는 길
- 돌무지: 무덤 둘레에 보호물로 쌓아 둔 돌 더미
- 봉토: 무덤에 쌓아 올린 흙

중요

01 다음 고분들을 통해 알 수 있는 사실로 가장 적절한 것은?

◎ 장군총   ◎ 석촌동 고분군

① 삼국 시대에 벽돌무덤이 유행하였다.
② 백제는 중국 북조와 활발히 교류하였다.
③ 신라는 고구려의 정치적 압박을 받았다.
④ 백제를 건국한 세력은 고구려 이주민들이었다.
⑤ 백제와 신라는 동맹을 맺고 활발히 교류하였다.

02 (가)에 들어갈 학생의 답변으로 옳은 것만을 보기에서 고른 것은?

그림과 같은 구조의 고분 양식이 가진 특징을 말해 볼까요?

봉토 / 널방 / 앞방 / 널길 / 이음길 / (가)

─ 보기 ─
ㄱ. 널방에는 벽화가 많이 남아 있다.
ㄴ. 모줄임천장의 형태를 지닌 것이 있다.
ㄷ. 도굴이 어려워 많은 유물이 남아 있다.
ㄹ. 삼국 가운데 고구려에서만 만들어졌다.

① ㄱ, ㄴ   ② ㄱ, ㄷ   ③ ㄴ, ㄷ
④ ㄴ, ㄹ   ⑤ ㄷ, ㄹ

중요

03 다음 고분에 대한 설명으로 옳은 것은?

◎ 공주 무령왕릉

① 중국 남조의 영향을 받았다.
② 벽에 사신도가 그려져 있다.
③ 고구려 고분 양식에 영향을 미쳤다.
④ 돌무지덧널무덤 양식으로 만들어졌다.
⑤ 도굴되어 발견 당시 유물이 전혀 남아 있지 않았다.

04 다음 자료를 토대로 설정할 수 있는 탐구 주제로 적절한 것은?

◎ 부엌과 푸줏간

① 고구려의 신분제   ② 고구려의 천문학
③ 고구려의 주거 문화   ④ 고구려의 불교 수용
⑤ 고구려의 무예 숭상

단답형

05 다음에서 설명하는 나라를 쓰시오.

• 중국 남조와 활발히 교류하였고, 바다를 통해 중국, 가야, 왜를 연결하는 해상 왕국으로 성장하였다.
• 일본에 불교를 전파하고 학자와 기술자를 파견하였다.

(   )

고난도

06 다음의 유물들을 예시로 제시하는 보고서의 제목으로 가장 적절한 것은?

◎ 아프라시아브 궁전 벽화

◎ 「양직공도」의 백제 사신

◎ 경주 계림로 보검

① 백제, 일본에 불교를 전파하다.
② 삼국, 여러 나라와 문화를 교류하다.
③ 금관가야, 주변 지역과 활발히 교류하다.
④ 삼국, 왕실을 중심으로 불교를 수용하다.
⑤ 삼국, 일본 고대 문화의 발전에 영향을 미치다.

07 다음 벽화를 통해 알 수 있는 역사적 사실로 옳은 것은?

◎ 수산리 고분 벽화

◎ 다카마쓰 고분 벽화

① 백제가 서역과 활발히 교류하였다.
② 신라는 고구려를 통해 중국과 교류하였다.
③ 고구려와 일본 사이의 문화 교류가 이루어졌다.
④ 삼국과 가야는 중국의 문화를 적극적으로 수용하였다.
⑤ 왜는 가야 문화를 수용하여 고대 국가의 기틀을 마련하였다.

08 다음 그림을 보고 물음에 답하시오.

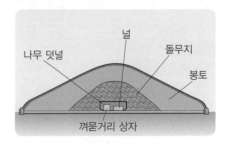

(1) 위 무덤 양식의 명칭을 쓰시오.

(2) 위 무덤 양식의 특징을 서술하시오.

09 다음 유물을 통해 알 수 있는 삼국 시대에 유행한 종교를 쓰고, 유물과 해당 종교와의 연관성에 대해 서술하시오.

◎ 사신도(현무)

◎ 백제 금동 대향로

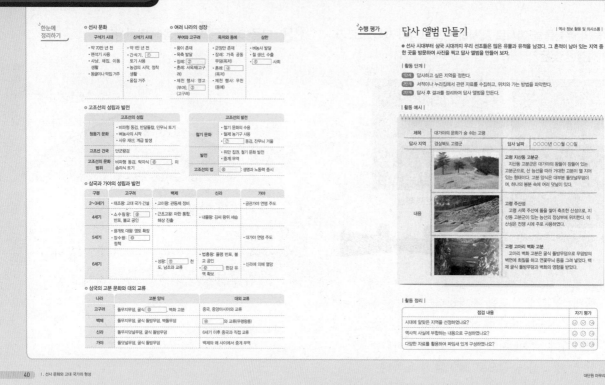

한눈에 정리하기

| 예시 답안 |

① 빗살무늬

② 순장

③ 동맹

④ 민며느리제

⑤ 제정 분리

⑥ 고인돌

⑦ 세형

⑧ 8조법

⑨ 율령

⑩ 남진

⑪ 사비

⑫ 진흥왕

⑬ 돌방무덤

⑭ 중국 남조

수행 평가

 소개하고 싶은 문화유산을 골라 주제를 정하고 자료를 정리하는 과정에서 역사 정보 활용 역량을 기를 수 있다.

| 예시 답안 |

제목	무령왕의 숨결이 느껴지는 공주
답사 지역	**공주 송산리 고분군과 무령왕릉** 송산리 고분군은 백제 웅진 시기 왕과 왕족들의 무덤으로, 굴식 돌방무덤과 벽돌무덤이 함께 존재한다. 구릉의 능선을 따라 나지막하게 봉분이 만들어져 있으며, 국보급 유물들이 대량으로 출토된 무령왕릉이 있다.
내용	**공주 공산성** 공주시를 관통하는 금강의 남쪽에 쌓은 백제의 왕성으로, 현재의 돌로 만든 성벽은 조선 시대에 쌓은 것이다. 백제 당시에는 흙으로 쌓은 토성으로 추정되며, 성 내부에서 백제 시대의 건물터와 연못, 우물 등이 발견되었다. 유물로는 칠기, 철제 갑옷, 칼 등이 출토되었다. **국립 공주 박물관** 공주시에 있는 국립 박물관으로, 무령왕릉에서 출토된 유물을 중심으로 백제 웅진 시대의 역사와 문화를 보여 주고 있다. 1층 전시실에는 유물 출토 당시와 유사하게 무령왕릉의 상황을 재현하여 전시하고 있으며, 2층 전시실에는 5~6세기에 해당하는 백제 유물을 시대별로 전시하고 있다.

대단원 마무리 문제

❶ 선사 문화와 고조선

01 (가), (나) 도구를 주로 사용했던 시대에 대한 설명으로 옳은 것만을 보기에서 고른 것은?

 (가)

 (나)

┌─ 보기 ─────────────────────
ㄱ. (가)-농경이 시작되어 정착 생활을 하였다.
ㄴ. (가)-동굴이나 강가에서 막집을 짓고 살았다.
ㄷ. (나)-밭농사를 지어 조, 피 등의 잡곡을 재배하였다.
ㄹ. (나)-집단 간의 정복 전쟁이 활발해지면서 국가가 발생하였다.
└──────────────────────────

① ㄱ, ㄴ   ② ㄱ, ㄷ   ③ ㄴ, ㄷ
④ ㄴ, ㄹ   ⑤ ㄷ, ㄹ

02 다음 유물에 대한 설명으로 옳은 것만을 보기에서 고른 것은?

┌─ 보기 ─────────────────────
ㄱ. 주로 지배자들이 사용하였다.
ㄴ. 고조선 문화권의 범위를 추정할 수 있는 유물이다.
ㄷ. 칼 모양의 화폐로 고조선의 교역 활동을 보여 준다.
ㄹ. 한반도에서 독자적인 청동기 문화가 발전했음을 보여 주는 유물이다.
└──────────────────────────

① ㄱ, ㄴ   ② ㄱ, ㄷ   ③ ㄴ, ㄷ
④ ㄴ, ㄹ   ⑤ ㄷ, ㄹ

03 다음을 통해 알 수 있는 고조선 사회에 대한 설명으로 옳은 것만을 보기에서 고른 것은?

┌────────────────────────────────
• 사람을 죽인 자는 사형에 처한다.
• 남을 다치게 한 자는 곡물로 갚는다.
• 도둑질한 사람은 노비로 삼으며, 용서를 받으려면 50만 전을 내야 한다.
└────────────────────────────────

┌─ 보기 ─────────────────────
ㄱ. 제정 분리 사회였다.
ㄴ. 생명과 노동력을 중시하였다.
ㄷ. 채집과 수렵 위주의 사회였다.
ㄹ. 노비가 존재하는 신분제 사회였다.
└──────────────────────────

① ㄱ, ㄴ   ② ㄱ, ㄷ   ③ ㄴ, ㄷ
④ ㄴ, ㄹ   ⑤ ㄷ, ㄹ

❷ 여러 나라의 성장

04 (가)~(마)는 철기 문화를 바탕으로 등장한 국가들이다. 각 나라에 대한 설명으로 옳은 것은?

① (가)-왕이 존재하지 않았다.
② (나)-나라의 중대사는 제가 회의를 통해 결정하였다.
③ (다)-무천이라는 제천 행사를 열었다.
④ (라)-소도라 불리는 신성 지역이 있었다.
⑤ (마)-민며느리제의 혼인 풍습이 있었다.

05 다음에서 설명하는 국가의 특징으로 옳은 것은?

> • 쑹화강 유역의 평야 지대에 자리 잡아 농경과 목축이 발달하였다.
> • 중국 군현과 우호적인 관계를 유지하며 활발하게 교류하였다.

① 형사취수제라는 풍습이 있었다.
② 동맹이라는 제천 행사가 열렸다.
③ 민며느리제의 혼인 풍습이 있었다.
④ 철이 많이 생산되어 낙랑, 왜 등에 수출하였다.
⑤ 마을을 서로 침범하면 노비나 소, 말로 배상하게 하는 책화가 있었다.

❸ 삼국의 성립과 발전

06 다음 소주제들을 토대로 한 탐구 주제로 적절한 것은?

> • 율령 반포   • 관등제 설치   • 불교 수용

① 삼국 간의 항쟁
② 귀족 세력의 재편
③ 연맹 국가의 해체
④ 중앙 집권 국가로의 성장
⑤ 청동기 문화 발전에 따른 변화

07 (가)에 들어갈 왕과 밑줄 친 (나)에 해당하는 내용을 바르게 연결한 것은?

> 광개토 대왕은 [(가)] 때의 (나)체제 정비를 바탕으로 정복 활동을 펼쳐 영토를 크게 확장하였다.

	(가)	(나)
①	성왕	사비 천도
②	고이왕	좌평 설치
③	태조왕	옥저 정복
④	법흥왕	불교 공인
⑤	소수림왕	율령 반포

08 (가), (나) 유물을 통해 알 수 있는 역사적 사실로 옳은 것만을 보기 에서 고른 것은?

(가)   (나)

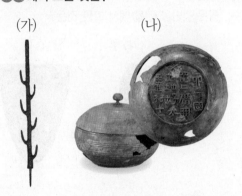

> **보기**
> ㄱ. (가)-고구려가 대제국을 건설하였다.
> ㄴ. (가)-백제와 왜가 활발히 교류하였다.
> ㄷ. (나)-신라는 고구려의 정치적 영향을 받았다.
> ㄹ. (나)-백제는 자국 중심의 천하관을 갖고 있었다.

① ㄱ, ㄴ   ② ㄱ, ㄷ   ③ ㄴ, ㄷ
④ ㄴ, ㄹ   ⑤ ㄷ, ㄹ

09 (가)~(라)의 사실들을 시기 순으로 바르게 나열한 것은?

> (가) 백제의 무령왕은 지방의 중요 지역에 22담로를 설치하였다.
> (나) 고구려의 장수왕은 남진 정책을 추진하여 백제의 수도 한성을 함락하였다.
> (다) 백제의 근초고왕은 고구려의 평양성을 공격하여 대동강 이남의 땅을 차지하였다.
> (라) 신라의 진흥왕은 국가 조직으로 개편한 화랑도를 기반으로 한강 유역을 차지하였다.

① (가)-(나)-(다)-(라)
② (나)-(다)-(라)-(가)
③ (다)-(나)-(가)-(라)
④ (다)-(라)-(나)-(가)
⑤ (라)-(다)-(가)-(나)

4 삼국의 문화와 대외 교류

10 (가), (나) 고분에 대한 설명으로 옳은 것만을 (보기)에서 고른 것은?

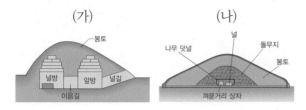

(가)   (나)

> **보기**
> ㄱ. (가)-고구려에서만 만들었던 무덤이다.
> ㄴ. (가)-널방에는 벽화가 많이 남아 있다.
> ㄷ. (나)-중국 남조의 영향을 받았다.
> ㄹ. (나)-도굴이 어려워 많은 유물이 남아 있다.

① ㄱ, ㄴ   ② ㄱ, ㄷ   ③ ㄴ, ㄷ
④ ㄴ, ㄹ   ⑤ ㄷ, ㄹ

11 삼국 시대 사람들의 생활 모습으로 옳지 <u>않은</u> 것은?

① 직물로 만든 옷을 입었다.
② 대부분의 사람이 쌀을 주식으로 먹었다.
③ 대부분의 사람이 온돌을 깐 집에 살았다.
④ 신분이 높은 사람은 옷에 금속 장식을 달기도 하였다.
⑤ 이전 시기와 비교해 끓이고 삶는 음식물이 발달하였다.

12 삼국과 가야가 일본에 전파한 문화에 대한 설명으로 옳은 것은?

① 신라는 불교를 전파하였다.
② 가야는 학자와 기술자를 파견하였다.
③ 신라는 철기와 토기 문화를 전파하였다.
④ 백제는 배를 만드는 기술을 전파하였다.
⑤ 고구려는 종이와 먹 만드는 기술을 전파하였다.

13 다음 유물의 용도를 통해 알 수 있는 당시 사람들의 생활 모습을 서술하시오.

14 다음 고분 벽화에 그려진 인물들의 크기를 통해 알 수 있는 당시 사회의 특징을 서술하시오.

01 삼국 시대 왕들의 정책 알아보기

◦ 다음의 왕 중에서 한 명을 선택하여 뇌 구조도를 그리고 가상 인터뷰를 작성해 보자.

> 고국천왕, 소수림왕, 광개토 대왕, 장수왕,
> 고이왕, 무령왕, 성왕, 근초고왕,
> 내물왕, 지증왕, 법흥왕, 진흥왕

1. 선택한 왕의 이름과 그 왕이 실시한 정책(업적)을 뇌 구조 안에 써 보자.

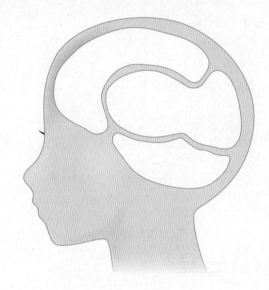

2. 왕이 실시한 정책의 목적 또는 결과를 알 수 있는 가상 인터뷰를 작성해 보자.

기자: _____

☐ : _____

기자: _____

☐ : _____

기자: _____

☐ : _____

02 삼국 시대 대외 교류와 관련된 유물 알아보기

○ 삼국 시대 대외 교류와 관련된 유물을 해당하는 교류 관계와 연결하고, 해당 유물이 교류 관계의 근거가 되는 이유를 서술해 보자.

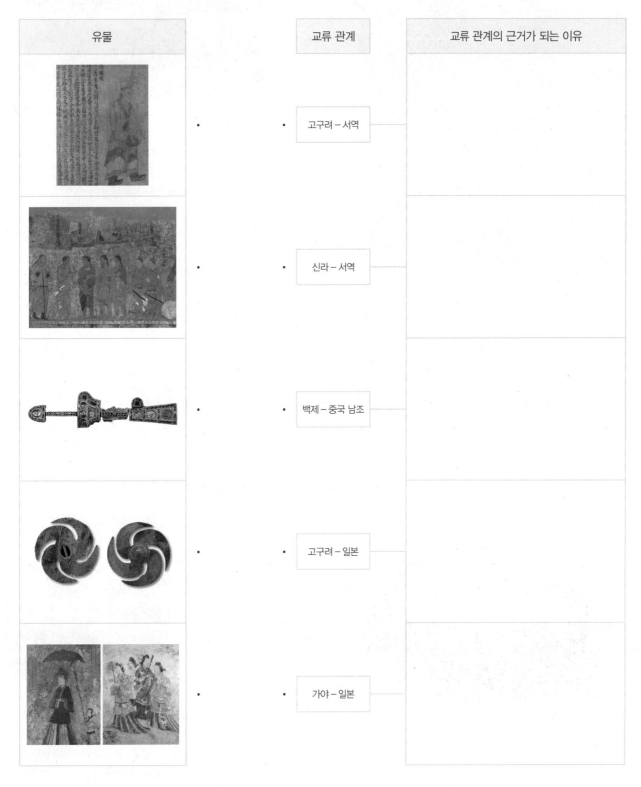

유물	교류 관계	교류 관계의 근거가 되는 이유
	고구려 – 서역	
	신라 – 서역	
	백제 – 중국 남조	
	고구려 – 일본	
	가야 – 일본	

역사 유적을 간직한 섬, 강화도

"강화도 곳곳에서 한국사의 숨결을 느끼다."

단군이 하늘에 제사를 올리기 위해 쌓은 제단으로 알려진 '참성단', 병인양요 때 프랑스군을 물리친 '삼랑성', 삼국 시대에 세워진 사찰 '전등사', 대몽 항쟁 당시 강화도로 천도한 고려 왕조의 궁궐터였던 '고려궁지'를 살펴보자. 이외에도 고창·화순의 고인돌 유적과 함께 2000년에 유네스코 세계 문화유산으로 지정된 '강화 고인돌 유적', 고려 왕조의 왕릉인 '강화 홍릉·강화 석릉·강화 가릉·강화 곤릉', 신미양요 때 미국군에 맞서 싸웠던 '초지진·덕진진·광성보' 등도 찾아보자.

⦿ 참성단

인천광역시 강화군 마니산 서쪽 봉우리에 있으며, 단군이 하늘에 제사를 올리기 위해 쌓은 제단이라고 전한다. 제단은 하늘을 상징하여 둥글게 쌓은 하단과 땅을 상징하여 네모반듯하게 쌓은 상단으로 구성되어 있다. 고려와 조선 시대에는 이곳에서 도교식 제사를 지내기도 했다.

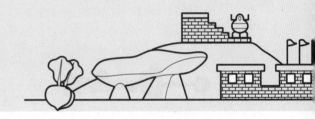

강화도 음식 맛보기

❶ 젓국갈비 대몽 항쟁 시절 왕에게 대접하기 위해 강화 특산물을 모아 만든 음식에서 유래되었다. 돼지갈비에 나물과 채소를 모아 푹 끓인 다음 새우젓으로 간을 해 시원하고 깔끔한 맛이 특징이다.

❷ 약쑥한우 약쑥한우는 출하 전 3개월 동안 강화도의 특산품인 사자발약쑥을 발효시켜 매일 먹는다. 약쑥을 먹은 소는 불포화 지방산이 높고 육질이 부드러우며 마블링이 균일하다. 육즙이 풍부해 고기를 씹을수록 고소한 맛이 난다.

삼랑성

인천광역시 강화군 길상면에 있는 성이다. 단군의 세 아들이 쌓았다는 전설이 있어 삼랑성 또는 정족산성이라고 부른다. 고종 3년(1866) 병인양요 때 동문과 남문을 공격하던 프랑스군을 물리친 곳이다.

전등사

인천광역시 강화군 길상면 온수리의 정족산에 위치한 사찰로, 삼랑성 안에 자리 잡고 있으며 경내에 『조선왕조실록』을 보관하던 정족산 사고가 있다. 고구려 때 세워져 여러 차례 이름을 바꾸고 중수되었다. 전등사란 이름은 고려 후기 충렬왕 때 붙여진 것이며, 현재의 건물은 조선 광해군 때 중수된 것이다.

고려궁지

고려가 몽골의 침략에 대항하고자 강화도로 수도를 옮기고 1234년에 세운 궁궐과 관아 건물로, 1270년 강화 조약이 맺어져 다시 수도를 옮기면서 허물어졌다. 조선 인조 9년에 옛 고려 궁터에 행궁을 지었으나 병자호란 때 함락되었고, 이후 다시 강화유수부의 건물을 지었으나 병인양요 때 불타 동헌과 이방청만이 남아 있다.

❸ 밴댕이회무침 강화도와 석모도에서 빠질 수 없는 요리로 칼칼한 양념에 밴댕이회를 버무려 먹는다. 밴댕이에는 칼슘과 철분이 많아 골다공증과 피부 미용에 좋다.

❹ 순무김치 순무는 과육이 부드럽고 달콤하며 특유의 알싸한 맛이 있다. 순무에는 비타민 함량이 높고 소화를 촉진시키는 효능이 있어 건강식으로도 좋다.

Ⅱ

남북국 시대의 전개

이 단원의 구성

Ⅱ 남북국 시대의 전개

1. 신라의 삼국 통일과 발해의 건국
2. 남북국의 발전과 변화
3. 남북국의 문화와 대외 관계

이 단원에서는 고구려가 수와 당의 침략을 물리치는 과정부터 신라의 삼국 통일 과정과 통일 신라 발해의 발전, 후삼국까지를 다룬다. 신라의 삼국 통일이 갖는 의미를 알아보고, 고구려를 계승한 발해의 건국으로 남북국의 형세로 역사를 이어 갔음을 살펴본다. 통일 신라와 발해가 통치 제도를 정비하는 과정과 정치적 변화의 흐름이 관해 이해한다. 삼국의 문화를 계승한 통일 신라, 발해의 문화를 불교문화와 문화 교류를 중심으로 파악한다.

📍 경주 감은사지 동·서 삼층 석탑(경북 경주)

▶ 사진으로 살펴보기

사진은 목탑의 구조를 단순화시켜 석탑 양식의 시원을 마련한 경주 감은 사지 동·서 삼층 석탑입니다. 동·서 두 탑이 같은 규모와 구조로 이루어 졌으며, 국보 제112호로 지정된 삼층 탑은 전형적인 신라 석탑의 형태를 보여 줍니다.

▶ 단원 열기

이 단원에서는 신라의 삼국 통일과 발해의 건국, 남북국의 발전과 변화, 남북국의 문화와 대외 관계에 대해 다룹니다.

신라의 삼국 통일과 발해의 건국

01 수와 당의 침략을 물리친 고구려

1. 고구려와 수의 전쟁

(1) 6세기 말 동아시아 정세의 변화 ⌐ 6세기 중엽부터 약 200년 동안 몽골고원을 중심으로 활약한 튀르크계 민족

　① 고구려: 수의 통일과 세력 확장 → 돌궐과 연합

　② 신라: 고구려와 백제의 공격 → 수에 도움 요청

(2) 수의 침략과 고구려의 격퇴

수 문제의 침략	고구려에 국서를 보내 굴복 요구 → 고구려의 거절, 요서 지방 선제공격 → 수가 30만 대군을 동원하여 고구려 침략 → 자연재해 등으로 실패
수 양제의 침략	113만 대군을 이끌고 고구려 침략 → 고구려의 요동성 항전으로 30만 별동대 편성, 평양성 직접 공격 시도　작전을 위하여 본대에서 따로 떨어져 나와 독자적으로 행동하는 부대
살수 대첩(612)	을지문덕의 지휘하에 별동대 유인, 퇴각하는 수의 군대를 살수(청천강)에서 공격하여 격퇴

2. 고구려와 당의 전쟁

(1) 고구려와 당의 관계

　① 당 건국 초기: 우호적인 관계 유지

　② 당 태종 즉위 이후: 돌궐 제압 후 고구려 압박
　　⌐ 중국 중심의 국제 질서를 확립하고자 함

(2) 고구려의 당 침입 대비

　① 천리장성 축조: 국경 지역에 천리장성(부여성~비사성) 축조

　② 연개소문 집권: 연개소문이 정변을 일으켜 실권 장악 → 보장왕 즉위

(3) 당의 침략과 고구려의 격퇴

　① 당의 침략: 연개소문을 징벌한다는 구실로 침략 → 요동성·백암성 등 함락

　② 안시성 전투(645): 당의 군대 안시성 진격 → 안시성의 성주와 백성이 당의 공격 방어 → 당군 퇴각
　　⌐ 고구려가 요하 유역에 설치한 방어성 중 하나인 성곽

3. 고구려의 승리 요인과 의의

(1) 승리 요인: 성곽을 이용한 전술, 강력한 군사력

(2) 의의: 중국 중심의 국제 질서에 복속되지 않고 독자적인 국가의 지위 유지

보충+ **천리장성**

당 태종 즉위 이후 당과 고구려의 관계가 점차 악화되었다. 고구려는 당의 침략에 대비하여 국경 지대에 천리장성을 쌓기 시작하였다. 동북쪽으로 부여성, 서남쪽으로 비사성에 이르기까지 1,000리에 걸친 장성으로 16년이 소요되어 647년에 완성하였다.

보충+ **연개소문의 정변**

연개소문은 동부 대인이었던 아버지가 사망한 뒤, 유력 귀족의 반대를 무릅쓰고 그 직위를 계승하였다. 그가 천리장성 축조 때 최고 감독자가 되어 세력을 키우자, 이를 두려워한 여러 대신들과 영류왕이 그의 제거를 모의하였다. 이를 눈치챈 연개소문은 642년 정변을 일으켜 영류왕과 대신들을 제거하고 보장왕을 세웠다.

📍 **안시성 전투**

645년에 고구려가 당의 침략을 물리치고 승리를 거둔 전투이다. 당군은 안시성보다 높은 토성을 쌓았으며, 굴을 파고 땅속으로 기어들어오는 등 각종 방법을 동원하여 80여 일간 끈질기게 공격하였다. 그러나 성주와 백성의 단결로 안시성은 함락되지 않았다.

자료 **이해하기** 살수 대첩　　　　　　　　📖 교과서 44쪽

▲ 살수 대첩(민족 기록화)

| 내용 알기 | 612년 수 양제는 113만 명이 넘는 병력을 이끌고 수륙 양면에서 공격하였다. 수군이 요동성을 포위하였으나 4개월이 넘도록 성을 함락하지 못하자, 우중문 등을 지휘관으로 하여 약 30만 명의 별동대를 편성해 평양성을 공격해 왔다. 별동대는 평양성 30리 지점까지 진군하였으나 지휘부 내부의 불화, 물자 부족 등으로 더 이상 진군이 불가능하게 되었다. 고구려는 별동대를 고구려 깊숙이 유인하였고, 거짓 항복을 청해 퇴각할 구실을 만들어주는 척하면서 추격전을 전개하였다. 퇴각하는 수군이 살수를 건너고 있을 때 이들을 배후에서 공격해 대대적인 전과를 올렸으며, 요동성까지 살아간 병력은 겨우 2,700명에 불과했다고 한다.

02 백제·고구려의 멸망과 부흥 운동

1. 나당 동맹의 체결
(1) 배경: 고구려와 당의 대결 구도 심화, 백제의 신라에 대한 공세 강화 ┌ 의자왕 때 신라 40여 성을 함락시킴
(2) 과정: 신라가 김춘추를 고구려에 파견해 군사 지원 요청 → 고구려의 거절 → 고구려와 백제가 지속적으로 신라 공격 → 신라가 김춘추를 당에 보내 도움 요청 → 당의 제안 수락 → 나당 동맹 체결
└ 당은 여러 차례 고구려 정벌에 실패한 후

2. 백제의 멸망 신라와 연합 작전이 필요하였음
(1) 배경: 의자왕의 독단적 국정 운영, 귀족 세력과 정치적 갈등 심화
(2) 멸망: 나당 연합군의 백제 공격 → 김유신의 신라군이 황산벌에서 계백의 결사대 격파 → 나당 연합군의 사비성 진격 → 사비성 함락, 의자왕 항복 → 백제 멸망 (660)
└ 죽기를 각오하고 있는 힘을 다할 것을 결심한 사람으로 이루어진 부대나 무리

3. 고구려의 멸망
(1) 배경: 연개소문 사후 후계자 쟁탈전 전개, 귀족 세력과 지방 세력의 분열
└ 정권의 구심점이 약해지자 귀족 세력과 지방 세력의 분열이 발생함
(2) 멸망: 당군의 평양성 포위, 신라군의 공격 → 평양성 함락 → 고구려 멸망(668)
└ 당은 고구려 지배층의 내분을 틈타 대대적인 공격을 감행함

4. 백제 부흥 운동
(1) 중심 세력 ┌ 백제 부흥군의 내분으로 복신이 도침을 살해하였고 후에 복신은 부여풍에게 죽임을 당함

흑치상지	임존성을 근거지로 함
복신, 도침	주류성을 근거지로 함, 왕자 부여풍을 왕으로 추대

┌ 의자왕의 아들로 백제 부흥 운동을 일으켰으나 백강 전투 패배 후 고구려로 망명함

(2) 결과: 백제 부흥군과 왜의 연합군이 백강 전투에서 나당 연합군에 패배 → 백제 부흥 운동 실패

5. 고구려 부흥 운동
(1) 중심 세력 ┌ 670년 신라 장군 설오유와 함께 압록강을 건너가서 고구려 옛 땅에 설치된 당나라의 도독부를 격파하여 고구려 부흥 운동을 전개함

고연무	오골성을 근거지로 함
검모잠	안승을 왕으로 추대, 한성(재령)을 근거지로 함

┌ 고구려 부흥 운동을 일으킨 검모잠에 의해 왕으로 추대되었으나 신라로 망명하여 신라의 귀족이 됨

(2) 전개: 신라가 고구려의 부흥 운동 지원 → 당의 공세 강화, 지도층의 분열 → 고구려 부흥 운동 실패

보충➕ 황산벌 전투
김유신이 이끄는 5만의 신라군과 계백이 이끄는 5천 명의 결사대 간에 벌어진 전투이다. 신라군은 네 번의 전투에서 패하자 나이 어린 화랑들의 희생으로 사기를 진작시킨 후 백제군을 총공격하였다. 백제의 5천 결사대는 수적인 열세의 상황에서 사기가 충전된 신라군의 총공격을 막아내지 못하였고 결국 패배하였다.

보충➕ 연개소문 사후 권력 다툼
연개소문이 죽자 후계자가 된 큰아들 남생은 동생들과의 권력 다툼 끝에 당에 투항하였다. 지배층 사이에서 분열이 일어난 사이를 틈타 당이 대군을 보내 침공하였고, 고구려는 결국 멸망하였다. 이후 연개소문의 동생 연정토는 신라에 투항하였다.

◉ 흑치상지
흑치상지는 백제의 장군으로 나당 연합군에 의해 백제가 멸망하자, 백제 부흥 운동을 펼치며 군세를 떨쳤다. 그러나 전세가 약화되자 유인궤에 투항하였다. 당에 가서 여러 정벌에 참여하여 공을 세웠으나 주흥의 무고로 옥사하였다.

◉ 검모잠
검모잠은 670년 유민 등을 규합해 당에 대항하는 부흥 운동을 전개하고 안승을 왕으로 추대하였다. 그러나 당의 진압에 대처하는 방안을 놓고 안승과 대립하였고 결국 안승에게 피살되었다.

자료 이해하기 부여 정림사지 오층 석탑 ▬▬▬▬▬ 📖 교과서 47쪽

○ 부여 정림사지 오층 석탑(충남 부여)

| 내용 알기 | 부여 정림사지 오층 석탑은 미륵사지 석탑과 더불어 지금까지 남아 있는 단 두 개의 백제 석탑 중 하나이다. 목탑의 구조와 비슷하지만 단순하면서도 우아한 석탑의 특성이 잘 드러나 있으며, 이러한 양식은 우리나라 석탑 양식의 계보를 정립하는 데 귀중한 자료가 된다.

탑의 1층 탑신에 당의 장수 소정방이 백제를 평정한 공을 기리는 글이 새겨져 있어 오랜 기간 동안 '평제탑', 또는 '당평제탑'으로 불리었다. 그러나 1942년 일본인 후지사와 가즈오가 절터 발굴 조사 중에 '太平八年戊辰定林寺(태평팔년무진정림사)'라는 명문이 적혀 있는 기와 조각이 출토되었다. 이로 인해 태평 8년인 고려 현종 19년에 정림사로 불리었다는 것이 밝혀졌고 이후 '정림사지 오층 석탑'으로 불리게 되었다.

03 남북국 시대의 성립

1. 신라의 삼국 통일

(1) 배경

① 당의 한반도 지배 야욕: 백제와 고구려 멸망 이후 당이 도독부(웅진), 안동도호부(평양) 설치
> 중국이 정벌한 국가에 설치한 군사적 성격의 행정 기구
> 수의 총관부를 계승한 당의 관청으로, 당이 신라와 함께 백제를 정벌한 이후 그 지역을 지배하기 위해 군사 행정 기구로 설치함

② 신라의 대응: 고구려와 백제의 귀족에게 신라 관직을 주며 유민 포섭

(2) 나당 전쟁: 당이 군대를 파견하여 신라 공격 → 매소성과 기벌포에서 신라 승리, 당군 격퇴 → 대동강 이남 지역에서 당 세력 축출 → 삼국 통일 완성(676)

(3) 삼국 통일의 의의와 한계

① 의의: 삼국의 문화가 융합되면서 민족 문화 발전의 토대 마련

② 한계: 외세인 당을 이용, 대동강 이북의 고구려 영토 상실

2. 발해의 건국

(1) 배경: 고구려 멸망 이후 당이 고구려 옛 땅에 살던 사람들을 영주 지방 등으로 강제 이주
> 고구려 유민 외에 말갈인, 거란인 등도 강제 이주되어 당의 통제를 받음

(2) 건국 과정: 거란족의 반란 → 대조영이 고구려 유민과 말갈 집단을 이끌고 동쪽으로 이동 → 당군을 천문령에서 격파 → 동모산 기슭에 발해 건국(698)
> 대조영이 이끈 고구려 유민과 말갈 집단이 천문령에서 거란 출신 이해고가 이끈 당군을 격파함

(3) 발해의 고구려 계승 의식: 일본에 보낸 국서에 '고려(고구려) 국왕' 명칭 사용

(4) 남북국 시대: 남쪽의 통일 신라와 북쪽의 발해가 공존
> 고려는 왕건이 세운 고려가 아니라 고구려를 의미하는데, 5세기 이후에는 고구려가 '고려'라는 국호를 사용함

중단원 핵심 확인하기 풀이

📖 교과서 50쪽

1. 빈칸에 들어갈 알맞은 말을 써 보자.

(1) 고구려의 장군 을지문덕은 수의 30만 별동대를 [ ]에서 크게 물리쳤다.

(2) 고구려는 당의 침입에 대비하여 국경 지역에 [ ] 을/를 쌓았다.

(3) 백제의 [ ]이/가 이끈 결사대가 황산벌에서 항전하였지만 신라군에 패배하였다.

(4) 신라는 매소성과 [ ]에서 당군을 몰아내고 삼국 통일을 완성하였다.

(1) 살수 (2) 천리장성 (3) 계백 (4) 기벌포

2. 관련 있는 내용을 옳게 연결해 보자.

(1) 백제 부흥 운동 · ─── ㉠ 고연무, 검모잠

(2) 고구려 부흥 운동 · ─── ㉡ 복신, 흑치상지

3. 옳은 내용은 ○표, 틀린 내용은 ×표를 해 보자.

(1) 백제 부흥 운동을 돕기 위한 왜의 지원군이 백강에서 나당 연합군에게 패배하였다. (○)

(2) 고구려 멸망 이후 당은 웅진도독부를 설치하여 고구려의 옛 땅을 지배하려 하였다. (×)

(3) 발해는 일본에 보낸 국서에 '고려'라는 명칭을 사용하는 등 고구려 계승 의식을 내세웠다. (○)

4. 제시된 용어를 3개 이상 사용하여 신라의 삼국 통일에 대한 의의 또는 한계를 문장으로 완성해 보자.

> 당 백제 민족 외세 영토 고구려 대동강

• 신라의 삼국 통일은 당을 끌어들여 외세의 도움을 받고 대동강 이북의 영토를 상실한 한계를 가지고 있다.

• 신라는 당의 한반도 지배 야욕에 맞서 백제·고구려 유민과 힘을 합쳐 당군을 몰아내면서 자주성을 보여 주었고, 삼국 통일로 백제·고구려 문화를 융합하여 민족 문화가 발달할 수 있는 기반을 마련했다는 점에서 의의가 있다.

도입 활동 풀이

교과서 44쪽

교과서 도입 **01** 수 문제가 고구려에 보낸 국서

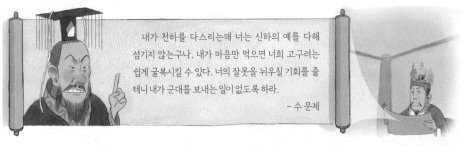

내가 천하를 다스리는데 너는 신하의 예를 다해 섬기지 않는구나. 내가 마음만 먹으면 너희 고구려는 쉽게 굴복시킬 수 있다. 너의 잘못을 뉘우칠 기회를 줄 테니 내가 군대를 보내는 일이 없도록 하라.
– 수 문제

◆ **수 문제가 고구려에 위와 같은 국서를 보낸 까닭은 무엇일까?**

도입 예시 답안 | • 고구려가 수나라에 신하로서 예를 다하지 않았기 때문이다.
• 중국의 분열기 동안 고구려가 동아시아의 강국으로 군림하여 중국을 통일한 수 중심의 새로운 국제 질서 확립에 방해 요인이 되었기 때문이다.

| 도입 보충 |

위진 남북조 시대의 오랜 분열기를 통일한 수는 자국 중심의 새로운 동아시아 국제 질서를 확립하고자 하였다. 중국의 분열기 동안 동아시아의 강국으로 군림한 고구려와 북방의 돌궐이 이러한 수의 태도에 반발하면서 새로운 국제 질서가 형성되는 과정에서 갈등을 겪었다. 이에 수 문제는 국서를 보내 굴복을 요구하였으나 고구려는 이를 받아들이지 않았다.

교과서 46쪽

교과서 도입 **02** 백제의 대야성 점령

대야성을 향해 돌격하라.

백제군에게 대야성을 빼앗기고 말았습니다. 성주와 그의 처자식도 모두 죽임을 당했다고 합니다.

내 딸과 사위를 죽인 백제를 가만둘 수 없다.

◆ **김춘추는 백제에 복수하기 위해 어떻게 했을까?**

도입 예시 답안 | • 백제와 싸울 군사력을 키웠을 것이다.
• 백제와 싸우기 위해 군사적 원조를 해 줄 나라를 찾아 나섰을 것이다.

| 도입 보충 |

7세기 중엽 백제 의자왕의 공격으로 신라는 대야성을 비롯한 40여 성을 빼앗겼다. 당시 대야성 도독은 김춘추의 사위 김품석이었고, 이때 김춘추의 딸도 죽임을 당했다. 김춘추는 백제의 공격으로 수세에 처한 상황을 타개하기 위해 고구려와 왜에 군사적 원조를 구하고자 하였으나 실패하였다. 이후 김춘추는 당으로 가서 백제 공격을 위한 원병을 적극적으로 요청하였다.

교과서 49쪽

교과서 도입 **03** '견고려사'의 의미

이 목간은 8세기 무렵 일본의 수도였던 현 나라시 헤이조쿄 유적에서 나온 것입니다. 이 목간 기록에 따르면, 일본 정부는 발해에 보낸 일본 사신을 일러 '견고려사(遣高麗使)'라고 칭하였습니다.

◆ **일본은 왜 발해에 보내는 사신을 '견고려사'라고 불렀을까?**

도입 예시 답안 | • 일본이 발해를 고구려를 계승한 국가로 보았기 때문이다.
• 발해가 스스로를 고려라고 불렀기 때문이다.

| 도입 보충 |

이 목간의 내용은 758년 발해 사신 양승경 일행과 함께 귀국한 일본의 오노다모리 일행을 2계급 특진시킨다는 내용이다. 여기에서 발해에 보낸 사신을 '견고려사'라고 하여 고려에 보낸 사신으로 표현(발해를 고려로 칭함)하고 있다. 발해를 고려라 칭한 것은 『속일본기』에 발해 사신을 '고려번객'이라 한 데서도 보이며, 발해와 고려의 칭호가 혼용되어 나타난다.

역사 탐구 풀이 및 보충

역사 탐구 ─ 수와 당을 물리칠 수 있었던 고구려의 방어 체제

친절한 활동 길잡이

이 활동의 핵심은 고구려가 수와 당의 침략을 막아낼 수 있었던 요인을 이해하는 것이다. 고구려는 지형을 이용한 방어 체제와 제철 기술을 바탕으로 한 무기 등으로 수와 당을 물리칠 수 있었다.

| 자료 1 |

고구려는 산의 험난한 지형을 이용하여 성을 쌓았고, 돌출된 형태의 '치'를 만들어 성벽을 올라오는 적을 측면에서도 공격하였다. 또한 적이 이용할 수 있는 농작물과 우물을 없애 버리고, 곡식과 무기를 갖춘 산성으로 들어가 장기간 항전하였다.

◈ 백암성 성벽(중국 랴오닝 성 덩타)

| 자료 2 |

고구려는 요동 지역의 철광 지대를 확보하고 우수한 제철 기술을 바탕으로 강력한 철제 무기와 갑옷을 생산하였다. 이를 기반으로 고구려의 군사와 말은 철제 무기와 갑옷으로 무장하고 전투에서 큰 활약을 하였다.

◈ 삼실총 벽화에 그려진 고구려 무사 (중국 지린성 지안)

자료 이해 확인 문제

1. 고구려는 장기 항전을 위해 곡식과 무기를 갖춘 산성 위주의 방어 체제를 구축하였다. (○ / ×)

2. 고구려는 가야의 철을 수입하여 강력한 철제 무기와 갑옷을 생산하였다. (○ / ×)

≫ 정답 1. ○ 2. ×

1. | 자료 1 |, | 자료 2 |를 읽고, 고구려가 수와 당의 침략을 물리칠 수 있었던 요인을 말해 보자.

정답 풀이 | 고구려는 지형을 활용하여 산성을 쌓고, 성을 수비하기 위해 '치'와 같은 시설을 마련하였다. 또한 우수한 제철 기술로 강력한 철제 무기와 갑옷을 만들었다.

2. 고구려의 수·당 침입 격퇴가 갖는 역사적 의미를 발표해 보자.

정답 풀이 | 고구려는 중국 중심의 국제 질서에 복속되지 않고 독자적인 국가의 지위를 유지할 수 있었다.

탐구 plus ─ 수·당의 등장에 따른 새로운 국제 질서의 정립 과정

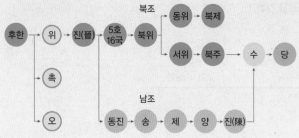

◈ 위진 남북조 시대

후한 멸망으로 중국의 통일 왕조가 붕괴되자 상호 우호를 확인하기 위한 다원적인 외교가 국제 질서의 주된 형식으로 자리 잡았다. 고구려는 5호 16국 시대 화북의 여러 나라와 외교 관계를 맺었다. 장수왕 때에는 북조의 북위, 남조의 송과 외교 관계를 맺고 양국의 대립을 이용하여 실리를 추구하였다. 백제는 주로 중국의 남조와 외교 관계를 맺고 불교와 유학 등을 수용하였다. 신라는 한강 유역을 장악한 이후 직접 중국의 남조 및 북조의 나라들과 외교 관계를 맺었다.

6세기 말 수가 분열된 남북조를 통일하면서 국제 질서에 큰 변화가 나타났다. 수는 돌궐을 복속시키고 자국 중심의 국제 질서를 구축하려 하였고, 이에 고구려가 저항하자 여러 차례 침략하였다. 그러나 고구려의 강력한 저항으로 실패하였고 결국 멸망하였다. 수의 뒤를 이어 중국을 통일한 당은 주변국에 자국 중심의 국제 질서를 요구하였고 이에 저항하는 국가들에 대해 군사 활동을 전개하였다. 당이 돌궐을 일시 복속시켰던 것이나 고구려를 침공하였던 것 등이 그러한 사례이다.

신라가 삼국을 통일하는 과정과 발해가 국가를 세우고 영역을 확장해 가는 과정에서 당과 군사적 갈등을 겪기도 하였다. 그러나 이들은 국내의 통합을 유지하고 다른 군사적 위협에 대비하며 당의 제도와 문물을 받아들였다.

역사 탐구 신라의 삼국 통일에 대한 시각

| 자료 1 |

무열왕(김춘추)께서 백성들의 참혹한 죽음을 불쌍히 여겨 임금의 귀중한 몸을 잊으시고 바다 건너 당에 가서 황제를 뵙고 친히 군사를 청하였다. 그 의도는 두 나라를 평정하여 전쟁을 영구히 없애고 여러 해 동안 깊이 맺혔던 원수를 갚고 백성들의 목숨을 보전하고자 함이다. – 김부식, 『삼국사기』

| 자료 2 |

다른 민족을 불러들여 같은 민족을 멸망시키는 것은 도적을 끌어들여 형제를 죽이는 것과 다를 바 없다. …… 고구려가 멸망하여 발해가 되고, 백제가 망하여 신라에 병합되었으니 …… 이는 반 쪼가리 통일이지 전체적인 통일은 아니다. – 신채호, 『독사신론』

친절한 활동 길잡이

이 활동의 핵심은 신라의 삼국 통일에 대한 상반된 시각을 이해하는 것이다. 신라의 삼국 통일은 오랜 전쟁을 종결하고 평화를 가져왔다는 점에서 긍정적으로, 이민족을 끌어들이고 영토를 상실하였다는 점에서 부정적으로 평가할 수 있다.

1. | 자료 1 |, | 자료 2 |에 나타난 김부식과 신채호의 입장을 바탕으로 신라의 삼국 통일에 관해 토론해 보자.

정답 풀이 | 전쟁의 공포로부터 벗어났다. / 외세를 끌어들여 영토를 상실하였으므로 제대로 된 통일이라고 할 수 없다.

2. | 자료 1 |, | 자료 2 |를 토대로 우리나라의 남북통일이 갖춰야 할 조건에 관해 이야기해 보자.

정답 풀이 | 통일 과정에서 외세에 의존하지 않고 통일 후에 영토가 축소되지 않아야 하며 평화와 번영을 누릴 수 있어야 한다.

자료 이해 확인 문제

1. 신라는 삼국 통일을 이루는 과정에서 당의 도움을 받았다. (○ / ×)

2. 김부식은 신라의 삼국 통일이 반쪽짜리 통일이라고 비판하였다.
(○ / ×)

≫ 정답 1. ○ 2. ×

탐구 plus 신라의 삼국 통일에 대한 조선 시대 실학자들의 평가

삼국이 대치하고 있을 때에 서로 침범하여 물고 뜯고 함이 하루도 거르는 날이 없었다. 인심이 난리를 싫어하니 하늘이 무열왕(김춘추)을 내어 백성을 구제하였다. …… 김유신은 충성된 마음과 뛰어난 지략으로 통일의 공을 이루었다고 한다.
– 안정복, 『동사강목』

신라의 군신들은 통일 과정에서 고구려의 영토를 당에 넘겨주고 말았다. 고구려 영토의 상실로 국력이 약해졌고, 이후 고려, 조선에 이르기까지 끊임없이 외적의 침입을 받게 되었으니 탄식할 일이다.
– 한백겸, 『동국지리지』

신라의 삼국 통일에 대한 평가는 조선 시대 실학자들의 저서에서 상반되게 나타난다. 안정복의 『동사강목』에서는 신라의 삼국 통일로 백성들이 전쟁의 고통에서 벗어났으므로 긍정적으로 보고 있다. 반면 한백겸의 『동국지리지』에서는 신라의 삼국 통일 과정에서의 영토 상실이 국력의 약화를 초래했다고 보고 있다.

긍정적인 평가로 신라의 삼국 통일이 삼국민 간에 존재하던 이질성을 줄이고 무리의식을 갖게 하여 민족 공동체 형성의 기반을 마련하게 되었다고 보기도 한다. 그러나 통일 전쟁이 외세인 당을 끌어들여 수행했다는 점과 한반도 북부와 만주 지역을 상실했다는 점에서 큰 한계를 드러낸다. 이 때문에 삼국 통일의 의의를 부정하고 고려에 의한 통일이 민족 최초의 통일이라는 견해도 제기되고 있다.

위와 같은 한계가 있더라도 삼국 통일의 역사적 의의를 무시할 수는 없다. 영토를 상실한 불완전한 통일은 발해의 건국으로 보완되었고, 외세를 끌어들여 동족을 쳤다는 비판은 당시 삼국과 당이 모두 별개의 국가로 경쟁 관계였다는 점에서 보면 신라가 고구려와 백제의 협공을 극복하려는 노력으로 볼 수 있다.

중요

01 (가), (나)에 들어갈 내용으로 옳은 것만을 보기에서 고른 것은?

> 주제: 6세기 말 수의 통일에 따른 동아시아 정세의 변화
> 1. 고구려: _____(가)_____
> 2. 신라: _____(나)_____

보기
> ㄱ. (가) – 천리장성을 쌓아 수의 침입에 대비함
> ㄴ. (가) – 수의 압력에 위협을 느껴 돌궐과 연합함
> ㄷ. (나) – 수의 침략에 대비하여 고구려에 도움을 요청함
> ㄹ. (나) – 고구려와 백제의 공격에 맞서 수에 도움을 요청함

① ㄱ, ㄴ ② ㄱ, ㄷ ③ ㄴ, ㄷ
④ ㄴ, ㄹ ⑤ ㄷ, ㄹ

02 '수의 침입을 막아낸 고구려'를 주제로 보고서를 작성할 때 조사할 내용으로 옳은 것만을 보기에서 고른 것은?

보기
> ㄱ. 을지문덕 ㄴ. 연개소문
> ㄷ. 살수 대첩 ㄹ. 안시성 전투

① ㄱ, ㄴ ② ㄱ, ㄷ ③ ㄴ, ㄷ
④ ㄴ, ㄹ ⑤ ㄷ, ㄹ

단답형

03 다음에서 설명하는 성의 명칭을 쓰시오.

> • 고구려가 당의 침입에 대비하여 국경 지역에 쌓은 성이다.
> • 부여성에서 비사성까지 걸쳐 성을 쌓았다.

(   )

04 다음 사건들을 일어난 순서대로 바르게 나열한 것은?

> (가) 당의 건국
> (나) 안시성 전투
> (다) 연개소문의 정변

① (가)-(나)-(다) ② (가)-(다)-(나)
③ (나)-(가)-(다) ④ (다)-(가)-(나)
⑤ (다)-(나)-(가)

고난도

05 다음 자료를 토대로 작성할 보고서의 제목으로 가장 적절한 것은?

> • 고구려는 산의 험난한 지형을 이용하여 성을 쌓았고, 돌출된 형태의 '치'를 만들어 성벽을 올라오는 적을 측면에서 공격하였다.
> • 고구려는 적이 이용할 수 있는 농작물과 우물을 없애 버리고, 곡식과 무기를 갖춘 산성으로 들어가 장기간 항전하였다.

① 동아시아의 강국이 된 고구려의 군사력
② 실리 추구의 외교를 펼친 고구려의 전략
③ 지형적 어려움을 정복으로 극복한 고구려
④ 수와 당의 침략을 막아낸 고구려의 방어 체제
⑤ 체제 정비를 통해 중앙 집권 국가로 발전한 고구려

06 다음에서 설명하는 전투로 옳은 것은?

> • 김유신의 신라군과 계백의 백제군 간에 벌어진 전투이다.
> • 백제군이 신라군에 패하면서 백제는 멸망의 길로 접어들었다.

① 관산성 전투　　　② 대야성 전투
③ 임존성 전투　　　④ 주류성 전투
⑤ 황산벌 전투

07 고구려 부흥 운동과 관련된 인물만을 보기에서 고른 것은?

> **보기**
> ㄱ. 복신　　　　　ㄴ. 안승
> ㄷ. 고연무　　　　ㄹ. 대조영

① ㄱ, ㄴ　　②ㄱ, ㄷ　　③ ㄴ, ㄷ
④ ㄴ, ㄹ　　⑤ ㄷ, ㄹ

08 다음 인물들에 대한 조사를 바탕으로 보고서를 작성할 때 보고서의 제목으로 적절한 것은?

> 복신, 도침, 흑치상지, 부여풍

① 나당 동맹의 성립
② 백제의 멸망 원인
③ 백제의 부흥 운동
④ 고구려의 멸망 원인
⑤ 고구려의 부흥 운동

고난도
09 다음 사건들을 일어난 순서대로 바르게 나열한 것은?

> (가) 백제는 사비성이 함락되고 의자왕이 항복하면서 멸망하였다.
> (나) 고구려는 나당 연합군의 공격에 평양성이 함락되면서 멸망하였다.
> (다) 백제 부흥군과 왜의 연합군이 백강(금강 하구)에서 나당 연합군에 패배하였다.
> (라) 검모잠은 안승을 왕으로 추대하여 한성(재령)을 근거지로 부흥 운동을 일으켰다.

① (가)-(나)-(다)-(라)
② (가)-(다)-(나)-(라)
③ (나)-(가)-(다)-(라)
④ (나)-(라)-(가)-(다)
⑤ (다)-(가)-(나)-(라)

10 다음은 나당 동맹이 체결되는 과정을 그림으로 나타낸 것이다. (가), (나)에 들어갈 내용으로 옳은 것만을 보기에서 고른 것은?

> **보기**
> ㄱ. (가)-우리 신라와 함께 고구려를 공격하고 나중에 백제를 함께 공격합시다.
> ㄴ. (가)-우리 신라와 함께 백제를 공격하고 나중에 고구려를 함께 공격합시다.
> ㄷ. (나)-백제를 무너뜨리려면 신라와 손을 잡는 것이 좋겠어.
> ㄹ. (나)-고구려 정벌에 성공하려면 신라와의 연합 작전이 필요하겠군.

① ㄱ, ㄴ　　②ㄱ, ㄷ　　③ ㄴ, ㄷ
④ ㄴ, ㄹ　　⑤ ㄷ, ㄹ

11 다음에서 설명하는 기관의 명칭을 쓰시오.

> • 고구려를 멸망시킨 당이 점령 지역을 지배하기 위해 평양에 설치한 기관이다.
> • 신라를 포함한 한반도 전체를 모두 지배하려는 당나라의 야심을 드러냈다.

(   )

[12~13] 다음을 읽고 물음에 답하시오.

> 백제와 고구려 멸망 이후 당이 신라마저 지배하려 하자 신라와 당의 갈등이 표출되었다. 이후 당이 대규모 군대를 보내 신라를 공격하였으나 신라는 ㉠당의 군대를 몰아냈다. 이로써 신라는 [(가)] 이남 지역에서 당의 세력을 완전히 몰아내고 삼국 통일을 이루었다.

12 ㉠에 해당하는 전투가 있었던 지역으로 옳은 것만을 보기에서 고른 것은?

> ── 보기 ──
> ㄱ. 오골성   ㄴ. 매소성
> ㄷ. 기벌포   ㄹ. 금마저

① ㄱ, ㄴ   ② ㄱ, ㄷ   ③ ㄴ, ㄷ
④ ㄴ, ㄹ   ⑤ ㄷ, ㄹ

13 (가)에 들어갈 강으로 옳은 것은?

① 한강   ② 금강   ③ 압록강
④ 청천강   ⑤ 대동강

[14~16] 다음을 읽고 물음에 답하시오.

> [(가)]께서 백성들의 참혹한 죽음을 불쌍히 여겨 임금의 귀중한 몸을 잊으시고 바다 건너 당에 가서 황제를 뵙고 친히 군사를 청하였다. 그 의도는 ㉠두 나라를 평정하여 전쟁을 영구히 없애고 여러 해 동안 깊이 맺혔던 원수를 갚고 백성들의 목숨을 보전하고자 함이다.
> – 김부식, 『삼국사기』

14 (가)에 들어갈 왕으로 옳은 것은?

① 무열왕   ② 영류왕   ③ 보장왕
④ 의자왕   ⑤ 신문왕

15 ㉠이 의미하는 나라들로 옳게 짝지은 것은?

① 왜, 백제   ② 백제, 가야
③ 백제, 고구려   ④ 가야, 고구려
⑤ 부여, 고구려

16 윗글의 평가에 대해 반박하고자 할 때 그 근거로 적절한 것만을 보기에서 고른 것은?

> ── 보기 ──
> ㄱ. 외세인 당을 끌어들였다.
> ㄴ. 민족 문화 발전의 토대를 마련했다.
> ㄷ. 대동강 이북의 고구려 땅을 상실했다.
> ㄹ. 오랜 전쟁에서 벗어나 평화를 가져왔다.

① ㄱ, ㄴ   ② ㄱ, ㄷ   ③ ㄴ, ㄷ
④ ㄴ, ㄹ   ⑤ ㄷ, ㄹ

[17~18] 다음을 읽고 물음에 답하시오.

> 고구려 멸망 이후 당은 고구려 유민들을 랴오허강 서쪽 지방으로 강제 이주시켰다. 그러나 거란족이 당에 반란을 일으킨 틈을 타 영주 지방에 있던 고구려 출신 (가) 이/가 고구려 유민들을 이끌고 동쪽으로 이동하여 동모산 기슭에 (나) 을/를 건국하였다.

17 (가)에 들어갈 인물로 옳은 것은?

① 대조영 　② 김춘추 　③ 김유신
④ 유득공 　⑤ 고연무

18 (나)에 들어갈 국가에 대한 설명으로 옳은 것만을 **보기**에서 고른 것은?

> **보기**
> ㄱ. 고구려 유민과 거란족이 중심이 되어 세운 국가이다.
> ㄴ. 고구려 유민이 세운 국가이며 신라군의 진압으로 멸망하였다.
> ㄷ. 남쪽의 통일 신라와 공존하면서 남북국 시대가 성립되었다.
> ㄹ. 일본에 보낸 국서에 '고려(고구려) 국왕'이라는 명칭을 사용하여 고구려 계승 의식을 드러냈다.

① ㄱ, ㄴ 　② ㄱ, ㄷ 　③ ㄴ, ㄷ
④ ㄴ, ㄹ 　⑤ ㄷ, ㄹ

19 다음 내용을 토대로 신라가 고구려의 부흥 운동을 지원한 이유를 서술하시오.

> • 고구려 멸망 이후 고구려 유민들이 곳곳에서 부흥 운동을 일으켜 당군과 맞섰다.
> • 당은 백제와 고구려 멸망 이후에 신라마저 지배하려 하여 신라와 당의 갈등이 커져갔다.

20 다음 대화를 읽고 (가)에 들어갈 적절한 내용을 서술하시오.

●●●○○ 🛜 　오후 6:16 　78% 🔋

< 　채팅 　Q ≡

> 발해는 고구려를 계승한 국가야.

> 발해 국민의 대부분은 말갈인이야. 우리 민족이 세운 국가라고 볼 수 없어.

> 하지만 (가) 는 점에서 고구려를 계승했다고 볼 수 있고, 우리 민족의 역사에 포함해야 해.

➕ [　　　　　　　　　] ☺ #

남북국의 발전과 변화

01 통일 신라의 발전

1. 국왕 중심의 정치 체제 수립
┌ 외교 활동의 성과를 세운 김춘추는 김유신의
  지원을 받아 왕으로 즉위함

(1) **태종 무열왕**: 최초의 진골 출신 왕, 직계 후손이 100여 년 간 왕위 계승

(2) **문무왕**: 나당 전쟁에서 승리하여 삼국 통일 완성, 옛 고구려와 백제 출신 등용

(3) **신문왕** ┌ 신문왕의 장인인 김흠돌 등이 모반을   ┐ 삼국의 백성을 통합하고자 노력함
      꾀하다 발각되어 처형된 사건

   ① **김흠돌의 난 진압**: 왕권에 도전하는 진골 귀족 숙청, 국왕 중심의 정치 체제 수립

   ② **통치 제도 개편**: 중앙 정치 기구, 지방 행정 제도, 군사 제도 등 개편

   ③ **국학 설립**: 유교적 소양을 갖춘 인재 양성 ┌ 유교 정치 이념의 확립과 유학 교육의
                                   진흥을 위하여 세운 교육 기관

   ④ **관료전 지급, 녹읍 폐지**: 귀족들의 경제적 기반 약화

2. 통치 제도 정비

(1) **중앙 행정 기구**

┌ 신라의 귀족 세력을 대표하는 관직으로
  화백 회의를 이끎

집사부 강화	집사부와 시중(중시)을 중심으로 운영, 상대등의 역할 축소
10여 개의 관청 설치	행정 업무를 효율적으로 분배

(2) **지방 행정 기구**

9주	• 삼국의 옛 땅에 각각 3개의 주 설치 • 주 아래에 군·현 설치 → 지방관 파견 • 말단 행정 구역인 촌은 토착 세력인 촌주가 관리 ┌ 지방민들을 효율적으로 통제하기 위해 지방의 유력자에게 주어진 관직
5소경	• 수도인 금성(경주)이 동남쪽에 치우친 점 보완 • 지방 정치와 문화의 중심지 역할

(3) **군사 제도** ┌ 신라 군대 편제로 서당은 지금의 부대에 해당하며,
               옷깃의 색깔로 부대의 이름을 정하였음

9서당(중앙군)	백제인, 고구려인, 말갈인까지 포함하여 편성 → 국가적 단결 도모
10정(지방군)	각 주마다 1개의 정 설치, 한주(국경 지역)에만 2개의 정 설치

자료 이해하기 9주 5소경 ────────────── 📖 교과서 53쪽

● 9주 5소경

| **내용 알기** | 신라는 삼국을 통일한 후 넓어진 영토를 효과적으로 다스리고 옛 고구려와 백제 땅을 통합시키기 위해 지방 제도를 새롭게 정비하였다. 옛 신라, 고구려, 백제 땅에 각각 3개의 주를 설치하여 전국을 9주로 나누고 상주, 양주, 강주, 웅주, 전주, 무주, 한주, 삭주, 명주로 불렀다. 주에는 '총관'이라는 지방관이 파견되었고 군에는 '태수', 현에는 '현령'이 파견되었다.

또한 금관경(김해), 중원경(충주), 북원경(원주), 서원경(청주), 남원경(남원)에는 5소경을 설치하여 수도인 금성(경주)이 동남쪽에 치우쳐 있는 것을 보완하고 새롭게 차지한 영토를 관리할 중심지를 마련하였다. 또 일부 소경으로 옛 고구려나 가야의 귀족 세력을 강제로 이주시켜 이들을 감시하고 견제하기도 하였다.

02 발해의 발전과 변화

1. 발해의 발전과 멸망

(1) 무왕: 북만주 일대 장악, 장문휴를 보내 당의 산둥 지방 공격
— 당이 흑수 말갈과 신라를 이용해 발해를 압박하자 발해가 산둥 지방을 공격함

(2) 문왕: 당·신라와 친선 관계 유지, 당의 문물과 제도 수용, 신라와 상설 교통로 개설 및 사신 교환
— '바다 건너 동쪽의 번성한 나라'라는 의미로 발해가 크게 세력을 떨치자 당에서 발해를 가리켜 부른 말

(3) 선왕: 말갈 세력 대부분 복속, 요동과 연해주 지방 진출, 신라와 접경 → 해동성국

(4) 멸망: 거란의 공격으로 멸망(926), 왕족 등 일부 발해 유민은 고려로 망명

2. 발해의 통치 체제 정비

(1) 중앙 정치 조직: 당의 3성 6부제 수용, 명칭과 운영은 독자성 유지

정당성	대내상이 국정 총괄
6부	유교적 덕목으로 명칭을 바꾸어 사용
주자감 설치	유학 교육 실시

— 당의 국자감 제도를 받아들여 세운 발해의 교육 기관

(2) 지방 행정 구역: 5경 15부 62주

5경	군사·행정적 요충지에 설치
15부 62주	15부(지방의 중심 도시)를 62주로 나누어 관리 → 중앙에서 도독이나 자사 파견
촌락	토착 세력인 수령이 지방 행정 담당

— 지방에 있는 말갈족 마을의 우두머리로, 지방관의 통제하에 마을의 군사 및 행정을 담당함

(3) 군사 조직: 중앙군(10위), 지방군(중요 지역에 별도의 지방군 설치)
— 왕궁과 수도 경비

03 신라 말의 변화와 후삼국의 성립

1. 왕위 쟁탈전의 전개

(1) 배경: 8세기 후반 소수의 진골 귀족에게 권력 집중 → 갈등과 대립 심화

(2) 중앙 정치의 동요: 혜공왕이 어린 나이에 즉위한 이후 진골 귀족들의 연이은 반란 → 혜공왕 피살 → 진골 귀족 간의 왕위 쟁탈전 격화

(3) 지방 세력의 반란

① 배경: 중앙 정부의 지방 통제력 약화로 지방 세력들이 왕위 쟁탈전 가담

② 전개: 김헌창의 난, 장보고의 왕위 쟁탈전 개입
— 웅주(공주) 도독이었던 김헌창이 자신의 아버지가 왕위에 오르지 못한 것에 불만을 품고 난을 일으킴

자료 이해하기 발해의 천도 과정 ———————————— 📖 교과서 55쪽

🔺 발해의 행정 구역

| 내용 알기 | 발해는 동모산 기슭에서 구국을 수도로 삼아 건국되었으며(698), 중경, 상경, 동경을 거쳐 상경으로 환도하였다. 발해가 구국에서 중경으로 천도한 시점은 무왕 시대로 추정되며 이때는 발해가 주변으로 활발하게 영역을 확장하던 시기였다. 무왕의 뒤를 이은 문왕은 755년 무렵 상경으로 천도하였다. 당시 당은 안사의 난으로 혼란스러운 시기였고, 발해는 상경 천도를 통해 당의 공격을 대비하고 흑수 말갈에 대한 통제를 강화하고자 하였다. 또한, 대당 관계의 개선을 통해 대외적 안정을 꾀하였으며 왕권 강화와 체제 정비를 추진하였다. 이와 같은 대외 노선의 변경과 왕권 중심의 체제 정비는 지배 세력의 재편을 수반하였다.

785년 무렵에는 동경 천도가 이루어지고 문왕 사후에 친척 동생인 대원의(大元義)가 즉위하는 비정상적인 왕위 계승이 발생하였다. 따라서 동경 천도는 왕권 강화와 체제 정비 과정에서 소외된 정치 세력의 반발에 의한 것으로 보인다. 이후 문왕 때의 체제 정비 과정에서 성장한 국인 세력이 대원의를 살해하고, 문왕의 아들인 대화여를 성왕으로 추대함과 동시에 상경으로 환도하였다.

— 교과서 59쪽 —

○ 도선

통일 신라 시대의 승려로 풍수지리설을 보급하였다. 풍수지리설은 도읍, 집터 등을 정하는 데 이용되었으며, 조선에 이르기까지 민족의 가치관에 큰 영향을 끼쳤다.

보충+ 6두품의 관직 승진 제한

신라 골품제에서 6두품은 대아찬 이상의 관등으로 승진할 수 없었고, 이에 따라 각 부의 장관에 오를 수 없었다.

○ 최치원

9세기 통일 신라 말기의 학자이다. 당에서 「토황소격문」을 지은 문장가로 이름을 떨쳤으며, 신라로 돌아온 뒤에는 진성 여왕에게 시무책을 올려 정치 개혁을 추진하였다.

○ 궁예

어려서 출가하여 승려 생활을 하다가 호족인 기훤과 양길의 부하로 활약하였다. 이후 명주(강릉)에 입성하였고 병력을 확보하여 자립하는 데 성공하였다. 철원에 도읍하였던 궁예는 898년 송악(개성)으로 도읍을 옮기고 901년 후고구려를 세웠다.

2. 농민 봉기의 발생

(1) 배경: 왕실의 사치와 향락, 농민 생활 피폐, 진성 여왕 즉위 무렵 국가 재정 약화 ┌ 자연재해가 빈번하게 발생하면서 더욱 살기가 힘들어진 농민들은 노비나 도적이 되기도 함

(2) 대표적인 농민 봉기: 원종과 애노(사벌주), 양길(북원), 기훤(죽주) └ 각 지방에 관리를 보내 세금 납부를 독촉함

(3) 결과: 농민 봉기의 전국적 확산으로 신라 정부 무력화

3. 새로운 세력의 성장과 새로운 사상의 유행

(1) 호족의 성장

① 배경: 신라 말 중앙 정부의 지방 통제력 약화

② 출신: 촌주, 몰락 귀족, 무역으로 부를 쌓은 세력, 군대 지휘관 세력

③ 특징: 자신의 근거지에 성을 쌓고 군대를 거느려 스스로 성주 또는 장군이라 부름, 독자적으로 백성 지배

(2) 선종과 풍수지리설의 유행

① 선종: 일상에서의 실천과 수행 강조, 신라 말에 널리 확산

② 풍수지리설: 도선에 의해 보급, 경주 중심의 지리 인식 거부, 지방의 중요성 강조 → 호족의 환영 └ 산과 땅, 물의 기운이 사람의 길흉화복에 영향을 준다는 사상

(3) 6두품의 변화

① 배경: 골품제로 인해 관직 승진의 제한

② 특징: 사회 개혁안 제시(최치원), 지방 호족과 함께 새로운 사회 건설 시도

04 후삼국 시대의 성립

(1) 후백제

① 건국: 신라의 군인 출신인 견훤이 완산주(전주)에 도읍을 세움(900)

② 성장: 6두품 세력 포섭, 후당·오월·거란, 일본과 외교에 주력, 전라도·충청도·경상도의 서부 지역까지 장악 └ 중국 5대 10국 시대의 국가

(2) 후고구려

① 건국: 신라의 왕족 출신인 궁예가 송악(개성)에 도읍을 세움(901)

② 국호 변경: 마진으로 변경했다가 철원으로 천도 후 태봉으로 변경

(3) 신라: 영토가 경상도 일대로 축소 → 후삼국 시대 성립

중단원 핵심 확인하기 풀이

1. 빈칸에 들어갈 알맞은 말을 써 보자.

(1) 신문왕은 유교적 소양을 갖춘 인재를 양성하고자 □□을/를 설립하였다.

(2) 신라는 수도인 금성이 동남쪽에 치우친 점을 보완하고자 □□□을/를 설치하였다.

(3) 당은 전성기를 맞이한 발해를 가리켜 '□□□□'(이)라고 불렀다.

(1) 국학 (2) 5소경 (3) 해동성국

2. 관련 있는 내용을 옳게 연결해 보자.

(1) 견훤 — ㉠ 후고구려

(2) 궁예 — ㉡ 후백제

3. 옳은 내용은 ○표, 틀린 내용은 ×표를 해 보자.

(1) 신라의 9서당은 백제인, 고구려인을 제외하고 신라인으로만 편성되었다 (×)

(2) 발해는 당의 3성 6부제를 도입하여 독자적으로 운영하였다. (○)

4. 제시된 용어를 3개 이상 사용하여 신라 말기의 변화를 문장으로 완성해 보자.

| 호족 | 진골 | 선종 | 골품제 | 6두품 | 농민 봉기 | 풍수지리설 |

• 진골 귀족 간의 왕위 쟁탈전으로 중앙 정부의 지방 통제력이 약화되자, 지방 호족 세력이 성장하고 선종과 풍수지리설이 유행하였다.

도입 활동 풀이

교과서 52쪽

교과서 도입 **01** 문무왕의 유언

∨ 경주 문무대왕릉(경북 경주)

> 내가 죽으면 화장하여 동해에 묻어 달라. 용이 되어 나라를 지키겠다.

◆ 삼국 통일을 이룬 문무왕은 왜 동해에 묻어 달라는 유언을 남겼을까?

도입 예시 답안 | • 삼국 통일 후 불안정한 국가의 안위를 지켜야겠다고 생각했기 때문이다.
　　　　　　　• 통일 신라를 위협하는 외적의 침입을 막아내야겠다고 생각했기 때문이다.

| 도입 보충 |

삼국 통일을 이룬 문무왕은 죽어서도 동해의 용이 되어 외적의 침략을 막겠다는 유언을 남겼다. 그의 유언에 따라 경주시 양북면 앞바다에 문무왕의 유해를 묻은 수중릉이 위치해 있다. 그의 아들인 신문왕은 문무대왕릉 근처에 감은사를 짓고 절의 본당 밑까지 바닷물이 들어오도록 설계하였다. 이는 바닷속의 용이 쉽게 접근하도록 하기 위함이었다.

교과서 54쪽

교과서 도입 **02** 쟁장 사건

당의 *빈공과는 신라인들의 독무대였으나, 840년대 이후 발해인들도 급제하기 시작하였다.

872년, 빈공과채점 결과
1. 발해 '오소도'(수석)
2. 신라 '이동'
⋮

897년, 더 강해진 발해의 왕자 대봉예가 당에 사신으로 찾아가 주장하였다.

> 이제는 외교 의례 때 발해가 신라보다 윗자리에 앉아야 합니다. 자리를 바꿔 주십시오.

> 자리의 순서는 강약이나 성쇠를 근거로 바꿀 수는 없는 일이오. 관례대로 하겠소.

* 빈공과: 당에서 외국 학생들을 대상으로 개설한 과거 시험

◆ 발해 왕자 대봉예가 발해가 신라보다 윗자리에 앉아야 한다고 주장한 까닭은 무엇일까?

도입 예시 답안 | • 발해가 신라보다 강하고 번성하다고 생각했기 때문이다.
　　　　　　　• 발해가 신라보다 강한데 아랫자리에 앉는 것은 부당하다고 생각했기 때문이다.

| 도입 보충 |

한반도 북부와 만주 일대를 장악하며 강국으로 성장한 발해는 주로 신라인들이 합격했던 빈공과에 수석 합격자를 배출하기도 하였다. 897년 일어난 쟁장 사건은 당에 사신으로 간 왕자 대봉예가 자국의 국력이 신라보다 강성하므로 신라의 사신보다 발해의 사신이 상석에 배정되어야 한다고 주장한 사건이다.

교과서 56쪽

교과서 도입 **03** 해인사 길상 탑지

합천 해인사 길상 탑에서 나온 유물 중 탑에 대한 기록인 탑지는 통일 신라 후기 문장가인 최치원이 지은 것으로 유명하다.

> 전쟁과 흉년의 두 재앙이 서쪽(당)에서 멈추고 동쪽(신라)에 와서, 나쁜 중에 더욱 나쁜 것이 없는 곳이 없고 굶어 죽고 싸우다 죽은 시체가 들판에 즐비하였다.

⬙ 합천 해인사 길상 탑(경남 합천)　　⬙ 해인사 묘길상탑기

◆ 최치원의 기록을 통해 신라 말의 상황이 어땠을지 생각해 보자.

도입 예시 답안 | • 전쟁과 흉년이 빈번하게 일어나고 있었다.
　　　　　　　• 전쟁과 흉년으로 많은 사람들이 죽어 가고 있었다.

| 도입 보충 |

해인사 길상 탑은 해인사 부근에서 목숨을 잃은 이들의 명복을 빌기 위해 만들어진 탑이다. 탑지에 따르면 895년에 인근의 백성들이 도적이 되어 해인사와 주변을 약탈하고자 하였고, 이를 해인사 승려를 비롯한 56명이 막으려다가 전사하였다. 이는 도적과 민란이 들끓었던 혼란한 신라 말의 상황을 잘 보여 주는 기록이다.

역사 탐구 풀이 및 보충

역사 **탐구** — 신문왕의 제도 정비

| 자료 1 | (㉠) 설립

유학을 열심히 공부하겠습니다.

| 자료 2 | (㉡) 설치

신라, 백제, 고구려의 옛 땅에 각각 3개의 주를 설치하라.

| 자료 3 | (㉢) 정비

우리는 모두 신라의 중앙군이지.

신라계 고구려계 백제계 말갈계

친절한 활동 길잡이

이 활동의 핵심은 신문왕이 제도 정비를 통해 국왕 중심의 통치 체제를 수립하고 국가적 단결을 도모하고자 했음을 이해하는 것이다. 신문왕은 국학을 설립하여 유교적 소양을 갖춘 인재를 양성하고 9주를 설치하여 삼국을 대등하게 대하고자 하였다. 또한 9서당을 정비하여 고구려인, 백제인, 말갈인을 모두 중앙군에 편입하였다.

자료 이해 확인 문제

1. 신문왕은 귀족 자제들의 교육을 위해 태학을 서립하였다. (○ / ×)

2. 신라의 중앙군인 9서당은 신라의 유민 포용책을 보여 준다. (○ / ×)

≫ **정답 1.** × **2.** ○

1. | 자료 1 | ~ | 자료 3 |의 ㉠~㉢에 들어갈 용어를 써 보자.

정답 풀이 | ㉠: 국학, ㉡: 9주, ㉢: 9서당

2. | 자료 1 | ~ | 자료 3 |에서 신문왕이 국가적 단결을 도모하고자 시행한 정책을 찾아 설명해 보자.

정답 풀이 | 신문왕은 삼국의 옛 땅에 각각 3개의 주를 설치하여 삼국을 대등하게 대하였고, 중앙군인 9서당에 고구려계, 백제계, 말갈계 부대를 편성하여 유민을 포용하였다.

탐구 plus ── 국왕 중심의 정치 체제를 수립한 신문왕

문무왕은 나당 전쟁에서 승리하여 당을 몰아내고 삼국 통일을 완수하였다. 이후 삼국 통일 과정에서 공을 세운 세력이 비대해지자 왕은 이들을 누르고 권력을 독점하고자 하였다.

681년 문무왕이 세상을 떠난 후 태자인 정명이 왕위에 올라 신문왕이 되었다. 그는 즉위한 지 한 달 만에 반란 모의죄로 소판 김흠돌, 파진찬 흥원, 대아찬 진공 등을 처형하였다. 신문왕의 장인인 김흠돌은 고구려 정벌에 참여해 그 공으로 파진찬이 되었고, 곧 소판으로 승진하였다. 흥원, 진공도 전쟁에서 큰 공을 세운 인물들이다.

신문왕은 김흠돌을 처형한 지 8일 후에 교서를 내려 그들을 참수한 이유를 발표하였다. 김흠돌 등이 흉악하고 사악한 자를 끌어 들이고 궁중의 내시들과도 결탁해 악의 무리들과 모여 거사를 정하여 반란을 일으키려고 했다는 것이다. 잔당들을 체포하여 처형하였고 남은 무리도 3~4일 내에 곧 소탕할 것임을 약속하였다. 이에 따라 상대등을 역임했으나 신문왕의 즉위와 함께 병부령으로 강등된 이찬 군관의 목을 베었다. 신문왕은 그가 김흠돌이 반역할 것을 알고도 미리 고발하지 않았다는 이유로 처형하고, 그의 장남까지 자살해 죽게 만든 것이다. 이와 같이 신문왕은 왕권에 위협이 될 수 있는 귀족 세력을 철저하게 탄압하기 위해 과감한 정치적 숙청을 단행하며 국왕 중심의 통치 체제를 수립하였다.

역사탐구 신라 말 농민들의 삶과 농민 봉기의 발생 교과서 57쪽

| 자료 1 |

신라 말 농민들의 삶

• 지은은 한기부 백성인 연권의 딸이었다. 어렸을 때 아버지를 여의고 혼자서 어머니를 봉양하였다. 나이 32세가 되도록 시집을 가지 않고 어머니를 보살피며 곁을 떠나지 않았다. 품팔이도 하고, 구걸도 하여 봉양을 오랫동안 하니 피곤함을 이길 수 없었다. 그리하여 부잣집에 자청하여 몸을 팔아 노비가 되고 쌀 10석을 받았다.
－ 일연, 『삼국유사』
• 헌덕왕 8년 흉년과 기근으로 당의 절강성 동쪽 지역에 건너가 먹을 것을 구하는 이가 170명이었다.
－ 김부식, 『삼국사기』

| 자료 2 |

신라 말 농민 봉기의 발생

• 진성 여왕 3년 여러 주와 군에서 공물과 조세를 바치지 않으니 창고가 비고 나라의 씀씀이가 궁핍해졌다. 왕이 관리를 보내어 독촉하자, 이로 인해 곳곳에서 도적이 벌 떼같이 일어났다. 그러자 원종, 애노 등이 사벌주(상주)를 근거로 반란을 일으키니 왕이 나마 벼슬의 영기에게 명하여 진압하게 하였다. 그러나 영기가 적진을 쳐다보고는 두려워하여 나아가지 못하였다. － 일연, 『삼국유사』
• 진성 여왕 10년 도적들이 나라의 서남쪽에서 일어났는데, 그들은 바지를 붉은색으로 하여 사람들은 그들을 '적고적'이라고 불렀다. 여러 주현을 공격하여 해를 끼치고, 수도 서부의 모량리까지 이르러 민가를 약탈하였다. － 김부식, 『삼국사기』

1. | 자료 1 |을 바탕으로 신라 말 농민들의 처지에 관해 말해 보자.

정답 풀이 | 흉년 등으로 먹고 살기 힘들어 구걸을 하거나 노비가 되는 경우가 많았다.

2. | 자료 2 |를 통해 알 수 있는 신라 말 농민 봉기의 원인과 특징을 발표해 보자.

정답 풀이 | 농민들은 중앙 정부의 수탈에 저항하여 봉기하였으며, 정부군과 맞서고 지방 행정 관청을 공격하였다.

친절한 활동 길잡이

이 활동의 핵심은 자료를 통해 신라 농민들의 삶과 농민 봉기를 이해하는 것이다. 신라 말 농민들은 흉년과 기근에 시달리다가 노비나 도적이 되기도 하였다. 또한, 재정 부족에 시달리던 신라 정부가 세금 납부를 독촉하자 농민들을 봉기를 일으켜 저항하였다. 이에 신라 정부는 제대로 대처하지 못하면서 힘을 잃어갔다.

자료 이해 확인 문제

1. 신라 말 원종과 애노 등이 사벌주를 근거로 반란을 일으켰다.
(○ / ×)

2. 신라 정부는 농민 봉기를 진압하여 지방에 대한 통제력을 강화하였다.
(○ / ×)

》 **정답** 1. ○ 2. ×

 역사탐구 호족과 6두품 교과서 58쪽

| 자료 1 |

김주원은 신라의 귀족이자 태종 무열왕의 후손이다. 선덕왕이 후사 없이 사망하자, 군신이 그를 왕으로 추대하였다. 그러나 그가 경주로 오기 전 홍수로 인해 알천이 범람하여 건너올 수 없게 되자, 대신들이 이는 하늘의 뜻이라 하여 상대등 김경신을 왕(원성왕)으로 추대하였다. 김주원은 왕위 계승전에서 패배한 뒤 중앙에서 계속 거주하지 못하고 명주(강릉) 지방으로 물러났다. 이후 김주원은 명주 지방의 독자적인 세력을 형성하였고 '명주군왕'으로 칭해졌다. 그의 후손들은 신라 말까지 강릉 일대의 반 독립적인 지방 호족 세력으로 남아 있었다.

| 자료 2 |

6두품 출신 최치원은 당에 유학하여 빈공과에 합격하였고, 황소의 난을 토벌해야 한다는 격문을 써서 문장가로 이름을 떨쳤다. 그는 신라 사회가 극도로 혼란한 시기에 귀국하여 진성 여왕에게 개혁안을 제출하였으나 진골 귀족들의 반대로 받아들여지지 않았다. 이후 그는 관직을 버리고 전국을 돌다가 일생을 마쳤다.

▶ **최치원**(857~?, 정읍 시립 박물관)

1. | 자료 1 |에서 김주원과 그의 후손이 지방의 독자적인 세력으로 변화하게 된 까닭을 찾아 써 보자.

정답 풀이 | 왕위 계승전에서 패배하여 지방으로 밀려났기 때문이다.

2. | 자료 2 |를 읽고, 최치원이 제출한 개혁안에는 어떤 내용이 있었을지 추론해 보자.

정답 풀이 | 중앙 정부의 지방에 대한 통제력 강화 방안, 도적 및 농민 봉기 세력을 무마하여 생업에 전념하도록 하는 방안, 골품제의 모순을 극복하는 방안 등이 있었을 것이다.

친절한 활동 길잡이

이 활동의 핵심은 자료를 통해 호족과 6두품에 대해 이해하는 것이다. |자료 1|을 통해 중앙 권력에서 밀려난 귀족이 지방 호족 세력으로 변화하는 과정을 알 수 있고, |자료 2|를 통해 6두품이 당시 신라 사회에 대한 비판 의식을 갖고 있었음을 알 수 있다.

자료 이해 확인 문제

1. 신라 말 호족 세력 중에는 몰락 귀족 세력도 있었다. (○ / ×)

2. 최치원은 자신의 개혁안이 받아들여지지 않자 후백제를 세우는 데 협조하였다. (○ / ×)

》 **정답** 1. ○ 2. ×

[01~02] 다음을 읽고 물음에 답하시오.

> 1. 신라의 국왕 중심의 정치 체제 수립
>   (1) 무열왕: 외교 활동, 김유신의 지원으로 즉위
>   (2) 문무왕: 　　　　　(가)
>   (3) 신문왕: 진골 귀족 숙청
>   ㉠국왕 중심의 정치 체제 수립

01 (가)에 들어갈 내용으로 옳은 것은?

① 화백 회의 설치
② 나당 동맹 체결
③ 나당 전쟁 승리
④ 독서삼품과 실시
⑤ 김흠돌의 난 진압

02 밑줄 친 ㉠에 해당하는 내용으로 옳은 것만을 **보기**에서 고른 것은?

> ─ **보기** ─
> ㄱ. 불교 공인
> ㄴ. 국학 설립
> ㄷ. 상대등 역할 강화
> ㄹ. 관료전 지급, 녹읍 폐지

① ㄱ, ㄴ　　　　② ㄱ, ㄷ　　　　③ ㄴ, ㄷ
④ ㄴ, ㄹ　　　　⑤ ㄷ, ㄹ

단답형
03 다음에서 설명하는 정치 기구의 명칭을 쓰시오.

> • 신라의 중앙 정치 기구 중 하나이다.
> • 왕명을 받들어 행정을 총괄하는 기구로 장관은 시중(중시)이다.

(　　　　　　　　)

고난도
04 지도의 ㉠에 대한 설명으로 옳은 것만을 **보기**에서 고른 것은?

> ─ **보기** ─
> ㄱ. 서당이 설치된 곳을 표시한 것이다.
> ㄴ. 지방 정치와 문화의 중심지 역할을 하였다.
> ㄷ. 토착 세력인 촌주가 최고 관리의 역할을 하였다.
> ㄹ. 수도가 동남쪽에 치우친 것을 보완하고자 설치하였다.

① ㄱ, ㄴ　　　　② ㄱ, ㄷ　　　　③ ㄴ, ㄷ
④ ㄴ, ㄹ　　　　⑤ ㄷ, ㄹ

중요
05 다음 자료를 토대로 작성할 보고서의 제목으로 가장 적절한 것은?

> • 신라는 삼국의 옛 땅에 각각 3개의 주를 설치하여 9주를 두었다.
> • 신라의 중앙군인 9서당은 신라인뿐만 아니라 고구려인, 백제인, 말갈인까지 포함하여 편성하였다.

① 통일 신라의 영토 확장
② 통일 신라의 당 문화 수용
③ 통일 신라의 왕권 강화 정책
④ 통일 신라의 삼국 통합 정책
⑤ 통일 신라의 중앙 정치 기구 정비

06 (가)에 들어갈 지명으로 옳은 것은?

> 대조영의 뒤를 이은 발해의 무왕은 북만주 일대를 장악하며 영토 확장에 나섰다. 발해의 세력이 커지자 당은 흑수 말갈과 신라를 이용하여 발해를 압박하였다. 이에 무왕은 장문휴를 보내 당의 [(가)] 지방을 공격하였다.

① 요서　　② 요동　　③ 산둥
④ 강남　　⑤ 연해주

07 다음에서 설명하는 발해의 왕으로 옳은 것은?

> • 당, 신라와 친선 관계를 유지하며 체제 정비에 힘썼다.
> • 당의 문물과 제도를 받아들였으며, 신라와 상설 교통로를 개설하고 사신을 교환하였다.

① 고왕　　② 무왕　　③ 문왕
④ 희왕　　⑤ 선왕

단답형
08 (가)에 들어갈 알맞은 말을 쓰시오.

> 발해가 전성기를 맞이하여 그 세력을 크게 떨친 시기에 당에서 발해를 가리켜 [(가)] (이)라고 불렀다.

(　　　　　　　　　　)

09 다음 통치 기구에 대한 설명으로 옳은 것만을 보기에서 고른 것은?

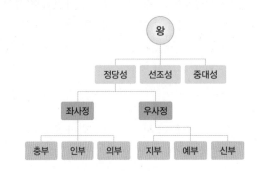

── 보기 ──
ㄱ. 당의 제도를 수용하였다.
ㄴ. 통일 신라의 중앙 정치 기구이다.
ㄷ. 6부의 명칭은 유교에서 강조하는 덕목이다.
ㄹ. 선조성의 장관인 좌상이 국정을 총괄하였다.

① ㄱ, ㄴ　　② ㄱ, ㄷ　　③ ㄴ, ㄷ
④ ㄴ, ㄹ　　⑤ ㄷ, ㄹ

고난도
10 지도의 (가) 영역을 차지한 국가에 대한 설명으로 옳은 것만을 보기에서 고른 것은?

── 보기 ──
ㄱ. 집사부를 중심으로 정국을 운영하였다.
ㄴ. 중앙 통치 기구로는 3성 6부가 있었다.
ㄷ. 군사 조직으로는 중앙에 10위를 두었다.
ㄹ. 지방 행정 구역을 9주 5소경으로 정비하였다.

① ㄱ, ㄴ　　② ㄱ, ㄷ　　③ ㄴ, ㄷ
④ ㄴ, ㄹ　　⑤ ㄷ, ㄹ

11 다음을 통해 알 수 있는 신라의 상황으로 옳은 것은?

> • 혜공왕이 어린 나이에 즉위하면서 연이어 반란이 일어났고 결국 혜공왕은 피살되었다.
> • 웅주 도독이었던 김헌창이 자신의 아버지가 왕위에 오르지 못한 것에 불만을 품고 난을 일으켰다.

① 불교 중심의 사상계가 변화하였다.
② 전국적으로 농민 봉기가 일어났다.
③ 지방에서 호족 세력이 성장하였다.
④ 6두품 세력이 개혁안을 제시하였다.
⑤ 귀족들 간에 왕위 쟁탈전이 일어났다.

12 다음 자료를 통해 알 수 있는 당시 농민들에 대한 설명으로 옳은 것만을 보기에서 고른 것은?

> • 지은은 한기부 백성인 연권의 딸이었다. 어렸을 때 아버지를 여의고 혼자서 어머니를 봉양하였다. …… 품팔이도 하고, 구걸을 하여 봉양을 오랫동안 하니 피곤함을 이길 수 없었다. 그리하여 부잣집에 자청하여 몸을 팔아 노비가 되고 쌀 10석을 받았다.
> • 헌덕왕 8년 흉년과 기근으로 당의 절강성 동쪽 지역에 건너가 먹을 것을 구하는 이가 170명이었다.

보기
ㄱ. 자연재해 등으로 삶이 어려워졌다.
ㄴ. 살기 힘든 농민들은 노비가 되기도 하였다.
ㄷ. 당에 유학하거나 학문 활동으로 이름을 떨치기도 하였다.
ㄹ. 중앙 정부의 통제력이 약화된 틈을 타 지방을 독자적으로 지배하였다.

① ㄱ, ㄴ　　② ㄱ, ㄷ　　③ ㄴ, ㄷ
④ ㄴ, ㄹ　　⑤ ㄷ, ㄹ

13 (가), (나)에 들어갈 인물을 옳게 짝지은 것은?

> 진성여왕 3년 여러 주의 군에서 공물과 조세를 바치지 않으니 나라의 씀씀이가 궁핍해졌다. 왕이 관리를 보내어 독촉하자 이로 인해 곳곳에서 도적이 벌 떼같이 일어났다. 그러자 ___(가)___, ___(나)___ 등이 사벌주(상주)를 근거로 반란을 일으키니 왕이 나마 벼슬의 영기에게 명하여 진압하게 하였다.

	(가)	(나)
①	원종	애노
②	양길	기훤
③	견훤	궁예
④	김주원	김헌창
⑤	최치원	최승우

14 (가)에 대한 설명으로 옳은 것만을 보기에서 고른 것은?

> 신라 말 중앙 정부의 통제력이 약화되면서 지방에서는 ___(가)___ 이/가 성장하였다. 이들은 촌주, 몰락 귀족, 무역 세력, 군대 지휘관 세력 출신 등으로 이루어졌다.

보기
ㄱ. 풍수지리설을 환영하였다.
ㄴ. 불국사와 석굴암을 창건하였다.
ㄷ. 스스로 성주, 장군이라고 불렀다.
ㄹ. 전세·공물을 부담하였고, 각종 노동에 동원되었다.

① ㄱ, ㄴ　　② ㄱ, ㄷ　　③ ㄴ, ㄷ
④ ㄴ, ㄹ　　⑤ ㄷ, ㄹ

15 (가), (나)에 들어갈 알맞은 말을 각각 쓰시오.

> 신라 말에는 (가) 와/과 (나) 이/가 유행하는 등 사상 면에서도 변화가 나타났다. 경전 연구를 중시한 교종과 달리 (가) 은/는 일상의 있는 그대로의 마음이 곧 도이고 그 마음이 곧 부처임을 내세웠다. 신라 말 도선에 의해 널리 보급되기 시작한 (나) 은/는 경주 중심의 지리 인식을 거부하였다.

(가): (   ), (나): (   )

16 (가), (나)에 들어갈 국가에 대한 설명으로 옳은 것만을 보기에서 고른 것은?

> 신라 말 지방에서 성장한 세력 가운데 견훤과 궁예는 새로운 국가를 세웠다. 견훤은 완산주에 도읍을 정하고 (가) 을/를 세웠고, 궁예는 송악에서 (나) 을/를 세웠다.

— 보기 —
ㄱ. (가)–최승우와 같은 6두품 세력을 포섭하였다.
ㄴ. (가)–지금의 경기도와 강원도 일대에서 세력을 확대해 나갔다.
ㄷ. (나)–이후 나라 이름을 마진, 태봉으로 바꾸었다.
ㄹ. (나)–후당, 오월, 거란, 일본과의 외교에 주력하였다.

① ㄱ, ㄴ   ② ㄱ, ㄷ   ③ ㄴ, ㄷ
④ ㄴ, ㄹ   ⑤ ㄷ, ㄹ

17 다음을 통해 알 수 있는 신문왕의 통치 제도 정비의 목적을 서술하시오.

> • 국학을 설립하여 유교적 소양을 갖춘 인재를 양성하고자 하였다.
> • 관리들에게 세금을 걷을 수 있는 권리만 주어지는 관료전을 지급하고, 세금 외에 노동력 징발까지 할 수 있는 권한인 녹읍을 폐지하였다.

18 다음을 통해 알 수 있는 역사적 사실을 서술하시오.

> • 무왕 이후 발해의 왕들은 꾸준히 독자적인 연호를 사용하였다.
> • 정효 공주 묘의 묘지석에는 문왕을 '황상'으로 표현하였다.

3 남북국의 문화와 대외 관계

01 통일 신라의 문화

1. 사상과 종교의 발달

(1) 유학의 발달
 ① 국학 설립: 유학을 정치 이념으로 확립하고자 국립 교육 기관 설립
 ② 독서삼품과 실시: 관리 등용을 위해 유교 경전 이해 능력 시험 실시
 ③ 뛰어난 문장가 배출: 강수, 설총, 김대문, 최치원 등
 └ 원효의 아들로 알려진 설총은 이두를 집
 대성하고 『화왕계』라는 명문을 지음

(2) 불교의 발달
 ① 원효: 불교계의 사상적 대립 통합, 아미타 신앙 전파
 ② 의상: 신라 화엄종 개창, 부석사 등 사찰 건립, 관음 신앙 전파

(3) 선종의 유행: 지방에 선종 사찰 건립 → 신앙과 문화의 중심지가 됨
 └ 부처의 깨달음을 이심전심으로 중생의 마음에 전하는
 것을 내세우는 종파로, 통일 신라 말기에 유행함

2. 불교 예술의 발달

(1) 사찰 건축
 ① 불국사: 불교의 이상 세계를 신라 땅에 재현한다는 취지로 창건
 ② 석굴암: 인공 석굴 사원, 수학적 비례·불상 조각의 아름다움으로 높이 평가받음

(2) 탑: 이중 기단 위에 3층으로 탑신을 쌓는 양식, 승탑·탑비 유행
 └ 승려의 사리를 넣은 탑 └ 승려의 생애를 적은 비로 선종의
 유행으로 승탑과 탑비가 유행함

3. 귀족과 농민의 생활

(1) 귀족: 호화로운 저택 생활, 희귀한 사치품 사용
(2) 농민: 전세·공물 부담, 각종 노동에 동원
 └ 당이나 아라비아에서 수입한
 양탄자, 유리그릇 등
(3) 신라 촌락 문서: 촌락의 경제 상황을 기록한 문서 → 세금 징수에 이용

02 발해의 문화

1. 유학과 불교의 발달

(1) 유학의 발달
 ① 6부 명칭: 유교 덕목(충·인·의·지·예·신)으로 사용
 ② 주자감 설치: 유교 경전에 대한 교육 강화, 유학적 소양을 갖춘 인재 양성
 ③ 정혜 공주 무덤, 정효 공주 무덤 묘지석: 유교 경전의 내용 인용

(2) 불교의 발달
 └ 불교에서 말하는 사륜(금륜, 수륜, 풍륜, 공륜)의 하나로,
 사륜은 이 세상을 받치고 있다는 네 개의 바퀴를 의미함
 ① 절터 유적에서 불상, 석등, 기와 등 유물 출토, 수준 높은 건축 및 조각
 ② 문왕이 '금륜', '성법' 등 불교식 명칭 사용, 각지에 많은 사찰 건립

독서삼품과
원성왕 때 실시된 관리 선발 제도로, 국학의 학생들을 독서 능력에 따라 상·중·하로 구분하였으며 이를 관리 등용에 참고하였다.

아미타 신앙
백성 누구나 '나무아미타불'을 열심히 외면 극락에 갈 수 있다고 주장하는 신앙이다. 극락은 불교에서 말하는 이상적 세계로, 아미타불이 살고 있는 정토를 말한다.

화엄종
화엄 사상을 내세운 불교 종파이다. '하나가 일체요, 일체가 곧 하나'여서 우주 만물이 서로 한데 통하여 구별 없이 무한하고 끝없는 조화를 이룬다는 것을 핵심으로 한다.

관음 신앙
관세음보살을 일심으로 염불하여 현세의 고난에서 벗어날 수 있는 영험을 얻고자 하는 신앙이다.

보충+ 신라 촌락 문서

일본 도다이사 쇼쇼인에 보관되어 있으며 토지의 종류와 면적, 노비의 수, 3년간 인구 변동 내용, 소의 말의 수, 과실 수 등이 기록되어 있다. 통일 신라 시기 촌락의 구체적인 모습을 보여 주는 자료이다.

자료 이해하기 삼층 석탑 양식의 출현 ──── 📖 교과서 61쪽

🔺 경주 감은사지 동·서 삼층 석탑

| 내용 알기 | 삼국 시대 말 백제 미륵사지 석탑과 정림사지 5층 석탑은 당시 유행하던 목탑을 본떠서 건조된 한편, 신라의 석탑은 전탑을 모방하는 데서 출발하였다. 백제와 신라의 초기 석탑들은 서로 다른 양식에서 출발했지만, 신라의 삼국 통일 이후 하나의 양식으로 통일되어 한국 석탑의 전형이 성립되었다. 이에 따라 신라의 석탑은 백제와 고신라의 각기 다른 양식을 종합하여 새로운 양식을 갖추게 되었는데, 대표적으로 감은사지 동·서 삼층 석탑을 꼽을 수 있다. 이 석탑은 동서의 쌍탑이 같은 구조와 규모로 조성되어 있으며, 상하 이층으로 형성된 기단 위에 세워졌다.

2. 발해의 국제적·독자적 문화와 생활

(1) 특징

① 고구려 문화의 전통 계승: 정혜 공주 무덤(고구려의 굴식 돌방무덤 양식, 모줄임천장 구조)

└ 주작대로를 중심으로 질서정연한 모습을 보임

② 당의 문화 수용: 상경성(당의 장안성 모방), 정효 공주 무덤(벽돌무덤, 당 양식의 벽화 제작)

③ 말갈족의 전통문화 수용: 변방 지역의 흙무덤, 말갈식 토기와 단지 제작

(2) 생활

① 귀족들이 녹유나 자색의 유약을 바른 기와와 치미 등을 얹은 집에 거주

② 쪽구들 형태의 온돌 가설

③ 답추(춤), 타구·격구(페르시아에서 유행한 놀이) 유행

03 통일 신라와 발해의 대외 교류

1. 통일 신라의 대외 교류

(1) 당과의 교류: 8세기 이후 친선 관계 회복, 활발한 교류

① 신라방(마을), 신라소(관청), 신라관(숙박 시설), 신라원(절) 설치

② 김운경, 최치원, 최승우, 혜초 등 유학생과 승려의 왕래

(2) 일본과의 교류: 당과 일본 사이의 중계 무역으로 이익 창출, 일본은 신라의 배를 이용하여 당에 왕래

(3) 대외 교역의 발달 ┌ 신라가 한강 유역을 차지한 이후 바다를 건너 중국과 통하는 길목의 역할을 하던 곳

① 당항성, 울산항: 국제적 무역항으로 번성 → 아라비아 상인의 왕래

② 청해진: 9세기 장보고가 설치, 당·신라·일본을 연결하는 해상 무역 주도

2. 발해의 대외 교류
┌ 발해의 무역로 중 하나로 상경~동경~남경을 거쳐 신라로 들어가는 경로

(1) 도로망 정비: 수도 상경을 중심으로 한 5개의 주요 도로망을 통해 교류
                                                    └ 거란도, 영주도, 조공도, 신라도, 일본도

(2) 신라와의 교류: 신라도를 통한 교류, 동경 용원부에서 신라 국경까지 역 설치

(3) 당과의 교류: 유학생 및 상인 왕래, 산둥반도에 발해관 설치
                                        └ 발해인의 숙소

(4) 일본과의 교류: 당과 신라를 견제하려는 정치적 목적에서 경제적·문화적 목적으로 변화, 대규모 사절단 파견

보충+ 정효 공주 무덤의 벽화

널길의 동·서벽과 널방의 동·서, 북벽에 그려진 12명의 인물도는 발해인의 모습을 보여준다. 이 인물들은 무사, 시위, 내시, 악사로 뺨이 둥글고 얼굴이 통통해 당나라 화풍을 반영한 것이라 볼 수 있다.

보충+ 왕오천축국전

신라의 승려 혜초가 고대 인도의 5천축국을 답사하고 쓴 여행기이다. 이 책에는 당시 인도 및 서역 각국의 종교와 풍속·문화 등에 관한 기록이 실려 있다.

보충+ 발해의 온돌

발해의 온돌 유적에서 'ㄱ'자, 'ㄷ'자, 'ㅡ'자 모양의 쪽구들이 발견되는데, 그 형태가 고구려와 유사하다.

중단원 핵심 확인하기 풀이 ═══ 📖 교과서 67쪽

1. 빈칸에 들어갈 알맞은 말을 써 보자.

(1) 원효는 '나무아미타불'만 열심히 외면 극락에 갈 수 있다는 ☐☐☐ 신앙을 전파하였다.

(2) 의상은 당에서 유학하고 돌아와 신라 ☐☐☐을/를 열었고 부석사 등의 사찰을 건립하였다.

(3) 장보고는 완도에 ☐☐☐을/를 설치하여 해적을 소탕하고, 해상 무역을 주도하였다.

(1) 아미타 (2) 화엄종 (3) 청해진

2. 관련 있는 내용을 옳게 연결해 보자.

(1) 정혜 공주 무덤 ⟋⟍ ㉠ 벽돌무덤

(2) 정효 공주 무덤 ⟍⟋ ㉡ 굴식 돌방무덤

3. 옳은 내용은 ○표, 틀린 내용은 ×표를 해 보자.

(1) 혜초는 불교 성지 순례를 다녀와 왕오천축국전이라는 여행기를 남겼다. (○)

(2) 불국사는 불교의 이상 세계를 재현한다는 취지에서 창건하였다. (○)

4. 제시된 용어를 3개 이상 사용하여 발해 문화의 특징을 문장으로 완성해 보자.

| 고구려 | 당 | 말갈 | 불교 | 유학 | 국제적 | 독자적 |

• 발해는 고구려 문화를 계승하는 한편 당과 말갈의 문화를 수용하여 국제적이고 독자적인 문화를 발전시켰다.

도입 활동 풀이

교과서 도입 01 원효와 의상의 설법

| 도입 보충 |

통일 신라 시기에는 원효와 의상에 의해 지배층 중심의 불교가 백성들에게 널리 퍼졌다. '나무아미타불'만 외면 극락에 갈 수 있다는 아미타 신앙과 관음보살이 중생의 고난을 듣고 구제해 준다는 관음 신앙이 전파되어 불교가 백성들의 신앙으로 자리 잡아갔다.

아미타불은 서방 극락 세계에 계신 부처님이오. 나무아미타불만 열심히 외면 극락에 가서 편안하게 살 수 있을 것이오.

원효(617~686)

관세음보살을 부르며 도움을 요청하면 관세음보살께서 나타나 구원해 줄 것이오.

의상(625~702)

◉ 원효와 의상은 왜 백성들에게 이러한 내용의 설법을 했을까?

도입 예시 답안 | ・백성들에게 불교를 널리 알리기 위해서이다.
・불교를 통해서 어려움을 겪는 백성을 구제하기 위해서이다.

교과서 도입 02 발해의 막새 기와

| 도입 보충 |

발해는 고구려 유민들이 중심이 되어 세운 국가로, 그 문화는 고구려 문화의 계승과 당의 문화 수용으로 설명할 수 있다. 발해의 막새 기와는 꽃잎의 표현 등에서 삼국 중 고구려의 기와 문양과 가장 유사하다. 고구려와 발해의 막새 기와의 유사성을 통해 발해가 고구려 문화를 계승했음을 알 수 있다.

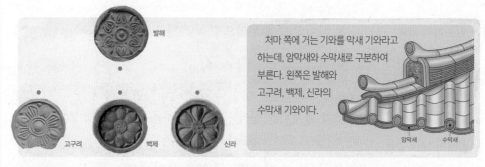

발해

처마 쪽에 거는 기와를 막새 기와라고 하는데, 암막새와 수막새로 구분하여 부른다. 왼쪽은 발해와 고구려, 백제, 신라의 수막새 기와이다.

고구려   백제   신라

암막새   수막새

◉ 발해의 막새 기와와 가장 유사한 기와를 찾아 연결해 보고, 그 까닭은 무엇일지 발표해 보자.

도입 예시 답안 | 발해의 막새 기와는 연잎의 가운데 줄이 있고 연잎 사이에도 줄이 있는 점에서 고구려의 기와 문양과 가장 비슷하다. 이는 발해가 고구려 문화를 계승했기 때문이다.

교과서 도입 03 해상 무역 기지 청해진

| 도입 보충 |

통일 신라 시대 장보고는 완도에 청해진을 설치하고 해상 무역을 주도하였다. 청해진을 중심으로 서남 해안의 해상권을 장악한 장보고는 당시에 성행하던 중국의 해적을 소탕하는 한편, 중국과 일본 사이에서 해상 무역의 패권을 잡고 중계 무역장으로 서남 해로의 요충지 역할을 하였다.

오늘도 당, 서역, 일본의 배들이 몰려오고 있군. 상품의 품목과 수량이 장부에 적힌 것과 맞는지 꼼꼼히 확인해야겠어.

⊙ 완도 청해진 유적(지금의 전남 완도 앞바다의 장도)

◉ 장보고가 설치한 청해진은 신라의 대외 교류에 어떠한 영향을 끼쳤을까?

도입 예시 답안 | ・청해진을 중심으로 신라가 대외 교역을 주도했을 것이다.
・당과 일본의 상인들이 청해진에 많이 왕래했을 것이다.

역사 탐구 풀이 및 보충

교과서 61쪽

 탐구 불교의 이상 세계가 구현된 불국사

| 자료 1 |

청운교와 백운교는 대웅전으로 들어가는 자하문과 연결된 돌계단 다리이다. 불경에 따르면, 부처님이 사는 나라로 가기 위해서는 물을 건너고 또 구름 위로 가야 한다고 한다.

◀ 청운교와 백운교

| 자료 2 |

과거의 부처인 다보불이 현재의 부처인 석가모니여래가 설법할 때 옳다고 증명한 『법화경』의 내용에 의거하여 조성한 탑이다.

◀ 불국사 삼층 석탑(좌)과 다보탑(우)

1. | 자료 1 |을 읽고, 불국사의 청운교와 백운교가 지니는 의미를 말해 보자.

정답 풀이 | 불경에서 부처님의 나라로 가기 위해서는 구름 위로 가야 된다고 한 것에 따라 구름 계단(청운교, 백운교)을 지나 올라간 곳이 곧 부처의 세계임을 알 수 있다.

2. | 자료 2 |의 불국사 삼층 석탑을 다르게 부르는 명칭을 조사하고, 이 명칭이 가진 의미를 발표해 보자.

정답 풀이 | 불국사 삼층 석탑을 석가탑이라고 부르는데, 이는 현재의 부처인 석가모니를 의미하는 것으로 불국사가 부처의 세계임을 보여 준다.

친절한 활동 길잡이

이 활동의 핵심은 불국사의 돌계단 다리의 명칭과 석탑의 명칭을 통해 불국사가 불교의 이상 세계를 구현했음을 이해하는 것이다. 청운교, 백운교라는 이름에 들어간 '운'은 부처님이 사는 나라로 가기 위해 건너가는 구름의 의미이다. 또한 다보탑과 석가탑(불국사 삼층 석탑)은 각각 과거의 부처인 다보와 현재의 부처인 석가모니를 의미한다.

자료 이해 확인 문제

1. 불국사에는 청운교, 백운교라는 돌계단 다리가 있다. (○ / ×)

2. 불국사 삼층 석탑은 다보탑이라고도 불린다. (○ / ×)

≫ 정답 1. ○ 2. ×

탐구 plus 부처의 나라, 불국사

불국사는 통일 신라 시대 불교 예술을 대표하는 사찰로 여러 전각을 세워 다양한 부처를 모시고 있다. 대웅전은 불교를 창시한 석가모니를 형상화한 석가모니불을, 극락전은 서방정토 극락세계에 머물면서 법을 설한다는 아미타불을, 비로전은 모든 부처님의 육신이 아닌 진리의 모습인 법신불인 비로자나불을, 관음전은 자비로 중생의 괴로움을 구제하고 왕생의 길로 인도하는 관음보살을 모시고 있다. 이러한 불국사는 부처가 다스리는 나라라는 불국토를 형상화한 것으로 불교의 이상 세계를 신라 땅에 재현한다는 취지로 창건되었다.

단답형

01 다음에서 설명하는 제도의 명칭을 쓰시오.

- 원성왕 때 관리 등용을 위해 실시한 제도이다.
- 국학 학생들의 유교 경전 이해 능력을 시험하여 상·중·하로 등급을 나누었다.

(   )

02 다음에서 설명하는 승려로 옳은 것은?

- 신라 화엄종을 열었고 부석사 등 여러 사찰을 건립하였다.
- 관음보살이 중생의 고난을 듣고 구제해 준다는 관음 신앙을 전파하였다.

① 원효   ② 의상   ③ 혜초
④ 도선   ⑤ 지눌

03 다음과 관련된 보고서를 작성하고자 할 때 조사할 유물로 가장 적절한 것은?

통일 신라 시기 생산의 주축을 이루었던 농민은 전세로 내는 곡물 외에 삼베나 과실류 등의 공물을 부담하였으며, 각종 노동에 동원되었다.

① 왕오천축국전
② 중대성첩 사본
③ 신라 촌락 문서
④ 해인사 묘길상탑기
⑤ 화순 쌍봉사 철감선사 탑

고난도

04 ㉠에 따른 결과로 옳은 것만을 **보기**에서 고른 것은?

경전 연구를 중시한 교종과 달리 선종은 일상의 있는 그대로의 마음이 곧 도이고 그 마음이 곧 부처임을 내세워 ㉠신라 말에 널리 확산되었다.

보기

ㄱ. 불국사와 석굴암으로 대표되는 불교 예술의 발달을 가져왔다.
ㄴ. 이중 기단 위에 3층으로 탑신을 쌓은 석탑 양식이 완성되었다.
ㄷ. 지방 곳곳에 선종 사찰이 세워져 신앙과 문화의 중심지가 되었다.
ㄹ. 승려의 사리를 넣은 승탑과 승려의 생애를 적은 탑비가 유행하였다.

① ㄱ, ㄴ   ② ㄱ, ㄷ   ③ ㄴ, ㄷ
④ ㄴ, ㄹ   ⑤ ㄷ, ㄹ

05 다음 내용을 토대로 작성할 보고서의 제목으로 가장 적절한 것은?

- 발해는 주자감을 설치하여 유교 경전에 대한 교육을 강화하고 유학적 소양을 갖춘 인재를 양성하였다.
- 문왕은 '금륜', '성법'이라는 명칭을 사용하는 등 이상적인 왕을 지향하였다.

① 발해 유학의 발달
② 발해 문화의 독자성
③ 발해의 당 문화 수용
④ 발해의 고구려 문화 계승
⑤ 발해의 유학과 불교 발달

06 통일 신라 시기의 대외 교류에 대한 설명으로 옳은 것만을 보기 에서 고른 것은?

> 보기
> ㄱ. 신라는 발해와 군사적 갈등이 지속되어 교류하지 않았다.
> ㄴ. 신라는 나당 동맹 성립 이후 당과 갈등 없이 활발히 교류하였다.
> ㄷ. 대외 교역이 활발해지면서 당항성과 울산항이 국제적인 무역항으로 번성하였다.
> ㄹ. 신라는 일본과 활발히 교류하여 당과 일본 사이의 중계 무역으로 이익을 얻었다.

① ㄱ, ㄴ   ② ㄱ, ㄷ   ③ ㄴ, ㄷ
④ ㄴ, ㄹ   ⑤ ㄷ, ㄹ

07 (가)에 들어갈 내용으로 옳은 것만을 보기 에서 고른 것은?

> 〈역사 수행 평가 보고서〉
>
> • 제목: 발해의 활발한 대외 교류
> • 내용: [(가)   ]

> 보기
> ㄱ. 청해진의 설치 목적 및 역할
> ㄴ. 발해 중대성첩 사본에 기록된 사절단
> ㄷ. 당의 산둥반도에 세워진 법화원의 역할
> ㄹ. 상경을 중심으로 뻗어가는 5개의 도로망

① ㄱ, ㄴ   ② ㄱ, ㄷ   ③ ㄴ, ㄷ
④ ㄴ, ㄹ   ⑤ ㄷ, ㄹ

08 다음을 읽고 물음에 답하시오.

> 발해는 고구려 문화를 계승하면서 당과 말갈의 문화를 수용하여 국제적이면서도 독자적인 문화를 발전시켜 갔다. 발해의 초기의 문화에서 고구려 문화의 요소가 특히 강하게 나타나는데 정혜 공주 무덤에서 이를 확인할 수 있다. [(가)] 이후 점차 당의 문화를 수용하면서 수도였던 상경성은 [(나)   ]

(1) (가)에 들어갈 내용을 조건에 맞게 서술하시오.
    ※ 조건: 무덤 양식과 천장 구조의 명칭을 포함하여 서술할 것

(2) (나)에 들어갈 내용을 조건에 맞게 서술하시오.
    ※ 조건: 상경성이 모방한 도성의 명칭을 포함하여 서술할 것

09 ㉠의 내용을 구체적으로 서술하시오.

> 발해는 초기의 국제적 갈등이 해소되자 적극적으로 대외 교류를 추진하였다. 한때 대립했던 신라와도 관계를 개선하고 ㉠활발하게 교류하였다.

대단원 마무리

한눈에 정리하기

◦ 신라의 통일과 발해의 건국

고구려·수 전쟁	고구려·당 전쟁	③ 동맹	백제의 멸망과 부흥 운동	고구려의 멸망과 부흥 운동	남북국의 성립
• 수의 굴복 요구에 요서 지방 선제공격 • 수 양제의 침입 → ① (으)로 격퇴	• 천리장성 축조 • 당 태종의 침입 → ② (으)로 격퇴	• 신라와 당의 연합 작전으로 백제와 고구려 공격	• 전투, 사비성 함락 • 부흥 운동: 흑치상지(임존성), 복신·도침(주류성)	• 연개소문 사후 내분 → 평양성 함락 • 부흥 운동: 고연무(오골성), 검모잠(한성)	• 나당 전쟁으로 당 세력 격퇴 삼국 통일 완성 • 고구려 출신 대조영 ⑤ 건국

◦ 남북국의 발전과 변화

구분	통일 신라	발해
발전	• ④ 삼국 통일 완성 • 신문왕: 김흠돌의 난 진압, 국학 설립, ⑦ 지급, 녹읍 폐지	• 무왕: 당의 산둥 지방 공격 • 문왕: 당·신라와 친선 관계 유지 • 선왕: ⑩ (이)라 불림.
통치 제도	• 중앙 정치 기구: 집사부 역할 강화, 상대등 기능 축소 • 지방 행정 조직: 9주 ⑧ • 군사 제도: 중앙(9서당), 지방(10정)	• 중앙 정치 기구: 3성 6부 → 당의 제도 수용 • 지방 행정 조직: 5경 15부 62주 • 군사 제도: 중앙(10위)
변화	• 8세기 후반 이후 왕위 쟁탈전 전개 • 전국적 농민 봉기의 발생 • 지방에서 반 독립적인 ⑨ 세력의 성장 • 후백제·후고구려의 건국 → 후삼국 시대 시작	• 9세기 말부터 국력 약화 • 거란의 침략으로 멸망(926) • 일부 유민 고려로 망명

◦ 남북국의 문화와 대외 관계

구분	통일 신라	발해
유학	• ⑪ 설치: 유학 교육 • 독서삼품과 실시: 유교 경전에 대한 이해 정도를 기준으로 한 관리 선발 시도	• 유교 덕목을 중앙 정치 기구의 6부의 명칭으로 사용 • ⑭ 을 통한 유학 교육
불교	• ⑫ 종파 간의 대립과 다툼 극복 노력 아미타 신앙 전파 • 의상: 신라 화엄종 개창, 관음 신앙 전파	• 상경성, 중경성 일대의 절터 유적 • 문왕: 불교식 명칭 사용
예술	• 불국사: 불교적 이상 세계 재현 시도 • 석굴암: 비례와 균형의 아름다움 • 3층 석탑 유행 • 일(?)에는 선종의 유행으로 승탑, 탑비 유행	• 고구려 계승: 굴식 돌방무덤, 모줄임천장 구조 • 당 문화 수용: 벽돌무덤, 당 양식의 벽화
대외 교류	• 당: 신라방·신라소·신라관·신라원 설치 빈공과 시험 • 일본: 당과 일본 사이의 중계무역 • 서역: 아라비아 상인의 왕래로 이슬람 세계에 알려짐.	• 발해: 5도를 통해 주변 국가와 교류 • 신라: 신라도 • 당: 산둥반도에 ⑬ 설치 • 일본: 대규모 사절단 파견

수행 평가 | 역사 정보 활용 및 의사소통 |

특별 전시회 소개 책자 만들기

◦남북국 시대의 문화 및 대외 교류와 관련된 내용 중 주제를 정하여 특별 전시회를 개최한다고 가정하고 특별 전시회를 소개하는 작은 책자를 만들어 보자.

| 활동 단계 |

1단계 전시회를 개최할 주제를 선정한다.
2단계 교과서, 관련 도서, 박물관을 비롯한 인터넷 사이트를 통해 자료를 수집한다.
3단계 특별 전시회의 명칭, 전시회 유물 및 그에 관한 소개, 특별 전시회와 관련하여 실시할 강연 제목 등을 정리하여 작은 책자를 만든다.

| 활동 예시 |

고구려 문화의 전통이 살아 숨 쉬는 발해

⊙ 고구려와 발해의 치미

기간 20○○년 ○○월 ○○일~○○월 ○○일
장소 ○○ 박물관 ○○ 전시실

강연 1 고구려 문화의 토대 위에 독자적인 문화를 발전시킨 발해
강연 2 연해주 스타라레첸스코에 유적 발굴 성과 보고

1. 고구려의 수막새와 발해의 수막새

발해의 수막새는 문양과 제작 기법에서 고구려를 계승하였다.

2. 고구려와 발해 무덤의 천장 구조

발해의 무덤은 고구려와 비슷한 모줄임천장 구조를 가지고 있다.

| 활동 정리 |

정리 내용	자기 평가
특별 전시회의 제목을 적절하게 지었나요?	☺ ☺ ☺
주제와 맞는 유물을 선정하였고, 유물에 대한 설명이 정확한가요?	☺ ☺ ☺
강연의 제목이 특별전의 주제와 잘 연관되어 있나요?	☺ ☺ ☺

한눈에 정리하기

| 예시 답안 |

① 살수 대첩
② 안시성 전투
③ 나당
④ 황산벌
⑤ 발해
⑥ 문무왕
⑦ 관료전
⑧ 5소경
⑨ 호족
⑩ 해동성국
⑪ 국학
⑫ 원효
⑬ 주자감
⑭ 발해관

수행 평가

이것이 핵심 통일 신라와 발해의 문화 및 대외 교류와 관련된 특별 전시회 소개 책자를 작성하는 과정에서 역사 정보를 활용하는 역량을 키울 수 있다.

| 예시 답안 |

쇼소인에 잠들어 있는 통일 신라의 유물들

🔼 신라금

기간 20○○년 ○○월 ○○일~○○월 ○○일
장소 ○○ 박물관 ○○ 전시실

강연 1. 일본 왕실의 보물 창고 쇼소인의 역사와 소장품
강연 2. 쇼소인에 있는 통일 신라의 유물 분석

1. 사하리

2. 쇼소인 가위

대단원 마무리 문제

1 신라의 삼국 통일과 발해의 건국

01 다음 상황 이전에 있었던 일로 옳은 것만을 보기에서 고른 것은?

> 우리 신라와 함께 백제를 공격하고, 나중에 고구려를 함께 공격합시다.
>
> 고구려를 무너뜨리려면 신라와 손을 잡아야겠어.
>
> 좋소.
>
> 김춘추
>
> 당 태종

─ 보기 ─

ㄱ. 당은 평양에 안동도호부를 설치하였다.

ㄴ. 계백이 이끄는 결사대가 황산벌에서 신라군에 맞서 싸웠다.

ㄷ. 백제의 공격으로 신라는 대야성을 비롯한 40여 성을 빼앗겼다.

ㄹ. 고구려는 당의 침략을 받았으나 안시성 전투에서 이를 물리쳤다.

① ㄱ, ㄴ　　② ㄱ, ㄷ　　③ ㄴ, ㄷ

④ ㄴ, ㄹ　　⑤ ㄷ, ㄹ

02 ㉠과 관련된 인물만을 보기에서 고른 것은?

> 신라와 당의 군대에 의해 사비성이 함락되고 의자왕이 항복하면서 백제는 멸망하였다. 백제 멸망 이후 곳곳에서 ㉠백제 부흥 운동이 격렬하게 일어났다.

─ 보기 ─

ㄱ. 안승　　　　ㄴ. 복신

ㄷ. 검모잠　　　ㄹ. 흑치상지

① ㄱ, ㄴ　　② ㄱ, ㄷ　　③ ㄴ, ㄷ

④ ㄴ, ㄹ　　⑤ ㄷ, ㄹ

03 (가)에 들어갈 내용으로 옳은 것만을 보기에서 고른 것은?

> 신라의 삼국 통일은 삼국의 문화가 유합되면서 민족 문화 발전의 토대를 마련했다는 점에서 의의를 갖는다. 하지만 _____(가)_____ 는 점에서 한계를 안고 있다.

─ 보기 ─

ㄱ. 외세인 당을 끌어들였다.

ㄴ. 대동강 이북의 영토를 상실했다.

ㄷ. 나당 전쟁을 통해 당군을 물리쳤다.

ㄹ. 오랜 전쟁을 끝내고 평화를 가져왔다.

① ㄱ, ㄴ　　② ㄱ, ㄷ　　③ ㄴ, ㄷ

④ ㄴ, ㄹ　　⑤ ㄷ, ㄹ

04 ㉠의 근거를 찾기 위한 자료 조사의 내용으로 옳은 것만을 보기에서 고른 것은?

> 고구려 출신 대조영이 말갈 집단을 이끌고 동모산 기슭에 발해를 건국하였다. ㉠고구려를 계승한 발해가 건국되면서 남쪽의 통일 신라와 북쪽의 발해가 공존하는 남북국 시대가 성립되었다.

─ 보기 ─

ㄱ. 발해 수도인 상경성의 구조를 조사한다.

ㄴ. 정혜 공주 무덤의 양식 및 천장 구조를 조사한다.

ㄷ. 발해의 중앙 정치 기구의 명칭 및 역할을 조사한다.

ㄹ. 발해가 일본에 보낸 국서에 사용한 국가의 명칭을 조사한다.

① ㄱ, ㄴ　　② ㄱ, ㄷ　　③ ㄴ, ㄷ

④ ㄴ, ㄹ　　⑤ ㄷ, ㄹ

05 (가), (나)에 들어갈 왕을 바르게 연결한 것은?

> 신라의 [(가)]은 김흠돌의 난을 진압하여 진골 귀족들을 숙청하고 국왕 중심의 정치 체제를 수립하였다. 발해의 [(나)]은 당, 신라와 친선 관계를 유지하며 체제 정비에 힘썼다. 당의 문물과 제도를 받아들였으며 신라와 상설 교통로를 개설하였다.

	(가)	(나)
①	무열왕	강왕
②	문무왕	고왕
③	문무왕	무왕
④	신문왕	문왕
⑤	신문왕	선왕

06 (가), (나)에 들어갈 내용으로 옳은 것만을 보기에서 고른 것은?

> 1. 신라 말의 변화
>   (1) 진골 귀족 간의 왕위 쟁탈전
>   : 혜공왕 피살로 왕위 쟁탈전 격화
>   (2) 전국적 농민 봉기의 발생
>   : [(가)]
>   (3) 새로운 사상의 유행
>   : [(나)]

┌─ 보기 ──────────────────┐
ㄱ. (가)-원종과 애노의 봉기
ㄴ. (가)-양길과 기훤의 후고구려 건국
ㄷ. (나)-풍수지리설의 유행
ㄹ. (나)-경전 연구를 중시한 교종의 유행
└─────────────────────────┘

① ㄱ, ㄴ   ② ㄱ, ㄷ   ③ ㄴ, ㄷ
④ ㄴ, ㄹ   ⑤ ㄷ, ㄹ

07 (가)에 들어갈 국가에 대한 설명으로 옳은 것만을 보기에서 고른 것은?

> 상주 출신의 견훤은 서남 해안을 지키던 신라의 군인이었다. 그는 완산주(전주)에 도읍하여 [(가)]을/를 세웠다.

┌─ 보기 ──────────────────┐
ㄱ. 국호를 마진, 태봉으로 바꾸었다.
ㄴ. 최승우와 같은 6두품 세력을 포섭하였다.
ㄷ. 후당, 오월, 거란 일본과의 외교에 주력하였다.
ㄹ. 경기도와 강원도 일대에서 세력을 확대해 갔다.
└─────────────────────────┘

① ㄱ, ㄴ   ② ㄱ, ㄷ   ③ ㄴ, ㄷ
④ ㄴ, ㄹ   ⑤ ㄷ, ㄹ

❸ 남북국의 문화와 대외 관계

08 통일 신라의 불교 사상의 발달과 관련한 탐구 활동을 할 때 조사할 인물로 옳은 것만을 보기에서 고른 것은?

┌─ 보기 ──────────────────┐
ㄱ. 원효   ㄴ. 의상
ㄷ. 설총   ㄹ. 강수
└─────────────────────────┘

① ㄱ, ㄴ   ② ㄱ, ㄷ   ③ ㄴ, ㄷ
④ ㄴ, ㄹ   ⑤ ㄷ, ㄹ

09 다음 내용을 종합한 발해 문화의 특징으로 가장 적절한 것은?

> • 정혜 공주 무덤은 굴식 돌방무덤 양식에 모줄임천장 구조를 하고 있다.
> • 정효 공주 무덤은 벽돌무덤으로 만들어졌고 벽화의 인물은 뺨이 둥글게 표현되었다.
> • 발해 변방 지역에서는 흙무덤이 많이 만들어졌고 말갈식 토기나 단지 등이 남아 있다.

① 당의 문화를 수용하였다.
② 고구려 문화를 계승하였다.
③ 불교 중심으로 문화가 크게 발달하였다.
④ 국제적이면서 독자적인 문화를 발전시켰다.
⑤ 주변 국가와 교류 없이 독창적인 문화를 발전시켰다.

10 다음 자료를 토대로 작성할 보고서의 제목으로 가장 적절한 것은?

> • 발해관의 역할
> • 신라도의 위치
> • 발해 중대성첩 사본

① 발해의 대외 교류
② 신라와 발해의 교류
③ 동아시아의 해상 교역
④ 동아시아 문화권의 성립
⑤ 발해의 국제적 문화 발달

11 (가)에 들어갈 내용을 조건에 맞게 서술하시오.

> 신라는 통일 이후 넓어진 영토와 늘어난 인구를 다스리고자 집사부를 중심으로 국정을 운영하였으며, 지방 행정 제도와 군사 제도를 정비하였다. 통일 신라의 지방 행정 및 군사 제도는 옛 삼국을 하나로 통합하려는 정책으로, ___(가)___

※ 조건: 지방 행정 제도와 군사 제도의 명칭을 포함하여 통합 정책의 의도가 드러나게 서술할 것

12 다음은 발해의 중앙 통치 기구이다. 이를 통해 알 수 있는 발해 통치 제도의 특징을 서술하시오.

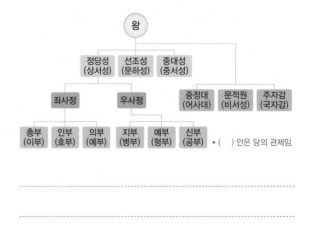

01 남북국 시대의 주요 사건 알아보기

● 다음 중 하나의 사건을 선택하여 관련된 그림을 그리고, 그림을 설명하는 글을 작성해 보자.

> 살수 대첩, 천리장성 축조, 연개소문 정변, 안시성 전투,
> 대야성 전투, 나당 동맹 성립, 황산벌 전투, 백강 전투,
> 매소성 전투, 기벌포 전투, 천문령 전투

1. 선택한 사건과 관련된 인물을 중심으로 그림을 그리고, 사건의 내용이 드러나게 말풍선을 작성해 보자.

2. 위 그림과 관련된 사건의 배경, 경과, 결과 등을 설명하는 글을 작성해 보자.

02 남북국 시대의 문화재 소개하기

◦ 다음 중 하나를 선택하여 문화재를 소개하는 카드를 작성해 보자.

> 부석사, 불국사, 석굴암, 경주 감은사지 동·서 삼층 석탑,
> 불국사 삼층 석탑·다보탑, 화순 쌍봉사 철감선사 탑
> 발해 석등, 영광탑, 정혜 공주 무덤, 정효 공주 무덤

문화재 카드

사진

• 명칭: _____

• 소재지: _____

_____

• 특징: _____

_____

_____

발해의 수도, 중국 헤이룽장성

"헤이룽장성 닝안현을 중심으로 발해의 유적과 독립운동의 발자취를 돌아보다."

발해의 도읍 가운데 가장 오랜 기간 도읍지였던 상경의 성터인 '발해 상경 용천부 제1 궁전터', 그 안에서 발견된 절터인 '흥룡사', 상경용천부 제2 절터에 있는 '발해 석등', 상경성 안에 위치한 우물인 '팔보 유리정'을 통해 발해의 발자취를 살펴볼 수 있다. 이외에도 헤이룽장성에서 안중근 의사 기념관, 동북 항일 연군 박물관 등을 찾아볼 수 있다.

📍 발해 상경 용천부 제1 궁전터

상경성은 발해의 제3대 문왕이 당나라의 장안성을 모방하여 축조하였다. 상경은 서기 755년 무렵부터 30년간 발해의 수도였고, 794년부터 926년 멸망할 때까지 수도로 발해 역사의 중심지였다. 상경성은 내성과 외성 구조로 되어 있으며 3~4 m의 석벽이 주위를 에워싸고 있다.

중국 음식 맛보기

❶ 춘빙 春餠 주로 중국 북방의 전통 음식으로 밀가루 반죽을 원형으로 얇게 편 후 기름에 구운 것이다. 춘빙에 춘장을 발라 고기와 썬 파를 얹어 먹거나 오리를 훈제하여 춘빙에 파를 얇게 썬 것과 춘장을 함께 싸서 먹는다.

❷ 샤오찌뚠모구 小鸡炖蘑菇 뚜껑이 있는 그릇에 국물을 부어 영계와 마른 버섯을 약한 불로 오랫동안 끓이는 조리 방법을 가리키는 말이다. 닭고기에 버섯향이 배어 구수하고 버섯은 닭고기와 같은 식감과 맛을 낸다.

흥룡사

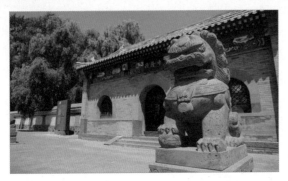

높이가 6 m가 넘는 발해 석등이 있는 절이다. 발해의 수도였던 상경성에는 10여 기의 사지(절터)가 발견되었다. 흥룡사라는 절은 발해의 수도였던 상경성에서 발견된 10여 기의 사지(절터) 가운데 2호 사지에 청나라 때 들어선 절이다. 이곳에는 발해 석등 외에도 대좌를 포함하여 높이가 3.3 m에 달하는 석불도 있다.

발해 석등

발해의 대표적인 석조 미술로, 하대석과 상대석에 조각된 연꽃무늬를 통해 고구려 미술의 웅장하고 강건한 모습을 볼 수 있다. 부분적으로는 고구려의 문화를 계승하면서 통일 신라 시대에 확립된 석등 양식의 영향을 받아 조성되었다.

팔보 유리정

상경성 안에 있는 왕실 우물로, 상경용천부 궁성 내에서 음수용으로 사용하였다. 입구는 돌이 팔각형 모양으로 쌓여 있고, 내부는 원형으로 고구려의 전형적인 우물 양식을 이어받았다.

❸ 쭈러우쑤안차이뚠펀티아오 猪肉酸菜炖粉条 중국 동북 지역을 대표하는 춘절 음식으로, 한국의 갈비찜과 유사하다. 돼지고기에 당면과 중국식 절임 배추를 넣어 만든다.

❹ 샤주차이 ﾒ猪菜 돼지 수육, 내장, 선지, 중국식 절임 배추 등을 함께 넣어 끓인 찌개이다. 중국 동북 농촌 지역에서는 매년 설마다 돼지를 잡아 만들어 먹었던 음식이다.

고려의 성립과 변천

III

고려의 성립과 변천

1. 고려의 건국과 정치 변화
2. 고려의 대외 관계
3. 몽골의 간섭과 고려의 개혁
4. 고려의 생활과 문화

이 단원에서는 고려의 성립과 발전을 동아시아 국제 질서와 연관하여 다룬다. 거란(요), 금(여진), 몽골(원) 등 북방 민족의 성립과 고려의 정치 변화를 관련지어 이해하는 한편, 대몽 항쟁 이후 사회·문화의 변화 모습을 파악한다. 아울러 지배 세력의 성격 변화를 중심으로 고려 사회의 변화와 지향을 살펴본다.

◉ 송악산과 만월대(개성)

▶ 사진으로 살펴보기

사진은 태조 왕건이 창건하여 거처하던 궁궐터로 1361년 홍건적의 침입으로 소실될 때까지 고려 왕의 주된 거처였습니다. 오늘날 북한 황해북도 개성시 송악산 남쪽 기슭에 위치해 있습니다.

▶ 단원 열기

이 단원에서는 고려의 성립과 발전을 동아시아 국제 질서와 연관하여 다룹니다. 거란(요), 금(여진), 몽골(원) 등 북방 민족의 영향과 함께 정치·사회·문화의 변화 모습을 파악합니다.

1 고려의 건국과 정치 변화

01 고려의 건국과 후삼국의 통일

1. 고려의 건국

┌ 왕건 집안은 해상 활동을 통해 호족 세력으로 성장하였으며, 해상 활동은 이후 왕건이 금성을 점령할 때 주요한 토대가 됨

(1) **왕건의 활동**: 송악(개성) 출신 호족, 궁예의 신하가 되어 금성(나주) 점령

(2) **궁예의 폭정**: 미륵불을 자칭하며 폭압 정치 시행, 신라 왕실에 강한 적대감 표시

(3) **고려 건국(918)**: 신하들이 궁예 축출, 왕건을 국왕으로 추대 → 국호 '고려', 연호 '천수', 철원에서 송악(개성)으로 천도
└ 왕건은 고려라는 국호를 통해 옛 고구려 지역의 회복을 대외적으로 내세움

2. 고려의 후삼국 통일

(1) 고려의 후삼국 통일 과정

① **배경**: 신라와 친선 관계 유지, 호족 우대

② **과정**: 고창(안동) 전투에서 후백제군 격퇴 → 견훤의 고려 귀순 → 신라 멸망(935) → 일리천(구미) 전투에서 후백제군 격퇴 → 후삼국 통일(936)
┌ 신라 경순왕이 스스로 고려에 항복함

(2) 후삼국 통일의 의의

① **자주적 통일**: 외세의 도움 없이 자주적으로 이루어짐

② **지배층의 범위 확대**: 지방 호족, 진골 귀족, 6두품 출신을 지배층으로 편입

③ **민족 재통합**: 발해 유민까지 흡수하여 진전된 민족 통합 달성, 고유의 민족 문화 형성 계기 마련
└ 태조는 발해가 멸망하자, 관리·장군·학자 등의 발해 유민을 적재적소에 임명하여 후삼국 통일에 활용함

3. 태조의 정책

(1) **민생 안정 정책**: 세금 감면 정책 시행

(2) **호족에 대한 정책**

① **포섭 정책**: 토지와 관직 하사, 왕실과 혼인 관계 형성, 왕씨 성을 하사

② **견제 정책**: 사심관 제도, 기인 제도

(3) **북진 정책**: 고구려 계승 표방 → 고구려의 수도였던 서경(평양) 중시, 북진 정책을 추진하여 영토 확장

(4) **통치 규범 제시**: 훈요 10조를 제시하여 후대 왕들이 교훈으로 삼도록 함

자료 이해하기 고려의 독자적 천자관 ───────────────── 📖 교과서 76쪽

皇 황
帝 제
万 만
歳 세
願 원

🔺 하남 교산동 마애 약사여래 좌상(경기 하남)

해동의 천자는 현세의 신령과 부처님이니 하늘을 도와 교화를 펴려 오셨네.
세상을 다스리시는 은혜가 깊으시니, 원근과 고금에 드문 일이네.
┌ 고려 국왕을 하늘의 아들로 여기며 부처와 같이 고귀한 존재로 칭송함
외국에서 친히 달려와서 모두 귀의하여 사방의 변경이 편안하고 깨끗해져서 창과 깃발을 내던지게 되니
성스러운 덕은 요나 탕 임금에게도 견주기 어려워라. ……
남쪽과 북쪽 오랑캐가 스스로 조정에 와서 온갖 보물을 우리 천자의 뜰에 바치는구나.
└ 여진, 탐라 등을 가리킴
– 「풍입송」, 「고려사」

| **내용 알기** | 하남 교산동 마애 약사여래 좌상에 새겨진 '황제만세원'은 고려가 대내외적으로 천자국 체제를 지향했음을 보여 준다. 고려인들은 왕이 하늘의 명을 받은 황제 혹은 천자로서 독자적 세계를 다스린다고 생각하였다.

4. 광종의 정책

(1) 칭제건원: 황제 칭호, '광덕' 등의 연호 사용 ← 군주를 황제라 칭하고 독자적인 연호를 사용하자는 주장

(2) 노비안검법 시행: 양민의 수 증가, 공신과 호족의 영향력 약화

(3) 과거제 시행: 능력에 따라 관리 선발 ← 쌍기의 건의로 시행되었으며, 당시 사회가 개인의 학문 능력을 중시했음을 보여줌

(4) 반대 세력 숙청: 자신의 정책에 반대하는 공신과 호족 세력 숙청

02 통치 체제의 정비

1. 성종의 정책

(1) 최승로의 시무 28조 수용: 유교 사상을 바탕으로 나라의 제도 정비

(2) 제도 정비: 2성 6부제 마련, 지방에 12목 설치, 지방관 파견 ← 당의 3성 6부제를 고려 실정에 맞게 고침

2. 중앙 행정 조직: 2성 6부제

중서문하성	최고 관서, 장관인 문하시중이 국정 총괄
상서성	6부를 두고 주요 정책 집행
중추원	왕명 전달, 군사 기밀 담당
어사대	관리 감찰
삼사	회계 담당
도병마사, 식목도감	중서문하성과 중추원의 고관들이 외교, 법제 등 국가의 중대사 논의

3. 지방 행정 구역

(1) 광역 행정 구역: 5도(일반 행정 구역)와 양계(군사 행정 구역) ← 5도에는 안찰사가 파견되어 도내를 순찰하였고, 양계는 군 지휘관인 병마사가 통치함

(2) 주현과 속현 : 주현의 지방관이 속현을 함께 다스림, 향리가 실무 행정 담당 ← 지방관이 파견되는 주현보다 파견되지 않은 속현이 더 많아 실무 행정은 호족 출신 향리들이 담당함

(3) 특수 행정 구역: 향, 부곡, 소 ← 5도 양계의 아래 지방관이 파견되는 주현을 설치함

4. 관리 선발 제도

(1) 과거제: 시험을 통해 관리 선발, 제술과(문학적 재능 평가)·명경과(유교 경전 이해 능력 평가)·잡과(기술직)·승과(승려 대상)로 구성 ← 과거제에서 가장 중시됨

(2) 음서: 5품 이상의 고위 관리의 자손이 시험을 치르지 않고 관리로 선발되는 제도

5. 전시과 시행 ← 관직을 수행하는 대가로 전시과 시행, 녹봉 지급

(1) 전시과: 관리, 직업 군인 등에게 토지의 수조권을 지급하는 제도 ← 곡식을 경작하는 토지에 조세를 거둘 수 있는 권리

(2) 녹봉: 나라에서 봉급의 명목으로 직접 관리들에게 지급한 물품

⊙ 노비안검법

혼란기에 불법으로 노비가 된 자를 조사하여 양민으로 풀어준 제도이다. 이는 호족의 사병을 감소시킴으로써 호족의 약화와 왕권의 강화를 가져왔다.

보충⁺ 고려의 행정 구역

고려는 수도인 개경 주변을 경기로 편성하고 그 외 지역은 5도와 양계로 나누었다. 개경, 서경(평양), 동경(경주)을 3경이라 하다가, 고려 중기에 남경(서울)이 동경을 대신하였다. 또한, 국방상의 요충지에는 도호부를 설치하였다.

보충⁺ 향, 부곡, 소

향, 부곡의 주민들은 주로 농업에 종사하였고, 소의 주민들은 주로 수공업과 광업에 종사하며 국가가 필요로 하는 물품을 생산하였다. 이 지역은 주현의 수령이 향리를 통해 간접적으로 통제하였다.

자료 이해하기 | 당의 3성 6부와 고려의 2성 6부 ━━━━━━ 📖 교과서 77쪽

⊙ 당의 3성 6부 ⊙ 고려의 2성 6부

| 내용 알기 | 3성 6부 제도는 본래 당의 중앙 정치 기구였다. 3성은 중서성, 문하성, 상서성을 의미하며, 중서성에서는 정책을 기초하고, 문하성에서는 정책을 심의하였으며, 상서성에서는 정책을 집행하였다. 고려는 당의 3성 6부를 수용하면서 고려의 실정에 맞게 중서성과 문하성을 함께 묶어 2성 6부로 운영하였다. 중서문하성은 정책을 기초하는 부서를 별도로 두고, 문서를 심의하는 봉박에 재신을 참여시키는 등 당과는 다른 독자적인 방식으로 운영되었다. 또한, 고려는 도병마사와 식목도감이라는 회의 기구를 설치하여 외교와 국방, 법제 등의 중대 사안을 논의하였다.

보충⁺ 서경 세력과 개경 세력

서경 세력	개경 세력
묘청 중심	김부식 중심
풍수지리설	유교 사상
• 서경 천도 • 금 정벌	• 서경 천도 반대 • 금에 사대

📍 교정도감

최충헌이 처음 설치하였으며, 최씨 무신 정권의 최고 권력 기구로 활용되었다. 처음에는 최충헌을 살해하고자 했던 이들을 처벌하기 위한 임시 기구였지만, 이후 국정을 총괄하는 기관으로 발전하였다.

📍 삼별초

무신 정권의 군사적 기반으로, 사병이면서도 공적인 임무를 수행하였다. 야별초에서 분리된 우별초와 좌별초, 몽골군의 포로였다가 돌아온 군사들인 신의군을 합쳐 구성되었다.

보충⁺ 만적의 난

최충헌의 노비 만적 등 6명이…… 노비들을 모아놓고, "우리나라에서는 무신의 난 이래 고관대작이 천민에서 많이 나왔다. 왕후장상의 씨가 따로 있는가! 시기만 잘 만나면 될 수 있는 것이다."라고 말하였다. – 「고려사」

---

03 무신 정권의 수립

1. 이자겸의 난: 대대로 왕실과 혼인한 문벌 가문인 경원 이씨 출신의 이자겸이 인종을 제거하고 왕위에 오르려다 제거됨(1126) ┌ 과거제와 음서를 통해 여러 세대를 걸쳐 고위 관직자를 배출한 가문

2. 묘청의 서경 천도 운동 ┌ 풍수지리설에 따라 개경의 땅 기운이 쇠약해졌다고 주장함
(1) 배경: 서경 세력이 황제 칭호 및 독자 연호 사용, 서경 천도, 금 정벌 주장
(2) 전개: 김부식 등 문벌 지배층의 반대 → 묘청이 서경에서 반란(1135) → 김부식이 이끄는 토벌군에 의해 진압
(3) 결과: 서경 세력 몰락, 김부식 등 문벌 인사들이 정치 주도

3. 무신 정변 ┌ 무신들 간의 권력 다툼이 지속되어 정치가 불안정해짐
(1) 배경: 문신 위주의 정치 운영, 의종 때 무신을 차별하는 풍조 만연
(2) 전개: 무신들이 정변을 일으켜 권력 차지(1170) → 의종 폐위, 문신 제거 → 이의방과 정중부 등이 중방을 중심으로 정치 운영
(3) 최씨 무신 정권: 4대 60여 년간 지속 ┌ 자신의 신변 보호를 위해 운영한 사병 조직으로, 삼별초와 함께 최씨 무신 정권의 군사적 기반의 역할을 함
  ① 최충헌: 교정도감(정치 기구) 설치, 도방(군사 기구) 운영
  ② 최우: 정방 설치, 몽골 침입에 맞서 강화도 천도, 삼별초 조직
└ 무신 정권기에 최우가 문무백관의 인사 행정을 담당하기 위해 자기 집에 설치한 기구

4. 농민과 천민의 저항
(1) 원인: 무신 정권의 수탈, 신분 질서의 붕괴
└ 이의민 등 낮은 신분 출신이 무신 정권에서 출세함
(2) 주요 항쟁
  ① 하층민의 봉기: 망이·망소이의 난(공주 명학소), 김사미와 효심의 난(경상도)
  ② 신분 해방 운동: 만적의 난(개경) ┌ 최충헌의 사노비로 신분 해방을 주장하였으나, 계획이 발각되어 죽임을 당함
  ③ 삼국의 부흥 운동: 신라, 고구려, 백제의 부흥을 외치며 고려 왕조 부정
(3) 결과: 항쟁 모두 실패, 무신 정권은 항쟁 진압에만 집중, 하층민의 요구 반영 노력 부족

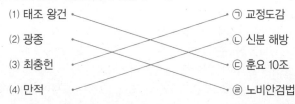

중단원 핵심 확인하기 풀이

📖 교과서 81쪽

1. 빈칸에 들어갈 알맞은 말을 써 보자.
(1) 태조 왕건은 송악을 고려의 수도로 삼고, ☐☐(이)라고 하였다.
(2) ☐☐은/는 왕실이나 공신의 후손, 5품 이상 고위 관리의 자손이 시험을 치르지 않고 관리가 되는 특권적인 제도였다.
(3) 최우는 자기 집에 ☐☐을/를 설치하여 관리들에 대한 인사권을 독점하였다.
(1) 개경 (2) 음서 (3) 정방

2. 관련 있는 내용을 옳게 연결해 보자.
(1) 태조 왕건 ─── ㉠ 교정도감
(2) 광종 ─── ㉡ 신분 해방
(3) 최충헌 ─── ㉢ 훈요 10조
(4) 만적 ─── ㉣ 노비안검법

3. 옳은 내용은 ○표, 틀린 내용은 ×표를 해 보자.
(1) 고려의 군대는 고창(안동) 전투에서 후백제를 격파하였다. (○)
(2) 고려 시대 국왕의 비서 기관인 도병마사는 왕명을 전달하고 군사 기밀을 다루었다. (×)
(3) 만적은 공주 명학소에서 최씨 무신 정권에 반대하여 항쟁을 일으켰다. (×)

4. 제시된 용어를 3개 이상 사용하여 후삼국 통일의 의의를 문장으로 완성해 보자.

외세 자주적 신라 호족 발해 민족 통합

• 후삼국 통일은 외세의 도움 없이 발해 유민까지 흡수하여 민족 통합을 이룩한 자주적인 통일이었다.
• 고려는 신라의 항복을 받고 발해의 유민들을 흡수하여, 신라의 삼국 통일보다 한층 더 진전된 수준의 민족 통합을 이루었다.

도입 활동 풀이

교과서 74쪽

교과서 도입 **01 왕건의 호족 통합 정책**

◆ 내가 왕건이었다면 호족들을 포섭하기 위해 어떤 제도를 시행하였을까?

도입 예시 답안 | • 지방의 호족을 중앙으로 불러들여 관리로 등용한다.
　　　　　　　　• 호족이 중앙에 내는 세금을 적게 부과한다.

| 도입 보충 |

신라 하대 이후에 성장한 호족 세력은 고려 정세에 큰 영향을 미쳤다. 왕건은 호족들을 우대하는 정책을 실시하여 호족들을 포섭하는 한편, 지방 호족 세력을 견제하기 위한 제도를 강구하였다.

교과서 77쪽

교과서 도입 **02 최승로의 시무 28조**

최승로가 성종에게 올린 시무 28조의 주요 내용

4조 군주는 선한 행동은 권하고 악한 행동은 벌해야 합니다.
7조 각 지방에 관리를 보내 백성들을 직접 다스리게 해야 합니다.
11조 중국의 제도보다 고려 고유의 풍속을 존중해야 합니다.
14조 임금은 겸손해야 하고 신하들을 공평하게 대해야 합니다.
20조 나라를 다스리는 이념은 불교가 아니라 유교가 되어야 합니다.

－「고려사」

◆ 최승로는 나라를 다스리는 데 어떤 전통과 사상이 중요하다고 생각하였을까?

도입 예시 답안 | 임금이 독단적으로 나라를 다스리지 말고 유교적 원칙에 따라 임금과 신하가 조화롭게 다스리되, 중국의 제도보다 고려 고유의 풍속을 존중해야 한다고 생각하였다.

| 도입 보충 |

성종이 관료들에게 나라를 다스릴 좋은 생각을 묻자, 최승로는 당면 과제로 28가지를 써서 상소로 올렸다. 유학자였던 최승로는 유교 이념에 따른 통치 이념을 제시하며 왕이 스스로 모범을 보이고, 백성들을 위해 바른 정치를 펼쳐야 한다고 생각하였다.

교과서 79쪽

교과서 도입 **03 무신 정권의 수립**

◆ 인종이 김돈중을 처벌하지 않고 김부식의 말을 수용한 까닭은 무엇일까?

도입 예시 답안 | 김돈중의 아버지인 김부식은 당시의 최고 문벌이자 권력자였다. 김돈중이 먼저 잘못했음에도 인종은 김부식의 눈치를 보면서 무신인 정중부만 처벌하겠다고 약속하였다.

| 도입 보충 |

경원 이씨(이자겸), 파평 윤씨(윤관), 해주 최씨(최충), 경주 김씨(김부식) 등은 고려의 대표적인 문벌이다. 이들은 대를 이어 고위 관직을 독점하고 정국을 주도하였다. 이들이 오랜 기간 누린 특권이 점차 사회에 고착되어 사회 내부가 분열하고 불안이 심화되었다.

역사 탐구 풀이 및 보충

역사 탐구 - 훈요 10조의 주요 내용

친절한 활동 길잡이

이 활동의 핵심은 고려 개창의 주역인 태조 왕건의 건국 이념을 확인하는 것이다. 주어진 사료를 통해 유교, 불교 등의 사상을 바탕으로 주체적이고 도덕적인 국가로 등장한 고려의 성격을 생각해 본다.

훈요 10조는 고려 태조 왕건이 후삼국 통일을 완수한 지 7년 후인 943년에 왕실의 자손들을 훈계하기 위해 남긴 것이다. 여기에는 고려 건국과 후삼국 통일의 의미를 후손들에게 전하고 나라를 다스리는 기본 요소들에 대한 왕건의 생각과 구상을 담고 있다.

제1조 불교의 도움으로 나라를 세웠으니, 불도를 성실히 닦을 것
제4조 중국의 풍속만을 무조건 따르지 말고, 거란을 경계할 것
제5조 서경을 중요시할 것
제6조 연등회와 팔관회를 성실하게 열 것
제7조 신하의 충고를 따르고 농업을 장려하되, 세금을 가볍게 하여 백성들의 신망을 얻을 것
제9조 신하들의 녹봉을 함부로 늘리거나 줄이지 말고, 평화로울 때도 군사력을 잘 유지할 것 – 『고려사』

자료 이해 확인 문제

1. 훈요 10조에는 불교를 숭상하는 내용이 포함되어 있다. (○ / ×)

2. 태조는 북진 정책을 추진하면서 서경을 중시하였다. (○ / ×)

≫ 정답 1. ○ 2. ○

1. 훈요 10조에서 서경을 중요시하라고 한 까닭은 무엇일까?

정답 풀이 | 고구려의 마지막 수도인 서경을 중시하여 고려는 고구려를 계승한 국가라는 인식을 굳건히 하고자 하였다. 또 서경은 지리적으로 거란 등 북방 이민족의 침략을 방비하기 위한 거점이 되었기 때문이다.

2. 훈요 10조의 내용 중 가장 중요하다고 생각하는 항목을 선택하고, 그렇게 생각한 까닭을 말해 보자.

정답 풀이 | 제4조가 가장 중요하다고 생각한다. 중국의 풍속보다 우리의 전통을 강조하고, 군사력을 유지하고자 거란 등 이민족 침입에 방비하라는 내용을 담고 있기 때문이다.

탐구 plus - 태조의 고구려 계승 의식과 북진 정책

• 신하들에게 말하기를, "옛 도읍인 평양이 황폐해진 지 비록 오래되었으나 터는 아직도 남아 있다. 하지만 가시밭이 우거져 오랑캐, 즉 여진인들이 그 사이에서 돌아다니며 사냥하다가 변방을 침략하기도 하니 해로움이 크다. 마땅히 백성을 옮겨 이곳을 채우고 변방을 굳게 지켜 대대손손 이롭게 하라."라고 하였다. 그리고 드디어 평양을 대도호부로 삼고 사촌 동생 왕식렴과 광평시랑 열평을 보내 이곳을 지키게 하였다.

• 거란이 사신을 보내 낙타 50필을 선사하였다. 왕은 "거란이 일찍이 발해와 화친을 이어 오다가 돌연히 발해를 의심하고는 두 마음을 품어 맹약을 어기고 멸망시켰다. 이는 매우 도리에 어긋난 일이니 화친하여 국교를 맺을 바가 되지 못한다."라고 하고는 드디어 외교 관계를 끊었다. 그리고 사신 30명을 섬으로 유배 보내고 낙타를 만부교 아래에 매어 놓아 모두 굶어 죽게 하였다.

– 『고려사』

고구려 계승 의식을 바탕으로 북진 정책을 추진하던 태조 왕건은 즉위 직후 고구려의 옛 수도인 평양을 재건하여 북진 정책의 전초 기지로 삼고, 여진족을 북쪽으로 몰아냈다. 이때 거란은 고려에 사신과 선물을 보내 친선 관계를 맺고자 했으나 태조는 발해를 멸망시킨 거란(요)을 신뢰할 수 없는 나라라 하여 강경한 대응 자세를 취하였다. 한편, 거란의 침입으로 멸망한 발해에서 왕자 대광현이 유민들을 이끌고 망명해 오자 이들을 적극적으로 받아들이고 서북 지방에 거주하게 하였다.

최충헌, 최씨 무신 정권의 절대 권력자

1196년 이의민을 죽이고 권력을 잡은 최충헌은 청탁과 뇌물에 따라 관직을 주었으며, 항상 법을 어기고 국정을 제멋대로 처리하였다.
– 『고려사』

거란의 유민들이 고려를 침입해 오자 최충헌은 자기를 지키는 병사들을 모아 점검하였고, 혹시 부하 장수 중에서 거란과의 전투에 출전하겠다고 요청하는 자가 있으면 모두 벌을 주고 먼 섬으로 유배를 보냈다.
– 『고려사』

친절한 활동 길잡이

이 활동의 핵심은 무신 집권기의 특징과 성격을 파악하는 것이다. 주어진 자료를 바탕으로 최씨 무신 정권의 문제점을 근거를 들어 비판해 보도록 한다.

1. 최충헌은 거란의 유민들이 침입했을 때, 왜 나가서 적군과 싸우겠다는 부하들에게 벌을 주었을까?

정답 풀이 | 최충헌은 외적이 침입한 위험한 상황에서 어떤 불상사가 생길지도 모르니 병사들이 자신을 지켜야 한다고 생각하였다.

2. 최충헌의 행위를 거울삼아, 사회 조직의 지도자가 갖추어야 할 중요한 덕목이 무엇인지 토론해 보자.

정답 풀이 | 사회와 나라의 참된 지도자가 되기 위해서는 공과 사의 구분을 분명히 해야 한다.

자료 이해 확인 문제

1. 최충헌은 집권한 후 합의에 따른 정치를 운영하였다. (○ / ×)

2. 최충헌은 자신의 신변 보호를 위해 군사 조직을 운영하였다. (○ / ×)

≫ 정답 1. × 2. ○

탐구 plus 최충헌의 봉사 10조

제1조 왕의 정전(正殿)을 사용할 것
제2조 필요 이상의 관원은 도태할 것
제3조 불법적인 대토지의 점유를 시정할 것
제4조 조세를 공평히 부과할 것
제5조 지방관의 과도한 공상을 금지할 것
제6조 승려의 정치 참여를 단속하고 왕실의 고리대업을 금지할 것
제7조 청렴한 관리를 등용하며 탐학과 횡포를 일삼는 향리를 물리칠 것
제8조 백관의 사치를 금하고 검소, 절약을 숭상케 할 것
제9조 사찰을 너무 많이 짓지 말 것
제10조 아부하지 않는 인물을 등용할 것

　최충헌은 이의민을 제거하고 권력을 잡은 후 국왕에게 봉사 10조를 올려 정치를 바로잡도록 하였다. 봉사 10조는 당시의 정세에 적절한 내용을 담고 있었다. 그러나 최충헌이 반대파를 제거하고 권력이 확고해진 후에 추진한 정치는 봉사 10조의 내용에 부합하지 않았고 탐학과 횡포가 심하였다. 따라서 봉사 10조는 최충헌이 자신의 집권을 정당화하고 권력을 안정화하기 위한 명분으로 제시되었다는 한계가 있다.

단답형

01 (가)에 들어갈 알맞은 인물을 쓰시오.

> 궁예는 나라 이름을 태봉으로 고치고 미륵불을 자칭하였다. 그의 일방적인 통치에 불만을 품은 호족들은 그를 몰아내고 ___(가)___ 을/를 국왕으로 추대하였다.

( )

02 다음 사건들을 일어난 순서대로 바르게 나열한 것은?

> (가) 고려가 고창 전투에서 승리하였다.
> (나) 신라 경순왕의 항복으로 신라가 멸망하였다.
> (다) 일리천 전투에서 신검의 군대가 패배하였다.

① (가)-(나)-(다)　② (가)-(다)-(나)
③ (나)-(가)-(다)　④ (나)-(다)-(가)
⑤ (다)-(나)-(가)

03 다음 정책을 도입한 왕에 대한 설명으로 옳은 것은?

> 향리의 자제를 뽑아 서울에 볼모로 삼고 출신지의 일에 대한 자문에 대비하게 하였는데, 이를 기인이라 한다. － 『고려사』

① 과거제를 시행하였다.
② 사심관 제도를 실시하였다.
③ 지방에 관리를 파견하였다.
④ 광덕이라는 연호를 사용하였다.
⑤ 최승로의 시무 28조를 받아들였다.

단답형

04 (가)에 들어갈 알맞은 말을 쓰시오.

> 광종은 공신 및 호족 세력의 경제력과 군사력을 약화시키고 국가에 조세 부담을 지는 양인의 수를 확보하기 위하여 ___(가)___ 을/를 실시하였다.

( )

[05~06] 다음 자료를 읽고 물음에 답하시오.

> ㉠최승로가 글을 지어 ㉡국왕께 올렸는데 …… 우리나라는 봄에 연등회를 열고 겨울에 팔관회를 개최하여 사람들을 널리 징발해 노력이 대단히 번거로우니, 원컨대 이를 대폭 줄여 백성의 수고를 덜어 주십시오. 불교를 믿는 것은 자기 자신을 닦는 근본이고, 유교를 행하는 것은 나라를 다스리는 근원입니다. 자기 자신을 닦는 것은 실로 다음 생을 위한 바탕이며, 나라를 다스리는 일은 오늘의 급선무입니다.

중요

05 밑줄 친 ㉠에 대한 탐구 활동으로 가장 적절한 것은?

① 과거제를 도입한 배경을 살펴본다.
② 문헌공도를 설립한 목적을 알아본다.
③ 유교 정치 이념의 정착 과정을 조사한다.
④ 안동 태사묘에 위패를 모신 공신을 확인한다.
⑤ 김사미가 반란을 일으킨 시기의 집권 세력을 파악한다.

06 밑줄 친 ㉡에 대한 설명으로 옳은 것은?

① 훈요 10조를 남겼다.
② 개태사를 설립하였다.
③ 교정도감을 설치하였다.
④ 2성 6부 제도를 마련하였다.
⑤ 천수라는 연호를 사용하였다.

중요
07 (가)~(마)의 담당 업무를 옳게 연결한 것은?

① (가) – 국정 총괄
② (나) – 법제·격식
③ (다) – 군사 기밀
④ (라) – 국방·외교
⑤ (마) – 왕명 출납

고난도
08 다음 지도에 나타난 시대의 행정 구역에 대한 설명으로 옳지 <u>않은</u> 것은?

① 지방관이 실무 행정을 담당하였다.
② 일반 행정 구역을 5도로 편성하였다.
③ 군사 행정 구역이 별도로 존재하였다.
④ 주현의 지방관이 속현을 함께 다스렸다.
⑤ 향, 부곡, 소는 특수 행정 구역이 있었다.

단답형
09 (가)에 들어갈 알맞은 말을 쓰시오.

> ___(가)___ 은/는 왕실이나 공신의 후손, 5품 이상 고위 관리의 자손이 시험을 치르지 않고 관리가 되는 특권과 같은 제도였다.

(   )

10 고려의 관리 선발 제도에 관한 설명으로 옳지 <u>않은</u> 것은?

① 무과가 정기적으로 실시되었다.
② 기술관을 선발하는 잡과가 존재하였다.
③ 문관은 제술과와 명경과를 통해 선발되었다.
④ 승과에서 합격한 승려에게 승계를 부여하였다.
⑤ 법적으로 양인 이상이면 과거 응시가 가능하였다.

11 다음 설명에 해당하는 인물로 옳은 것은?

> 고려 중기 문벌 출신의 문신이자 유학자이다. 묘청의 서경 천도 운동이 일어나자 토벌군의 최고 지휘관으로 활약하였으며, 현재 전하는 우리나라의 가장 오래된 역사책인 『삼국사기』를 편찬하였다.

① 최충   ② 김부식
③ 신숭겸   ④ 정지상
⑤ 정중부

12 다음에서 설명하는 제도로 옳은 것은?

> 나라에서 관리, 직업 군인 등에게 관직을 수행하는 대가로 토지의 수조권을 지급하는 제도이다.

① 녹봉　　② 음서　　③ 천거
④ 과거제　　⑤ 전시과

13 (가) 인물에 대한 설명으로 옳은 것은?

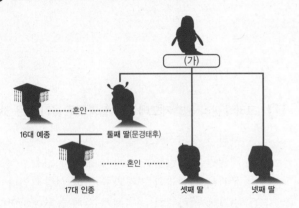

① 이의민을 제거하고 권력을 잡았다.
② 정방을 설치하여 인사권을 독점하였다.
③ 무신 집권기에 신분 해방 운동을 벌였다.
④ 총지휘관으로 서경의 반란군을 진압하였다.
⑤ 왕을 제거하고 왕위에 오르려다 숙청되었다.

중요
14 다음 상소를 올린 인물의 주장으로 적절한 것은?

> 상경(개경)은 이미 기운이 쇠하여 궁궐이 불타고 남은 것이 없습니다. 서경은 왕기(王氣)가 있으니 주상께서 옮기시어 상경으로 삼는 것이 옳을 것입니다.

① 금을 정벌하자
② 지방관을 파견하자
③ 과거제를 시행하자
④ 노비 문서를 불태우자
⑤ 몽골의 침입을 물리치자

15 다음 상황이 배경이 되어 일어난 사건에 대한 설명으로 옳은 것은?

> 왕(의종)이 수시로 거동하면서 아름다운 곳에 이를 적마다 행차를 멈추고, 가까이 총애하는 문신들과 술 마시고 글을 읊으며 돌아갈 줄 몰랐으니, 호위하던 장수들이 피곤하여 불평을 토로하였다. …… "문신들은 의기양양하여 취하도록 마시고 배부르게 먹고 있는데 무신들은 모두 굶주리고 피곤하니, 이 어찌 참을 수 있겠습니까?"

① 무과가 정기적으로 실시되었다.
② 이의방과 정중부가 반란을 일으켰다.
③ 예종의 뒤를 이어 인종이 즉위하였다.
④ 철원에서 개경으로 천도가 단행되었다.
⑤ 묘청이 서경으로의 천도를 주장하였다.

16 (가)에 들어갈 정치 기구로 옳은 것은?

> ___(가)___ 은/는 최충헌 부자의 살해를 모의한 청교역(靑郊驛)의 역리와 승도 등을 수색·처벌하기 위해 설치했던 임시 기구였다. 그러나 이후에도 존속하면서 최충헌의 반대 세력을 제거할 뿐만 아니라, 모든 지시와 명령을 내리며 국정을 총괄하는 중심 기관으로 자리 잡았다.

① 도방　　　　　　② 중방
③ 교정도감　　　　④ 도병마사
⑤ 중서문하성

고난도

17 다음 사건들을 일어난 순서대로 바르게 나열한 것은?

> (가) 이자겸이 인종을 몰아내고 왕이 되려고 하다가 제거되었다.
> (나) 최우가 자기 집에 정방을 설치하고 모든 관리의 인사를 다루었다.
> (다) 김부식이 이끄는 군대가 서경을 근거지로 삼고 반란을 일으킨 세력을 진압하였다.

① (가)-(나)-(다)
② (가)-(다)-(나)
③ (나)-(다)-(가)
④ (다)-(가)-(나)
⑤ (다)-(나)-(가)

19 다음 사료의 각 조항과 태조의 정책 방향을 연결하여 서술하시오.

> 제4조 중국의 풍속만을 무조건 따르지 말고, 거란을 경계할 것
> 제5조 서경을 중요시할 것
> 제6조 연등회와 팔관회를 성실하게 열 것
> 제7조 신하의 충고를 따르고 농업을 장려하되, 세금을 가볍게 하여 백성들의 신망을 얻을 것
> ─『고려사』

중요

18 다음 두 사건의 공통점으로 옳은 것만을 보기에서 고른 것은?

> • 공주 명학소의 망이가 그 무리를 모아 공주를 공격하여 함락하자 …… 그 후에 망이의 무리가 항복하였으나 얼마 후 다시 반항하자 이 현을 폐지하였다.
> • 노비 만적 등 6명이 …… 노비들을 모아놓고 "왕후장상의 씨가 따로 있는가! 시기만 잘 만나면 될 수 있는 것이다."라고 말하였다.

보기

ㄱ. 무신 집권기에 발발하였다.
ㄴ. 신분 상승 운동의 성격을 지녔다.
ㄷ. 김부식이 이끄는 관군에 의해 진압되었다.
ㄹ. 향, 부곡, 소에 대한 차별이 원인이 되어 발발하였다.

20 다음 사료를 통해 알 수 있는 고려 사회의 특징을 신라 사회와 비교하여 서술하시오.

> 김순(1258~1321)은 15세의 나이에 음서로 이미 벼슬길에 올랐다. 부친인 김방경은 최고의 관직인 장상에 올랐으나 자신이 과거에 합격하지 못한 것을 한스럽게 여겨, 아들이 과거에 급제하기를 열망하였다. 김순은 힘써 공부하여 충렬왕 5년(1279) 과거에 응시하여 합격하였다. 이는 공이 아버지의 한스러움을 대신 풀어준 것이다.
> ─ 김순,『묘지명』

① ㄱ, ㄴ
② ㄱ, ㄷ
③ ㄴ, ㄷ
④ ㄴ, ㄹ
⑤ ㄷ, ㄹ

2/3 고려의 대외 관계~ 몽골의 간섭과 고려의 개혁

01 고려 전기의 대외 항쟁과 교류

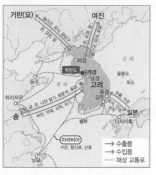

1. 거란(요)의 침입

(1) 배경: 고려가 송과의 친선 관계를 통해 거란 견제

(2) 거란의 침입 ┌─ 강조의 정변(강조가 목종을 쫓아내고 현종을 즉위시킨 사건)을 구실로 침략함

1차 침입(993)	서희의 외교 담판으로 송과 외교 단절을 약속 → **강동 6주** 개척
2차 침입(1010)	고려와 송의 외교 관계가 지속되자 침입 → 양규 등의 활약으로 격퇴
3차 침입(1019)	강감찬의 군대가 귀주에서 격퇴(귀주 대첩, 1019)

(3) 결과

① 외교 관계의 변화: 송과의 외교 단절 후 거란과 외교 관계 수립, 다원적 국제 질서를 바탕으로 송과 민간 교류 유지 ┌─ 고려, 거란, 송 사이의 세력 균형으로 100여 년간 동아시아의 평화가 유지됨

② 대외 방비: 나성(개경)과 천리장성(압록강~도련포) 축조
└─ 거란 및 여진 등 북방 민족의 침입에 대비하기 위해 국경 지역에 쌓은 성

2. 금(여진)과의 외교 관계

(1) 여진족의 성장: 12세기 초반 완옌부가 여진 부족을 통일하고 고려 위협

(2) 윤관의 여진 정벌

① **별무반** 조직: 여진 정벌을 위해 군대 조직

② **동북 9성** 축조: 여진족을 몰아내고 동북 지방에 9성 축조 → 1년 만에 반환

┌─ 여진족이 고려에 충성을 맹세하며 9성 지역의 반환을 요청하자, 방어에 어려움을 겪던 고려는 9성 지역에서 철수함

(3) 관계의 변화: 여진족의 금 건국(1115) → 거란 멸망 후 고려에 사대 관계 요구 → 고려 정부의 수용 → 금, 남송과 유연한 관계 유지
└─ 고려 내부에서는 대다수가 금과 군신 관계 체결을 반대하였으나, 당시 집권하고 있던 이자겸 세력이 금의 군신 관계 요구를 수용함

3. 고려의 개방적인 대외 교류

(1) 송: 가장 활발하게 교류, 선진 문물 수용 → 종이·먹·인삼 등 수출, 서적·약재·비단 등 수입 ─ 송은 정치적·군사적 관계, 고려는 경제적·문화적 관계를 중시함

(2) 거란(요), 여진: 농기구·곡식 등 수출, 모피·말 등 수입

(3) 일본: 인삼·곡식 등 수출, 수은·유황 등 수입

(4) **벽란도**: 송, 일본, 동남아시아, 아라비아 상인들과 교류 → 국제 무역항으로 번성, 고려가 '코리아'라는 이름으로 서방 세계에 알려짐

자료 이해하기 **윤관의 여진 격퇴** ───────── 📖 교과서 85쪽

🔺 「척경입비도」 윤관이 9성 개척 후 '고려지경(高麗之境)', 즉 고려의 영토라고 새긴 비석을 세우는 모습이다.

(윤관이) "제가 전날에 패한 원인은 적들이 모두 말을 탔고, 우리는 보병으로 전투한 까닭에 대적할 수 없었기 때문입니다." 라고 하자, 이때 비로소 별무반을 만들기로 하여 문무의 산관, 서리부터 …… 말을 기르는 사람들은 모두 신기군에, 말이 없는 자는 신보군에 배속시켰다. …… 또 승려를 선발하여 항마군을 편성하였다.

－「고려사」

| **내용 알기** | 12세기 초 여진이 고려를 공격하자 고려는 윤관의 건의에 따라 기병이 포함된 별무반을 조직하고, 여진을 정벌하여 동북 9성을 설치하였다. 이후 고려는 여진에게 조공을 받는 조건으로 동북 9성을 돌려주었다.

02 대몽 항쟁의 전개

1. 몽골의 침입

(1) **배경**: 13세기 초 몽골이 막강한 군사력을 바탕으로 군사 원정 전개 → 만주 진출 이후 고려와 화친 체결 → 몽골의 무리한 공물 요구

(2) **몽골의 침입**: 몽골 사신 저고여가 귀국 도중 피살 → 몽골의 침입(1231) → 몽골군이 고려와 화친 체결 후 철수 → 최씨 무신 정권이 다루가치 사살, 강화도 천도(1232)
> 몽골(원)이 고려의 내정을 간섭하고자 고려에 파견한 관리

2. 고려의 항쟁

(1) **고려군과 백성들의 저항**: 귀주성(박서), 처인성(김윤후), 충주성(하층민 중심), 죽주성, 자주성 등에서 몽골군 격퇴
> 승려 김윤후가 처인부곡 주민들과 함께 몽골 장수 살리타를 사살함
> 노비 중심의 군대가 몽골에 항쟁함

(2) **팔만대장경 제작**: 최씨 무신 정권기에 국가적 사업으로 전개 → 정권을 안정시키고, 불교에 의지하여 몽골군을 물리치고자 함

(3) **고려의 막대한 피해**
① 인적·물적 피해: 수많은 백성의 희생, 국토의 황폐화 등
② 문화재 피해: 초조대장경, 황룡사 9층 목탑 등 소실
> 거란의 침입 당시 부처의 힘으로 외적을 물리치려는 염원으로 제작함

3. 몽골과의 강화

(1) **화친의 성립**: 최씨 무신 정권 붕괴(1258) → 고려 태자(원종)가 몽골의 쿠빌라이 칸과 강화 체결 → 몽골이 개경 환도 요구 → 무신 세력의 개경 환도 반대 → 무신 정권 붕괴 → 개경 환도(1270)

(2) **삼별초의 항쟁**: 국왕의 해산 명령과 개경 환도 거부 → 강화도에서 진도, 제주도 등으로 옮겨 가며 몽골에 저항 → 고려와 몽골 연합군에 의해 진압(1273)
> 배중손과 김통정 등이 지도하였으며 진도의 용장성, 제주도의 항파두성 등지에서 항쟁함

정리 몽골과의 전쟁

몽골의 침략	고려에 무리한 공물 요구, 몽골 사신 피살을 계기로 침략
▼	
고려의 항전	최우의 강화 천도, 하층민의 항쟁
▼	
몽골과 강화	국토의 황폐화·백성 고통 가중 → 최씨 정권 붕괴 → 몽골과 강화 → 개경 환도 → 삼별초의 항쟁

보충➕ 제주 항파두리 항몽 유적

삼별초는 제주도로 근거지를 옮긴 후 항파두리에 성을 쌓고 저항하였으나, 고려와 몽골의 연합군에 의해 패배하였다.

중단원 핵심 확인하기 풀이

📖 교과서 89쪽

1. 빈칸에 들어갈 알맞은 말을 써 보자.

(1) 거란의 3차 침입 때 강감찬이 이끄는 고려군은 ⬜⬜에서 거란군을 크게 물리쳤다.

(2) 고려의 국제 무역항이던 예성강 하구의 ⬜⬜⬜은/는 개경의 해상 관문으로서 크게 번성하였다.

(3) 최씨 무신 정권은 몽골의 침략에 맞서 싸우기 위해 수도를 개경에서 ⬜⬜⬜(으)로 옮겼다.

(1) 귀주 (2) 벽란도 (3) 강화도

2. 관련 있는 내용을 옳게 연결해 보자.

(1) 서희 ──────── ㉠ 강동 6주
(2) 윤관 ──────── ㉡ 동북 9성
(3) 김윤후 ──────── ㉢ 강화도 천도
(4) 최우 ──────── ㉣ 처인성 전투

3. 옳은 내용은 ○표, 틀린 내용은 ×표를 해 보자.

(1) 거란의 침입을 물리친 고려는 강한 군사력을 바탕으로 거란과 적대적인 관계를 지속하였다.　　(×)

(2) 별무반은 고려 중기에 여진을 정벌하기 위해 조직된 군대이다.　　(○)

(3) 최씨 무신 정권은 불교의 힘으로 몽골의 침입을 물리치고자 팔만대장경을 제작하였다.　　(○)

4. 제시된 용어를 3개 이상 사용하여 고려 후기 대외 관계의 특징을 문장으로 완성해 보자.

> 거란　송　코리아　교역　아라비아
>
> 개방적　정치적　천리장성

· 고려는 거란과 국교를 맺은 후에도 개방적인 대외 교역을 펼쳐, 송은 물론 아라비아 등 멀리 있는 나라의 상인들도 드나들었다.

· 개방적인 대외 교역을 통하여 송이나 거란, 일본 외에도 멀리 아라비아 상인들까지 고려를 드나들면서 '코리아'라는 이름이 전 세계로 퍼지게 되었다.

충렬왕 때 원이 제2차 일본 정벌을 위해 고려에 세운 관청으로, 일본 원정이 실패로 끝난 뒤에도 고려의 내정을 간섭하는 데 활용되었다.

보충⁺ 왕실과 관제 용어의 격하

왕실 용어		관제 용어	
이전	원 간섭기	이전	원 간섭기
조, 종	충○왕	중서문하성, 상서성	첨의부로 통합
폐하	전하		
짐	고	중추원	밀직사
태자	세자	6부	4사

보충⁺ 전민변정도감 설치

승려 출신인 신돈을 등용하여 설치하였으며, 권문세족이 불법으로 차지한 토지를 돌려주고 억울하게 노비가 된 사람들을 풀어주었다.

보충⁺ 이성계의 요동 정벌 '4 불가론'

1. 작은 나라가 큰 나라를 공격하는 것은 불가하다.
2. 여름에 군사 원정은 적당하지 않다.
3. 요동 정벌을 틈타 왜구가 공격할 위험이 있다.
4. 장마철이어서 활의 아교가 느슨해지고, 병사들에게 전염병이 돌 것이다. −『고려사절요』

03 몽골의 간섭과 권문세족의 등장

1. 몽골(원)의 내정 간섭과 문화 교류
— 고려는 원의 부마국이 되었고, 왕자는 원에서 성장한 후 고려에서 즉위함

(1) 몽골(원)의 내정 간섭: 고려 세자와 원 공주의 혼인, 정동행성 설치, 왕실 호칭과 관직 명칭의 격하, 일부 영토(쌍성총관부, 동녕부, 탐라총관부 설치)의 상실

(2) 몽골(원)과 고려의 문화 교류: 원이 막대한 공물 및 공녀·환관 요구, 고려에 몽골식 풍습(몽골풍) 소개, 원에 고려의 풍속과 문화(고려양) 전파

2. 권문세족의 형성과 성장
— 고려 말에 형성된 새로운 지배 계층으로, 원 간섭기에 원의 영향력을 배경으로 등장함

(1) 구성: 기존의 문벌 출신, 원의 왕실이나 권력자와 혼인한 가문의 사람, 고려 왕이 원에서 머물 때 보좌하던 관리, 몽골어 통역관, 응방의 관리 등

(2) 특징: 친원적 성향, 대토지 보유, 농장 경영 → 국가 재정 수입 감소, 농민 궁핍화

04 개혁의 추진과 신진 사대부의 성장

1. 공민왕의 개혁 정책

(1) 반원 자주화 정책: 친원 세력 제거, 격하된 국가 제도 복구, 정동행성 유명무실화, 쌍성총관부를 공격하여 철령 이북 영토 회복

(2) 왕권 강화 정책: 전민변정도감 설치, 성균관 개편
— 이색을 책임자로 하여 성균관을 크게 확충하고, 개혁을 뒷받침할 신진 세력을 양성하고자 함

(3) 결과: 홍건적과 왜구의 침입, 신돈 숙청, 공민왕 시해 → 개혁 실패
— 원 간섭기부터 성리학을 공부하고 중앙 관직에 진출한 관료

2. 신진 사대부의 성장과 신흥 무신의 등장
— 명의 건국 이후 이색, 정몽주, 정도전 등 신진 사대부는 친명 정책을 지지함

(1) 신진 사대부의 성장: 주로 과거를 통해 관직 진출, 친명 정책 지지, 권문세족과 대립, 성리학에 기초한 개혁의 필요성 강조, 불교의 폐단 비판

(2) 신흥 무신의 등장: 홍건적과 왜구 토벌 과정에서 최영, 이성계 등장

3. 위화도 회군
— 중앙 정계에서 중요한 비중을 차지하는 무신 세력으로 성장함

전개	명의 철령위 설치 통보 → 최영의 요동 정벌 단행 → 이성계의 요동 정벌 반대 → 이성계와 요동 정벌군이 위화도에서 회군 → 우왕 폐위, 최영 제거(1388)
결과	이성계·신진 사대부의 권력 장악, 친명 외교 정책 확고화, 성리학에 기초한 개혁 기반 마련

중단원 핵심 확인하기 풀이

📖 교과서 94쪽

1. 빈칸에 들어갈 알맞은 말을 써 보자.

(1) 일본 원정 준비를 위하여 원이 고려에 설치한 기구인 ⬜⬜⬜⬜은/는 고려의 내정을 간섭하는 기구로 남아 있었다.

(2) 공민왕은 ⬜⬜을/를 발탁하여 전민변정도감이라는 관서를 설치하고 각종 개혁을 추진하였다.

(3) 고려 말에 성리학을 공부하고 중앙 관직에 진출한 ⬜⬜⬜⬜은/는 공민왕의 개혁과 친명 정책을 지지하였다.

(1) 정동행성 (2) 신돈 (3) 신진 사대부

2. 관련 있는 내용을 옳게 연결해 보자.

(1) 권문세족 ─────── ㉠ 성균관 확충

(2) 이색 ─────── ㉡ 위화도 회군

(3) 이성계 ─────── ㉢ 친원 정책 고수

3. 옳은 내용은 ○표, 틀린 내용은 ×표를 해 보자.

(1) 공민왕은 쌍성총관부를 공격하여 수복하였다. (○)

(2) 명이 건국한 후, 권문세족은 친명 정책을 적극 지지하였다. (×)

(3) 최영은 명의 철령위 설치에 반대하여 요동 정벌을 시도하였다. (○)

4. 제시된 용어를 3개 이상 사용하여 몽골의 간섭에 대한 고려의 개혁 노력을 문장으로 완성해 보자.

정동행성 권문세족 친원 정책 친명 정책
성리학 공민왕 위화도 회군 최영

· 공민왕은 정동행성의 기능을 유명무실하게 하고 친명 정책을 추진하였다.

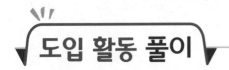

도입 활동 풀이

교과서 84쪽

교과서 도입⁺ **01 서희의 외교 담판**

고려는 옛 신라에서 일어났고, 고구려 땅은 우리 것인데 왜 넘보는가?

아니다. 우리나라는 옛 고구려를 계승하여 나라의 이름도 고려라 정한 것인데, 오히려 당신들이 우리 영토를 침범한 것 아닌가?

또 고려는 우리와 국경을 접하고 있으면서 어찌 바다 건너 송하고만 교류하는가?

여진이 고려와 거란 사이에 살고 있어 당신들과 교류할 수 없으니, 우리가 이곳을 개척하도록 도와준다면 교류하지 않을 이유가 없다.

거란 장수 소손녕 / 고려 대표 서희

◆ 거란이 고려를 침입했던 가장 중요한 까닭은 무엇일까?

도입 예시 답안 | 고려가 거란에 적대적인 송과의 외교 관계를 지속했기 때문에, 고려가 배후에서 거란의 위협 세력이 되는 것을 경계하였다.

| 도입 보충 |

서희는 거란의 침략 의도가 고려와 송의 외교 관계를 단절하는 것에 있다고 파악하고, 거란의 장수 소손녕과 외교 담판을 벌였다.

교과서 87쪽

교과서 도입 **02 저고여 피살 사건**

1225년(고종 12) 고려에 왔던 몽골 사신 저고여가 본국으로 돌아가는 도중 압록강 근처에서 피살되었다.

이건 분명 너희 고려의 짓이다!

고려와 몽골의 사이를 이간하려 한 여진의 짓이다!

저고여

◆ 저고여가 피살된 사건이 고려와 몽골 간의 관계에 어떤 영향을 끼쳤을까?

도입 예시 답안 | 저고여는 고려 국경 밖에서 피살당하였으나, 몽골은 고려에서 저고여를 죽였다고 주장하면서 저고여의 피살을 고려를 침입하기 위한 구실로 이용하였다.

| 도입 보충 |

고려와 형제 관계를 맺은 몽골은 고압적인 자세로 고려를 압박하였다. 특히, 고려를 방문한 몽골 사신인 저고여는 두 차례에 걸쳐 고려에 파견되었는데, 그는 과도한 공물을 요구하는 등 무례한 태도를 보였다. 저고여가 귀국 도중 압록강 근처에서 피살되자 몽골은 이를 구실로 고려에 침입하였다.

도입 plus⁺ **10~11세기 동아시아의 국제 정세**

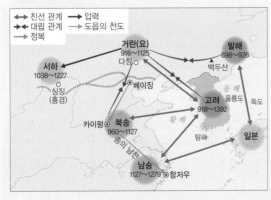

거란은 10세기 초 중국의 혼란을 틈타 요를 건국하여 세력을 확장하였고, 송이 중국 대륙을 통일하면서 요와 송의 대립 구도가 형성되었다. 고려는 태조 이래로 한족 왕조와 우호적인 관계를 유지하며, 북방의 거란(요)을 배격하였다. 이에 거란은 송과의 전쟁을 준비하면서 배후에 있는 고려를 제압하고자 침략하였다.

고려는 국제 관계의 변화 속에서 송, 거란(요), 여진(금)과 차례로 조공·책봉 관계를 맺어 이들 중심의 국제 질서를 수용하면서도 자국을 중심으로 하는 다원적인 세계관을 형성하였다.

교과서 도입 03 고려 세자와 몽골 제국 대장 공주의 결혼

| 도입 보충 |

고려와 몽골(원) 사이에 화친이 맺어지면서 고려의 왕은 원의 공주와 혼인을 하게 되었다. 그 결과 고려는 원의 부마(사위)국이 되어 지위가 낮아졌다.

◆ 고려 세자(충렬왕)와 몽골의 제국 대장 공주의 결혼이 고려의 정치에 끼친 영향은 무엇일까?

도입 예시 답안 | 몽골(원)의 간섭이 더욱 영향력을 발휘하였으며, 고려의 관료들은 권력을 강화하고 세력을 유지하고자 몽골 공주를 비롯한 몽골(원)의 실력자들과 관계를 돈독히 하려 하였다.

교과서 도입⁺ 04 공민왕의 개혁

| 도입 보충 |

원 간섭기에는 원과 특별한 관계를 가진 사람들이 고려의 지배 세력으로 등장하였다. 공민왕은 원 쇠퇴기를 이용하여 친원 세력을 제거하고자 하였다.

◆ 공민왕과 기철 일파는 서로를 어떻게 생각하고 있었을까?

도입 예시 답안 | 공민왕은 기철 일파가 국왕 중심의 통치 기반을 형성하는 데 장애가 된다고 생각하였고, 기철 일파는 고려에서 그들의 영향력을 유지·강화하고자 공민왕이 정치 주도권을 가지지 않기를 원하였다.

도입 plus⁺ 공민왕의 개혁 정치

◆ 노국 공주와 공민왕

공민왕은 11세에 원에 볼모로 잡혀 갔다가 원의 노국 공주와 결혼한 후 22세에 고려에 돌아와 왕이 되었다. 그는 원의 국력이 약화된 시기를 이용하여 친원파를 제거하고, 정동행성 이문소를 폐지하였으며 쌍성총관부를 공격하여 철령 이북의 땅을 회복하는 등 반원 자주 정책을 펼쳤다. 원과의 대립이 계속되는 상황에서 노국 공주는 "비록 몽골 여자이긴 하오나 저는 고려인입니다. 그러니 마땅히 고려의 풍습과 전하의 큰 뜻에 따라야 할 것입니다. 쇠약해진 고려를 다시 세우는 일이 전하의 천명이셨습니다. 고려가 점점 기력을 회복해가고 있으니 이보다 더 기쁜 일이 어디 있겠사옵니까."라고 하며 공민왕의 정책을 지지해 주었다. 공민왕의 개혁 정치는 원·명 교체기라는 당대의 상황을 바탕으로 전개되었다. 몽골의 차별적인 지배 정책에 대한 한족의 불만은 홍건적의 난으로 폭발하였고 이를 계기로 원의 쇠퇴가 가속화되었으며, 결국 한족 왕조인 명이 건국되었다.

역사 탐구 풀이 및 보충

역사 탐구 — 고려와 금의 관계 변화

| 자료 1 |

금에서 보낸 국서에, '형인 금 황제는 아우인 고려 국왕에게 문서를 보낸다. 우리(여진)는 할아버지 때부터 고려를 부모의 나라로 섬겨 왔다. 이제 금을 건국하고 거란을 공격하여 크게 물리쳤으니, 고려는 우리와 형제의 관계를 맺어야 한다.'라고 하였다. 고려에서는 이를 받아들이지 않았다.

– 『고려사』, 1117년의 일

| 자료 2 |

인종이 관료들을 모아 금에 사대할 것을 물으니 모두가 거부하였으나, 이자겸과 척준경이 "금은 거란과 송을 멸망시키고 날로 강대해지고 있으며, 우리와 국경을 맞대고 있습니다. 소국이 대국을 섬겨야 할 것입니다."라고 찬성하자, 그대로 따랐다.

– 『고려사』, 1126년의 일

친절한 활동 길잡이

이 활동의 핵심은 동아시아 국제 질서 속에서 고려의 대외 관계를 확인하는 것이다. 주어진 사료를 통해 국제 정세의 변화에 따라 고려의 대외 정책에 어떠한 변화가 일어났는지 생각해 본다.

1. | 자료 1 |에서 고려가 형제의 외교 관계를 맺자는 금의 요구를 받아들이지 않은 까닭은 무엇일까?

정답 풀이 | 금을 세운 여진족이 과거에 고려를 부모의 나라로 섬겼으므로 고려는 금이 우위가 되는 외교 관계를 받아들일 수 없었다.

2. | 자료 2 |에서 고려가 사대의 관계를 맺자는 금의 요구를 받아들였던 까닭은 무엇일까?

정답 풀이 | 금이 대국으로 성장하자 고려는 현실을 직시하여 금의 사대 요구를 받아들일 수밖에 없었다.

자료 이해 확인 문제

1. 고려는 금의 형제 관계 요구를 거절하였다. (○ / ×)

2. 이자겸은 금과 고려의 사대 관계를 반대하였다. (○ / ×)

3. 당시 고려의 국왕이었다면 금의 사대 요구에 어떻게 대응했을지 각자의 의견을 발표해 보자.

정답 풀이 | 사대 요구를 받아들이도록 한다. 대국으로 성장한 금(여진)의 요구를 들어주지 않으면 전쟁이 날 수도 있기 때문이다.

≫ 정답 1. ○ **2.** ×

역사 탐구 — 정치도감의 활동을 통해 본 원 간섭기 개혁의 한계

1347년(충목왕 3) 원 황제의 명령으로 고려의 내정 개혁 기구인 정치도감을 설치하고 왕후, 김영돈, 안축 등이 그 책임을 맡았다. 원에 공녀로 선발되어 간 기철의 여동생은 원의 황태자를 낳고 황후(기황후)가 되었다. 당시 기황후의 친척인 기삼만은 집안의 권세를 믿고 남의 토지를 빼앗는 등 불법을 자행하였다. 정치도감에서는 기삼만을 체포하여 장형에 처하고 옥에 가두었는데, 기삼만이 그만 죽고 말았다. 기삼만이 죽었다는 소식이 전해지자, 원은 사람을 보내어 정치도감의 관리 등 수십 명을 장형에 처하였다. 왕후와 안축만이 황제의 명으로 용서받았고, 1349년 정치도감은 폐지되었다.

– 『고려사』

🔺 전(傳) 기황후릉 터(경기 연천)

친절한 활동 길잡이

이 활동의 핵심은 원 간섭기에 있었던 개혁의 한계를 확인하는 것이다. 고려 내에서 발생한 각종 문제의 근원적 해결은 원의 간섭에서 벗어나야 가능하다는 점을 이해하도록 한다.

1. 기삼만이 죽자 원에서 직접 관리를 보내어 정치도감의 관리를 처벌한 까닭은 무엇일까?

정답 풀이 | 기삼만에 대한 처벌은 기황후와 원에 대한 도전으로 간주되었기 때문에 원에서 정치도감에 책임을 물은 것이다.

자료 이해 확인 문제

1. 내정 개혁 기구로 정치도감이 설치되었다. (○ / ×)

2. 정치도감의 개혁은 원의 간섭을 받았다. (○ / ×)

2. 정치도감이 별다른 성과를 거두지 못하고 폐지될 수밖에 없었던 까닭은 무엇일까?

정답 풀이 | 원의 정치적 간섭이 유지되는 상황에서 고려 정부가 부원 세력을 처벌하는 것은 사실상 불가능했기 때문이다.

≫ 정답 1. ○ **2.** ○

01 다음 지도에서 (가)에 대한 설명으로 옳은 것은?

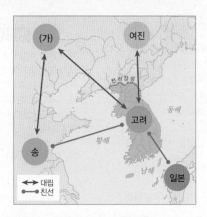

① 완옌부를 중심으로 성장하였다.
② 천리장성 축조의 계기를 제공하였다.
③ 코리아라는 이름을 서방 세계에 알렸다.
④ 고려에 서적, 약재, 비단 등을 수출하였다.
⑤ 사신의 피살을 구실로 고려에 침입하였다.

03 다음 사건이 일어난 시기를 연표에서 옳게 고른 것은?

> 적군이 귀주를 통과하자 강감찬 등이 동쪽 교외에서 맞아 싸우니, …… 적군이 북으로 도망치기 시작하였다. 아군이 그들을 추격하여 석천을 건너 반령에 이르렀는데, 시체가 들을 덮었고 사로잡은 포로, 노획한 말과 낙타, 갑옷, 병장기를 다 셀 수 없을 지경이었다.

(가)	(나)	(다)	(라)	(마)
고려 건국	후백제 멸망	천리장성 축조	무신 정변	쌍성총관부 설치	위화도 회군

① (가)   ② (나)   ③ (다)
④ (라)   ⑤ (마)

02 다음 상황을 활용한 탐구 주제로 적절한 것은?

① 이자겸의 대외 정책
② 동북 9성의 축조 결과
③ 강동 6주의 개척 배경
④ 무신 집권기 대몽 항쟁
⑤ 고려 말 홍건적의 침입

04 교사의 질문에 대한 학생의 답변으로 옳은 것은?

① 동북 9성을 쌓았습니다.
② 삼별초를 조직하였습니다.
③ 강동 6주를 개척하였습니다.
④ 위화도 회군을 단행하였습니다.
⑤ 귀주 대첩에서 승리를 거두었습니다.

고난도

05 (가)에 대한 설명으로 옳은 것은?

> (가) 은/는 여진과의 전투에서 매번 기병에게 패하자 윤관의 건의로 만든 특수군이다.

① 진도, 제주도에서 몽골에 저항하였다.
② 귀주성에서 몽골의 침입을 격퇴하였다.
③ 신기군, 신보군, 항마군으로 구성되었다.
④ 처인성에서 몽골 장수 살리타를 사살하였다.
⑤ 압록강에서 도련포에 이르기까지 천리장성을 쌓았다.

단답형

06 (가)에 들어갈 알맞은 말을 쓰시오.

> (가) 은/는 비교적 물이 깊어 선박이 자유로이 통행할 수 있었고 개경과 가까이 위치하였기 때문에 고려 제1의 항구로 발전하였다. 송의 상인뿐만 아니라 일본, 동남아시아, 아라비아 상인들까지 자주 드나들며 교역을 하였다.

(   )

07 밑줄 친 '적군'에 해당하는 나라에 대한 설명으로 옳은 것은?

처인성 전투에서 적군 장수 살리타를 사살하여 공을 세운 김윤후를 섭랑장에 임명하라.

① 초조대장경을 불태웠다.
② 송을 밀어내고 화북 지역을 차지하였다.
③ 한족의 농민 반란군으로 원에 반발하였다.
④ 태조가 훈요 10조를 통해 경계하고자 하였다.
⑤ 완옌부가 부족을 통합한 후 고려를 위협하였다.

08 밑줄 친 '이 부대'에 대한 설명으로 옳은 것은?

> 개경으로 환도하면서 방을 붙여 일정한 기일 안에 모두 돌아오라고 독촉하였는데 이 부대는 따르지 않았다. …… 배중손 등이 난을 일으켜 …… 이 부대가 진도에 들어가 웅거하자 왕이 김방경에게 토벌하게 하였다.

① 윤관의 건의로 조직되었다.
② 홍건적 토벌에 큰 공을 세웠다.
③ 제주도에서 대몽 항쟁을 전개하였다.
④ 권문세족의 정권 유지에 기여하였다.
⑤ 최충헌이 신변 보호를 위해 운영하였다.

중요

09 (가)에 대한 설명으로 옳은 것은?

① 몽골 침입 때 소실되었다.
② 항파두리에서 제작되었다.
③ 합천 해인사에 보관되어 있다.
④ 거란을 물리치려는 의지가 담겨있다.
⑤ 성리학의 가치와 이념을 반영하고 있다.

10 밑줄 친 '이 시기'에 대한 설명으로 옳지 <u>않은</u> 것은?

> 고려는 이 시기에 왕실과 관련된 호칭뿐 아니라 정치 조직의 격도 다음과 같이 낮추어 운영하였다.

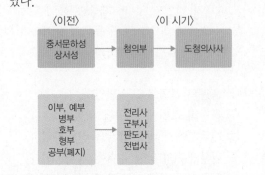

① 5소경이 설치되었다.
② 몽골풍이 유행하였다.
③ 다루가치가 내정을 간섭하였다.
④ 국왕이 원의 공주와 혼인하였다.
⑤ 북방 지역에 쌍성총관부가 설치되었다.

단답형
11 (가)에 들어갈 교육 기관의 명칭을 쓰시오.

> 고려 시대 최고 국립 교육 기관이었던 국자감은 1308년 ___(가)___ (으)로 명칭이 바뀌었다. 공민왕은 이색을 책임자로 하여 ___(가)___ 을/를 크게 확충하고 저명한 성리학자인 정몽주, 이승인 등을 발탁하여 학생들을 가르치게 하였다.

(   )

12 (가) 시기에 있었던 사실만을 [보기]에서 고른 것은?

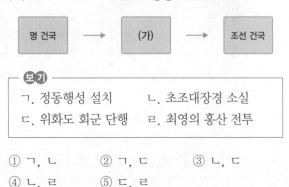

[보기]
ㄱ. 정동행성 설치   ㄴ. 초조대장경 소실
ㄷ. 위화도 회군 단행   ㄹ. 최영의 홍산 전투

① ㄱ, ㄴ   ② ㄱ, ㄷ   ③ ㄴ, ㄷ
④ ㄴ, ㄹ   ⑤ ㄷ, ㄹ

고난도
13 밑줄 친 '권세가'에 대한 설명으로 옳은 것은?

> 신돈이 전민변정도감을 두기를 청하고, 스스로 판사가 되어 전국에 알렸다. "백성이 대대로 농사를 지어온 땅을 권세가들이 거의 다 빼앗았다. 돌려주라고 판결한 것도 그대로 가지고 있으며, 양인을 노예로 삼고 있다. … (중략) … 기한 내에 그 잘못을 알고 고치는 자는 묻지 않을 것이며, 기한이 지났는데도 고치지 않고 있다가 발각되면 조사하여 엄히 다스릴 것이다." 이에 권세가들이 빼앗은 땅을 주인에게 돌려주므로 안팎이 기뻐하였다.

① 신흥 무인 세력과 연합하였다.
② 공민왕의 개혁 정치에 반발하였다.
③ 인사권을 독점한 정방을 폐지하였다.
④ 교정도감을 설치하여 권력을 유지하였다.
⑤ 성리학을 기반으로 개혁 정치를 추구하였다.

중요
14 (가) 왕이 실시한 정책으로 옳은 것은?

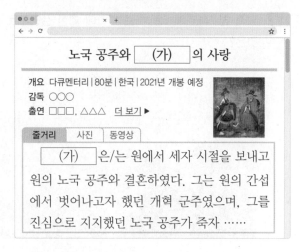

① 첨의부를 설치하였다.
② 요동 정벌을 단행하였다.
③ 노비안검법을 실시하였다.
④ 쌍성총관부를 공격하였다.
⑤ 사심관 제도를 시행하였다.

15 밑줄 친 '오늘날'에 볼 수 있는 모습으로 적절한 것은?

> 근세에 이르러서는 이제현과 같은 뛰어난 유학자가 나와서 처음으로 고문(古文)의 학설을 제창하였는데, 이곡과 이인복이 이에 따르며 화답하였다. <u>오늘날</u>에는 이색이 여러 학생을 가르쳤다. 이색의 가르침으로 크게 실력을 키운 사람으로는 정몽주와 이숭인, 하륜, 박상충, 김구용, 박의중, 권근, 윤소종 등이 있고, 또 나 정도전처럼 불초한 자도 몇 분 군자의 대열에 끼이는 영광을 얻었다.
>
> — 『도은집』

① 여진 정벌에 나서는 별무반
② 초조대장경을 제작하는 승려
③ 일본 원정을 준비하는 정동행성
④ 천리장성 축조에 동원되는 농민
⑤ 권문세족을 비판하는 신진 사대부

17 (가), (나) 대외 정책의 차이점을 서술하시오.

> (가) 이자겸과 척준경이 말하기를, "금은 거란과 송을 멸망시키고 날로 강대해지고 있으며, 우리와 국경을 맞대고 있습니다. 소국이 대국을 섬겨야 할 것입니다."라고 하니, 왕이 그대로 따랐다.
>
> (나) 묘청 등이 말하기를, "서경 임원역의 지세는 음양가들이 말하는 대화세에 해당합니다. 만약 이곳에 궁궐을 세워 옮기시면 가히 천하를 아우르게 되니, 금이 예물을 가지고 스스로 항복하여 올 것입니다."라고 하였다.

-----

16 다음 내용을 주장한 인물에 대한 설명으로 옳은 것은?

> 1. 작은 나라가 큰 나라를 공격하는 것은 불가하다.
> 2. 여름에 군사 원정은 적당하지 않다.
> 3. 요동 정벌을 틈타 왜구가 공격할 위험이 있다.
> 4. 장마철이어서 활의 아교가 느슨해지고, 병사들에게 전염병이 돌 것이다.
>
> — 『고려사절요』

① 우왕을 폐위하였다.
② 신돈을 제거하였다.
③ 정치도감을 설치하였다.
④ 쓰시마섬을 토벌하였다.
⑤ 친원 외교 정책을 고수하였다.

18 밑줄 친 '나'가 다음과 같은 취지에서 실시한 정책 <u>두 가지</u>를 서술하시오.

> <u>나</u>는 원의 연호인 지정의 사용을 중지하고 기철 등이 임금의 위세를 빙자하여 나라의 법도를 뒤흔드는 일이 벌어졌다. 아아! 반란을 제압하여 나라를 정상으로 회복하였으니 마땅히 관용의 은혜를 베풀어야 할 것이며, 어진 이와 능력 있는 사람을 임명하여 융성한 태평성대를 이루고자 하노라.

-----

4 고려의 생활과 문화

교과서 96~103쪽

보충+ 고려의 중류층

고려 시대의 중류층에는 중앙 관청의 실무를 담당하는 서리, 지방 행정을 담당하는 향리, 궁중 실무를 맡아보던 남반, 하급 장교인 군반 등이 있었다.

백정

고려 시대에는 일반 양민을 조선 시대에는 가축 도살이나 유기 제조를 담당하는 천한 신분의 사람들을 부르는 말이었다.

보충+ 노비의 구분

공노비 (관청 소속)	공역(입역) 노비: 관청의 잡역에 종사, 급료를 받음
	외거 노비: 지방에서 농업에 종사 → 곡식이나 베를 관청에 납부
사노비 (개인, 불교 사원 소속)	솔거 노비: 주인집에 거주하며 노동력 제공
	외거 노비: 주인과 따로 살며 일정량의 신공 납부 → 재산, 가옥 소유 가능

사학 12도

최충이 관직에서 물러난 후 9재 학당을 설립하였는데 이를 계기로 사학 12도가 등장하였다. 사학에서 교육받은 학생이 과거에서 좋은 성적을 거두자 국자감의 관학 교육이 위축되었다.

01 신분 제도와 가족 제도

1. 고려 시대의 신분 제도

(1) 특징: 신라의 골품제보다 개방적, 법적으로 양인과 천인으로 구분

└ 양인층은 관료 지배층, 중류층, 일반 양인으로 세분화됨

(2) 구성

관료 지배층	왕족, 문벌, 문무 관료
중류층	서리, 향리, 남반, 군반 등
일반 양민	농민, 상인, 수공업자, 향·소·부곡민 등 → 주로 농업에 종사, 조세·공납·역을 부담, '백정'이라고도 불림
천인	대부분 노비(공노비, 사노비), 노비는 재산으로 취급

2. 가족 내의 여성과 남성의 지위

(1) 남녀의 동등한 권리와 의무: 남녀 균등 상속, 남녀 구분 없이 태어난 순서대로 호적 기재, 제사 비용 남녀 균등 부담, 아들이 없으면 딸이나 외손자가 제사를 지냄

(2) 가족 내 여성의 지위 존중: 남자가 주로 여자의 집에 가서 혼인, 일부일처제 유지, 재혼 가능 → 가정 내 경제생활과 자녀 교육에서 주체적인 역할을 함

└ 관직에 진출할 수 없었고 사회적 활동을 하는 데 많은 제약과 차별을 받음

02 다양한 문화와 사상

1. 유교의 발전

(1) 정치 이념으로서의 유교: 과거제 시행(유학을 공부한 관료 등용), 국자감(국립 교육 기관)과 사학 12도(사립 교육 기관)에서 유학 교육

(2) 성리학의 도입: 원 간섭기에 안향이 처음 소개

└ 충선왕이 원의 연경(베이징)에 만권당을 세워 서적을 수집하고 우수한 유학자들을 불러 학문을 연구하게 함

① 성격: 인간의 심성과 우주의 이치를 철학적으로 탐구

② 확산: 만권당에서 이제현 등이 원의 학자들과 교유하며 성리학을 깊이 이해함

(3) 신진 사대부의 등장: 이색, 정몽주, 정도전 등이 성리학에 기초를 둔 개혁 추진 → 유교적 생활 관습의 시행, 권문세족의 횡포와 불교의 폐단 비판

자료 이해하기 안향과 이제현 ──────────────── 교과서 98쪽

• 안향(1243~1306)

| 내용 알기 | 고려 후기의 문신이자 학자로, 국내에 주자 성리학을 최초로 들여온 인물이다. 안향은 원에 가서 주자서를 손수 베끼고 공자와 주자의 화상(畫像)을 가지고 귀국하였다. 그는 제자를 중국 강남 지역에 보내 공자와 제자의 화상, 문묘에서 사용할 제기와 악기, 서적 등을 구해 오게 하여 유학 진흥에 큰 공적을 남겼으며, 문묘(국자감)의 대성전이 완성되자 공자의 화상 등을 대성전에 모시도록 하는 등 주자학의 보급을 위해 큰 힘을 기울였다.

• 이제현(1287~1367)

| 내용 알기 | 성리학 도입 초기의 대표적인 성리학자이다. 젊은 시절에 충선왕의 부름을 받아 오랫동안 원에서 생활하면서 만권당에서 원의 저명한 학자들과 교류하여 주자 성리학을 깊이 이해하였다. 귀국 후에는 고려를 원에 합병하려는 시도에 강력히 저항하는 등 고려의 독자성을 지키고자 노력하였고, 공민왕이 즉위하자 개혁 정치를 지원하였다. 특히 그는 고려 후기 성리학의 발전에 큰 역할을 하였으며, 그의 문하에서 이곡과 이색 부자 등 많은 제자가 나왔다.

2. 불교의 숭상과 불교문화의 융성

(1) 숭불 정책: 팔관회·연등회 등 대규모 불교 행사 개최, 승과 제도 시행 ┌── 승려를 대상으로 한 과거제

(2) 교종과 선종의 번성

① 의천: 고려 전기에 천태종을 개창, 교종의 입장에서 선종 흡수·통합

② 지눌: 무신 정변 이후 교종 쇠퇴, 선종 성장 → 수선사(송광사)를 근거지로 불교 개혁 운동 전개, 선종(조계종)의 관점에서 교종을 포용하는 이론 체계 수립

(3) 불교문화의 융성 ┌── 승려 본연의 자세로 돌아가 참선과 노동에 고루 힘써야 한다는 주장

불상	지방색이 강한 석불(논산 관촉사 석조 미륵보살 입상), 통일 신라의 양식을 계승하면서 고려의 독자성을 보여 주는 대형 철불(하남 하사창동 철조 석가여래 좌상, 파주 용미리 마애이불 입상)
석탑	통일 신라 양식 계승(불일사 오층 탑), 다각 다층 형식 유행(평창 월정사 팔각 구층 석탑, 개성 경천사지 십층 석탑), 선종의 유행으로 승탑 건립(원주 법천사지 지광 국사 탑)
불화	「수월관음도」 제작
목조 건축물	주심포 양식·배흘림기둥 양식(안동 봉정사 극락전, 영주 부석사 무량수전) → 뛰어난 안정감 └── 13세기에 건립된 것으로 추정되며, 우리나라에서 가장 오래된 목조 건축물임

3. 인쇄술의 발달

┌── 세계 최초의 금속 활자본으로 기록되어 있으나 현재 전해지지 않음

(1) 대장경(고려 대장경)의 간행: 초조대장경(거란 침입), 팔만대장경(몽골 침입)

(2) 금속 활자: 『상정고금예문』(1234), 『직지』(1377)
└── 청주 흥덕사에서 간행되었으며, 현재 전해지는 세계에서 가장 오래된 금속 활자본

4. 공예 기술의 발전과 화약 무기의 사용

(1) 공예 기술의 발전: 청자, 금속 공예품, 나전 칠기 등에서 고려의 화려한 문화가 잘 나타남 └── 옻칠한 바탕에 자개를 붙여 무늬를 표현하는 공예

(2) 고려청자: 순청자(고려 전기) → 상감 청자(최씨 무신 정권 시기에 가장 발달)

(3) 화약 제조 기술의 발전: 최무선이 화약 제조 기술 습득, 화통도감 설치 건의 → 화통도감에서 개발한 화약 무기로 진포 해전 등에서 왜구 격파
└── 왜구의 침입을 막는 데 화포의 중요성을 인식하여 중국에서 온 상인으로부터 화약 제조법을 습득함

보충⁺ 의천과 지눌

구분	의천	지눌
종파	천태종	조계종
교단 통합	교종 중심의 선종 통합	선종 중심의 교종 통합
주장	교관겸수	돈오점수, 정혜쌍수

보충⁺ 대장경의 간행

대장경은 국가적 사업으로 국론을 통일하고 불교(부처)의 힘으로 외적의 침입을 극복하기 위해 간행되었다. 초조대장경은 몽골 침입 때 소실되었다.

보충⁺ 고려청자

● 청자 상감 운학문 매병

11세기까지는 순수 청자를 주로 만들었으나 12세기 중엽부터 청자의 겉 부분을 파낸 후에 백토나 흑토를 메워 무늬를 만드는 상감 청자를 제작하였다.

◉ 화통도감

고려 시대에 최무선의 건의로 설치된 화약 및 화기의 제조를 맡아보던 임시 관청이다.

중단원 핵심 확인하기 풀이

📖 교과서 100쪽

1. 빈칸에 알맞은 말을 써 보자.

(1) ☐☐은/는 충렬왕 때 원의 성리학을 고려에 처음으로 소개하였다.

(2) ☐☐은/는 현재 남아 있는 금속 활자 인쇄본 중 세계에서 가장 오래된 것이다.

(1) 안향 (2) 직지

2. 관련 있는 내용을 옳게 연결해 보자.

(1) 의천 ── ㉠ 조계종

(2) 지눌 ── ㉡ 천태종

(3) 최무선 ── ㉢ 화통도감

3. 옳은 내용은 ○표, 틀린 내용은 ×표를 해 보자.

(1) 이제현은 충선왕이 원의 연경에 세운 만권당에서 원의 학자들과 성리학을 연구하였다. (○)

(2) 독창적인 상감 기법이 적용된 화려한 상감 청자는 고려 초부터 생산되었다. (×)

4. 제시된 용어를 3개 이상 사용하여 고려 시대 친족 관계와 가족 제도의 특징을 문장으로 완성해 보자.

양자 외손자 제사 일부일처제 재혼

아들 딸 혼인 일부다처제 상속

• 고려 시대에는 아들이 없는 경우에도 대를 잇기 위해 양자를 들이지 않고 딸이나 외손자가 제사를 지내는 경우가 일반적이었다.

도입 활동 풀이

교과서 도입⁺ **01 고려 시대의 가족 제도**

| 도입 보충 |

고려 시대 가족생활의 특징을 이해하도록 한다. 고려 시대 여성은 사회 활동에는 제한이 있었지만 가정, 경제 등 일상생활에서는 남성과 거의 대등한 위치에 있었다.

◐ 한 남편이 여러 명의 부인을 두는 것이 받아들여지지 않은 까닭을 이야기해 보자.

도입 예시 답안 | 한 명의 남편이 여러 명의 부인을 두는 것은 일부일처제가 오랜 전통이었던 우리나라의 혼인 풍습과 맞지 않았으며, 가족 관계나 부부 관계에 있어서 부인(여성)의 지위가 하락할 것으로 예상되었기 때문이다.

교과서 도입 **02 다양한 문화와 사상**

| 도입 보충 |

고려 시대에는 다양한 사상이 유행하는 가운데 유교가 국가 통치의 기본 사상으로 자리 잡았다. 고대 사회에서 정치적 영향력을 극대화하였던 불교는 고려 시대에 들어서 종교적 역할을 담당하게 되었다.

◐ 고려 시대에 유교와 불교의 주된 역할은 각각 무엇이었을까?

도입 예시 답안 | 유교는 국가의 통치를 위한 기본 사상이었으며, 불교는 개인과 가족, 나라의 안녕을 기원하는 종교적 역할을 하였다.

도입 plus⁺ **고려 시대 여성의 지위 변화**

◐ 조반(좌)과 조반 부인(우)

고려 말의 문신이자 조선 개국 2등 공신인 조반과 조반 부인의 초상은 동일한 족자 형태지만 부부를 각각 의자에 앉아 있는 초상으로 만들었다. 이는 보기 드문 초상화로 고려 시대 여성의 독립적인 지위를 잘 보여 준다. 고려 시대에는 아버지와 어머니의 혈통을 모두 중요시하여 음서의 혜택은 친손자와 외손자에게 동등하게 주어졌고, 재혼이나 상속에서도 여성이 차별받지 않았다. 그러나 조선 후기가 되면서 아버지 핏줄을 중심으로 한 부계 직계 가족 제도가 자리 잡았다. 딸은 혼인과 동시에 출가외인으로 여겨졌고 재상 상속의 권한도 사라졌다. 아들 사이에서도 장남과 차남의 구별이 심해지면서 장남을 중심으로 하는 종갓집이 집안의 중심이 되었다.

역사 탐구 풀이 및 보충

교과서 97쪽

 손변의 슬기로운 재산 상속 판결

손변이 경상도의 지방관으로 파견되었는데, 어느 날 어떤 남매의 상속 재판을 맡았다. 누나가 말하기를 "어머니는 일찍 돌아가셨고 아버지가 돌아가실 때 재산을 모두 저에게 주었으며, 어린 남동생에게는 옷과 갓, 신발, 종이만 남겨 주었습니다."라고 하였다. 손변이 말하기를 "아버지의 마음이 어찌 누나에게만 치우쳤겠는가? 어린 남동생이 누이의 보살핌을 받다가 재산 때문에 분쟁이 생기면 종이에 소송장을 작성한 후 옷과 갓을 갖추어 입고 새 신발을 신고 와서 아뢰라고 오직 네 가지 물건만을 남겨 준 것이다."라고 하였다. 남매는 이 말을 듣고 감동하여 서로 마주 보며 울었고, 손변은 재산을 반으로 나누도록 판결하였다.

－『고려사』

1. 손변이 부모의 재산을 남매가 공평하게 절반씩 나누어 가지라고 판결한 근거는 무엇일까?

정답 풀이 | 고려 시대 재산 상속 관행이나 법제가 딸이나 아들 구분 없이 균등한 재산 분배를 원칙으로 했기 때문이다.

2. 남매의 아버지가 임종 시에 누나에게만 재산을 모두 물려준 까닭은 무엇일까?

정답 풀이 | 어린 남동생에게 일찍 재산을 물려주면 재산을 지키지 못할 수도 있기 때문에, 남동생 몫의 재산을 누나가 가지고 있다가 남동생이 성인이 되면 넘겨주라는 뜻이었다.

친절한 활동 길잡이

이 활동의 핵심은 고려 시대 상속의 특징을 이해하는 것이다. 고려 시대 여성의 지위를 오늘날의 성 평등 관념에 절대적 기준을 두지 말고 당시 사회 현실에서 파악하도록 유의한다.

자료 이해 확인 문제

1. 고려 시대에는 여성에게 재산권이 없었다. (○ / ×)

2. 고려 시대에는 남녀 균등 상속이 일반적이었다. (○ / ×)

≫ 정답 1. × 2. ○

탐구 plus 고려 시대의 가족 제도

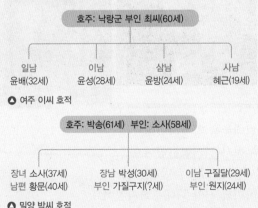

여주 이씨 호적을 보면 이겸이 사망한 이후 장성한 아들이 4명이 있지만 어머니인 최씨가 호주로 기록되어 있다. 이와 같이 고려 시대에는 여성이 호주가 될 수 있었다. 밀양 박씨 호적을 보면 부부가 함께 호주로 되어 있고 아들과 딸을 구별하지 않고 나이순으로 기록했음을 알 수 있다. 장녀 소사의 남편이 처갓집의 호적에 올라있는 것을 보아, 사위가 처가의 호적에 오르거나 처가살이를 하는 경우도 있었음을 알 수 있다. 또한, 고려 시대에는 음서의 혜택이 사위나 외손자에게도 적용되었다.

반면, 조선 후기에는 남편이 죽으면 호주는 큰아들에게 계승되었고, 호적에 이름을 올릴 때에도 아들을 먼저 올리고 딸은 나중에 올렸으며 사위의 이름은 아예 올리지 않았다.

단답형

01 (가)에 들어갈 알맞은 말을 쓰시오.

> 고려의 신분 제도에서 ___(가)___ 은/는 하급 지배층에 해당한다. 중앙 관청의 실무를 담당하는 서리, 지방 행정을 담당하는 향리, 궁중 실무를 맡아보던 남반, 하급 장교인 군반 등이 여기에 속한다.

(   )

02 고려 시대의 신분 제도에 대한 설명으로 옳지 <u>않은</u> 것은?

① 백정이라 불리는 천인이 있었다.
② 노비가 재산을 소유할 수 있었다.
③ 향·소·부곡민은 양민에 해당하였다.
④ 양민은 조세, 공납, 역을 부담하였다.
⑤ 최상위 지배층에는 왕족과 문벌이 있었다.

03 밑줄 친 '지금' 시기의 가족 제도로 옳지 <u>않은</u> 것은?

> <u>지금</u>은 장가갈 때 남자가 처가로 가게 되어 무릇 필요한 것을 모두 처가에 의지하니, 장인과 장모의 은혜가 자기 부모와 같다 하겠습니다.
> – 이규보, 『동국이상국집』

① 일부일처제가 유지되었다.
② 아들과 딸이 균등하게 상속받았다.
③ 여성의 사회 활동에 제약이 없었다.
④ 자녀는 호적에 태어난 순서대로 기재되었다.
⑤ 여성과 남성 모두 자유롭게 재혼할 수 있었다.

04 다음 두 자료를 활용한 탐구 주제로 옳은 것은?

> • 고려의 옛 풍습에 혼인 예법은 남자가 여자 집에 가서 자손을 낳으면 외가에서 자라므로, 외친의 은혜가 무거웠다. 이에 외조 부모와 처부모의 장례 시에는 모두 30일 동안 휴가를 주었다.
> – 『태종실록』
> • 충선왕비 순비 허씨는 일찍이 평양공 왕현에게 시집가서 3남 4녀를 낳았다. 왕현이 죽은 뒤 충렬왕 34년 충선왕이 그녀를 맞아들였다. 왕위에 오르자 책봉하여 순비로 삼았다.
> – 『고려사』

① 문벌의 형성 과정
② 고려 시대 여성의 지위
③ 고려 시대 신분 이동 방안
④ 가부장적 가족 제도의 확립
⑤ 불교가 고려 사회에 미친 영향

중요

05 교사의 질문에 대한 학생의 답변으로 적절한 것은?

> 화면 속의 인물은 문종의 왕자로 승려가 된 대각국사입니다. 그는 불교 통합을 위해 노력하였고, 교관겸수를 주장하였습니다. 이 승려의 활동에 대해 더 말해 볼까요?

① 천태종을 창시하였어요.
② 부석사를 건립하였어요.
③ 서경 천도를 주장하였어요.
④ 아미타 신앙을 대중화시켰어요.
⑤ 수선사에서 개혁 운동을 전개하였어요.

고난도

06 다음 문화유산에 대한 설명으로 옳은 것만을 보기에서 고른 것은?

▲ 봉정사 극락전

보기
ㄱ. 고려 전기에 건립되었다.
ㄴ. 주심포 양식으로 지어졌다.
ㄷ. 충남 논산에 위치하고 있다.
ㄹ. 우리나라에서 가장 오래된 목조 건축물이다.

① ㄱ, ㄴ   ② ㄱ, ㄷ   ③ ㄴ, ㄷ
④ ㄴ, ㄹ   ⑤ ㄷ, ㄹ

07 (가), (나)에 들어갈 인물을 옳게 짝지은 것은?

- __(가)__ 은/는 고려 후기 충렬왕 때의 문신
  으로, 원에서 유행하던 성리학을 고려에 처음
  소개하였다.
- __(나)__ 은/는 고려 말기의 무관으로, 화약
  제조 기술을 연구하였으며 화통도감의 설치를
  건의하였다.

	(가)	(나)
①	안향	최무선
②	안향	최충헌
③	김부식	최무선
④	이제현	이승휴
⑤	이제현	최충헌

08 다음 자료를 통해 알 수 있는 고려 시대 여성의 지위에 대해 서술하시오.

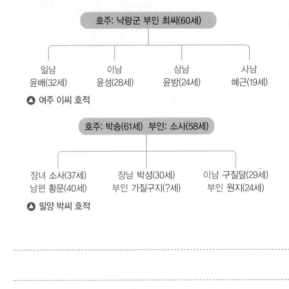

호주: 낙랑군 부인 최씨(60세)

일남	이남	삼남	사남
윤배(32세)	윤성(28세)	윤방(24세)	혜근(19세)

▲ 여주 이씨 호적

호주: 박송(61세) 부인: 소사(58세)

장녀 소사(37세) 남편 황문(40세)	장남 박성(30세) 부인 가질구지(?세)	이남 구질달(29세) 부인 원지(24세)

▲ 밀양 박씨 호적

09 (가), (나)의 불교 통합 방식을 비교하여 서술하시오.

(가) 교리를 배우는 이는 내적인 것을 버리고 외
    적인 것을 구하는 일이 많고, 참선하는 사람
    은 밖의 인연을 잊고 내적으로 밝히기를 좋
    아한다. 이는 다 편벽된 집착이고 양극단에
    치우친 것이다.
                    - 의천, 『대각국사 문집』

(나) 명예와 이익을 버리고 산림에 은둔하여 같은
    모임을 맺자. 항상 선(禪)을 익혀 지혜를 고
    르는 데 힘스고, 예불하고 경전을 읽으며, 나
    아가서는 노동하기에 힘쓰자.
                - 지눌, 『권수정혜결사문』

대단원 마무리

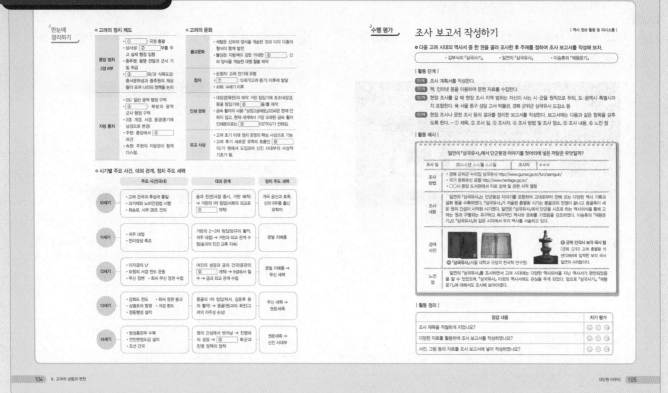

한눈에 정리하기

| 예시 답안 |

① 중서문하성

② 6

③ 도병마사

④ 양계

⑤ 지방관

⑥ 석불

⑦ 상감 청자

⑧ 팔만대장경

⑨ 직지([불조]직지심체요절)

⑩ 성리학(주자 성리학)

⑪ 강동 6주

⑫ 동북 9성

⑬ 위화도

수행 평가

 이것이 핵심

고려 시대에 만들어진 역사서를 조사하고 보고서를 구성하는 과정에서 고려인들의 역사 인식을 이해하고 시기별 인식의 변화를 파악하는 역량을 기른다.

| 예시 답안 |

우리 역사의 독자성과 정체성을 밝힌 『제왕운기』

이승휴의 『제왕운기』는 상하 두 권으로 이루어져 있다. 상권에서는 중국 역사를 7언 고시 264구절로 구성하였고, 하권에서는 우리나라의 역사를 단군 조선에서 고려의 통일까지 7언 고시 264구절로, 고려 태조의 선대 설화에서부터 충렬왕 때 까지를 5언시로 각각 구성하였다. 『제왕운기』에서는 단군에서 시작된 우리 역사를 중국 역사와 대등하게 파악하고, 발해를 고구려 계승 국가로 인정하여 우리 역사에 포함하였다. 『제왕운기』의 이러한 역사 인식은 몽골(원)의 정치적 간섭 아래에서도 고려의 독자성과 자주성을 지키기 위한 노력의 일환에서 나온 것으로 파악할 수 있다.

◆ 『제왕운기』가 집필된 삼척 두타산 유적

대단원 마무리 문제

1 고려의 건국과 정치 변화

01 밑줄 친 '왕'에 대한 설명으로 옳은 것은?

> 왕이 말하기를, "짐이 정무를 새로이 하게 되어 혹시 잘못된 정치가 있을까 두렵다. 중앙의 5품 이상 관리들은 각자 상서를 올려 정치의 옳고 그름을 논하도록 하라."라고 하였다. 이에 최승로가 시무 28조를 올렸다. ─『고려사』

① 훈요 10조를 남겼다.
② 정동행성을 폐지하였다.
③ 문헌공도를 설립하였다.
④ 2성 6부 제도를 마련하였다.
⑤ 광덕이라는 연호를 사용하였다.

02 (가), (나) 인물에 대한 설명으로 옳은 것은?

> • ☐(가)☐ 은/는 문음으로 관직에 올랐다. 누이는 순종의 비였다. 둘째 딸이 예종의 비가 되자 벼슬이 높아져 중서시랑이 되었다. 인종 때에 다른 성씨가 왕비가 되는 것을 막기 위해 셋째 딸을 왕비로 맞이해 줄 것을 청하자 왕이 이에 따랐다.
> • ☐(나)☐ 은/는 병진년 4월에 아우와 함께 이의민 등을 제거하였고, 5월에 여러 조목의 개혁안을 왕에게 올렸다. 경신년에 변고에 대비하여 힘센 자들을 모아 날마다 번갈아 숙직시키고 도방이라 이름하였다.

① (가)는 전민변정도감의 설치를 제안하였다.
② (가)는 금의 군신 관계 요구를 받아들이자고 하였다.
③ (나)의 건의안이 성종 대에 반영되었다.
④ (나)는 의종을 폐위시키고 권력을 장악하였다.
⑤ (가)와 (나)는 삼별초를 정권 유지 수단으로 삼았다.

03 (가)~(마)에 대한 설명을 옳게 짝지은 것은?

① (가): 최고의 중앙 관서로 국정을 총괄하였다.
② (나): 고려에만 있는 독자적인 회의 기구였다.
③ (다): 군사 기밀과 왕명 출납을 담당하였다.
④ (라): 화폐와 곡식의 출납 회계를 담당하였다.
⑤ (마): 국방 문제를 담당하는 임시 기구였다.

04 밑줄 친 ㉠에 대한 설명으로 옳은 것은?

> 서경 전투는 낭·불 양가 대 유가 싸움이며 국풍파 대 한학파의 싸움이며, 진취 사상 대 보수 사상의 싸움이니 …… 김부식이 승리하였으므로 조선 역사가 사대적, 보수적, 속박적인 유교 사상에 정복되었으니, 이 전쟁을 어찌 ㉠일천년래 제일 대사건이라 하지 아니하랴. ─『조선사 연구초』

① 거란이 현종의 입조를 요구하며 침입하였다.
② 황제 칭호와 독자적 연호 사용을 주장하였다.
③ 천민이 중심이 되어 사회 변혁을 주장하였다.
④ 진도와 제주도로 근거지를 옮기며 저항을 이어갔다.
⑤ 신기군, 신보군, 항마군으로 편성된 별무반이 활약하였다.

❷ 고려의 대외 관계

05 다음 사건이 일어난 시기를 연표에서 옳게 고른 것은?

> 적의 장수 소손녕이 서희에게 말하였다. "우리와 국경을 맞대고 있으면서 바다를 건너 송을 섬기고 있다 …… 지금 땅을 떼어 바치고 사신을 보내면 아무 일 없을 것이다." 이 말을 듣고 서희가 말하기를, "우리나라는 고구려를 계승한 나라이다. …… 어떻게 우리가 침범하였다는 말을 할 수 있겠는가. 또 압록강 안팎도 모두 우리 땅인데 지금 여진이 차지하고 있다. …… 만일 여진을 내쫓고 우리의 옛 땅을 되찾은 다음에 성을 쌓고 도로를 만들게 되면 어찌 친선 관계가 맺어지지 않으리오."라고 하였다.

	(가)	(나)	(다)	(라)	(마)	
고려 건국		천리장성 축조	이자겸의 난	개경 환도	쌍성총관부 설치	고려 멸망

① (가)   ② (나)   ③ (다)
④ (라)   ⑤ (마)

06 (가), (나) 사이의 시기에 있었던 사실로 옳은 것은?

> (가) 윤관은 별무반을 이끌고 천리장성을 넘어 여진을 북방으로 쫓아버리고, 동북 지방 일대에 9성을 쌓아 방어하였다.
> (나) 살리타를 대장으로 하는 몽골군이 처인성을 공격하자, 김윤후는 처인성의 부곡민과 함께 살리타를 사살하고 대승을 거두었다.

① 천리장성이 축조되었다.
② 고려와 금이 사대 관계를 맺었다.
③ 이성계가 위화도 회군을 단행하였다.
④ 삼별초가 근거지를 제주도로 옮겼다.
⑤ 고려와 몽골 연합군이 일본 정벌에 나섰다.

❸ 몽골의 간섭과 고려의 개혁

07 다음 자료의 상황이 나타난 시기의 모습으로 옳은 것은?

> 고려 사람들은 딸을 낳으면 바로 숨기고, 드러날까 근심하여 이웃이라도 그 딸을 보지 못하게 한다고 합니다. 원에서 사신이 오면 놀라서 얼굴빛이 달라지며, '무엇 때문에 왔을까? 공녀로 데려가려는 것이 아닐까?' 하고 두려워합니다. 군인과 관리는 집집마다 수색하다가 혹시라도 딸을 숨긴 사람을 찾으면, 이웃과 친족까지 잡아다 괴롭히고 딸이 나타난 뒤에야 그만둡니다.

① 박위가 쓰시마섬을 토벌하였다.
② 김부식이 삼국사기를 저술하였다.
③ 삼별초가 강화도에서 항쟁하였다.
④ 망이·망소이가 명학소에서 난을 일으켰다.
⑤ 권문세족이 불법적으로 농장을 확대하였다.

08 밑줄 친 '이들'에 대한 설명으로 옳은 것은?

> 이들은 공민왕의 개혁 과정에서 본격적으로 정계에 진출하게 되었다. 신분상으로 지방 향리 출신이 많았으며 경제적으로는 중소 지주가 대부분이었다. 성리학을 공부하고 과거를 통해 중앙 관직에 진출하였으며 고려 사회의 문제점을 해결하고자 하였다.

① 금국 정벌을 주장하였다.
② 권문세족의 횡포를 비판하였다.
③ 원의 세력을 배경으로 등장하였다.
④ 중방을 중심으로 정치를 운영하였다.
⑤ 홍건적과 왜구를 격퇴하며 성장하였다.

④ 고려의 생활과 문화

09 (가)에 들어갈 내용으로 옳은 것은?

인물 카드

불교 통합 운동

🔺 대각 국사

🔺 보조 국사

- 교종 중심의 선종 통합
- 선종 중심의 교종 포용
- 천태종 창시
- （가）

① 부석사 창건 ② 삼국유사 저술
③ 화엄 사상 정립 ④ 아미타 사상의 대중화
⑤ 수선사에서 개혁 운동 전개

10 (가)에 대한 설명으로 옳은 것은?

세계 기록 유산

（가）

1377년 청주 흥덕사에서 간행된 것으로, 2001년에 유네스코 세계 기록 유산으로 지정되었다.

① 최무선의 건의로 만들어졌다.
② 거란과의 전쟁 시에 간행되었다.
③ 불교의 힘으로 외적으로 막고자 하였다.
④ 현존하는 가장 오래된 금속 활자본이다.
⑤ 세계 최초의 금속 활자본이나 현재 전해지지 않는다.

11 밑줄 친 '왕'의 왕권 강화책 **두 가지**를 서술하시오.

> - **왕** 원년 봄 …… 연호를 광덕이라 정하였다.
> - **왕** 11년 봄 …… 백관의 공복을 정하였다. 개경을 고쳐 황제의 수도라 하고, 서경을 서쪽 수도로 삼았다.

12 지도의 빗금 친 지역을 수복한 왕이 권문세족을 약화시키기 위해 추진한 정책 **두 가지**를 서술하시오.

13 다음 문화유산에 적용된 건축 양식 **두 가지**를 서술하시오.

🔺 안동 봉정사 극락전

01 고려의 대외 정책 비교하기

○ 금에 대한 고려의 대외 정책을 비교해 보자.

> **[자료 1]** (3월) 신묘일에 백관을 불러서 금나라를 섬기는 문제에 대한 가부를 의논하였는데 모두 섬길 수 없다고 하였다. 그런데 ㉠이 자겸, 척준경만이 말하기를 "금나라가 이전에는 작은 나라로서 요나라와 우리나라를 섬겼거니와 지금은 갑자기 흥왕하여 요나라와 송나라를 없애 버린 뒤로 정치가 잘 되고 군사가 세어 날로 강대하여질 뿐만 아니라 우리의 국경과 인접되어 있으니 형편상 섬기지 아니 할 수 없고 또한 작은 나라로서 큰 나라를 섬기는 것은 옛날 제왕의 취한 도리이니 우선 사신을 보내 예방하여야 합니다."라고 하니 왕이 이 말을 좇았다. (여름 4월) 정미일에 정응문과 이후를 금나라에 보내 '신(臣)'이라 하였다. ─『고려사』

> **[자료 2]** ㉡묘청 등이 말하기를, "신 등이 보건대 서경 임원역의 지세는 음양가들이 말하는 대화세에 해당합니다. 만약 궁궐을 세워 그곳으로 옮기신다면 가히 천하를 아우르게 되니 금이 예물을 가지고 스스로 항복하여 올 것이며 36국이 모두 신하가 될 것입니다." 라고 하였다. …… 새 궁궐이 완성되니 왕이 서경에 행차하였다. 묘청 일단은 표를 올려 왕에게 황제를 칭하고 연호를 제정할 것을 권하였으며 …… 금을 협공하여 멸망시키자고 하였다. ─『고려사』

1. [자료 1], [자료 2]에서 ㉠, ㉡이 각각 금을 대하는 입장이 나타난 부분을 찾고, 각자의 입장을 요약해서 써 보자.

----

2. ㉠, ㉡의 주장을 뒷받침하는 사상적 배경을 각각 적고, 근거가 되는 부분을 찾아 밑줄을 그어 보자.

----

02 문화유산 홍보 책갈피 제작하기

● 다음 고려 시대의 문화유산 중 하나를 선정하여 이를 홍보하는 책갈피를 제작해 보자.

고려청자, 팔만대장경, 평창 월정사 팔각 구층 석탑, 직지

1. 제시된 문화유산 중 하나를 선정하여 아래 표를 채워 보자.

문화유산	
선정 이유	
조사 항목	

2. 작성한 표를 바탕으로 자료를 조사하고 선정한 문화유산을 홍보하는 책갈피를 제작해 보자.

앞면	뒷면

고려 왕조의 중심지, 개성

"변방에서 중심으로, 고려의 수도 개성"

고려의 수도 개성은 신라 시대까지는 변방에 불과하였다. 왕건의 즉위와 더불어 수도로 격상된 개성은 대몽 항쟁기 39년을 제외하고, 400여 년이 넘는 기간 동안 고려의 정치·경제·문화의 중심지로써의 역할을 하였다. 개성에 남아있는 수많은 문화유산 속에서 민족의 재통합과 고구려의 계승을 표방한 고려의 기상을 찾아보도록 한다.

📍 만월대

태조 대에 창건하여 조선이 건국된 1392년까지 고려의 정궁으로 이용되었다. 구릉에 자리하고 있으며 높은 축대 위에 여러 건물을 세웠다. 사진은 제1정전인 회경전의 계단이다.

개성 음식 맛보기

❶ 조랭이 떡국 새해 아침에 한해의 안녕을 기원하면서 먹는 음식이다. 누에고치의 실처럼 한해의 일이 술술 잘 풀리라는 의미가 있으며, 이성계에 대한 고려 사람들의 원망의 뜻을 담은 떡국이라는 설도 있다.

❷ 개성 편수 주로 여름철에 먹는 만두로, 모양을 네모로 만들고 쇠고기에 오이·호박·버섯·달걀지단·실백 등을 섞어서 담백하게 만든다는 점이 겨울철 만두와 사뭇 다르다.

왕건왕릉

고려 태조 왕건과 왕비가 함께 안장된 무덤으로 본래의 명칭은 현릉이다. 고분 둘레에는 12각으로 병풍석을 돌렸으며 그 밖으로는 돌난간을 설치하였다. 나라에 전란이 있을 때마다 묘를 옮겼으며 지금의 능은 1994년에 정비한 것이다.

고려 성균관

고려 최고의 국가 교육 기관인 국자감의 후신이다. 명륜당(사진)을 중심으로 강의가 이루어졌고 대성전을 중심으로 공자의 제사를 지냈다. 조선 건국 이후 한양에 새롭게 성균관이 지어지면서 개성 성균관은 향교가 되었다.

관음사

고려 광종 대에 법인국사 탄문이 창건한 사찰이다. 현재의 건물은 조선 정조 대에 중수한 것으로 본래 다섯 채의 건물이 자리하였던 것으로 전해지나, 현재는 대웅전과 7층 석탑, 승방과 관음굴만이 남아있다.

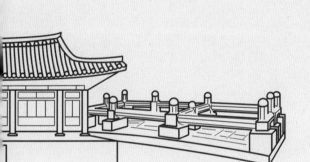

❸ 개성 주악 찹쌀가루와 밀가루에 막걸리로 되직하게 반죽하여 기름에 지져낸 떡으로, 주로 개성 지방에서 많이 해 먹는다고 하여 개성 주악이라 불린다. 개성 지방에서는 귀한 손님이 왔을 때나 폐백, 이바지 음식 등에 만들었다.

❹ 개성 무찜 무에 쇠고기, 돼지고기, 닭고기, 표고버섯, 밤, 대추, 은행, 호두 등을 함께 넣고 은근히 졸여내는 음식으로 무에 고기 맛이 배어들어 무맛이 일품이다.

IV
조선의 성립과 발전

이 단원의 구성

한국사
조선 건국 1392
한양 천도 1394
훈민정음 반포 1446
『경국대전』 반포 1485
임진왜란 발발 1592
인조반정 1623
병자호란 발발 1636
세계사
1405 명, 정화의 항해 시작
1453 비잔티움 제국 멸망
1517 루터의 종교 개혁
1526 인도, 무굴 제국 성립
1590 일본, 전국 시대 통일
1616 후금 건국
1628 영국, 권리 청원 제출
IV
조선의 성립과 발전
1. 통치 체제와 대외 관계
2. 사림 세력과 정치 변화
3. 문화의 발달과 사회 변화
4. 왜란·호란의 발발과 영향
이 단원에서는 조선의 성립 이후 양난까지 문물제도 정비를 통한 정치와 문화의 발전 과정을 다룬다. 이 시기에 조선 정치의 기틀이 형성되고 사림의 등장으로 성리학적 사회 질서가 자리 잡았음을 이해한다. 유교 문화의 보급과 더불어 문화와 과학이 발달하였음을 파악한다. 왜란과 호란의 발발 배경과 전개 과정, 영향을 동아시아 국제 질서와 연관 지어 파악한다.
종묘(서울 종로)

사진으로 살펴보기

사진은 서울 종로에 있는 조선 시대 역대 왕과 왕비, 추존왕과 왕비의 신주를 봉안한 사당 종묘입니다. 조선 시대에 경복궁의 왼편에는 종묘를, 오른편에는 사직을 세웠습니다.

단원 열기

이 단원에서는 조선의 성립 이후 양난까지 문물제도 정비 과정을 다룹니다. 과학이 발전하고 성리학적 사회 질서가 정착되었음을 알고, 왜란과 호란의 발발과 그 영향을 동아시아 국제 질서와 연관 지어 파악합니다.

통치 체제와 대외 관계

📖 교과서 108~115쪽

01 조선의 건국

1. 조선의 건국

(1) 건국 세력: 이성계와 <u>신진 사대부</u>가 위화도 회군(1388) 이후 실권 장악
<small>┌ 개혁을 추진하는 과정에서 신진 사대부는
그 방향을 둘러싸고 둘로 나뉨</small>

(2) <u>과전법 시행(1391)</u>: 권문세족이 불법으로 차지한 토지 몰수 및 재분배 → 권문세족의 경제적 기반 약화, 국가 재정 확보 <small>┌ 급진 개혁파 신진 사대부</small>

(3) 조선의 건국(1392): 정도전, 조준 등이 새 왕조 개창에 반대하는 <u>이색과 정몽주</u> 등을 제거 → 이성계를 왕으로 추대 <small>온건 개혁파 신진 사대부 ┘</small>

2. 태조(이성계) 때의 정치

(1) 국호 제정: 고조선을 계승한다는 의미로 국호를 '조선'으로 정함

(2) <u>한양 천도(1394)</u>: 한양으로 수도를 옮기고 주요 건물을 유교 사상에 따라 배치

(3) 정치 운영: 개국 공신인 정도전과 조준 등이 주도, 재상 중심의 정치 강조, <u>성리학을 바탕으로 새로운 문물제도 정비</u>

(4) 제1차 왕자의 난(1398): 정국 운영에 불만을 품은 <u>이방원</u>이 정도전을 제거하고 권력 장악
<small>┗ 공신과 왕족의 사병을 혁파하는 등 군사권을
왕에게 집중시키고 국왕 중심의 정치를 실현
하고자 함</small>

02 통치 체제의 정비

1. 유교적 집권 체제 정비

(1) 태종
<small>일명 '6조 직계제'라고 불리며, 태종과 세조 시기에는 6조가 의정부를
거치지 않고 국왕에게 직접 보고해 왕권 강화에 기여함</small>

① 국왕 중심 정치: 사병 혁파, 의정부 권한 약화, <u>6조 중심 정치 제도</u> 마련

② 국가 재정 확보: 사간원 독립, <u>양전 사업과 호패법 실시</u>

(2) 세종: <u>집현전 확대·개편</u>, 경연 활성화, 재상의 역할 강화, 왕이 직접 인사와 군사 업무 처리 → 왕권과 신권의 조화 추구

(3) <u>세조</u>: 집현전과 경연 폐지, <u>의정부의 권한 축소</u>
<small>┗ 세종의 둘째 아들(수양 대군)로, 재상 중심의 정국 운
영에 불만을 품고 정변을 일으켜 왕위에 오름</small>

(4) 성종: 홍문관 설치, 『경국대전』 반포
<small>┗ 집현전을 계승한 기구　┗ 세조 때 편찬되어
성종 때 완성됨</small>

보충⁺ 위화도 회군

1387년 명이 철령 이북의 땅을 명의 영토로 귀속하겠다고 고려에 통보하자, 고려의 우왕과 실권자였던 최영은 요동 정벌을 결정하고 이성계를 지휘관으로 군대를 파견하였다. 하지만 이성계가 이끈 군대가 위화도에서 회군하면서 최영은 죽임을 당하고 우왕은 폐위되었다.

◉ 과전법

고려 말 신진 사대부들이 토지 제도의 폐단을 없애고 새로운 경제 질서를 확립하고자 경기 지역의 토지를 전·현직 관리에게 등급에 따라 수조권을 나누어 준 제도이다.

◉ 정도전

조선 건국을 주도한 인물로 조선 초 재상이 되어 국정 운영을 주도하며 재상 중심의 정치를 강조하였다. 또 『조선경국전』을 편찬하여 유교적 통치 규범을 종합적으로 제시하였다.

보충⁺ 제1차 왕자의 난

정도전, 남은 등이 왕실 권력의 기반인 사병을 혁파하려 하자, 평소 세자 책봉에 불만이 있던 이방원과 한 씨 소생 왕자들이 사병을 동원하여 정도전 등 반대 세력을 제거하고 세자 방석과 그의 형 방번을 살해한 사건이다.

자료 이해하기 | 조선의 건국과 유교 이념 ━━━━━━━━━━━━━━━ 📖 교과서 109쪽

◉ 「도성도」

| 내용 알기 | 조선을 건국한 신진 사대부는 성리학을 통치 이념으로 삼았다. 경복궁은 정도전을 대표로 한 신진 사대부들이 지은 궁궐로, 유교 이념에 따라 이전 왕조들의 궁궐에 비해 화려한 장식 없이 수수하고 검소한 형태이다. 흥인지문의 '인(仁)', 돈의문의 '의(義)', 숭례문의 '예(禮)', 숙정문의 '정(靖)'은 유교의 주요 이념에 따라 이름이 붙여졌다. 종묘는 왕실 조상의 신주를 모시고 제사를 지내는 사당이고 사직단(社稷壇)은 토지신과 곡식의 신에게 제사를 지내는 곳이다. 이는 옛날부터 중국의 천자, 제후와 우리나라의 왕이 나라를 세워 백성을 다스릴 때 사직단을 만들어 나라의 태평을 기원하는 제사를 지내온 전통이 이어진 것이다.

2. 중앙 정치 제도

(1) **의정부와 6조 중심의 운영**: 의정부는 3정승(영의정, 좌의정, 우의정)의 합의로 나라의 중요 정책 결정, 6조는 행정 사무를 나누어 담당

(2) **3사**: 언론 기능 담당, 권력의 독점과 부정 방지

사헌부	관리의 잘못 감찰 ┌ 임금에게 옳지 못하거나 잘못된 일을 고치도록 하는 말
사간원	왕에게 간언, 정사의 잘잘못 논박
홍문관	왕에게 정치 자문, 중요 문서 작성

3. 지방 행정 제도

┌ 고려 시대의 특수 행정 구역이었던 향·부곡·소는 일반 군현으로 승격되어 소멸됨

(1) **행정 구역**: 전국을 8도로 구분(관찰사 파견), 도 아래 부·목·군·현 설치

(2) **운영**: 대부분의 군현에 지방관(수령) 파견 → 중앙 집권 강화

 ① 수령: 행정, 사법, 군사권 장악, 농업 발전, 교육 진흥, 조세 징수 등의 업무 담당
 ② 향리: 6방(이·호·예·병·형·공)으로 구성, 수령 보좌 및 행정 실무 담당, 고려 시대보다 지위 하락

4. 조선의 관리 등용 제도

(1) **과거**: 문과·무과·잡과 실시, 정기 시험과 특별 시험 시행, 양인 이상 응시 가능

문과	• 원칙적으로 생원·진사과(소과) 합격자가 응시 ┌ 생원과는 유교 경전에 관한 지식을, 진사과는 시와 문장 등의 능력을 시험함 • 합격자는 문관으로 진출 • 주로 양반 자제들이 합격	초시, 복시, 전시의 시험 절차
무과	• 합격자는 무관으로 진출 • 양반 자제, 향리나 상민의 자제들도 응시	
잡과	• 역과, 율과, 의과, 음양과로 구분 • 합격자는 기술관으로 진출 • 주로 기술관이나 향리의 자제들이 응시	

(2) **음서, 천거**: 고려 시대에 비해 음서 비중 축소, 천거로 임명되는 경우는 많지 않음
 └ 학문과 덕이 높은 인재를 발탁하여 간단한 시험을 치르고 관직에 임명하는 제도
 └ 부·조의 음덕에 따라 그 자손을 관리에 등용하는 제도

정리 조선의 통치 체제

중앙	의정부(국정 총괄), 6조(정책 집행), 3사(언론 기능) 중심
지방	8도에 관찰사 파견, 모든 군현에 수령 파견
관리 등용	과거제(문과, 무과, 잡과) 실시 → 유학 교육 강조

보충+ 조선 전기의 행정 구역

◎ 한성부
● 부
● 목

보충+ 고려와 조선의 행정 구역

고려	조선
5도 양계	8도
다수의 속현 존재	속현 사라짐 → 모든 군현에 지방관 파견
향·부곡·소 존재	향·부곡·소 폐지
향리가 지방 행정 실무 담당	향리는 수령 보좌 역할로 지위 격하

자료 이해하기 조선의 중앙 정치 조직 ──────────── 📖 교과서 112쪽

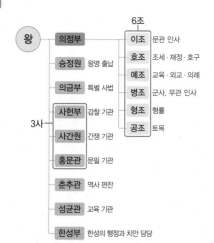

왕 — 의정부 ── 6조

3사
- 승정원 — 왕명 출납
- 의금부 — 특별 사법
- 사헌부 — 감찰 기관
- 사간원 — 간쟁 기관
- 홍문관 — 문필 기관
- 춘추관 — 역사 편찬
- 성균관 — 교육 기관
- 한성부 — 한성의 행정과 치안 담당

6조
- 이조 — 문관 인사
- 호조 — 조세·재정·호구
- 예조 — 교육·외교·의례
- 병조 — 군사, 무관 인사
- 형조 — 형률
- 공조 — 토목

| **내용 알기** | 조선의 중앙 정치 조직은 국정을 총괄하는 의정부, 언론 기능을 수행하는 3사, 정책을 집행하는 6조를 중심으로 구성되었다.

3사는 사헌부, 사간원, 홍문관을 지칭한다. 사헌부는 시정·풍속·관원에 대한 감찰 행정과 관원의 자격을 심사하는 인사 행정에도 관여하는 기관이었다. 사간원은 국왕에 대한 간쟁, 신료에 대한 탄핵, 당대의 정치·인사 문제 등에 대한 언론을 담당하는 언관이었다. 홍문관은 궁중의 서적과 문헌을 관장하였고, 경연관으로 국왕의 학문적·정치적 자문에 응하였다.

6조는 이조, 호조, 예조, 병조, 형조, 공조를 지칭하는 말이다. 이조는 문관의 인사, 공신 책봉, 고과 평정에 관한 행정을, 호조는 호구 조사 및 관리, 조세의 부과와 토지 관리, 재정과 회계, 산업에 관한 행정을 담당하였다. 예조는 예악, 국가의 제사와 연희, 외교, 교육, 과거제에 관한 행정을, 병조는 무관의 인사, 군사 행정, 의장과 호위, 역마와 봉수, 무기와 기치, 성문의 개폐에 관한 행정을 맡았다. 형조는 법률, 사면, 재판, 노비에 관한 행정을, 공조는 산림과 수자원, 공장(수공업), 건축·토목, 광산과 야금에 관한 행정을 담당하였다.

◊ 4군 6진

4군은 세종 때 서북 방면의 여진족을 막고자 압록강 유역에 설치한 국방상의 요지로, 여연·자성·무창·우예이다. 6진은 세종 때 여진족의 침입에 대비해 두만강 하류에 설치한 국방상의 요지로 종성·온성·회령·경원·경흥·부령이다.

◊ 사민 정책

세종 때 북방 개척과 함께 추진된 이민 정책으로 함길·충청·강원·경상·전라도에서 빈농 수천 호를 뽑아 이주시켰다. 스스로 이주하는 양인에게 토관직을 주었고 천인을 양인으로 삼기도 하였다.

---

03 조선 전기의 대외 관계

1. 조선의 사대교린 정책과 명과의 외교 관계

(1) 조선의 **사대교린** 정책 ┌ '작은 나라가 큰 나라를 섬긴다'는 의미
  ① **사대 정책**: 명과의 친선 유지, 정치적 안정과 경제적·문화적 실리 추구
  ② **교린 정책**: 여진 및 일본과의 외교, 국경 지역 안정과 평화 유지
    └ '이웃 나라와 교류한다'는 의미

(2) 조선과 명의 외교 관계
  ① 조공과 책봉의 형식 : 동아시아의 **형식적인 외교 관계**
  ② 태조 시기: 요동 정벌과 여진 문제로 갈등 ┌ 조선이 내정이나 외교에서 명의
  ③ 태종 이후 시기: **안정적인 친선 관계 유지**, 사신 왕래를 통해 새로운 문물 수용 └ 간섭을 받지 않았음

2. 여진과 일본과의 외교 관계

(1) 여진에 대한 교린 정책
  ① 회유책: 조선에 협력하거나 귀화한 여진인에게 관직과 토지 하사, **국경 지역에 무역소 설치**
  ② 강경책: 세종 때 압록강과 두만강 유역의 여진 토벌 → **4군(최윤덕) 6진(김종서) 설치** → 압록강 ~ 두만강까지 영토 확장
  ③ 사민 정책: 새로 개척한 영토를 안정시키기 위해 삼남 지방(충청도, 전라도, 경상도)의 일부 주민을 압록강과 두만강 지역으로 이주

(2) 일본에 대한 교린 정책
  ① 회유책: 귀화한 일본인에게 관직과 토지 하사, **3포 개항 후 제한적인 교역 허용**
  ② 강경책: 세종 때 왜구의 근거지인 **쓰시마섬 토벌(이종무)** ┌ 부산포(동래), 제포(진해),
    └ 염포(울산)의 3개 항구

3. 동남아시아와 교류: 류큐(오키나와), 자와(인도네시아), 시암(타이) 등과 교류 → 각종 토산물을 가져와 조선의 옷감, 문방구 등과 교역

중단원 핵심 확인하기 풀이 📖 교과서 115쪽

1. 빈칸에 들어갈 알맞은 말을 써 보자.

(1) 14세기 말 신흥 무신인 이성계와 □□□, 조준 등의 신진 사대부가 조선을 건국하였다.

(2) 조선의 중앙 정치 기구는 □□□와/과 6조를 중심으로 운영되었다.

(3) 조선은 전국을 8도로 나누고 각 도에 □□□을/를 파견하였다.

(1) 정도전 (2) 의정부 (3) 관찰사

2. 관련 있는 내용을 옳게 연결해 보자.

(1) 정도전 ─────── ㉠ 경국대전 반포
(2) 성종 ─────── ㉡ 재상 중심의 정치 추구
(3) 3사 ─────── ㉢ 사헌부, 사간원, 홍문관
(4) 최윤덕 ─────── ㉣ 압록강 유역에 4군 설치
(5) 김종서 ─────── ㉤ 두만강 유역에 6진 개척

3. 옳은 내용은 ○표, 틀린 내용은 ×표를 해 보자.

(1) 조선은 대부분의 군현에 지방관을 파견하였다. (○)

(2) 조선을 건국한 사대부들은 성리학을 바탕으로 나라를 다스리고자 하였다. (○)

(3) 조선 시대에 과거는 제술과, 명경과, 잡과가 시행되었으며, 무과는 시행되지 않았다. (×)

4. 제시된 용어를 3개 이상 사용하여 조선 전기의 대외 관계를 문장으로 완성해 보자.

| 사대 관계 | 교린 정책 | 명 | 일본 | 여진 |

| 3포 개항 | 무역소 | 태종 | 세종 |

• 조선 전기에 명과는 <u>사대 관계</u>를 맺고, 여진 및 일본에게는 <u>교린 정책</u>을 추진하였다.
• 조선은 명과 <u>사대</u> 관계를 맺고 친선을 유지했으며, 여진 및 일본과는 <u>교린</u> 정책으로 국경을 안정시켰다.

도입 활동 풀이

교과서 도입 01 정몽주와 이방원

교과서 108쪽

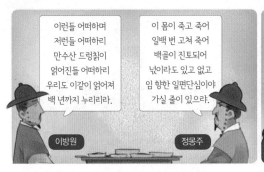

◐ 이방원은 왜 정몽주를 제거하라고 했을까?

도입 예시 답안 · 고려에 대한 정몽주의 충성스러운 마음을 되돌릴 수 없다고 생각하였기 때문이다.
· 새로운 나라를 세우는 데 정몽주가 크게 방해된다고 생각하였기 때문이다.

| 도입 보충 |

고려 말 개혁 방향을 둘러싸고 신진 사대부들 사이에 분열이 일어났다. 정도전, 조준 등의 신진 사대부가 새 왕조 개창에 반대하는 이색과 정몽주 등을 제거하고 이성계를 왕으로 추대하여 조선을 건국하였다.

교과서 도입 02 과거제

교과서 111쪽

◐ 구경꾼들은 왜 장원 급제자를 부러워했을까?

도입 예시 답안 · 문관이 되어 높은 벼슬로 승진할 수 있기 때문이다.
· 문과에서 1등으로 합격한 것으로 고위 관직으로 진출할 수 있었기 때문이다.

| 도입 보충 |

조선 건국 후 신진 사대부들을 중심으로 유교 이념에 따라 통치 제도가 정비되었다. 관리 선발에서 과거제의 비중이 높아졌으며, 특히 고위 관원이 되기 위해서는 문과에 합격해야 하였다.

도입 plus⁺ 조선의 과거제

문과, 잡과, 승과가 시행되었던 고려 시대와는 달리 조선 시대에는 문관을 뽑는 문과와 무관을 뽑는 무과, 기술관을 선발하는 잡과가 시행되었다.

문과는 대과라고도 했으며 정규 시험인 식년시와 특별 시험인 별시가 있었다. 3년마다 시행되는 정기 시험에는 1만 명 이상의 지원자들이 경쟁을 벌였으며 초시, 복시, 전시 등 세 차례 시험을 거쳐 모두 33명을 선발하였다. 초시~복시~전시 3단계에 걸쳐 합격한 자에게는 최고 6품에서 최하 9품의 벼슬을 주었다.

문과 다음으로 영광스러운 자리는 생원시, 진사시로 3년마다 각각 100명씩 뽑았다. 생원은 경학 능력을, 전사는 문학 능력을 시험하였다. 합격하면 성균관에 진학하거나 문과에 응시할 수 있는 자격이 주어졌으며 바로 하급 관리로 진출할 수도 있었다. 이 외에도 무신을 선발하는 무과, 기술 전문 관료를 뽑는 잡과가 있었으며, 무과는 병법과 무예를 대상으로 여러 과목 시험을 치르고 3단계를 거쳐 3년마다 28명을 뽑았다.

과거 외에도 관리가 되는 방법으로는 음서와 천거 제도가 있었다. 천거된 사람이 죄를 지으면 천거한 사람도 함께 벌을 받아 함부로 아무나 천거하지 못하였다. 사실상 조선 시대에는 과거에 합격해야만 관직에 진출할 수 있었다.

교과서 도입 **03 조선과 명의 외교 관계**

| 도입 보충 |

조선은 명에 사대 외교를 실시하였다. 조선이 조공품을 보내면 명이 답례품을 보내는 과정에서 조선은 명의 새로운 문물을 받아들일 수 있었다. 또 조공과 함께 이루어지는 책봉을 통해 왕권의 안정도 확보할 수 있었다.

❖ 조선이 매년 명에 사신을 파견한 까닭은 무엇일까?

도입 예시 답안 | • 명과 원만한 외교 관계를 형성하고자 했기 때문이다.
　　　　　　　• 명과의 사신 왕래를 통해 공적인 무역이 이루어졌기 때문이다.

도입 plus **조공과 책봉**

⬆ 송조천객귀국시장(일부, 국립 중앙 박물관) 난징에서 명 관리가 조선 사신을 송별하는 장면을 그린 그림이다.

조선과 명의 외교 관계는 명이 조선 왕을 책봉하고 조선은 명에 조공하는 것을 기본으로 하였다. 조공과 책봉 체제로 유지되는 사대 외교는 당시 명에 대한 동아시아 국가들의 일반적인 외교 형태로, 서로의 독립성을 인정한 상태에서 이루어졌다. 조공이란 중국 황제로부터 책봉을 받은 주변 국가가 사신을 파견해 공물을 바치면, 중국 황제가 그에 대한 답례로 물품을 내려 주는 경제 행위 중심의 관계이다.

명나라는 조공과 답례 형식 외에는 외국과의 무역을 허락하지 않았기에 조선은 중국의 선진 문물을 받기 위해서라도 조공을 바쳐야 했다. 또 국제 관계 속에서 이루어진 물자 교역이라는 점에서 일종의 공무역에 해당하며, 15세기에는 자유로운 사무역이 법적으로 금지되어 있었기에 대명 교역에서 조공 무역의 비중은 클 수밖에 없었다. 책봉은 국왕의 지위를 국제적으로 인정받는 형식적인 절차로 정치적 안정을 이루는 데 도움이 되었다.

태조 때는 '조선'이라는 국호는 인정받았지만, 명이 조선 국왕의 인신과 고명을 내려 주지 않고 정도전을 잡아 보낼 것을 요구하는 등 명과의 관계가 정착되지 않았다. 조선이 명과 우호적인 관계를 유지하는 것은 태종이 즉위한 이후이며, 조선과 명은 서로의 필요에 의해 조정되는 외교 관계를 이어 갔다.

조선은 명에 정기적으로 파견하는 정기 사행과 여러 가지 명목으로 비정기적인 사신을 파견하였다. 사신들은 조선의 특산물을 조공으로 가져갔는데, 그 물품은 소나 말, 비단, 종이, 과실, 해산물, 문방구 등 다양하였다.

역사 탐구 풀이 및 보충

교과서 112쪽

 수령이 힘써야 할 일곱 가지 일

1. 농업을 발전시킬 것
2. 백성의 호구를 늘릴 것
3. 학교 교육을 진흥할 것
4. 군사 훈련을 실시하고 군기를 엄정히 할 것
5. 부역을 공평하고 균등하게 부과할 것
6. 소송의 다툼을 적게 할 것
7. 간사하고 교활한 무리를 제거할 것

– 『성종실록』

너의 죄를 네가 알 것이다!

친절한 활동 길잡이

이 활동은 조선 시대의 수령과 대한민국 지방 자치 단체장의 업무를 비교하여 각 시대의 특징을 이해하는 것이다. 주어진 수령의 일을 살펴보고 오늘날의 정치 제도와 비교해 보도록 한다.

1. 위 자료를 읽고, 오늘날의 지방 자치 단체장(시장, 군수)의 업무와 다른 점을 찾아서 말해 보자.

정답 풀이 | 조선 시대에는 수령이 군사 훈련과 소송을 모두 담당했지만 오늘날 군사 훈련은 국방부가, 재판은 사법부가 담당하고 있다. 또 조선 시대에는 농업이 주요 산업이었으나, 오늘날은 2·3차 산업을 중요시한다.

2. 수령이 힘써야 할 일곱 가지 일 중 가장 중요하다고 생각하는 업무와 그 까닭을 말해 보자.

정답 풀이 | 백성들의 삶을 어렵게 하는 범죄자들을 벌주는 간사하고 교활한 무리를 제거하는 역할이 가장 중요하다고 생각한다.

자료 이해 확인 문제

1. 수령은 국왕의 대리인으로 지방을 지배하였다. (○ / ×)

2. 수령에게는 사법권이 없었다.
(○ / ×)

》 정답 1. ○ 2. ×

탐구 plus 조선 시대 지방 행정

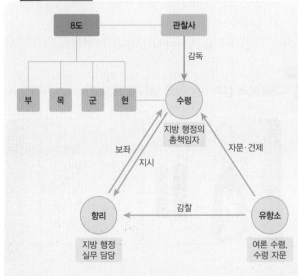

조선 시대에는 전국을 8도로 나누고 약 330여 개의 군현을 두었으며 모든 군현에 수령을 파견하였다.

수령은 지방의 행정·사법·군사권을 장악하고, 그 공권력을 바탕으로 농업 진흥·인구 증식·교육 진흥·군대 정비·부세 수취·재판의 공정·치안 확보 등 이른바 '수령 7사'를 수행하였다.

고려 시대에는 수령이 모든 군현에 파견되지 못하였으므로 향리가 지방 세력가로 행세하면서 중앙 관직으로 진출하기도 하였다. 그러나 조선에 들어와 향리는 수령의 행정 실무를 보좌하는 세습적인 아전으로 격하되었다.

조선 시대에는 중앙 집권 체제를 강화하는 한편 지방민의 자치를 허용하기 위해 각 군현에 유향소를 설치하였다. 지방의 선비들은 유향소에서 자율적인 규약을 만들고 여론을 수렴하여 백성을 교화하였다. 또 중앙에서 내려온 수령의 통치에 자문 역할을 담당하고 수령의 비행을 관찰사에게 고발하기도 하였다.

단답형

01 보기의 사건들을 일어난 순서대로 바르게 나열한 것은?

┌─ 보기 ─────────────────────┐
ㄱ. 조선 건국   ㄴ. 한양 천도
ㄷ. 위화도 회군   ㄹ. 과전법 시행
└──────────────────────────┘

① ㄱ-ㄴ-ㄷ-ㄹ
② ㄱ-ㄹ-ㄷ-ㄴ
③ ㄴ-ㄷ-ㄹ-ㄱ
④ ㄷ-ㄹ-ㄱ-ㄴ
⑤ ㄹ-ㄱ-ㄴ-ㄷ

02 다음 주장을 한 인물로 옳은 것은?

> 임금의 직책은 한 사람의 재상을 정하는 데 있다. 재상은 위로는 임금을 받들고 밑으로는 백관을 통솔하며 만민을 다스리는 것이니, 그 직책이 매우 큰 것이다. …… 재상은 임금의 아름다운 점을 순종하고 나쁜 점을 바로잡으며 옳은 일은 받들고 옳지 않은 것은 막아서, 임금으로 하여금 가장 올바른 경지에 들게 해야 한다.
> – 『조선경국전』

① 이색   ② 이방원   ③ 이성계
④ 정도전   ⑤ 정몽주

단답형

03 (가)에 들어갈 알맞은 말을 쓰시오.

> **(가)**
> 국왕과 신하가 모여 유교 경전을 공부하고 정치 문제에 대해 토의한 일이다. 한때 세조와 연산군에 의해 폐지된 적도 있었지만, 조선 시대에 유교를 숭상하면서 비약적으로 발전하였다.

(   )

[04~05] 다음 사료를 읽고 물음에 답하시오.

> _(가)_ 께서 말씀하시기를, "우리 선대왕께서 … 여러 차례 내리신 교지들이 아름다운 법이지만, 관리들이 용렬하고 어리석어 제대로 받들어 행하지 못하였다. … 이제 남고 모자람을 짐작하고 서로 통하도록 갈고 다듬어 자손만대의 성법(成法)을 만들고자 한다." 라고 하셨다. … 책이 완성되어 여섯 권으로 만들어 바치니, "경국대전"이라는 이름을 내리셨다. '형전'과 '호전'은 이미 반포되어 시행하고 있으나 나머지 네 법전은 미처 교정을 마치지 못했는데, _(가)_ 께서 갑자기 승하하시니 지금 임금께서 선대왕의 뜻을 받들어 마침내 하던 일을 끝마치고 나라 안에 반포하셨다.

중요

04 (가)의 재위 시기에 대한 설명으로 옳은 것은?

① 경연이 폐지되었다.
② 사간원이 독립하였다.
③ 홍문관이 설치되었다.
④ 두만강 유역에 6진이 설치되었다.
⑤ 압록강 유역에 4군이 설치되었다.

중요

05 밑줄 친 '임금'에 대한 설명으로 옳은 것은?

① 홍문관을 설치하였다.
② 4군 6진을 개척하였다.
③ 권문세족의 토지를 몰수하였다.
④ 수도를 개경에서 한양으로 옮겼다.
⑤ 이종무에게 쓰시마섬 토벌을 명하였다.

단답형

06 다음에서 설명하는 것의 명칭을 쓰시오.

이름 / 출생 연도 / 과거 합격 연도와 과거 종류

> 조선 시대에 16세 이상의 남성이 지녔던 것으로, 중앙 집권 강화를 위해 태종 때 처음 도입되었다.

(   )

07 교사의 질문에 대한 학생의 답변으로 옳은 것만을 보기 에서 고른 것은?

이것은 조선 왕조 500년을 통치하는 기본 법전으로 이·호·예·병·형·공전의 6전으로 구성되어 있습니다. 이 법전에 대해 발표해 볼까요?

보기
ㄱ. 집현전에서 편찬하였어요.
ㄴ. 세조 때 편찬이 시작되었어요.
ㄷ. 정도전의 주도하에 편찬되었어요.
ㄹ. 유교적 통치 체제 마련에 기여하였어요.

① ㄱ, ㄴ ② ㄱ, ㄷ ③ ㄴ, ㄷ
④ ㄴ, ㄹ ⑤ ㄷ, ㄹ

08 (가)에 들어갈 내용으로 옳은 것만을 보기 에서 고른 것은?

집현전 설치 → (가) → 경국대전 완성

보기
ㄱ. 수양 대군이 정변을 통해 왕위에 올랐다.
ㄴ. 집현전과 경연을 폐지하고 의정부의 권한을 축소하였다.
ㄷ. 제1차 왕자의 난을 일으켜 정도전과 그 측근 세력을 제거하였다.
ㄹ. 수도를 한양으로 옮기고 유교 사상에 따라 주요 건물의 위치와 명칭을 정하였다.

① ㄱ, ㄴ ② ㄱ, ㄷ ③ ㄴ, ㄷ
④ ㄴ, ㄹ ⑤ ㄷ, ㄹ

09 밑줄 친 '왕'에 대한 설명으로 옳은 것은?

왕은 집현전을 설치하여 학문과 정책 연구를 담당하게 하였고 경연을 활성화하였다. 또한 국정 운영에서 재상의 역할을 강화하되 인사와 군사에 관한 일은 직접 처리하여 균형을 도모하였다.

① 사간원을 독립시켰다.
② 호패법을 도입하였다.
③ 경국대전을 완성하였다.
④ 정변을 통해 왕위에 올랐다.
⑤ 왜구의 근거지를 토벌하였다.

10 (가)에 들어갈 알맞은 말을 쓰시오.

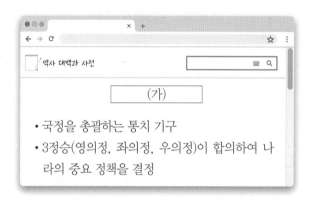

역사 대백과 사전

(가)

• 국정을 총괄하는 통치 기구
• 3정승(영의정, 좌의정, 우의정)이 합의하여 나라의 중요 정책을 결정

(   )

11 다음 제도에 대한 설명으로 옳은 것은?

6조는 각기 모든 직무를 의정부에 품의하고 의정부는 가부를 헤아린 뒤 왕에게 아뢰어 (왕의) 전지를 받아 6조에 내려 시행한다. 다만 이조·병조의 제수, 병조의 군사 업무, 형조의 사형수를 제외한 판결 등은 종래와 같이 각 조에서 직접 아뢰어 시행하고 곧바로 의정부에 보고한다.

① 세종 대에 실시되었다.
② 세조 시기에 도입되었다.
③ 재상의 권한을 약화시켰다.
④ 의정부에서 행정 사무를 담당하였다.
⑤ 이방원이 추구한 이상적인 통치 질서였다.

[12~13] 다음 자료를 보고 물음에 답하시오.

중요
12 각 기구에 대한 설명으로 옳은 것은?

① ㉠-왕명 출납을 담당하였다.
② ㉡-관리의 잘못을 감찰하였다.
③ ㉢-유교 성현의 제사를 지냈다.
④ ㉤-왕의 정치 자문 역할을 하였다.
⑤ ㉥-집현전을 계승하여 설치되었다.

중요
13 언론 기능을 담당하는 3사를 모두 고른 것은?

① ㉠, ㉡, ㉢
② ㉡, ㉢, ㉣
③ ㉢, ㉣, ㉤
④ ㉣, ㉤, ㉥
⑤ ㉤, ㉥, ㉦

14 다음 중 조선 시대의 지방 행정 조직에 대한 설명으로 옳은 것은?

① 8도에 안찰사가 파견되었다.
② 향리의 지위는 고려 시대보다 높았다.
③ 지방관이 파견되지 않은 속현이 많았다.
④ 수령에게 행정, 사법, 군사권이 주어졌다.
⑤ 특별 행정 구역 향·부곡·소가 설치되었다.

15 (가)에 대한 설명으로 옳은 것은?

> 조선의 ___(가)___ 이/가 힘써야 할 일곱 가지
>
> 1. 농업을 발전시킬 것
> 2. 백성의 호구를 늘릴 것
> 3. 학교 교육을 진흥할 것
> 4. 군사 훈련을 실시하고 군기를 엄정히 할 것
> 5. 부역을 공평하고 균등하게 부과할 것
> 6. 소송의 다툼을 적게 할 것
> 7. 간사하고 교활한 무리를 제거할 것
>
> ― 『성종실록』

① (가)는 관찰사이다.
② 각 도에 파견되어 수령을 감독하였다.
③ 관찰사와 함께 모든 군현에 파견되었다.
④ 수령의 보좌와 행정 실무를 담당하였다.
⑤ 지방의 행정, 사법, 군사권을 장악하였다.

고난도
16 (가)에 대한 설명으로 옳지 <u>않은</u> 것은?

(가)는 조선 시대의 주요 관리 선발 방식으로 무과, 문과, 잡과로 나뉘어 시행되었어.

① 정기 시험은 3년마다 시행되었다.
② 잡과는 해당 관청에서 시행하였다.
③ 양인 이상에게 응시 기회가 주어졌다.
④ 문·무과는 초시, 복시, 전시의 절차로 치러졌다.
⑤ 진사과는 유교 경전에 관한 지식을 시험하였다.

17 조선 전기의 대외 관계에 대한 설명으로 옳은 것만을 보기에서 고른 것은?

> ─ 보기 ─
> ㄱ. 일본에 3포를 개항하여 제한적인 무역을 허용하였다.
> ㄴ. 여진과 일본에 회유책과 강경책을 번갈아 사용하였다.
> ㄷ. 성종 대에 이종무가 왜구의 근거지인 쓰시마섬을 토벌하였다.
> ㄹ. 명과 조공과 책봉 관계를 수립하면서 내정 간섭을 받기 시작하였다.

① ㄱ, ㄴ   ② ㄱ, ㄷ   ③ ㄴ, ㄷ
④ ㄴ, ㄹ   ⑤ ㄷ, ㄹ

고난도
18 (가) 지역에서 있었던 사실로 옳은 것은?

① 위화도 회군이 일어났다.
② 이종무가 적을 토벌하였다.
③ 최윤덕이 4군을 설치하였다.
④ 여진과의 무역소가 설치되었다.
⑤ 일본과의 교역을 위한 3포가 있었다.

단답형
19 (가)에 들어갈 알맞은 말을 쓰시오.

> 조선은 건국 직후부터 북방 지역 개척에 남다른 노력을 기울여 세종의 재위기에는 4군 6진을 개척하면서 압록강과 두만강을 국경선으로 확보하는 데 성공했다. 이후 북방 변경 지역을 방어하기 위해서 경상·전라·충청 3도의 백성들을 대거 이주시키는 (가) 정책을 추진하였다.

(   )

20 사료에 나타난 태종의 정책과 그 목적을 서술하시오.

> 의정부의 여러 일을 나누어 6조에 귀속시켰다. …… 처음에 상(태종)은 의정부의 권한이 막중함을 염려하여 이를 없앨 생각이 있었고, 신중히 급작스럽지 않게 이에 이르러 행하였다. 의정부가 관장한 일은 사대문서와 중죄수의 재심에 관한 것뿐이었다.   - 「태종실록」

21 (가)에 들어갈 적절한 내용을 세 가지 서술하시오.

> 평택 현감이 된 변징원에게 임금이 "그대는 이미 수령을 지냈으니, 백성을 다스리는 데 무엇을 먼저 하겠는가?"라고 물었다. 그는 "마땅히 일곱 가지 일을 먼저 할 것입니다."라고 하였다. 임금이 말하기를, "이른바 일곱 가지 일이라는 것이 무엇인가?"라고 하니, 변징원이 (가) 라고 답하였다.

2/3 사림 세력과 정치 변화~문화의 발달과 사회 변화

01 사림의 등장과 사화의 발생

> 어린 단종이 즉위하고 김종서 등의 재상과 집현전 출신 관료들이 대신 정치하자, 수양 대군이 왕이 되고자 이들을 제거하고 세조로 즉위한 사건

1. 훈구 세력의 형성: 세조가 계유정난 때 도움을 준 신하들을 공신으로 책봉 → 세력 기반 확장 → 세조 이후에도 높은 관직을 독점하고 정국 주도

2. 사림 세력의 등장

> '선비 사(士) + 무리·동아리 림(林)', 선비들의 무리라는 뜻

(1) 중앙 정계 진출: 성종이 훈구 세력을 견제하기 위해 새로운 정치 세력인 사림(주로 김종직과 그의 제자들)을 주로 3사 언관직에 등용

(2) 학문적 경향: 성리학을 학문의 주류로 삼음, 의리와 도덕 중시

3. 사화의 발생

(1) 배경: 사림들의 훈구 세력 비판 → 사림과 훈구 세력의 대립 격화

(2) 사화 발생

사화	시기	내용
무오사화	연산군	훈구 세력이 김종직이 지은 '조의제문'을 빌미로 사림 공격
갑자사화	연산군	연산군의 생모인 폐비 윤씨의 죽음과 관련된 인물들을 처벌
기묘사화	중종	중종반정의 공신 세력을 견제하려는 목적으로 조광조 등 사림 등용 → 조광조의 개혁(3사의 언론 활동 활성화, 현량과 시행, 『소학』과 향약 보급, 일부 반정 공신의 공훈 삭제 주장) → 훈구 세력의 반발, 조광조를 비롯한 사림 처형
을사사화	명종	외척 세력 간의 권력 다툼으로 사림이 큰 피해를 입음

02 사림의 집권과 붕당의 형성

1. 사림의 서원 설립

(1) 서원의 기능: 덕망 높은 유학자의 제사, 양반 자제 교육, 사림의 공론 결집 등 → 성리학의 확산과 지방 문화 발달에 기여

(2) 백운동 서원: 중종 때 세워진 최초의 서원, 명종 때 '소수서원' 현판을 받음

> 국왕으로부터 현판을 하사받은 최초의 사액 서원으로, 국가로부터 서적, 토지, 노비를 받고 면세·면역의 특권을 받음

정리 훈구 세력과 사림 세력

구분	훈구	사림
기원	급진파 사대부	온건파 사대부
특징	개국 공신, 세조 집권 때의 공신	지방에서 학문 전념
정책	중앙 집권	향촌 자치
기반	대지주	중소 지주
관직	주로 고위 관직	주로 3사의 언관직
집권	조선 전기	선조 이후

📍 중종반정
두 차례의 사화가 일어난 후 성희안, 박원종 등의 훈구 세력이 연산군을 몰아내고 이복 동생인 진성 대군(중종)을 왕으로 추대한 사건이다.

📍 현량과
학문과 덕행이 뛰어난 인재를 추천받아 간단한 시험을 보고 관리로 등용하는 제도로 사림의 관직 진출에 도움이 되었다.

📍 을사사화
명종 때 외척 간의 세력 다툼으로 사림들이 크게 화를 입은 사건이다. 1545년(명종 즉위) 소윤인 윤원형 일파가 인종 시기에 먼저 집권했었던 대윤인 윤임 일파를 숙청하였다.

자료 이해하기 서원의 구조와 의미 ─────── 📖 교과서 119쪽

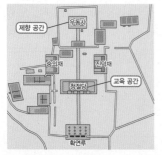

○ 장성 필암서원의 구조(전남 장성)

| 내용 알기 | 서원은 사림이 학문 연구와 선배 학자 제사를 위해 설립한 사설 교육 기관이다. 조선에서는 성리학 통치 이념에 따라 많은 서원이 설립되었으며, 국왕은 현판과 서적, 토지와 노비 등을 하사하여 그 서원의 권위를 인정하기도 하였다. 이러한 서원을 사액 서원이라고 하며 최초의 사액 서원은 '백운동 서원'이다. 백운동 서원은 중종 시기 풍기 군수 주세붕이 고려 시대 학자 안향을 배향하고 유생들을 가르치기 위해 설립된 서원으로 이황의 건의로 사액을 받아 사액 서원의 시초가 되었다.

2. 향약의 보급

정의	향촌의 자치 규약, 마을 공동체 전통 풍속과 유교 윤리의 결합
발달	• 조광조가 처음으로 보급 → 16세기 후반 이황, 이이 등 사림의 노력으로 확산 • 처음에는 중국 향약의 영향을 받음 → 지역별로 특색 있는 향약이 만들어짐
영향	향촌 사회의 풍속 교화와 질서 유지에 기여, 향촌에서의 사림 위치 강화

3. 붕당의 형성

(1) 사림의 정치 주도: 서원과 향약을 기반으로 향촌 사회에서 세력 확대, 공론 형성, 3사를 중심으로 언론 활동 주도 → 선조 때 사림이 정권 장악
└ 계속되는 사화로 중앙에 있는 사림은 큰 피해를 받았으나, 향촌에 기반을 두어 몰락하지 않음

(2) 붕당의 형성: 명종 때 정치에 참여한 외척 처리 문제와 이조 전랑 임명 문제로 사림 내 갈등 발생 → 선조 때 동인과 서인으로 분화
└ 3사의 관리와 하급 관리를 선발하고 자신의 후임자를 천거하는 권한을 가지고 있었음

(3) 동인과 서인

동인	선조 때 새로 진출한 사림, 주로 이황과 조식의 제자들(영남학파), 외척 청산에 적극적
서인	명종 때부터 정치에 참여한 사림, 주로 이이와 성혼의 제자들(기호학파), 외척 청산에 소극적

향약

'향촌 자치 규약'의 약자로 여씨향약에서 비롯되었다. 여씨향약은 송나라 학자가 만든 후 주자가 수정·보완하였다. 조선에서는 16세기에 사림들이 『소학』에 수록된 여씨향약을 보급하기 위해 노력하였다.

보충+ 사림의 계보

정몽주
│
길재
│
김숙자
│
김종직
│
정여창 ─ 김굉필 ─ 김일손
이언적 ─ 서경덕 ─ 조광조 ─ 김안국

조식 · 이황 (영남 학파) 이이 · 성혼 (기호 학파)

03 유교 윤리의 보급

1. 윤리서와 의례서의 간행

(1) 윤리서: 세종 때 『삼강행실도』 편찬, 16세기에 사림이 『이륜행실도』 편찬
└ 가정에서 지켜야 할 관혼상제의 예법을 정리한 책

(2) 의례서: 성종 때 『국조오례의』·『악학궤범』 편찬, 『주자가례』가 양반층에 보급

2. 성리학적 사회 질서의 보급

(1) 삼강오륜 보급: 국가가 윤리서 간행, 충신·효자·열녀 표창, 사림의 『소학』 보급
└ 송대 주희의 지시로 유자징이 편찬한 책으로 고려 말에 보급되기 시작하여 조선 초에는 모든 학교의 필수 과목이 됨

(2) 가족 질서의 변화: 양반들은 『주자가례』에 따라 관혼상제 시행, 장자·친가 중심, 족보 중시
└ 관례, 혼례, 상례, 제례를 뜻함
└ 종족 내부의 결속을 강화하고 양반 가문의 신분적 우위를 강조함

삼강행실도

글을 모르는 백성들에게 삼강오륜을 쉽게 설명하기 위해 유교 덕목에 모범이 될 만한 효자, 열녀, 충신의 이야기를 그림으로 그리고 설명을 달았다.

중단원 핵심 확인하기 풀이 ── 📖 교과서 121쪽 ──

1. 빈칸에 들어갈 알맞은 말을 써 보자.

(1) 15세기 후반 성종은 훈구 세력을 견제하기 위해 ☐☐을/를 등용하였다.

(2) ☐☐☐은/는 3사의 언론 활동을 활성화하고 현량과를 시행하였으며, 『소학』을 보급하고자 노력하였다.

(3) 16세기 말 선조 때 정치를 주도하게 된 사림이 정치적 견해의 차이로 ☐☐와/과 ☐☐(으)로 나누어져 붕당이 형성되었다.

(1) 사림 (2) 조광조 (3) 동인, 서인

2. 관련 있는 내용을 옳게 연결해 보자.

(1) 동인
(2) 서인
ㄱ 영남 지방 사림
ㄴ 기호 지방 사림
ㄷ 선조 때 정계 진출
ㄹ 이이 학파, 성혼 학파
ㅁ 이황 학파, 조식 학파
ㅂ 명종 때부터 정치 참여

3. 옳은 내용은 ○표, 틀린 내용은 ×표를 해 보자.

(1) 세조의 즉위에 공을 세워 중앙의 주요 관직을 차지하고 정치를 주도한 이들을 훈구 세력이라고 한다. (○)

(2) 기묘사화는 연산군 때 훈구 세력이 조의제문을 문제 삼아 사림을 탄압한 사건이다. (×)

(3) 사림은 서원을 세우고 향약을 보급하면서 향촌 사회에서 세력을 확대해 나갔다. (○)

4. 제시된 용어를 3개 이상 사용하여 사림 세력의 등장 배경을 문장으로 완성해 보자.

사림 훈구 공신 세조 성종
왕권 신권 김종직

• 세조의 집권과 함께 형성된 훈구 세력이 성종 때에도 정국을 주도하자, 성종은 이들을 견제하기 위해 사림을 등용하였다.

■ 『용비어천가』

조선 세종 때 선조인 목조에서 태종에 이르는 여섯 대의 행적을 노래한 서사시이다. 훈민정음으로 지은 최초의 작품으로 조선 건국 유래의 유구함과 조상들의 성덕을 찬송한다.

■ 『팔도지리지』

양성지가 세조의 명을 받아 편찬한 지리지로, 그는 각 도별 지리지를 편찬하여 성종 때 『팔도지리지』를 완성하였다. 이 책은 1432년(세종 10)에 편찬된 『신찬팔도지리지』 이후의 변화된 내용을 보충하기 위한 것이었다.

■ 천상열차분야지도

하늘의 모습인 '천상'을 '차(목성의 운행을 기준으로 설정한 적도 주변의 열두 구역)'와 '분야(하늘의 별자리 구역을 나누어 지상의 해당 지역과 대응한 것)'에 따라 벌려 놓은 그림이다.

■ 앙부일구

1434년(세종 16)에 장영실이 만든 그림자의 이동으로 시간을 표시한 해시계이다.

04 민족 문화의 발달

1. 훈민정음 창제

(1) 창제: 우리말을 그대로 표현하여 배우기 쉬운 글자인 훈민정음을 반포(세종, 1446)

> 창제 당시에는 28자였으나 이후 4자가 소멸되어 자음 14자, 모음 10자인 24자가 됨

(2) 활용: 국가 정책 알림, 백성 교화, 『용비어천가』 편찬, 각종 불경과 농서 번역

2. 역사서와 지리서의 편찬

역사서	개국의 정당성 강조, 정통성 확립 → 『고려사』, 『고려사절요』, 『동국통감』, 『조선왕조실록』 편찬
지리서, 지도	• 지방 통치 자료 확보, 국방 강화 → 『팔도지리지』, 『동국여지승람』 편찬 • 조선 왕조의 개창 알림 → 『혼일강리역대국도지도』 제작

3. 활발해진 양반의 예술 활동

(1) 15세기: 안견의 「몽유도원도」, 강희안의 「고사관수도」, 분청사기가 유행

(2) 16세기: 사군자(매화, 난초, 국화, 대나무)를 그린 문인화, 백자가 유행

05 과학 기술의 발달

> 유교적 민본 사상에 따라 민생을 안정시키고, 부국강병을 위해 국가가 적극 지원함

1. 실용적인 과학 기술의 발달

(1) 태조 때: 천문도 「천상열차분야지도」 제작

(2) 세종 때: 간의와 혼천의(천체 관측기구), 자격루(물시계), 앙부일구(해시계), 측우기 등 제작, 『칠정산』 편찬

> 한양을 기준으로 천체를 관측하여 만든 역법서

2. 인쇄술과 의학의 발달

인쇄술	• 계미자: 태종 때 주자소를 설치하여 구리로 제작한 활자 • 갑인자: 세종 때 제작한 활자, 식자판에 활자를 조립하여 인쇄
제지술	태종 때 종이를 전문적으로 생산하는 관청인 주자소 설치
의학	• 『향약집성방』: 향약을 이용한 치료 방법을 정리한 책 • 『의방유취』: 주요 의학 서적을 정리한 의학 백과사전

> 우리나라에서 나는 약재를 활용하여 질병을 치료하는 방법을 담음

중단원 핵심 확인하기 풀이

📖 교과서 129쪽

1. 빈칸에 들어갈 알맞은 말을 써 보자.

(1) 세종 때 백성들에게 유교 윤리를 보급하고자 충신과 효자, 열녀의 행적을 설명한 □□□□□을/를 편찬하였다.

(2) 세종은 일반 백성도 우리말을 쉽게 배워 자신의 생각을 글로 표현할 수 있도록 □□□□을/를 만들었다.

(3) □□□은/는 중국과 아라비아의 역법을 참고하고, 한양을 기준으로 천체 운동을 관측하여 만든 역법서이다.

(1) 삼강행실도 (2) 훈민정음 (3) 칠정산

2. 관련 있는 내용을 옳게 연결해 보자.

(1) 안견 ─── ㉢ 몽유도원도
(2) 강희안 ─── ㉣ 고사관수도
(3) 자격루 ─── ㉡ 물시계
(4) 의방유취 ─── ㉤ 의학 백과사전
(5) 앙부일구 ─── ㉠ 해시계

3. 옳은 내용은 ○표, 틀린 내용은 ×표를 해 보자.

(1) 조선은 건국 초기 개국의 정당성을 밝히고 정통성을 확립하고자 역사서 편찬에 힘썼다. (○)

(2) 16세기에는 가정에서 지켜야 할 관혼상제의 예법을 정리한 국조오례의가 양반층을 중심으로 보급되었다. (×)

(3) 세종 때는 민생 안정과 부국강병을 위해 국가의 지원으로 과학 기술이 크게 발달하였다. (○)

4. 제시된 용어를 3개 이상 사용하여 조선 전기에 나타난 사회 변화를 문장으로 완성해 보자.

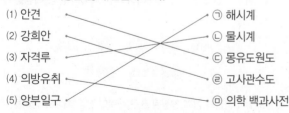

사림   삼강오륜   소학   주자가례

성리학   족보   가묘(사당)

• 조선에서 성리학이 지배적인 사상으로 정착되면서 삼강오륜이 강조되고 장자와 친가 중심으로 가족 제도가 바뀌면서 가묘와 족보 등이 중요시되었다.

도입 활동 풀이

교과서 116쪽

교과서 도입 **01** 사림 세력의 등장

◆ 나뭇잎에 '조광조가 왕이 된다.'라고 글자를 쓴 까닭은 무엇일까?

도입 예시 답안 | · 조광조의 반대파들이 조광조를 모함하여 제거하기 위해서이다.
· 조광조의 개혁으로 피해를 본 훈구 세력이 조광조를 쫓아내기 위해서이다.

| 도입 보충 |

중종 시기에 등용된 조광조는 왕도 정치를 실현하고자 강력한 개혁 정치를 펼쳤으나, 훈구 세력이 강하게 반대하였다. 이후 사림 세력과 훈구 세력의 갈등이 고조되었고 사화가 발생하였다.

교과서 119쪽

교과서 도입 **02** 서원의 설립

◆ 양반들이 자기 고을에 서원을 세우려고 한 까닭은 무엇일까?

도입 예시 답안 | · 양반 자제들을 교육하기 위한 기관이 필요했기 때문이다.
· 양반들이 서원을 중심으로 향촌 사회를 주도할 수 있었기 때문이다.

| 도입 보충 |

서원은 성현의 제사, 후학 양성, 공론 형성 등의 역할을 하며 성리학의 확산과 지방 문화의 발달에 기여하였다. 특히 사림을 중심으로 서원이 확산되면서 사림의 지위가 강화되었다.

교과서 124쪽

교과서 도입 **03** 유교 윤리의 보급

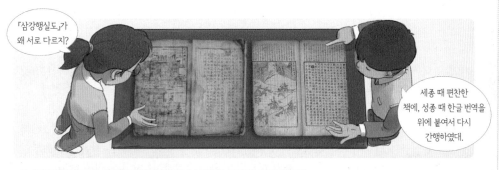

◆ 『삼강행실도』를 한글로 번역해 다시 간행한 까닭은 무엇일까?

도입 예시 답안 | · 한자를 모르는 일반 백성들이 쉽게 읽을 수 있도록 하기 위해서이다.
· 백성들에게 유교 윤리를 보급하고자 하였기 때문이다.

| 도입 보충 |

조선 시대에는 성리학을 기본 통치 이념으로 삼고 유교를 보급하고자 노력하였다. 유교는 점차 양반 지배층뿐 아니라 일반 백성들에게도 확산되었다.

교과서 도입 **04** 훈민정음 창제

| 도입 보충 |

세종은 우리나라 말소리가 중국과 달라 백성들이 자신의 뜻을 나타내고자 해도 할 수 없음을 안타깝게 여겼다. 세종은 백성들이 자신의 생각을 쉽게 표현할 수 있도록 한글을 창제하였다.

우리나라의 말이 중국과 달라 한자와는 서로 통하지 않으니, 어리석은 백성들이 말하고자 하는 바가 있어도 제 뜻을 나타내지 못하는 사람이 많다. 내가 이것을 가엾게 생각하여 ＿＿＿＿＿＿＿＿

◁ 훈민정음 언해본(서강 대학교 도서관)

❖ 왕이 무엇이라고 말했을지 생각해 보고, 말풍선의 밑줄 친 부분을 채워 보자.

도입 예시 답안 | · 새로운 우리 글자를 만들었다.

· 백성들도 배우기 쉬운 글자인 훈민정음을 만들었다.

교과서 도입⁺ **05** 과학 기술의 발달

| 도입 보충 |

유교의 민본 사상에 따른 민생 안정과 부국강병을 위해 과학 기술이 중요시되었다. 특히 세종 대에는 농사에 큰 영향을 미치는 천문학이나 농업 관련 기술을 적극적으로 지원하였다.

어찌 일식 예측이 1각(15분) 당겨졌는가?

중국 역법에 따라 계산했습니다만, 원인을 찾아보겠습니다.

❖ 일식 예측이 잘못된 까닭은 무엇일까?

도입 예시 답안 | · 관리가 일식 예측하는 계산을 틀리게 하였기 때문이다.

· 중국 역법에 따라 계산하여 우리나라에서 일식이 일어나는 시간과 달랐기 때문이다.

도입 plus⁺ 조선 시대의 발명품

◎ 자격루

세종 대에는 집현전 학자들을 중심으로 과학 기술 관련 공동 연구를 수행하였다. 이전에는 빗물이 땅속에 스며들어 간 깊이를 가늠하는 방식으로 강우량을 측정하였으나, 측우기가 발명되면서 빗물을 원통에 받아서 강우량을 측정하여 각 지역의 강우량을 파악하고 농사의 풍흉을 예측할 수 있었다.

자격루는 쥐와 소, 토끼 등의 인형이 튀어나와 시간을 알려주는 자동 시보 장치가 결합된 물시계로, 두 시간에 한 번씩 종이나 북을 쳐서 정확한 시간을 알려주었다. 한편, 해시계인 앙부일구는 자격루보다 광범위하게 보급되었으며, 휴대용으로 좋은 작은 사이즈부터 돌 받침대에 올릴 정도의 큰 사이즈까지 다양하게 제작되었다. 혼천의는 세종 때에 만들어진 기구로 천체의 운행과 그 위치를 측정하여 천문 역법의 표준 시계와 같은 역할을 하였으며, 혼천의를 간소화한 관측 기기인 간의도 개발되었다.

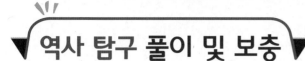

역사 탐구 풀이 및 보충

교과서 120쪽

역사 탐구 향약의 4대 덕목

(가) 오랜만입니다. 별일 없으셨는지요? / 덕분에 잘 지내고 있답니다.

(나) 윗마을 갑돌이는 참 효자야. 너도 저 모습을 보고 배우렴.

(다) 개똥이는 못생긴 데다 성격도 이상해. / 꼭 그렇게 나쁘게 볼 필요 있나. 친구가 없을 때 험담하는 건 좋지 않아.

(라) 갓난이네 집에 어제 도둑이 들었다는구먼. / 우리가 조금씩 먹을 것을 전해 주면 어떨까?

> **보기**
> • 덕업상권: 좋은 일은 서로 권한다.
> • 예속상교: 예의 바른 풍속으로 서로 교제한다.
> • 과실상규: 잘못된 것은 서로 규제한다.
> • 환난상휼: 어려운 일은 서로 돕는다.

1. (가)~(라)의 그림에 알맞은 향약의 덕목을 〈보기〉에서 찾아 써 보자.

정답 풀이 | (가): 예속상교, (나): 덕업상권, (다): 과실상규, (라): 환난상휼

2. 즐거운 교실을 만들기 위해 학급에서 지킬 4대 덕목을 만들어 보자.

정답 풀이 | 교실에서 바른말 쓰기, 친구 사이에 서로 존중하기, 어려운 친구 도와주기, 수업 시간에 바른 태도 가지기 등

친절한 활동 길잡이

이 활동의 핵심은 향약의 4대 덕목을 확인하는 것이다. 향약을 살펴보며 당시 사림이 향촌 사회에 향약을 보급하고자 했던 의도를 생각해 본다.

자료 이해 확인 문제

1. 향약은 조선 시대 중앙 정부의 규약이다. (○ / ×)

2. 향약의 덕목 중 오늘날까지 이어지는 것도 있다. (○ / ×)

》 정답 1. × 2. ○

교과서 127쪽

역사 탐구 「혼일강리역대국도지도」

「혼일강리역대국도지도」는 태종 때 만들어진 세계 지도이다. '혼일'이란 중국과 중국 주변을 하나로 아우른다는 '혼연일체'를 의미하고, '강리'란 경계를 안다는 뜻이다. 즉 온 세상의 영역을 한데 그려 놓고 옛날부터 있어 온 왕조들의 도읍지를 표시해 놓은 지도라는 뜻이다. 이 지도는 중국에서 만들어진 「성교광피도」와 「혼일강리도」를 참고하여 만든 지도인데, 한반도가 실제보다 크게 그려져 있어 당시 조선 사대부들의 세계관을 엿볼 수 있다. 현재 원도는 전하지 않고 4종의 사본만 일본에 남아 있다.

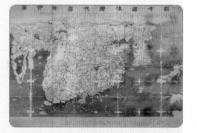

△ 「혼일강리역대국도지도」(일본 혼코사)

1. 「혼일강리역대국도지도」의 의미를 찾아 써 보자.

정답 풀이 | 온 세상의 영역을 한데 그려 놓고 옛날부터 있어 온 왕조들의 도읍지를 표시해 놓은 지도라는 뜻이다.

2. 「혼일강리역대국도지도」와 오늘날의 세계 지도가 다른 점을 찾아보고, 한반도가 실제보다 크게 그려진 까닭을 생각해 보자.

정답 풀이 | 아메리카 대륙과 호주가 지도에 없다. 조선을 건국한 사대부들이 조선에 대한 자신감을 가지고 한반도를 실제보다 크게 그린 것 같다.

친절한 활동 길잡이

이 활동의 핵심은 「혼일강리역대국도지도」를 살펴보며 조선 전기 사대부들의 세계관을 이해하는 것이다. 지도에는 중화사상과 새 왕조를 개창한 사대부들의 자부심이 포함되어 있음을 알도록 한다.

자료 이해 확인 문제

1. 「혼일강리역대국도지도」는 태종 때 만들어졌다. (○ / ×)

2. 「혼일강리역대국도지도」는 한반도를 중심에 둔 세계 지도이다. (○ / ×)

》 정답 1. ○ 2. ×

01 (가)에 들어갈 사건으로 옳은 것은?

> (가) 은/는 1453년 세종의 둘째 아들인 수양 대군이 문종 사망 후 왕위에 오른 조카인 단종을 몰아내고자 단종의 보좌 세력이자 원로대신인 황보인·김종서 등 수십 인을 제거하고 정권을 잡은 사건이다.

① 계유정난 ② 무오사화
③ 중종반정 ④ 위화도 회군
⑤ 제1차 왕자의 난

02 밑줄 친 '이들'에 대한 설명으로 옳지 <u>않은</u> 것은?

> 이들은 고려 말 조선 건국에 반대한 길재의 학문 전통을 이어받은 지방 사족이었다. 정계 진출 이후 훈구의 부정과 비리를 비판하였다.

① 의리와 도덕을 중시하였다.
② 주로 3사의 언관직에 임용되었다.
③ 계유정난에 참여하여 공을 세웠다.
④ 성종 시기에 중앙 정계로 진출하였다.
⑤ 정몽주, 길재 학문의 전통을 이어받았다.

중요

03 (가) 시기에 있었던 사실로 옳은 것만을 **보기**에서 고른 것은?

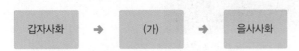

> **보기**
> ㄱ. 명종이 즉위하였다.
> ㄴ. 기묘사화가 발생하였다.
> ㄷ. 김종직이 정계에 진출하였다.
> ㄹ. 한명회가 공신 세력으로 집권하였다.

① ㄱ, ㄴ   ② ㄱ, ㄷ   ③ ㄴ, ㄷ
④ ㄴ, ㄹ   ⑤ ㄷ, ㄹ

단답형

04 (가)에 들어갈 알맞은 말을 쓰시오.

> (가) 은/는 중국 초나라의 항우가 어린 의제를 죽이고 왕위에 오른 사실을 김종직이 비판한 글이다. 훈구 세력은 이 글이 세조의 왕위 찬탈을 비난한 것이라고 주장하였다.

(　　　　　　　)

05 (가)에 들어갈 인물로 옳은 것은?

> 경연에서 (가) 이/가 중종에게 아뢰기를, "국가에서 사람을 등용할 때 과거 시험에 합격한 사람을 중요하게 여깁니다. 그러나 매우 현명한 사람이 있다면 어찌 꼭 과거 시험에만 국한하여 등용할 수 있겠습니까. 중국 한을 본받아 현량과를 실시하여 덕행이 있는 사람을 천거하여 인재를 찾으십시오."라고 하였다.　　　 -『중종실록』

① 길재   ② 김종직   ③ 정도전
④ 조광조   ⑤ 주세붕

06 다음 역사적 사실들을 일어난 순서대로 바르게 나열한 것은?

> ㄱ. 선조가 즉위하였다.
> ㄴ. 계유정난이 일어났다.
> ㄷ. 백운동 서원이 건립되었다.
> ㄹ. 동·서인 붕당이 형성되었다.

① ㄱ-ㄴ-ㄷ-ㄹ
② ㄴ-ㄱ-ㄷ-ㄹ
③ ㄴ-ㄷ-ㄱ-ㄹ
④ ㄷ-ㄱ-ㄹ-ㄴ
⑤ ㄷ-ㄹ-ㄱ-ㄴ

07 (가)에 대한 설명으로 옳은 것만을 보기 에서 모두 고른 것은?

> (가) 은/는 일상생활의 예의범절, 수양을 위한 격언, 충신·효자의 업적 등을 모아 편찬한 책이다. 태종 때 편찬된 『속육전』에는 '8세 이상은 모두 학당에 입학시켜 (가) 의 도로써 가르친다.'라는 규정이 있다.

> **보기**
> ㄱ. 송대 주희의 지시로 유자징이 편찬하였다.
> ㄴ. 고려 말부터 향교와 서원의 필수 과목이 되었다.
> ㄷ. 백성들에게 성리학적 생활 규범을 익히도록 하는데 도움이 되었다.
> ㄹ. 국가 행사에 필요한 의례를 유교 예법에 따라 성종 대에 정리하였다.

① ㄱ, ㄴ   ② ㄱ, ㄷ   ③ ㄴ, ㄷ
④ ㄴ, ㄹ   ⑤ ㄷ, ㄹ

중요
08 (가)에 대한 설명으로 옳지 않은 것은?

① 주세붕이 최초로 도입하였다.
② 사림 세력의 확대에 기여하였다.
③ 조선 시대 국립 교육 기관이었다.
④ 지방 문화의 발달에 이바지하였다.
⑤ 사림의 공론을 모으는 역할을 하였다.

단답형
09 (가)에 들어갈 알맞은 말을 쓰시오.

> (가)
>
> 국왕에게서 서원의 이름을 쓴 현판을 하사받은 서원을 말한다. 국가로부터 서적, 토지, 노비 등을 지원받았다.

(   )

고난도
10 (가), (나)의 공통적인 결과로 옳은 것은?

> (가) 덕망 높은 유학자의 제사를 지내고 지방 양반의 자제를 교육시키는 사립 교육 기관을 중심으로 지방의 공론이 형성되었다.
> (나) 향촌 사회의 전통적인 상부상조 풍속에 유교 윤리를 더하여 향촌 자치 규약이 보급되었다.

① 붕당이 형성되었다.
② 훈구 세력이 형성되었다.
③ 네 차례의 사화가 발생하였다.
④ 향촌 사림의 지위가 강화되었다.
⑤ 외척 세력 사이에 권력 다툼이 일어났다.

단답형
11 다음 그림과 관련 있는 향약의 4대 덕목을 쓰시오.

(   )

12 다음 자료를 활용한 탐구 주제로 적절한 것은?

> 김효원이 과거에 장원으로 합격하여 (이조) 전랑의 물망에 올랐으나, 그가 윤원형의 문객이었다는 이유로 심의겸이 반대하였다. 그 후에 (심의겸 동생) 심충겸이 장원 급제를 하여 이조 전랑으로 천거되었으나, 외척이라 하여 김효원이 반대하였다. …… 동인, 서인이라는 말이 여기에서 비롯하였다. 효원의 집은 동쪽 건천동에 있고, 의겸의 집은 서쪽 정릉동에 있었기 때문이다.

① 붕당의 출현
② 사화의 발생 배경
③ 훈구 세력의 형성 과정
④ 조선 건국 세력의 정치사상
⑤ 고려 말 신진 사대부의 분열

13 (가)에 들어갈 내용으로 옳은 것은?

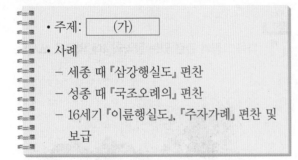

- 주제: [　(가)　]
- 사례
  - 세종 때『삼강행실도』편찬
  - 성종 때『국조오례의』편찬
  - 16세기『이륜행실도』,『주자가례』편찬 및 보급

① 서민 문화의 대두
② 신분 질서의 동요
③ 유교 윤리의 보급
④ 붕당의 형성과 분화
⑤ 실용적인 민족 문화의 발달

14 (가)에 들어갈 알맞은 말을 쓰시오.

> [　(가)　]은/는 남송의 주희가 사대부 집안에서 치르는 관혼상제의 네 가지 의례의 예법을 정리한 책이다. 고려 말 성리학이 우리나라에 소개되면서 들어온 책으로 양반층을 중심으로 널리 보급되었다.

(　　　　　　　　　　)

15 (가)에 들어갈 내용으로 옳은 것만을 보기에서 고른 것은?

보기

> ㄱ. 족보가 중요시되었어.
> ㄴ. 집 안에 가묘(사당)를 세웠어.
> ㄷ. 외가 중심의 가족 질서가 보급되었어.
> ㄹ. 남자가 장가가는 혼인 풍습이 자리 잡았어.

① ㄱ, ㄴ　　② ㄱ, ㄷ　　③ ㄴ, ㄷ
④ ㄴ, ㄹ　　⑤ ㄷ, ㄹ

16 다음 설명으로 옳지 않은 것은?

① 측우기 – 강수량을 측정하는 기구이다.
② 분청사기 – 백토를 바르고 여러 장식을 한 15세기 자기이다.
③ 동국통감 – 고구려부터 고려 말까지의 역사를 정리한 책이다.
④ 향약집성방 – 향약을 이용한 치료 방법을 정리하여 세종 때 편찬된 책이다.
⑤ 의방유취 – 중국의 주요한 의학서와 조선에서 편찬된 의학 서적들을 정리한 의학 백과사전이다.

17 밑줄 친 '책'에 해당하는 것으로 옳은 것은?

훈민정음으로 우리 왕조의 정당성과 왕실의 권위를 높이는 책을 짓도록 하라.

① 소학
② 동국통감
③ 악학궤범
④ 용비어천가
⑤ 조선왕조실록

고난도

18 (가) 왕의 재위 시기의 사실로 옳은 것은?

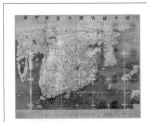

지도는 (가) 때 만들어진 세계 지도이다. 한반도가 실제보다 크게 그려져 있어 조선 왕조의 개창을 알리려는 의도가 반영되었다고 볼 수 있다.

① 향약집성방을 편찬하였다.
② 이륜행실도를 편찬하였다.
③ 주자소에서 계미자를 만들었다.
④ 천상열차분야지도를 돌에 새겼다.
⑤ 을해자 병용 한글 활자를 만들었다.

19 밑줄 친 '이 인물'의 이름과 그가 추진했던 개혁 정책 두 가지를 서술하시오.

월간 문화재

20○○년 ○○월

화순 정암 ○○○ 선생 적려 유허비

능성에 귀양 왔던 이 인물을 추모하고자 건립된 비로, 적려란 귀양 또는 유배를 말한다. 그는 정국공신에 대한 위훈 삭제 등 개혁 정치를 주도하다 훈구 세력의 반발로 유배되어 사상당하였다. 1979년 전라남도 기념물 제41호로 지정되어 오늘에 이르고 있다.

20 (가)의 개념과 역할을 서술하시오.

⟨ (가) 의 4대 덕목⟩
• 덕업상권   • 과실상규
• 예속상교   • 환난상휼

21 (가)에 들어갈 적절한 내용을 서술하시오.

조선은 건국 초기부터 유교의 민본 사상에 따라 백성들의 생활을 안정시키고 부강한 나라를 만들고자 과학 기술을 중요하게 생각하였다. 특히 세종 대에는 국가의 적극적인 지원으로 천문학이 크게 발달하였다. 대표적인 사례로는 (가)

④ 왜란·호란의 발발과 영향

조총

1543년 포르투갈인을 태운 배 한 척이 명나라로 가던 도중 폭풍우를 만나 다네가시마에 도착하였다. 이때 포르투갈 상인이 다네가시마 영주에게 조총을 선물하였고, 이 무기는 일본 각지로 퍼져 기존의 전투 양상을 바꾸기 시작하였다.

정리 왜란과 호란

왜란의 전개
임진왜란의 발발 → 수군, 의병, 조명 연합군의 활약 → 휴전 협상 결렬 → 정유재란 발발 → 일본군 철수

↓

전후 정세
광해군의 전후 복구 및 중립 외교 정책 → 서인 집권(친명 배금 정책)

↓

호란의 전개
정묘호란 발발 → 후금과 조선 정부의 화의 → 청의 군신 관계 요구 거절 → 병자호란 발발 → 청과 강화

01 왜란과 그 영향

1. 임진왜란의 배경

(1) 동아시아의 정세 변화

① 조선: 양반 사회의 분열로 농민 몰락, 국방력 약화 → 왜구 대비 소홀

② 일본: 16세기 말 도요토미 히데요시의 전국 통일

(2) 일본의 조선 침략

① 목적: 통일에 대한 일본 내부 불만 세력의 관심 전환 및 대륙 진출 야욕

② 침략 구실: 명을 정벌하러 가는 길을 빌려 달라는 구실로 조선 침략(1592)

2. 임진왜란의 전개

(1) 전개: 일본의 침략 → 조선은 조총으로 무장한 일본군을 막아 내지 못함 → 한양 함락 → 선조는 의주로 피란 후 명에 지원군 요청

(2) 의병과 수군의 활약 ┌ 유생, 승려, 농민들이 자발적으로 조직한 것으로 향토 지리에 밝은 이점을 활용해 적은 수의 병력으로도 일본군에 큰 타격을 줌

① 의병의 활약: 곽재우 등 전국 각지에서 의병들이 일본군에 맞서 싸움

② 수군의 활약: 이순신이 거북선을 앞세워 옥포, 한산도 등에서 승리 → 조선 수군이 남해의 제해권 장악, 일본군의 보급 작전 좌절

(3) 임진왜란의 승리 과정: 의병과 수군의 활약 + 명의 지원군 도착 + 관군 정비 → 김시민의 진주 대첩, 조·명 연합군의 평양 탈환, 권율의 행주 대첩 → 휴전 협상 → 협상 결렬로 일본군의 재침략 → 이순신이 명량 대첩, 노량 해전 등에서 승리 → 일본군은 본국으로 철수
└ 조선, 일본, 명이 참전한 국제전으로 삼국의 내정

┌ 1597년(선조 30) 정유재란 때 이순신이 이끄는 조선 수군이 진도 앞바다의 좁고 물살이 빠른 울돌목에서 일본 수군을 대파한 해전

3. 임진왜란의 영향
과 국제 질서에 영향을 줌

조선	• 많은 사람이 사망하거나 일본에 포로로 끌려가 인구가 크게 감소 • 농경지가 황폐해져 백성들의 생활 곤궁, 국가 재정 악화 • 불국사와 사고가 불에 타고 『조선왕조실록』 등의 서적과 도자기 등을 약탈당함
일본	• 도요토미 정권이 무너지고 도쿠가와 이에야스가 에도에 막부 수립 • 포로와 약탈 문화재로 일본 도자기 문화와 인쇄 문화가 크게 발전 • 조선의 성리학이 전래
명	명의 국력 약화 → 누르하치가 여진족 통일, 후금 건국(1616)

자료 이해하기 임진왜란의 영향

교과서 134쪽

후지와라 세이카가 내게 과거 절차며, 춘추석전(공자의 제사를 지내는 절차) 등을 묻기에 …… 과거 절차만 대강 이야기해 주었다. …… (후지와라 세이카는) 중국의 제도와 조선의 예를 좋아하고 의복, 음식의 세세한 부분까지 반드시 중국과 조선을 모방하려고 하였다. – 강항, 『간양록』

❻ 강항 현창비(일본 오즈시 문화 회관) 강항 현창비 안내문에는 '일본 주자학의 아버지, 유학자 강항'이라고 쓰여 있다.

| 내용 알기 | 강항은 조선 중기의 유학자로 정유재란 때 일본에 포로로 잡혀갔다. 그는 일본의 학자들과 교류하였으며 특히 승려였던 후지와라 세이카와 깊이 교유하였다. 후지와라 세이카는 강항의 도움을 받아 일본 최초로 사서오경을 쉽게 풀이한 『사서오경왜훈』을 간행하였다.

02 호란과 북벌 운동

1. 광해군의 중립 외교 정책

(1) 광해군의 전후 복구 노력: 국가 재정 확충(토지 개간, 토지 대장과 호적 정리), 국방력 강화(성곽과 무기 수리, 군사 훈련), 『동의보감』 편찬

(2) 광해군의 외교 정책: 만주 지역에서 후금과 명의 대립 → 명이 조선에 원군 요청 → 광해군의 중립 외교로 후금의 침략을 피함
└─ 광해군은 명이 쇠약해지고 후금이 강성해지는 국제 정세 속에서 후금과의 충돌을 피하기 위해 중립 외교를 펼침

(3) 인조반정(1623): 서인이 폐모살제를 구실로 광해군을 폐위하고 인조를 추대한 사건
└─ 광해군이 역모 사건을 빌미로 영창 대군을 죽이고 인목 대비를 폐위한 사건

2. 정묘호란과 병자호란의 발발

(1) 정묘호란(1267): 인조 때 서인 정권이 명에 대한 의리를 강조하는 친명 정책 추진 → 후금이 광해군의 원수를 갚는다는 구실로 조선 침략 → 후금이 황해도까지 침입 → 인조의 피란 → 후금이 조선과 형제 관계를 맺고 철수

(2) 병자호란(1636): 청 태종이 조선에 군신 관계 요구 → 조선 조정에서 척화론과 주화론의 대립 → 척화파의 우세, 청의 요구 거절 → 청 태종이 조선 침략(병자호란) → 인조의 남한산성 피란, 항전 → 청에 항복하고 군신 관계를 맺음, 소현 세자와 봉림 대군 등 많은 백성이 청으로 끌려감
└─ 인조가 한겨울에 심전도까지 걸어와 청 태종에게 세 번 절하고 아홉 번 머리를 조아린 사건으로 '삼전도의 굴욕'이라고도 함

3. 북벌 정책의 추진

(1) 배경: 병자호란 이후 청과 군신 관계를 맺은 것에 조선 지배층이 충격받음

(2) 전개: 북벌론 제기, 성곽과 무기 정비, 군대 양성
└─ 훈련도감의 군액 증대, 어영군과 금군을 정비·개편, 기마병 확보에 주력

(3) 결과: 거듭된 흉년과 재해, 명을 무너뜨린 청의 국력 강화, 효종 사망 → 북벌 중단

4. 청과의 문물 교류

| 연행사 파견 | 청과 사대 관계 맺은 후 매년 사신(연행사) 파견, 청의 문물과 서학이 조선에 전래 |
| 소현 세자의 서양 문물 도입 | 아담 샬을 통해 서양 문물 직접 체험, 서학 관련 서적과 자명종 등을 가지고 귀국 |

📖 교과서 137쪽

중단원 핵심 확인하기 풀이

1. 빈칸에 들어갈 알맞은 내용을 써 보자.

(1) ☐☐☐☐은/는 1592년 일본이 명을 정벌하러 가는 길을 빌려 달라는 구실로 조선을 침략한 전쟁이다.

(2) ☐☐☐☐은/는 서인들이 광해군을 몰아내고 인조를 새로운 왕으로 추대한 사건이다.

(3) ☐☐☐☐은/는 1636년 청이 군신 관계를 요구하며 조선을 침략한 전쟁이다.

(1) 임진왜란 (2) 인조반정 (3) 병자호란

2. 관련 있는 내용을 옳게 연결해 보자.

(1) 이순신 — ㉢ 한산도 대첩
(2) 김시민 — ㉠ 진주 대첩
(3) 권율 — ㉡ 행주 대첩
(4) 효종 — ㉣ 북벌 정책 추진

3. 옳은 내용은 ○표, 틀린 내용은 ×표를 해 보자.

(1) 임진왜란 초기 조선에 불리한 전세를 역전할 계기를 마련한 것은 의병과 수군이었다. (○)

(2) 광해군이 친명 정책을 추진하여 정묘호란이 일어났다. (×)

(3) 청에 인질로 잡혀갔다 돌아온 소현 세자는 북벌을 적극적으로 추진하였다. (×)

4. 제시된 용어를 3개 이상 사용하여 임진왜란 후 나타난 동아시아의 정세 변화를 설명하는 문장을 완성해 보자.

조선 명 일본 여진족 후금 에도 막부
광해군 누르하치 도쿠가와 이에야스

• 임진왜란 때 전쟁터였던 조선에서는 많은 사람이 죽고 국토가 황폐해졌다. 명은 약화된 한편 여진족은 세력을 키워 후금을 세웠다. 일본의 도쿠가와 이에야스는 에도 막부를 세웠다.

○ 동의보감

1596년 허준과 정작, 이명원 등이 선조의 명을 받아 편찬하기 시작하였고 정유재란으로 잠시 중단되었다가, 허준이 다시 편찬을 계속하여 광해군 때 완성하였다. 병에 따른 증상을 중심으로 서술되어 있다.

보충⁺ 주화론과 척화론

	주화론	척화론
주도	최명길	김상헌, 삼학사
주장	임진왜란으로 국력이 바닥나 있고, 오랑캐의 병력은 상하므로 일단 전쟁을 피하고 외교적으로 문제를 해결하자.	명에 대한 의리를 저버리고 오랑캐인 청을 모실 수는 없으므로 전쟁을 통해 문제를 해결하자.
의미	현실적 실리 강조	성리학적 명분론 강조

○ 소현 세자

소현 세자는 병자호란 때 청에 인질로 끌려갔다. 청에서 조선인 포로의 속환 문제와 조선에 대한 병력 지원을 요구하는 등 외교 창구의 역할을 하였다. 베이징에 머무를 때에는 독일의 예수회 선교자이자 천문학자인 아담 샬과 교류하며 서양 문물을 체험하였고, 서학의 보급에 강한 의지를 나타내었다.

도입 활동 풀이

교과서 도입 01 왜란과 그 영향

| 도입 보충 |
임진왜란은 동아시아 3국인 한국·중국·일본이 참전한 국제전으로 동아시아 정세 변화에 큰 영향을 끼쳤다.

❖ 우리는 이 전쟁을 무엇이라고 부를까?

도입 예시 답안 | · 임진왜란
· 임진왜란과 정유재란

교과서 도입⁺ 02 호란과 북벌 운동

| 도입 보충 |
명에 대한 의리와 명분을 중시하는 서인은 광해군의 중립 외교에 반발하였다. 서인의 반정으로 왕위에 오른 인조는 명에 대한 의리를 지키고 여진의 후금을 배척하는 친명 배금 정책을 추진하였다.

❖ 새로운 국왕이 즉위하면 조선의 외교 정책은 어떻게 바뀔까?

도입 예시 답안 | · 명에 대한 의리를 지켜 열심히 도와줄 것이다.
· 후금과 화친을 맺지 않을 것이다.

도입 plus⁺ 중립 외교 정책과 친명 배금 정책

- (광해군이) 전교하였다. "적의 형세는 날로 치열해지고 있는데, 우리나라의 병력과 인심은 하나도 믿을 만한 것이 없다. 고상한 말과 큰소리만으로 하늘을 덮을 듯한 흉악한 적의 칼날을 막아 낼 수 있겠는가. 적들이 말을 타고 들어와 마구 짓밟는 날에 이들을 담론으로써 막아 낼 수 있겠는가. 붓으로 무찌를 수 있겠는가." ─ 『광해군일기』

- 우리나라가 중국 조정을 섬겨 온 것이 2백여 년이다. 의리로는 군신이며, 은혜로는 부자와 같다. 임진년에 입은 은혜는 만세토록 잊을 수 없는 것이다. …… 광해군은 배은망덕하여 천명을 두려워하지 않고, 속으로 다른 뜻을 품고 오랑캐에게 성의를 베풀었다. 기미년(1619) 오랑캐를 정벌할 때에는 은밀히 장수를 시켜 동태를 보아 행동하게 하였다. ─ 『인조실록』

사료를 통해 광해군과 인조의 외교적 입장 차이를 확인할 수 있다. 광해군은 명이 쇠약해지고 후금이 강성해지는 국제 정세를 살펴 명과 후금 사이에서 중립 외교 정책을 실시하였다. 한편, 서인에 의해 왕위에 오른 인조는 명에 대한 의리와 명분을 강조하면서 친명 배금 정책을 실시하여 후금과의 외교 관계를 단절하였고, 이는 곧 정묘호란과 병자호란의 원인이 되었다.

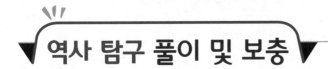

역사 탐구 풀이 및 보충

역사 **탐구** 척화론과 주화론의 대립 ──────────────────── 교과서 136쪽

| 자료 1 |

윤집의 척화론

화의로 백성과 나라를 망치기가 …… 오늘날과 같이 심한 적이 없었습니다. 중국은 우리나라에 있어서 곧 부모요, 오랑캐는 우리나라에 있어서 곧 부모의 원수입니다. 신하된 자로서 부모의 원수와 형제가 되어서 부모를 저버리겠습니까. …… 차라리 나라가 없어질지라도 의리는 저버릴 수 없습니다. － 『인조실록』

| 자료 2 |

최명길의 주화론

화친을 맺어 국가를 보존하는 것보다 차라리 의리를 지켜 망하는 것이 옳다고 하였으나, 이것은 신하가 절개를 지키는 데 쓰는 말입니다. …… 자기의 힘을 헤아리지 않고 경망하게 큰소리를 쳐서 오랑캐들의 노여움을 도발하여, 마침내 백성이 도탄에 빠지고 종묘와 사직에 제사를 지내지 못하게 된다면 그 허물이 이보다 클 수 있겠습니까? － 최명길, 『지천집』

친절한 활동 길잡이

이 활동의 핵심은 병자호란 당시 척화론과 주화론의 차이점을 이해하는 것이다. 주어진 사료를 통해 척화론과 주화론의 차이점을 알아 보고 그로 인한 영향을 생각해 본다.

1. | 자료 1 |과 | 자료 2 |의 밑줄 친 '중국'과 '오랑캐'가 각각 어느 나라를 가리키는지 써 보자.

정답 풀이 | 중국은 명나라를, 오랑캐는 후금을 의미한다.

2. | 자료 1 |과 | 자료 2 | 중 자신이 옳다고 생각하는 주장을 고르고, 그 까닭을 간단하게 써 보자.

정답 풀이 | • 윤집의 주장이 옳다고 생각한다. 왜냐하면 임진왜란 때 조선을 도와 준 명에 대한 의리를 지키는 게 당연하기 때문이다.
• 최명길의 주장이 옳다고 생각한다. 왜냐하면 나라가 망하거나 백성들이 고통을 받게 해서는 안 되기 때문이다.

자료 이해 확인 문제

1. 여진이 세력을 확대하며 조선을 침략하였다. (○ / ×)

2. 주화론은 명에 대한 의리를 강조하였다. (○ / ×)

≫ 정답 1. ○ 2. ×

탐구 plus 인조의 항복

삼전도에 나아갔다. 멀리 바라보니 청 태종이 황옥을 펼치고 앉아 있고 갑옷과 투구 차림에 활과 칼을 가진 자가 방진을 치고 좌우에 서 있었다. 왕이 걸어서 진 앞에 이르렀다. 용골대 등이 왕을 데리고 들어가 단 아래에 북쪽을 향해 자리를 마련하고 왕에게 나가기를 청하였다. 사람을 시켜 크게 소리치게 하였다. 왕이 세 번 절하고 아홉 번 머리를 조아리는 예를 행하였다. － 『인조실록』

◑ 삼전도비(사적 제101호, 서울 송파)

정묘호란 이후 오랑캐라고 배척하던 여진과 형제 관계를 맺는 치욕을 당한 후, 조선에서는 여진에 대한 적대적 분위기가 팽배해졌다. 이러한 상황을 간파한 여진은 국명을 후금에서 청으로 바꾸고 군신 관계를 요구해왔다. 당시 조선에는 현실을 고려한 주화파가 소수에 불과했고, 명에 대한 의리를 강조하는 척화파가 다수를 차지하였다. 이에 인조 조정은 남한산성에서 항전하였지만 고립무원의 상황에서 45일 만에 청에 항복하게 되었다. 인조는 세자와 대신들이 지켜보는 가운데 청나라 군대 용골대의 호령에 따라 삼배구고두(三拜九叩頭: 세 번 절하고 아홉 번 머리를 조아림)의 굴욕적인 항복 의식을 해야 했다.

01 밑줄 친 '전쟁' 중에 있었던 사실로 옳지 <u>않은</u> 것은?

- 종목: 국보 제76호
- 소재지: 충청남도 아산시 현충사
- 소개: 이순신이 작성한 이 일기는 <u>전쟁</u> 중 지휘관이 직접 기록한 점을 높게 평가받아 2013년 유네스코 세계 기록 유산으로 등재되었다.

① 훈련도감이 설치되었다.
② 권율이 행주산성에서 승리하였다.
③ 인조가 남한산성에서 항전하였다.
④ 곽재우가 의령에서 의병을 이끌었다.
⑤ 조·명 연합군이 평양성을 탈환하였다.

단답형
02 (가)에 들어갈 알맞은 말을 쓰시오.

　(가)　은/는 유생, 승려, 농민들이 자발적으로 모여 만든 조직이다. 향토 지리를 잘 알고 있는 점을 활용하여 일본군에 큰 타격을 주어 임진왜란을 승리로 이끌었다.

(　　　　　)

03 (가) 시기에 있었던 사실만을 **보기**에서 고른 것은?

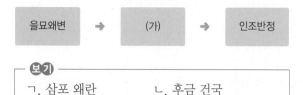

| 을묘왜변 | → | (가) | → | 인조반정 |

보기
ㄱ. 삼포 왜란　　　　ㄴ. 후금 건국
ㄷ. 효종 즉위　　　　ㄹ. 에도 막부 개창

① ㄱ, ㄴ　　② ㄱ, ㄷ　　③ ㄴ, ㄷ
④ ㄴ, ㄹ　　⑤ ㄷ, ㄹ

단답형
04 (가)에 들어갈 알맞은 인물을 쓰시오.

　(가)　은/는 임진왜란 이후 전후 국가 재정을 확충하고 국방력을 강화하고자 하였다. 또 중립 외교 정책으로 후금의 침략을 피하고자 하였다.

(　　　　　)

중요
05 다음 자료를 활용한 탐구 활동으로 적절한 것은?

　윤휴가 은밀히 상소를 올려, "이 사건은 하늘이 우리를 돌봐 주지 않아 일어난 것입니다. 짐승 같은 오랑캐들이 핍박해 와 우리를 남한산성으로 몰아넣고 삼전도의 치욕을 주었으며, 백성을 죽였습니다. …… 수치를 씻어 군부(君父)에게 보답하며, 지난날의 허물을 지우려면 오랑캐를 정벌해야만 합니다."라고 하였다.

① 곽재우 의병장의 활동지를 찾아본다.
② 도쿠가와 이에야스의 집권 과정을 알아본다.
③ 조선 왕조의 쓰시마섬 토벌 목적을 확인한다.
④ 효종 때 추진된 북벌 운동의 배경을 파악한다.
⑤ 도요토미 히데요시의 조선 침략 계획을 조사한다.

06 다음 사건들을 일어난 순서대로 바르게 나열한 것은?

ㄱ. 선조가 의주로 피난하였다.
ㄴ. 인조가 청 태종에게 항복하였다.
ㄷ. 후금과 조선이 형제 관계를 맺었다.
ㄹ. 명량에서 이순신의 수군이 승리하였다.

① ㄱ-ㄴ-ㄷ-ㄹ　　② ㄱ-ㄹ-ㄷ-ㄴ
③ ㄴ-ㄹ-ㄱ-ㄷ　　④ ㄴ-ㄹ-ㄷ-ㄱ
⑤ ㄷ-ㄴ-ㄹ-ㄱ

07 지도에 나타난 전쟁의 결과로 옳은 것은?

① 인조반정이 일어났다.
② 동의보감이 간행되었다.
③ 봉림 대군이 인질로 잡혀갔다.
④ 누르하치가 여진족을 통일하였다.
⑤ 일본의 도자기 문화가 발전하였다.

08 (가), (나) 주장에 대한 설명으로 옳지 <u>않은</u> 것은?

> (가) 중국은 우리나라에 있어서 부모의 나라이고, 청은 부모의 원수입니다. 부모의 원수와 형제의 의를 맺어 부모의 은혜를 저버려서야 되겠습니까. 더구나 임진년의 일은 조그만 것까지도 모두 황제의 힘입니다.
>
> (나) 자기의 힘을 헤아리지 않고 경망하게 큰 소리를 쳐서 오랑캐들의 노여움을 도발하여, 마침내 백성이 도탄에 빠지고 종묘와 사직에 제사를 지내지 못하게 된다면, 그 허물이 이보다 클 수 있겠습니까?

① (가) - 윤집의 주장이다.
② (가) - 명나라의 은혜를 강조하고 있다.
③ (나) - 주화론을 내세우고 있다.
④ (나) - 효종의 북벌론을 뒷받침하였다.
⑤ (가), (나) - 병자호란 당시 제기되었다.

09 (가) 전쟁의 명칭을 쓰고, 전쟁의 영향으로 나타난 국제 정세의 변화를 두 가지 서술하시오.

10 다음을 참고하여 광해군의 외교 정책의 특징을 인조의 정책과 비교하여 서술하시오.

> (광해군이) 도원수 강홍립에게 지시하였다. "원정군 가운데 1만은 조선의 정예병만을 선발하여 훈련하였다. 이제 장수와 병사들이 서로 숙달하게 되었노라. …… 그대는 명군 장수들의 명령을 그대로 따르지 말고 신중하게 처신하여 오직 패하지 않는 전투가 되도록 최선을 다하라."
>
> – 『광해군일기』

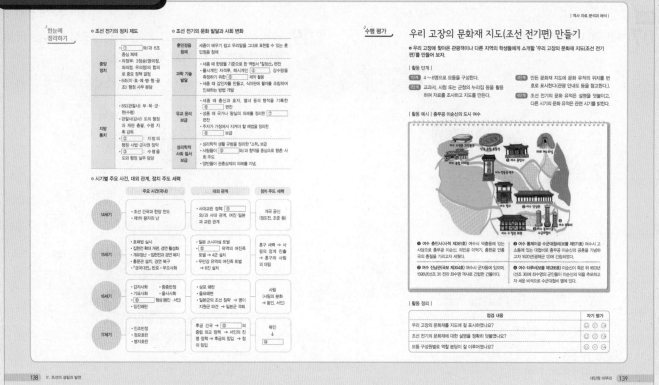

한눈에 정리하기

|예시 답안|

① 의정부

② 수령

③ 향리

④ 앙부일구

⑤ 측우기

⑥ 삼강행실도

⑦ 국조오례의

⑧ 주자가례

⑨ 서원

⑩ 붕당

⑪ 명

⑫ 압록강

⑬ 광해군

⑭ 서인

수행 평가

이것이 핵심 우리 고장에 남아 있는 조선 전기의 문화재를 조사하는 과정에서 역사 자료 분석과 해석 역량을 기른다. 문화재 지도를 작성하면서 현재 관점에서 문화재의 의미를 생각해 보고 역사적 사고력을 확장한다.

|예시 답안| 조선 중심의 도시, 서울

❶ 숭례문(국보 제1호)	❷ 경복궁(국보 제224호)
한양 도성의 남쪽에 위치하여 일명 남대문이라고도 불리는 현재 서울에서 가장 오래된 목조 건물이다.	1395년에 태조 이성계가 창건한 조선 왕조 제일의 법궁이다. 임진왜란으로 불에 탄 이후 흥선 대원군의 명으로 중건되었다.
❸ 서울 원각사지 십층 석탑(국보 제2호)	❹ 종묘(국보 제227호)
1467년에 완성된 대리석 사리탑으로 높이 12 m에 해당한다. 형태가 특이하고 탑 구석구석에 화려한 조각의 표현 장식이 풍부하다.	조선 왕조 역대 왕과 왕후의 신주를 모신 사당으로 토지와 곡식의 신에게 제사 지내는 사직단과 함께 선왕에게 제사 지내는 제례 공간이다.

대단원 마무리 문제

❶ 통치 체제와 대외 관계

01 (가)에 들어갈 정치 기구로 옳은 것은?

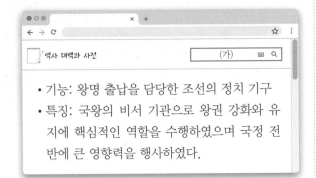

• 기능: 왕명 출납을 담당한 조선의 정치 기구
• 특징: 국왕의 비서 기관으로 왕권 강화와 유지에 핵심적인 역할을 수행하였으며 국정 전반에 큰 영향력을 행사하였다.

① 사헌부   ② 승정원
③ 의금부   ④ 의정부
⑤ 춘추관

중요
02 (가)에 들어갈 내용으로 적절한 것은?

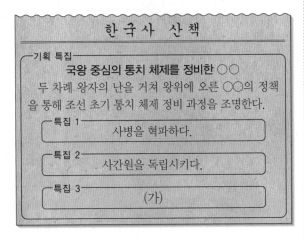

한국사 산책

기획 특집
국왕 중심의 통치 체제를 정비한 ○○
두 차례 왕자의 난을 거쳐 왕위에 오른 ○○의 정책을 통해 조선 초기 통치 체제 정비 과정을 조명한다.

특집 1 ─ 사병을 혁파하다.
특집 2 ─ 사간원을 독립시키다.
특집 3 ─ (가)

① 집현전을 폐지하였다.
② 호패법을 실시하였다.
③ 경국대전을 완성하였다.
④ 훈민정음을 반포하였다.
⑤ 위화도 회군을 단행하였다.

03 (가)에 들어갈 내용으로 적절한 것은?

| 호패법 도입 | → | (가) | → | 경국대전 완성 |

① 붕당 형성   ② 한양 천도
③ 집현전 설치   ④ 현량과 실시
⑤ 백운동 서원 건립

04 조선과 (가)~(다)와의 관계에 대한 설명으로 옳지 않은 것은?

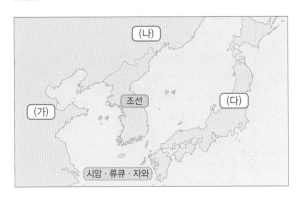

① (가) – 조공과 책봉 관계를 맺었다.
② (나) – 4군 6진을 개척하였다.
③ (다) – 3포를 개항하였다.
④ (가), (나) – 무역소를 통해 교역하였다.
⑤ (나), (다) – 교린 정책으로 안정을 추구하였다.

❷ 사림 세력과 정치 변화

중요
05 다음 계보로 이어지는 정치 세력에 대한 설명으로 옳은 것만을 보기에서 고른 것은?

보기
ㄱ. 계유정난의 공신으로 책봉되었다.
ㄴ. 서원과 향약을 통해 지위를 강화하였다.
ㄷ. 조선 왕조 개창의 주도 세력을 계승하였다.
ㄹ. 성종 대에 등용되어 주로 3사에서 활동하였다.

① ㄱ, ㄴ   ② ㄱ, ㄷ   ③ ㄴ, ㄷ
④ ㄴ, ㄹ   ⑤ ㄷ, ㄹ

06 다음 사건들을 일어난 순서대로 바르게 나열한 것은?

> ㄱ. 현량과가 시행되었다.
> ㄴ. 갑자사화가 발생하였다.
> ㄷ. 김종직이 조의제문을 지었다.
> ㄹ. 사림이 동인과 서인으로 분열되었다.

① ㄱ－ㄷ－ㄴ－ㄹ
② ㄴ－ㄹ－ㄱ－ㄷ
③ ㄴ－ㄹ－ㄷ－ㄱ
④ ㄷ－ㄴ－ㄱ－ㄹ
⑤ ㄷ－ㄴ－ㄹ－ㄱ

❸ 문화의 발달과 사회 변화

고난도

07 (가), (나)에 대한 설명으로 옳지 <u>않은</u> 것은?

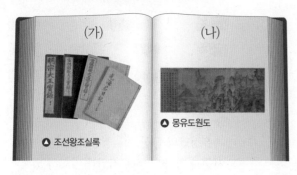

● 조선왕조실록 　　　　● 몽유도원도

① (가) – 유네스코 세계 기록 유산으로 등록되었다.
② (가) – 태조에서 철종까지의 사실을 기록하였다.
③ (나) – 안견이 그린 그림이다.
④ (나) – 무릉도원을 묘사하였다.
⑤ (나) – 16세기의 대표적인 문화유산이다.

중요

08 ㉠~㉣에 소개될 내용으로 적절한 것만을 보기에서 고른 것은?

> **역사 신문**
> 제△△호 　　　　　20○○년 ○○월 ○○일
>
> **조선 전기 과학 기술의 발달**
>
> **1편** 천문을 관측하고 시계를 만들다 …… ㉠
> **2편** 우리나라를 기준으로 역법을 만들다 …… ㉡
> **3편** 질병 치료를 위해 의학 서적을 편찬하다
> 　　　　　　　　　　　　　　　　 …… ㉢
> **4편** 화약 무기를 개량하여 국방을 강화하다
> 　　　　　　　　　　　　　　　　 …… ㉣

> 보기
> ㄱ. ㉠ – 측우기
> ㄴ. ㉡ – 칠정산 내편
> ㄷ. ㉢ – 향약구급방
> ㄹ. ㉣ – 신기전

① ㄱ, ㄴ　　　② ㄱ, ㄷ　　　③ ㄴ, ㄷ
④ ㄴ, ㄹ　　　⑤ ㄷ, ㄹ

❹ 왜란·호란의 발발과 영향

09 (가), (나) 사이 시기에 있었던 사실로 옳은 것은?

> (가) 광해군의 중립 외교는 명에 대한 의리를 주장하는 서인 등의 반발을 샀다. 결국 서인은 인목대비를 폐위시키는 등 유교 윤리를 어겼다는 이유로 광해군을 몰아내고 인조를 새 왕으로 추대하였다.
> (나) 청에 인질로 끌려갔다 돌아와 왕위에 오른 효종은 송시열, 이완 등을 등용하여 무기를 개량하고 군대를 양성하는 등 북벌을 준비하였다.

① 병자호란이 일어났다.
② 정유재란이 일어났다.
③ 훈련도감이 설치되었다.
④ 누르하치가 여진족을 통일하였다.
⑤ 한산도 대첩에서 조선 수군이 승리하였다.

고난도

10 (가)~(라) 지역에 대한 설명으로 옳은 것만을 **보기**에서 고른 것은?

보기

ㄱ. (가) - 외침을 피해 선조가 피난한 곳이다.
ㄴ. (나) - 이순신의 수군이 승리를 거두었다.
ㄷ. (다) - 최윤덕이 4군을 개척하였다.
ㄹ. (라) - 임진왜란 당시 왜군이 처음 상륙한 곳이다.

① ㄱ, ㄴ　　② ㄱ, ㄷ　　③ ㄴ, ㄷ
④ ㄴ, ㄹ　　⑤ ㄷ, ㄹ

11 ㉠, ㉡이 의미하는 나라를 옳게 짝지은 것은?

△ 야연사준도

△ 부산진 순절도

김종서가 ㉠외적을 토벌하고 6진을 개척한 후 잔치하는 장면

부산진에서 벌어졌던 조선군과 ㉡외적의 전투 장면

	㉠	㉡
①	여진	일본
②	일본	여진
③	명	청
④	일본	청
⑤	원	일본

12 (가)~(다)의 역할을 담당하였던 기관의 명칭을 각각 쓰고, 공통점을 서술하시오.

(가) 간쟁하고 정사의 잘못을 논박하는 직무를 관장한다.
(나) 왕이 물을 일을 대비한다. …… 모두 경연을 겸임한다.
(다) 시정을 논하여 바르게 이끌고, 모든 관원을 살피며, 풍속을 바로잡고, …… 거짓된 행위를 금하는 등의 일을 맡는다.

13 다음 주장이 제기된 배경과 핵심 내용을 서술하시오.

우리나라는 실로 명 신종 황제의 은혜를 입어 임진왜란 때 나라가 이미 폐허가 되었다가 다시 보존되고 백성이 거의 죽었다가 다시 소생하였으니, …… 비록 창을 들고 죄를 문책하며 중원을 쓸어 말끔히 우리 신종 황제의 망극한 은혜는 갚지 못하더라도, 혹 국경의 문을 닫고 약속을 끊으며 이름을 바르게 하고 이치를 밝혀 우리 의리의 원만함은 지킬 수 있을 것입니다.

– 송시열

01 광해군과 인조 시기의 대외 인식

○ 『조선왕조실록』에 나타난 광해군과 인조 시기의 대외 인식을 확인하고, 이러한 인식이 당대에 미친 영향을 생각해 보자.

자료 1

광해군의 대외 인식

　도원수 강홍립에게 하유하였다.

　"우리나라 군대가 한 명의 오랑캐도 보지 못하고 돌아오더라도 여진(후금)은 우리 군대가 이미 저들의 국경 내에 들어간 사실을 알 것이 분명하니, 이후로 기미(羈縻)할 길은 영원히 끊어지고 원한을 돋우는 화는 필시 깊어질 것이다. 금(金)·백(白)이 포위되었던 것과 같은 곤경이 우리에게도 닥쳐올 텐데 두송(杜松)이 달려들어가 구원해 주었던 일은 우리로서는 바라기 어렵다. 삼수(三水)·갑산(甲山)·육진(六鎭)의 위태로움은 양도(兩道)와 견줄 수 없을 정도로 방비의 근심이 전보다 배나 급하다. …… 당초 요동으로 건너간 군서 1만 명은 오로지 양서(兩西)의 정예병만을 선발하여 단속하고 훈련시켰으므로 장수와 졸개들이 서로 익숙하니, 지금에 와서 경솔히 바꾸기는 곤란하다. 명나라 장수의 말을 그대로 따르지만 말고 오직 패하지 않을 방도를 강구하는 데에 힘을 쓰라."

자료 2

인조 즉위시의 대외 인식

　왕대비가 교서를 내렸다.

　"하늘이 만백성을 내고 그중에서 임금을 세운 것은, 대개 인륜을 펴고 기강을 세워 위로는 종묘를 받들고 아래로는 온 백성을 안정시키기 위해서이다. 선조 대왕께서 불행히도 적사(嫡嗣)가 없어 임시 방편으로 장유(長幼)의 차례를 어기고 광해로 세자를 삼았는데, 즉위한 처음부터 못하는 짓이 없이 도리를 어겼다. …… 우리나라가 중국 조정을 섬겨온 것이 2백여 년이라, 의리로는 곧 군신이며 은혜로는 부자와 같다. 그리고 임진년에 재조(再造)해 준 그 은혜는 만세토록 잊을 수 없는 것이다. …… 광해는 배은망덕하여 천명을 두려워하지 않고 속으로 다른 뜻을 품고 오랑캐에게 성의를 베풀었으며, 기미년 오랑캐를 정벌할 때에는 은밀히 수신(帥臣)을 시켜 동태를 보아 행동하게 하여 끝내 전군이 오랑캐에게 투항함으로써 추한 소문이 사해에 펼쳐지게 하였다."

---

1. 당대의 국제 정세를 고려하여 광해군이 **자료 1** 처럼 말한 이유를 써 보자.

---

2. **자료 2** 와 같은 대외 인식이 외교 정책에 가져온 변화와 그 영향을 써 보자.

---

02 역사적 인물을 모델로 가상 화폐 만들기

○ 다음 역사적 인물 중 한 명을 선택하고 가상 화폐를 만들어 보자.

정몽주, 정도전, 태조(이성계), 성종, 조광조, 장영실, 허준

1. 제시된 인물 중 한 사람을 선택하여 다음 표를 채워 보자.

선정 인물	
선정 이유	
인물과 관련된 키워드	

2. 작성한 표를 바탕으로 인물을 잘 나타내는 가상 화폐를 제작해 보자.

천년 역사의 땅, 전주

"한국 색채를 담은 전통문화의 중심지"

신라 경덕왕 16년(757) 때 완산주를 전주로 개명하면서 전주라고 불리기 시작하였다. 전주는 평야와 바다가 연결되는 천혜의 조건을 갖춘 도시로 견훤이 후백제의 수도로 삼은 곳이자 500년 조선 왕조의 발상지이다. 또한 조선 시대에는 가장 많은 과거 급제자를 배출한 유학의 도시이며, 오늘날에는 도시 곳곳에 한옥, 전통 한식으로 유명한 식당들, 한지로 만든 공예품 등이 있어 가장 한국적인 전통문화를 담고 있는 도시로 꼽힌다.

📍 경기전

조선 왕조를 개창한 태조 이성계의 어진을 봉안한 곳이다. 1410년에 창건된 경기전은 정유재란 때 소실되어 1614년에 중건되었다. 1872년 태조 어진을 새롭게 모사하여 봉안하면서 전반적인 보수가 이루어졌다.

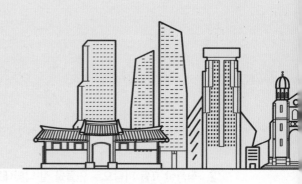

전주 음식 맛보기

❶ **전주비빔밥** 30여 가지의 다양한 재료를 비벼 먹는 한국의 대표 음식이다. 조선 시대 왕이 점심에 먹는 가벼운 식사였던 비빔에서 유래되었다는 설, 국난이 일어나 왕이 피란 갔을 때 약식으로 만든 식사였다는 설 등이 있다.

❷ **전주 한정식** 신선하고 풍성한 해산물과 기름진 평야 지대에서 생산된 곡식과 각종 산나물은 예로부터 전주 음식의 풍부한 재료가 되어 왔다. 전주 한정식은 탕과 찌개, 나물류와 젓갈 등 30여 가지 재료로 구성된 푸짐한 한상이다.

전주 향교

향교는 고려 시대부터 조선 시대까지 유학 교육과 인재 양성을 위해 지방에 세워진 교육 기관이다. 성현의 위패를 모신 대성전, 기숙사인 동무·서무, 학생들을 가르치던 곳인 명륜당 등의 건물이 있다.

풍남문

옛 전주 읍성의 남쪽문으로 정유재란 때 파괴된 것을 영조 때 성곽과 성문을 다시 지으면서 '명견루'라고 불렸다. 이후 화재로 불탄 것을 관찰사 홍낙인이 1768년 다시 지으면서 '풍남문'이라 불리기 시작하였다.

전동 성당

천주교도 순교터에 프랑스 신부가 세운 성당으로 중국의 벽돌 제조 기술자를 초빙하여 화려한 로마네스크 양식으로 건립하였다. 내부는 둥근 천장과 스테인드글라스로 장식되어 있다.

❸ 콩나물 국밥 전주에는 질 좋은 콩나물이 재배되어 콩나물 국밥이 유명하다. 콩나물은 전주의 팔미 중 하나로 풍토병을 예방하는 데 효력이 있어 식탁에서 떠나지 않았다는 전주 부사의 기록이 있다.

❹ 오모가리탕 크고 작은 오모가리('뚝배기'를 지칭하는 전주 사투리)에 메기, 쏘가리, 피라미, 동자개(빠가사리), 잡고기를 구별해 얼큰하게 끓여낸 매운탕이다. 예전부터 전라북도에서는 민물고기에 채소를 함께 넣어 끓여 먹었다.

V
조선 사회의 변동

이 단원의 구성

V

조선 사회의 변동

1. 조선 후기의 정치 변동
2. 사회 변화와 농민의 봉기
3. 학문과 예술의 새로운 경향
4. 생활과 문화의 새로운 양상

　이 단원에서는 양 난 이후 정치 체제의 변화, 지방민의 항거, 사회 변화, 문화 변동을 다룬다. 먼저 지배층의 정치 운영 변화, 정치 개혁 과정에서 세도 정치로 전개되는 과정을 살펴본다. 그 과정에서 일어난 농민 봉기의 양상과 특징을 파악하고, 양 난 이후 경제적인 변동 과정에서 사회와 문화의 변화가 나타남을 이해한다.

📍 수원 화성(경기 수원)

▶ 사진으로 살펴보기

사진은 정조가 새로운 정치를 꿈꾸며 지은 경기도 수원에 있는 화성입니다. 정조는 이곳을 자신의 정치적·군사적 기반으로 삼아 강력한 국왕 중심의 정치를 실현하고자 하였습니다.

▶ 단원 열기

이 단원에서는 조선 후기의 정치 변동, 사회 변화와 농민 봉기, 학문과 예술의 새로운 경향, 생활과 문화의 새로운 양상을 알아봅니다.

1 조선 후기의 정치 변동

01 붕당 정치

◉ 비변사

비변사는 '변방의 일에 대비하기 위한 기구'라는 의미로 중종 때 일어난 삼포왜란을 계기로 설치되었다. 이후 임진왜란 때 전쟁 수행을 위한 최고 기구로 활용되면서 그 기능이 대폭 확대되었다.

◉ 정여립 사건

선조 때 정여립을 비롯한 동인이 반역을 꾀하였다는 이유로 희생된 사건이다. 이 일로 동인은 서인에 대한 반감을 가지게 되었다. 이후 세자 책봉 문제 때문에 서인이 쫓겨날 때 동인은 서인에 대한 처리를 두고 온건파인 남인과 강경파인 북인으로 분화되었다.

보충⁺ 환국의 전개

경신 환국 (1680)	• 원인: 남인의 군사적 기반 강화 • 결과: 남인 몰락
기사 환국 (1689)	• 원인: 서인의 희빈 장씨 아들 원자 책봉 반대 • 결과: 인현왕후 폐비, 서인 몰락
갑술 환국 (1694)	• 원인: 남인의 인현왕후 복위 반대 • 결과: 희빈 장씨 사사, 남인 몰락

1. 정치 체제의 변화

(1) **비변사의 상설 기구화**: 외적 침입에 대비해 설치한 임시 군사 회의 기구 → 임진왜란과 병자호란을 계기로 국정 전반을 총괄하는 최고 기구로 발전

(2) **영향**: 의정부와 6조의 기능 약화, 집권 붕당이 비변사의 요직 장악·정책 관여

2. 붕당 정치의 전개

선조 대	사림이 동인과 서인으로 분당 → 동인이 정여립 사건 등을 계기로 남인과 북인으로 분화
광해군 대	북인 집권 → 서인 주도의 인조반정으로 북인 몰락
인조~현종 대	• 서인이 정국 주도, 남인 참여 → 붕당 간 상호 견제와 비판 • 서원과 향약으로 지방 사림의 여론을 중앙 정치에 반영, 산림과 3사의 역할 강조

└ 학식과 덕망을 갖추었으나 벼슬을 하지 않고 향촌에서 은거 생활을 하던 유학자

3. 예송의 발생

(1) **예송**: 국왕과 사대부 관계에 대한 서인과 남인의 견해 차이로 발생

(2) **의견 대립**: 상복 입는 기간을 둘러싸고 서인은 국왕과 사대부에게 동일한 예를 적용할 것을 주장, 남인은 국왕에게 최고의 예를 적용해야 한다고 주장

(3) **결과**: 1차 예송에서는 서인의 주장 채택, 2차 예송에서는 남인의 주장 채택 → 붕당 간 대립 심화

4. 붕당 정치의 변질

(1) **숙종의 정국 운영**: 의도적으로 집권 붕당을 급격히 교체(환국), 서인과 남인이 번갈아 집권

(2) **환국의 영향**: 붕당의 세력 약화, 집권 붕당이 상대 붕당 탄압 및 보복, 국왕의 영향력 확대

(3) **탕평론의 대두**: 국왕이 직접 붕당 간의 세력을 조정해야 한다는 의견 제기

자료 이해하기 예송을 둘러싼 서인과 남인의 주장 ——————— 📖 교과서 143쪽

효종은 둘째 아들로서 왕위를 이었으니 그에 맞는 예법을 적용해야 하오.

효종은 왕이십니다. 일반 사대부와 같은 예법을 적용할 수는 없지요.

서인 / 남인

| 내용 알기 | 효종이 계모인 자의 대비보다 먼저 죽자, 자의 대비가 상복을 얼마 동안 입어야 하는지를 두고 서인과 남인 사이에 논쟁이 벌어졌다.

예송의 가장 큰 쟁점은 효종이 인조의 장남이 아닌 둘째 아들이라는 것이었다. 서인은 신권을 강조하여 왕에게 사대부와 같은 예법을 적용해야 한다며 1년 상을 주장하였다. 반면 남인은 왕권을 강조하여 왕에게는 최고의 예법을 적용해야 한다며 3년 상을 주장하였다.

02 탕평책과 세도 정치

1. 영조의 **탕평책** ┌ 서경의 한 구절에 따온 말. 붕당이 아니라 국왕이 정국을 주도해야 요순시대와 같은 이상 정치가 실현될 수 있다는 주장

(1) 목적: 국왕 중심의 정국 운영, 국왕 측근 세력 양성

(2) 탕평책의 시행: 탕평 교서 반포, 산림의 존재 부정, 서원 정리, 탕평비 건립

(3) 결과: 붕당 간 갈등 완화, 국왕 중심의 정치 세력 강화 └ 서원이 붕당의 근거지가 된다고 판단하여 전국 170여 곳의 서원을 정리함

(4) 한계: 측근 세력을 중심으로 척신 정치 출현
└ 왕이 어머니나 부인 쪽 친척들이 정치를 주도하는 것

2. 정조의 탕평책

(1) 내용: 영조의 측근 세력 배제, 소론과 남인 등용

(2) 탕평책의 시행

　① 규장각 설치: 정책 개발 및 중요 정보 수집, 젊은 관료들을 선발하여 재교육
　　　└ 초계문신제

　② 장용영 설치: 친위 부대, 정조의 군사적 기반 강화

　③ 수원 화성 건설: 새로운 정치 이상을 실현할 수 있는 도시로 육성

(3) 의의: 붕당의 기반 해체, 국왕의 권력 강화

(4) 결과: 세도 정치가 출현하는 배경이 됨

3. 영조와 정조의 민생 안정책
┌ 백성들이 내야 할 군포를 2필에서 1필로 경감
┌ 『경국대전』 이후에 나온 법령 중에서 시행할 수 없는 법을 바꾸거나 중보하여 편찬한 법전

(1) 영조: 균역법 시행, 신문고 제도 부활, 준천 사업 실시, 『속대전』 편찬

(2) 정조: 서얼 차별 완화, 통공 정책, 『대전통편』 편찬
└ 이덕무, 유득공, 박제가 등 서얼 출신들이 규장각 검서관에 임명됨　청계천 바닥을 파내는 대규모 공공사업으로 홍수 피해를 예방하기 위해 실시함

4. 세도 정치의 출현 ┌ 정조 사후 잇달아 어린 국왕들이 즉위하면서 국왕에게 집중된 권력을 외척 가문이 차지함

(1) 배경: 탕평책으로 붕당의 기반 붕괴, 외척 가문에게 권력 집중

(2) 전개: 왕실과 혼인 관계를 맺은 안동 김씨, 풍양 조씨 등이 정치 주도

(3) 정치 기강의 문란: 세도 가문이 비변사를 중심으로 국정 좌우, 부정부패, 과거에서의 부정행위 성행

📍 탕평비

> 두루 친하고 치우치지 않는 것이 군자의 마음이고, 편벽되어 두루 친하지 않는 것이 소인의 마음이다.

영조는 미래의 관료가 될 유생들에게 탕평책을 알리고자 성균관 앞에 탕평비를 건립하였다.

📍 규장각

규장각은 궁궐 안에 만들어진 일종의 도서관으로 군주의 글을 보관하는 곳이었다. 하지만 정조가 규장각을 집무실로 활용하고 규장각의 관리와 정책을 협의하고 토론하면서 그 기능을 강화하였다.

📍 통공 정책

조선 시대 시전 상인의 특권인 금난전권을 폐지하여 자유로운 상업 활동을 허용한 정책이다.

〔중단원〕 핵심 확인하기 **풀이**

📖 교과서 147쪽

1. 빈칸에 들어갈 알맞은 말을 써 보자.

(1) 예송과 ☐☐이/가 일어나면서 붕당 간의 대립이 심화되었다.

(2) 영조와 정조는 ☐☐☐을/를 실시하여 붕당의 세력을 약화하고, 국정 운영의 주도권을 장악하였다.

(3) 세도 가문은 국가 최고 기구인 ☐☐☐을/를 장악하고 국정을 좌우하였다.

(1) 환국　(2) 탕평책　(3) 비변사

2. 〈보기〉의 내용을 영조와 정조의 정책으로 구분해 보자.

┌───────── 보기 ─────────┐
| ⊙ 균역법 실시 | ⓛ 장용영 설치 |
| ⓒ 서원 정리 | ⓔ 화성 건설 |
└────────────────────────┘

(1) 영조: ⊙, ⓒ　　　(2) 정조: ⓛ, ⓔ

3. 옳은 내용은 ○표, 틀린 내용은 ×표를 해 보자.

(1) 숙종 때는 전반적으로 서인과 남인이 함께 정국을 운영하였다. (×)

(2) 정조는 규장각을 설치하여 자신의 뜻을 펼칠 학술 연구 기구로 삼았다. (○)

(3) 세도 정치로 인해 각종 부정부패가 나타나고, 과거에서 부정행위가 성행하였다. (○)

4. 제시된 용어를 3개 이상 사용하여 세도 정치가 출현하게 된 배경을 문장으로 완성해 보자.

　탕평책　예송　정조　비판과 견제
　철종　세도 가문　환국　권력 집중

• 정조는 탕평책을 실시하여 붕당의 기반을 해체하고 국왕에게 권력을 집중하였다. 이는 정조가 죽은 뒤 세도 가문을 비판하고 견제할 세력이 없어지면서 세도 정치가 출현하는 배경이 되었다.

도입 활동 풀이

교과서 142쪽

교과서 도입 01 조선 후기의 정치 변동

| 도입 보충 |

인조반정 이후 서인과 남인의 붕당 정치가 전개되었다. 이 시기에는 붕당 간의 상호 공존과 비판이 비교적 잘 이루어졌다. 하지만 예송과 환국을 거치면서 붕당 간의 갈등이 점차 격화되었다. 집권 붕당은 다른 붕당을 철저히 배제하며 모든 권력을 독점하였고, 협력하는 관계의 붕당 정치는 사라졌다.

가
앞으로 함께 정책을 협의하면서 결정합시다.
서로 비판할 것은 비판하면서 함께 가면 되지 않겠소. 잘 부탁드리오.

나
앞으로 다시는 너희들과 함께 정치할 일은 없을 것이다.
지금은 비록 쫓겨 나지만, 반드시 돌아와서 복수할 것이오.

◉ 붕당 간의 관계가 **가**에서 **나**로 변함에 따라 정치에서는 어떤 모습이 나타났을까?

도입 예시 답안 | (가)에서는 붕당 간의 협력이 이루어지고 두 붕당이 함께 정치에 참여하였지만, (나)에서는 붕당 간의 대립이 심해져 서로 배척하고 하나의 붕당이 권력을 독점하였다.

교과서 145쪽

교과서 도입⁺ 02 탕평책과 세도 정치

| 도입 보충 |

정조는 조정의 문신들 가운데서 37세 이하의 자질이 뛰어난 자들을 선발하여 일정 기간 동안 규장각에서 공부하도록 하는 초계 문신 제도를 실시하였다. 초계 문신으로 선발된 신하들은 정조와 정사를 토론하며 각종 정책에 대한 의견을 제시하였다. 이들은 정조 시기 왕권을 뒷받침하는 세력으로 성장하였다.

신하들 중 젊고 유능한 인재들을 뽑아서 규장각으로 보내도록 하라!

그동안 규장각에서 나와 함께 공부하고 토론한 내용을 바탕으로 답안을 작성해 보라.

◉ 정조는 왜 규장각에서 젊은 신하들을 교육하려고 했을까?

도입 예시 답안 | 정조는 국왕의 정치사상을 교육하여 젊은 신하들을 자신의 지지 세력으로 양성하려고 했기 때문이다.

도입 plus⁺ 탕평책의 본질과 한계

◉ 영조(1694~1776)

◉ 탕평비

영조와 정조 때 실시된 탕평책은 국왕 중심의 정치 체제를 지향하는 것이었다. 영조와 정조는 자신이 현실의 권력자이자 학문의 세계를 이끄는 중심이라고 천명하였다. 또 기존에 제대로 운영되지 않던 붕당을 대신하여 국왕을 중심으로 한 탕평당을 조성하여 이들을 중심으로 정국을 운영하였다.

하지만 국왕 중심의 정치 세력은 적절한 비판 세력이 없었기 때문에 정권 말기에는 국왕을 대체하여 모든 권력을 독점할 위험성이 높아졌다. 영조 말기에는 외척들이 정치를 주도하였고, 정조 사후에는 세도 정치가 출현하였다.

역사 탐구 풀이 및 보충

교과서 144쪽

역사 탐구 — 붕당 정치의 변질

조정에서 노론, 소론, 남인의 삼색이 날이 갈수록 더욱 사이가 나빠져 서로 역적이란 이름으로 모함하니 이 영향이 시골까지 미쳐 하나의 싸움터를 만들었다. 그리하여 서로 혼인을 하지 않을 뿐만 아니라 다른 붕당끼리는 서로 용납하지 않았다. ……대체로 당색이 처음 일어날 때는 미미하였으나 자손들이 조상의 당론을 지켜 200년을 내려오면서 마침내 굳어져 깨뜨릴 수 없는 당이 되고 말았다. …오늘날 붕당의 환난만큼 심한 것이 없었으니 이대로 나가고 고치지 않는다면 장차 어떤 세상이 될 것인가.

– 이중환, 『택리지』

친절한 활동 길잡이

이 활동의 핵심은 붕당 정치가 변질되면서 붕당 간의 갈등이 얼마나 심각했는지를 사료를 통해 파악하는 것이다. 당시 붕당 간의 갈등이 심화된 배경을 정확하게 이해하고, 이를 바탕으로 자신이 당시 국왕이라면 어떠한 해결책을 제시했을지 생각해 본다.

1. 위 자료에서 붕당 간의 갈등이 얼마나 심각했는지 파악할 수 있는 부분에 밑줄을 그어 보자.

정답 풀이 | 서로 역적이란 이름으로 모함, 서로 혼인하지 않을 뿐만 아니라 다른 붕당끼리 서로 용납하지 않았다.

2. 붕당 간의 갈등을 해결할 수 있는 방안을 발표해 보자.

정답 풀이 | • 하나의 붕당이 권력을 독점하지 못하도록 여러 붕당의 인물들을 골고루 등용한다.
• 붕당 간의 화합을 위해 여러 붕당의 자식들을 학교에 모아 어린 시절부터 친해지게 한다.
• 붕당의 근거지인 서원을 모두 해체하고 같은 붕당의 자식들끼리 혼인하는 것을 금지한다.

자료 이해 확인 문제

1. 예송과 환국을 거치면서 붕당 간의 갈등이 점차 완화되었다. (○ / ×)

2. 붕당 정치가 제대로 운영되지 않자, 이에 대한 해결 방안으로 탕평책이 제기되었다. (○ / ×)

≫ **정답 1.** × **2.** ○

탐구 plus — 공론 정치

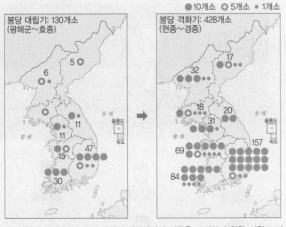

서원의 증설 붕당 간의 대립이 격화되면서 여론을 조성하기 위한 서원도 빠르게 건립되었다.

사림은 정책을 논의할 때 이론적으로 타당한지 검토하고 여론을 참조하면서 토론을 벌였다. 이런 과정을 걸쳐 수렴된 여론을 '공론(公論)'이라 한다. 조선 후기에는 공론이 중시되면서 여론을 주도하는 언론 기관인 3사의 기능이 중시되었다. 또한 재야에서는 공론을 주도하는 지도자로 산림이 출현하였고 서원이나 향교는 지방 사림의 의견을 모으는 역할을 하였다. 이러한 공론 정치는 국왕이 독재적으로 정치하고 정책을 변질시키지 못하게 하는 긍정적인 역할을 하는 한편, 이념의 경직을 가져오면서 붕당 간의 대립을 치열하게 만들기도 하였다. 조선 초기에는 상대 당의 존재와 비판을 인정하는 건전한 정치가 이루어졌으나, 붕당 간의 대립이 심화되면서 서원도 대폭 늘어났다.

단답형

01 다음에 해당하는 기구의 명칭을 쓰시오.

> • 삼포왜란이 일어나자 비상시국에 대처하기 위한 임시 기구로 설치되었다.
> • 을묘왜변을 계기로 상설 기구로 변화하였다.
> • 임진왜란 당시 전쟁 수행을 위한 최고 기구로 활용되면서 기능이 크게 확대되었다.

(   )

02 (가)에 들어갈 내용으로 적절한 것만을 **보기**에서 고른 것은?

> 17세기 중반까지는 붕당 간 상호 공존과 비판이 비교적 잘 이루어져 정국이 안정된 상태였다. 그러나 <u>(가)</u> 을/를 계기로 서인과 남인 사이에 대립이 격화되었다.

보기
ㄱ. 예송   ㄴ. 사화
ㄷ. 환국   ㄹ. 인조반정

① ㄱ, ㄴ   ② ㄱ, ㄷ   ③ ㄴ, ㄷ
④ ㄴ, ㄹ   ⑤ ㄷ, ㄹ

03 다음 상황에 대한 설명으로 옳은 것은?

> • 1689년, 숙종은 낳은 지 두 달 된 왕자를 원자로 정하고자 하였다. 서인이 이에 반대하자 숙종은 송시열을 비롯한 서인을 정리하고 남인을 집권시켰다.
> • 1694년, 남인이 옥사를 일으키자 숙종은 남인의 관작을 삭탈하고 서인을 대거 등용하였다.

① 병자호란이 일어나는 배경이 되었다.
② 국왕이 왕권 강화를 위해 주도하였다.
③ 훈구와 사림의 갈등으로부터 시작되었다.
④ 외척 가문이 권력을 독점하는 결과를 낳았다.
⑤ 붕당의 정치적 영향력이 강화되는 계기가 되었다.

고난도

04 (가), (나) 붕당에 대한 설명으로 옳은 것은?

(가)   (나)

① (가)-인조반정을 계기로 집권하였다.
② (가)-선조 시기 남인과 북인으로 나뉘었다.
③ (나)-영조의 즉위를 적극 후원하였다.
④ (나)-주로 이이의 문인들로 구성되었다.
⑤ (가), (나)-광해군의 외교 정책을 지지하였다.

05 선생님의 질문에 대한 학생의 답변으로 옳은 것은?

> 조선 성종 때 법전이 편찬된 이후 지속적으로 법령이 증가했으나 법전과 법령 간에 상호 모순되는 것이 많아 관리들이 법을 적용하는데 혼란을 겪었습니다. 영조 때에 이미 공포된 법령 중에 시행할 법령만을 추려서 편찬한 이것은 무엇일까요?

① 속대전
② 대전통편
③ 대전회통
④ 경국대전
⑤ 조선경국전

중요
06 다음 비석을 세운 왕이 실시한 정책으로 옳지 <u>않은</u> 것은?

> 두루 친하고 치우치지 않는 것이 군자의 마음이고, 편벽되어 두루 친하지 않는 것이 소인의 마음이다.

① 서원을 정리하였다.
② 화성을 건설하였다.
③ 균역법을 시행하였다.
④ 탕평 교서를 반포하였다.
⑤ 산림의 존재를 부정하였다.

07 (가)에 들어갈 제도로 옳은 것은?

> [(가)]은/는 신진 인물이나 중·하급 관리 중에서 유능한 인사를 재교육하는 제도였다. 37세 이하의 문신 중에서 유능한 자를 선발하여 본래의 직무를 면제하고 연구에 전념하게 한 후 그 성과를 평가하였다.

① 기인 제도
② 독서삼품과
③ 초계문신제
④ 사심관 제도
⑤ 의정부 서사제

중요
08 밑줄 친 '왕'이 실시한 정책으로 옳은 것을 **보기**에서 고른 것은?

> 왕은 사도 세자의 무덤을 수원 화산으로 옮기고 이름을 현륭원으로 바꾼 후 화성을 건설하였다.

보기
ㄱ. 친위 부대인 장용영을 설치하였다.
ㄴ. 규장각을 정책 연구 기관으로 강화하였다.
ㄷ. 신문고 제도를 부활하여 여론을 수렴하였다.
ㄹ. 홍수 피해를 줄이고자 준천 사업을 실시하였다.

① ㄱ, ㄴ
② ㄱ, ㄷ
③ ㄴ, ㄷ
④ ㄴ, ㄹ
⑤ ㄷ, ㄹ

09 밑줄 친 '이 시기'에 있었던 사실로 옳은 것은?

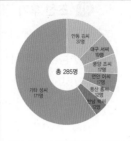

총 285명
안동 김씨 37명
대구 서씨 19명
풍양 조씨 17명
연안 이씨 17명
풍산 홍씨 12명
반남 박씨 9명
기타 성씨 171명

> 이 시기에는 안동 김씨와 풍양 조씨 등 상위 6개의 특정 가문이 비변사 당상관직(정3품 이상)의 약 40 % 정도를 차지하였다.

① 경복궁이 중건되었다.
② 임진왜란이 발발하였다.
③ 북벌 운동이 전개되었다.
④ 6조 직계제가 시행되었다.
⑤ 외척 가문이 정치를 주도하였다.

서술형

10 다음 자료를 보고 물음에 답하시오.

> …… 우리나라는 땅이 좁고 인재도 그리 많은 것이 아닌데, 근래에 들어 인재를 등용할 때 같은 붕당의 인사들만 등용하고자 한다. 조정의 대신들이 서로 상대 당을 공격하면서 반역인가 아닌가로 문제를 집중하니 모두가 동의할 수 있는 정책이 나오지 못하고, 정책의 옳고 그름을 판단하기가 어렵다.
> – 『영조실록』

(1) 위의 문제를 해결하기 위해 영조와 정조가 시행한 정책을 쓰시오.

(2) 영조와 정조가 실시한 정책의 결과와 한계를 서술하시오.

② 사회 변화와 농민의 봉기

01 조선 후기 경제와 사회 변동

1. 상품 화폐 경제의 발달

(1) 농촌의 변화

① 모내기법의 전국적 보급 ─ 모내기법의 보급으로 논의 잡초를 뽑는 일손이 크게 줄어들고 벼와 보리의 이모작이 가능하게 됨

② 인삼, 담배 등 상품 작물 재배 → 부유한 농민 등장

③ 일부 가난한 농민은 도시로 이동 → 상공업에 종사하거나 노동자로 활동

(2) 상공업과 수공업의 변화 ─ 정기적으로 열리는 시장이 15세기 말에 등장하여 18세기 중엽 전국에 1천여 개로 늘어남

① 대동법 시행으로 공인의 물품 대량 구매 → 상공업 활성화

② 전국에 장시 확산, 보부상과 대상인 활동 ─ 전국을 무대로 하는 상인으로 송상(개성), 만상(의주), 내상(동래) 등이 있음

③ 국가 주도 수공업 쇠퇴 → 민간 수공업 발달

④ 상공업 발달에 따라 상평통보 전국적 유통 ─ 조선 후기에 유통된 대표적인 화폐로 세금 납부나 소작료 지급 등에 널리 사용됨

2. 신분제의 동요

(1) 신분제의 변천: 법적으로 양인과 천민으로 구분 → 16세기 이후 실질적으로는 양반, 서얼·중인, 상민, 천민으로 구분됨

(2) 조선 후기 신분제의 동요

양반	• 붕당 정치의 변질, 세도 정치의 출현 → 소수 양반이 관직 독점 • 몰락 양반인 향반, 잔반 등장
중간 계층	• 서얼: 정조 때 차별 완화, 이덕무·박제가 등이 규장각 검서관 진출 • 중인: 서얼에 자극받아 신분 상승 운동 전개, 시사 조직
상민	• 군역을 면제받고자 양반 행세를 하는 상민 증가 • 납속, 공명첩 구입, 족보 구매를 통해 신분 상승 추구
천민	• 조세, 군역을 담당하는 상민층의 감소 → 국가 재정 악화 • 노비종모법 시행(영조), 공노비 해방(순조)

─ 어머니가 노비인 경우에만 자식이 노비가 되는 법

● 대동법

집집마다 거두던 특산물을 토지를 기준으로 쌀이나 베, 돈으로 거둔 제도로 방납의 폐단을 막기 위해 광해군 때 시행되었다. 이 제도의 시행으로 정부가 필요로 하는 물품을 대신 구매하여 납부하는 공인이 등장하였다.

보충+ 중인의 신분 상승 운동

서얼의 신분 상승은 기술직에 종사하며 상당한 재산을 축적하고 탄탄한 실무 경력을 쌓은 중인들의 신분 상승 운동을 자극하였다. 중인들은 집단 상소를 통해 신분 상승을 꾀하였으나, 이들의 신분 상승 요구는 받아들여지지 않았다.

● 공명첩

이름 쓰는 곳

임진왜란 이후 부족한 재정을 메우고자 정부가 발행한 명예직 임명장으로, 공명첩을 사면 군역을 면제받을 수 있었다.

자료 이해하기 양반 중심 신분제의 동요 ─────── 📖 교과서 151쪽

> 옷차림은 신분의 귀천을 나타내는 것이다. 근래 이것이 문란해져 상민과 천민이 갓을 쓰고 도포를 입는 것이 마치 조정의 관리나 선비와 같다. 심지어는 시전 상인들이나 군역을 지는 상민들까지도 서로 양반이라고 부른다.
> ─ 「일성록」

● 「자리짜기」(김홍도)

|내용 알기| 조선 후기에 신분제가 동요하면서 양반들이 농업, 상업, 수공업에 종사하기 시작하였다. 경제적으로 성장한 상민이나 천민들이 양반 행세를 하는 경우가 흔해졌고, 노비들이 도망쳐 그 수는 크게 줄었다. 양반층이 몰락하게 된 주요 원인 중 하나는 소수 세력의 권력 독점이었다. 조선 후기에 붕당 정치가 변질되면서 양반 관료층 사이에 극심한 정치적 갈등이 일어나 서울, 경기 지역에 거주하는 일부 양반들을 제외하고 다수의 양반은 정치권력에서 소외되었다. 중앙 정치에 전혀 관여할 수 없었던 향촌 사회의 양반 대부분은 향반으로 그 지역에서 겨우 양반의 위세를 유지하거나 잔반으로 몰락하여 농민과 같은 생활을 하였다. 김홍도의 「자리짜기」에서 사방관을 쓰고 자리를 짜는 아버지, 물레질을 하는 양반 옷차림의 어머니, 책을 펴놓고 공부하는 아들의 모습을 통해 조선 후기 몰락 양반의 생활을 볼 수 있다.

02 농민 봉기

1. 삼정의 문란

(1) 배경: 세도 정치 시기의 부정부패, 수령과 아전의 과도한 수탈

(2) 삼정의 문란 발생 ─ 세도 가문에 뇌물을 주고 수령이 된 자들이 농민들을 가혹하게 수탈하면서 삼정의 문란이 심각해짐

전세	토지 소유자가 내는 게 원칙이나 실제는 소작인에게 부과, 각종 명목의 부가세를 추가로 징수
군포	양인 남자가 아닌 어린아이나 죽은 사람에게도 군포 부과
환곡	빈민 구제 목적 → 높은 이자를 부과하여 고리대나 세금처럼 변질

└ 식량이 모자라는 봄에 관청에서 곡식을 빌려준 뒤 가을에 추수한 뒤 이자를 붙여 갚도록 한 제도였지만 사실상 세금처럼 변질되어 폐단이 가장 심했음

2. 비기와 예언 사상의 유행

(1) 배경: 삼정의 문란, 자연재해, 기근 등으로 백성의 삶 피폐 → 새로운 사회 염원

(2) 내용: 『정감록』의 유행, 미륵 신앙의 확산 ─ 미륵불이 지상에 내려와 중생을 구제한다는 신앙

(3) 결과: 사회 개혁을 바라는 양반과 농민의 의식 변화에 영향을 줌

3. 홍경래의 난과 임술 농민 봉기

(1) 홍경래의 난(1811)

① 배경: 평안도 지역 차별, 세도 가문의 수탈

② 전개: 홍경래 주도, 상공업자·광산업자·농민 등 참여 → 청천강 이북 장악 → 정주성에서 정부군에게 진압

(2) 임술 농민 봉기(1862)

① 배경: 극심한 삼정의 문란, 경상우병사 백낙신의 수탈

② 전개: 진주 농민 봉기를 시작으로 전국으로 확대 → 농민들의 사회의식 성장

임술 농민 봉기는 농민들이 많은 삼남 지방(충청, 경상, 전라)에 집중됨

보충+ 군포의 문란

군포는 본래 16~60세에 해당하는 양인 남성에게 거두는 것으로 균역법 시행 이후에는 장정 1인당 1필의 군포만 납부하면 되었다. 그러나 실제로는 어린아이나 죽은 사람, 도망간 이웃이나 친척 등의 몫까지 부과하였다.

정감록

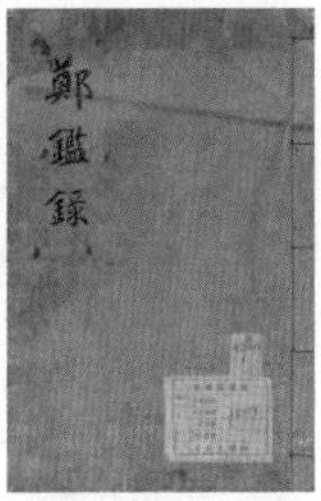

이씨 조선 왕조가 망한 후 계룡산에서 정씨 성의 진인인 정 도령이 나와 새로운 나라를 건설한다는 내용이 담겨져 있다.

보충+ 임술 농민 봉기

> 경상도 안핵사 박규수가 관리를 조사하고 옥사를 다스린 뒤 장계를 올렸다. "금번 진주의 난민들이 소동을 일으킨 것은 오로지 전 우병사 백낙신이 탐욕을 부려 수탈하였기 때문입니다. …… 이 때문에 고을 인심이 들끓고 여러 사람의 노여움이 한꺼번에 폭발해서 전에 듣지 못하던 변란이 갑자기 일어난 것입니다.
> –『철종실록』

중단원 핵심 확인하기 풀이

교과서 154쪽

1. 빈칸에 들어갈 알맞은 말을 써 보자.

(1) 조선 후기에는 모판에서 미리 기른 모를 논으로 옮겨 심는 □□□□이/가 전국으로 확대되었다.

(2) 이씨 왕조가 망하고 정씨 왕조가 출현할 것이라는 내용이 담긴 □□□이/가 백성들 사이에 널리 확산되었다.

(3) 원래 빈민을 구제하고자 실시된 □□은/는 삼정의 문란 중 그 폐단이 가장 심각하였다.

(1) 모내기법 (2) 정감록 (3) 환곡

2. 다음 설명에 해당하는 신분층을 써 보자.

> 중앙의 주요 관직에 임명이 제한되어 18세기 이후부터 자신들에 대한 차별을 철폐하기 위해 적극적으로 집단 상소를 올렸다. 그 결과 이덕무, 박제가 등이 규장각 검서관에 등용되기도 하였다.

(서얼(중간 계층))

3. 옳은 내용은 ○표, 틀린 내용은 ×표를 해 보자.

(1) 조선 후기에는 담배, 목화, 인삼 등 상품 작물을 재배하는 농민들이 생겨났다. (○)

(2) 조선 후기에는 군역을 면제받고자 양반 행세를 하는 상민들이 늘어났다. (○)

(3) 순조 때 공노비와 사노비가 모두 해방되었다. (×)

4. 제시된 용어를 3개 이상 사용하여 임술 농민 봉기가 발생한 원인을 문장으로 완성해 보자.

홍경래의 난 | 진주 농민 봉기 | 지역 차별 | 세도 정치 | 삼정의 문란 | 노비종모법

• 홍경래의 난 이후 농민들의 의식이 고조되었고, 세도 정치 시기 삼정의 문란이 심각해지면서 이에 저항하기 위해 발생하였다.

도입 활동 풀이

교과서 150쪽

교과서 도입 01 조선 후기의 경제와 사회 변동

| 도입 보충 |

조선 후기 붕당 정치가 변질되면서 집권 붕당이 권력을 독점하였다. 집권 붕당이 아닌 다른 붕당의 인물들은 관직에 진출하기 어려웠고, 세도 정치 시기에는 서울, 경기 지역에 거주하는 일부 양반을 제외한 다수의 양반들은 정치 권력에서 소외되었다. 오랫동안 관직에 진출하지 못하면서 경제적으로도 어려워졌고, 이에 따라 몰락 양반들이 늘어났다.

◆ 조선 후기에 몰락한 양반들이 늘어난 까닭은 무엇일까?

도입 예시 답안 | 세도 정치하에 소수의 양반만이 권력을 독점하였기 때문이다.

교과서 152쪽

교과서 도입⁺ 02 조선 후기 예언서의 유행

| 도입 보충 |

세도 정치 시기에는 삼정의 문란이 심각해지고, 여러 자연재해까지 겹치면서 농민들의 삶이 더욱 어려워졌다. 그러자 백성들 사이에서는 이씨 왕조가 망하고 정씨 왕조가 들어설 것이라는 예언이 적힌 『정감록』과 미륵불이 내려와 중생들을 구제할 것이라는 미륵 신앙이 유행하였다. 이러한 사상은 이후 농민 봉기에 영향을 주었다.

◆ 조선 후기에 이런 예언서가 널리 퍼진 까닭은 무엇일까?

도입 예시 답안 | 정부가 백성들을 가혹하게 수탈하여 백성들의 삶이 더욱 어려워졌다. 백성들 사이에서는 새로운 왕조가 출현하기를 희망하는 마음에서 새로운 세상이 온다는 내용의 예언서가 유행하였다.

 삼정의 문란

전세의 문란	군포의 문란	환곡의 문란
전세는 농토에서 나오는 수확량에 부과하는 세금이다. 세도 정치 시기 농민들은 토지에 대한 기본세뿐 아니라 각종 부가세로 많은 부담을 지게 되었다. 지방관들은 각종 식사비와 유흥비까지 부가 세목에 추가하였다. 전세의 수탈은 1결당 기본세의 수십 배가 되는 2백 말에 이르렀으며 이는 수확량의 1/3에 해당하는 정도였다.	조선 후기에는 군액이 늘어나면서 장정 한 명이 부담하는 군포도 점차 늘어났다. 원래 군포는 16~60세의 양인 남자가 부담하는 것인데 18세기 이후에는 죽은 사람에게 군포를 물리는 백골징포, 어린아이를 군적에 올려 군포를 거두는 황구첨정. 군역을 피하여 도망간 사람의 이웃에게 군포를 수탈하는 인징. 친척에게 넘겨 빼앗는 족징까지 있었다.	환곡은 춘궁기에 어려운 백성들을 구제하기 위해 관아에서 곡식으로 빌려주고 추수할 때 거두어들이는 제도이다. 그러나 탐관오리들은 환곡에 높은 이자를 부과한 고리대 수단으로 사용하였다. 환곡에서 가장 많이 수탈을 당하는 사람들은 소농과 빈농이었고, 이들은 전세와 군포의 부담까지 짊어져 큰 고통에 시달렸다.

역사 탐구 풀이 및 보충

교과서 153쪽

 홍경래의 난

조정에서는 어찌 평안도를 더러운 흙과 같이 여기는가? 심지어 권세가의 노비도 우리를 보면 반드시 '평안도 놈'이라고 말하니 서쪽 땅에 사는 자로서 어찌 억울하고 원통하지 않겠는가? …… 지금 나이 어린 임금이 왕위에 있어서 권력 있는 신하들의 간악한 짓이 갈수록 더 심해지고, 세도 가문의 무리들이 권력을 제멋대로 하니 …… 이곳 평안도에서 병사를 일으켜 백성들을 구하고자 한다.

－『패림』

친절한 활동 길잡이

이 활동의 핵심은 사료를 통해 홍경래의 난이 일어난 배경을 파악하는 것이다. 홍경래의 난이 일어난 원인이 평안도 지역에 대한 차별과 세도 정권의 수탈이라는 점을 이해하고, 오늘날 우리 주변에서 일어나고 있는 차별에 대해서도 생각해 본다.

1. 위 자료에서 홍경래가 난을 일으킨 원인 두 가지를 찾아 밑줄을 그어 보자.

정답 풀이 | 조정에서는 어찌 평안도를 더러운 흙과 같이 여기는가?, 세도 가문의 무리들이 권력을 제멋대로 하니

2. 현재 우리 주변에서 일어나고 있는 차별과 그것을 해결할 방법을 말해 보자.

정답 풀이 | • 다문화 가정 차별, 다문화 가정이라는 표현 자체를 없애고 우리와 똑같은 대한민국 국민이라고 인식한다.
• 남녀 차별, 남자와 여자의 역할을 전통적으로 분리하는 선입견을 없애고, 육아나 집안일 등에서 동등하게 역할을 배분한다.
• 지역 차별, 지역에 따라 사람들의 성향을 판단하는 생각을 버리고, 기존의 관점에서 벗어나 자신에게 맞는 정당에 투표한다.

자료 이해 확인 문제

1. 서경으로의 천도가 실패하자 홍경래가 반란을 주도하였다. (○ / ×)

2. 세도 정치 시기에는 관리들의 수탈, 삼정의 문란 등으로 농민들의 삶이 더욱 어려워졌다. (○ / ×)

≫ 정답 1. × **2.** ○

탐구 plus   임술 농민 봉기

공주부 농민의 요구 사항

1. 세미는 항상 7량 5전으로 정하여 거둘 것.
2. 각종 군포를 소민들에게만 편중되게 부담시키지 말고, 각 호마다 균등하게 부담시킬 것.
3. 환곡의 폐단을 없앨 것.
4. 군역의 부족분을 보충한다거나 환곡의 부족분을 보충한다는 명분으로 결렴(토지에 부과하여 조세를 거두어들이는 방식)하는 제도를 폐지할 것.
5. 전정의 세미(전세, 대동미, 삼수미 등)를 거둘 때 기한에 앞서 거두지 말 것.

－『용호한록』

◎ 박규수(1807~1877) 진주 농민 봉기의 안핵사로 활동하였다.

홍경래의 난 이후에도 세도 정권의 수탈이 계속되자, 철종 때에 이르러 참다못한 농민들이 대규모로 봉기하였다. 봉기의 원인은 수령과 아전의 부정행위에서 비롯된 삼정의 문란 때문이었다. 특히 농민 봉기의 중심이 된 곳은 경상도 진주였다. 진주 목사가 토지세를 함부로 걷어 농민들의 불만이 높아진 상황에서, 경상 우병사 백낙신이 백성들에게 군사 자금을 비싼 이자를 받으며 빌려주고 자신이 축낸 환곡을 농민에게 부담시키자 농민들이 봉기하였다. 봉기는 다른 지역으로 확산되어 1862년 한 해 동안 전국 70여 곳에서 봉기가 일어났다. 정부는 사태를 수습하기 위해 안핵사 등을 파견하였고, 삼정의 문란을 바로잡기 위해 개혁 기구로 삼정이정청을 설치하였다. 하지만 삼정의 문란은 근본적으로 세도 정권과 관련 있었기에 세도 정권이 지속하는 한 해결이 불가능하였고 농민 봉기가 수그러들자 삼정이정청은 폐지되었다.

실력 확인 문제

01 다음 질문에 대한 학생의 답변으로 가장 적절한 것은?

이 문서는 이름 쓰는 칸이 비어 있는 관직 임명장입니다. 조선 정부가 이 문서를 발행한 이유는 무엇이었을까요?

① 도준: 사림을 등용하기 위해 발행되었어요.
② 희연: 토지를 조사하기 위해 만들어졌어요.
③ 영준: 토산물을 파악하기 위해 발행되었어요.
④ 소진: 과거 합격을 증명하기 위해 작성되었어요.
⑤ 주성: 부족한 재정을 메꾸기 위해 발행되었어요.

중요
02 다음 시기에 볼 수 있는 모습으로 옳지 않은 것은?

> 이앙(모내기)은 본래 그 금령이 지극히 엄한데 근래 농민들이 농사를 게을리하고 이익을 탐하여 광작을 하며, 그 형세가 매해 늘어 지금은 여러 도(道)에 두루 퍼져 있으니 모두 금하기 어렵다.

① 담배를 재배하는 농민
② 족보를 사는 부유한 상인
③ 청 상인과 교역하는 만상
④ 장시를 돌아다니는 보부상
⑤ 해적을 소탕하는 청해진 병사

단답형
03 다음 화폐의 명칭을 쓰시오.

물품을 구입하고 세금을 납부 수단으로 사용되다가, 18세기 후반에는 전국적으로 유통되어 상업 발달에 기여하였다.

(   )

고난도
04 밑줄 친 '법'에 대한 설명으로 옳은 것만을 보기에서 고른 것은?

자네, 그 소식 들었는가? 이제 쌀이나 옷감, 동전으로 세금을 내는 법이 시행되어 힘들게 특산물을 구할 필요가 없다네.

나도 들었네. 이제 아전들의 눈치를 안 봐도 되니 우리 같은 백성들의 삶이 조금은 나아지겠군.

보기
ㄱ. 영조 때에 처음 시행되었다.
ㄴ. 공인이 등장하는 배경이 되었다.
ㄷ. 군포 부담을 절반으로 줄여 주었다.
ㄹ. 방납의 폐단을 막기 위해 실시되었다.

① ㄱ, ㄴ   ② ㄱ, ㄷ   ③ ㄴ, ㄷ
④ ㄴ, ㄹ   ⑤ ㄷ, ㄹ

05 다음 자료를 활용한 탐구 주제로 가장 적절한 것은?

> • 옷차림은 신분의 귀천을 나타내는 것이다. 근래 이것이 문란해져 상민과 천민이 갓을 쓰고 도포를 입는 것이 마치 조정의 관리나 선비와 같다. 심지어는 시전 상인들이나 군역을 지는 상민들까지도 서로 양반이라고 부른다.
> • 중인과 서얼의 벼슬길이 막혀 원통하고 답답함을 품은 지 이미 몇백 년이 되었다. 근래 서얼은 조정의 은혜를 입어 문관은 승문원, 무관은 선전관에 임용되고 있는데, 우리 중인만은 함께 은혜를 입지 못하니 어찌 그냥 있을 수 있겠는가.

① 형평 운동의 전개
② 노비안검법의 영향
③ 동학 농민 운동의 배경
④ 양반 중심 신분제의 동요
⑤ 비기와 예언 사상의 유행

06 조선 후기 신분제에 대한 설명으로 옳지 <u>않은</u> 것은?

① 노비 제도가 전면 폐지되었다.
② 양반 행세를 하는 상민들이 늘어났다.
③ 중인은 신분 상승 운동을 전개하였다.
④ 몰락 양반인 향반, 잔반이 등장하였다.
⑤ 상품 작물을 팔아 부를 축적한 농민들이 생겨났다.

중요

07 (가)~(라)에 해당하는 내용으로 옳은 것만을 **보기**에서 고른 것은?

> **조선 후기 삼정의 문란과 농민 봉기**
> 1. 전세의 문란 ──────────── (가)
> 2. 군포의 문란 ──────────── (나)
> 3. 환곡의 문란 ──────────── (다)
> 4. 농민 봉기 ──────────── (라)

> **보기**
> ㄱ. (가)-지주들의 부담이 크게 증가하였다.
> ㄴ. (나)-양인 남자뿐만 아니라 어린아이, 죽은 사람에게도 부과하였다.
> ㄷ. (다)-빈민을 구제하는 제도였지만 조선 후기에는 세금처럼 변질되었다.
> ㄹ. (라)-원종과 애노의 봉기가 발생하였다.

① ㄱ, ㄴ ② ㄱ, ㄷ ③ ㄴ, ㄷ
④ ㄴ, ㄹ ⑤ ㄷ, ㄹ

08 다음 사상이 유행한 배경으로 가장 적절한 것은?

> 금강산으로 옮겨 온 산천의 기운이 태백산, 소백산에 이르러 뭉쳐져서 계룡산으로 들어가니 정씨가 8백 년 동안 도읍할 땅이로다. 백두대간의 맥이 계속 이어져 가야산에 들어가니 조씨가 천년 도읍할 땅이다. 전주는 범씨가 6백 년 도읍할 땅이고, 송악은 다시 왕씨가 일어날 땅이다.

① 임진왜란이 발발하였다.
② 을사늑약이 체결되었다.
③ 무신정변이 발생하였다.
④ 삼정의 문란이 심각하였다.
⑤ 청이 사대 관계를 요구하였다.

고난도

09 (가), (나) 주장과 관련된 사건에 대한 설명으로 옳은 것은?

① (가)-김부식이 이끄는 관군에 진압되었다.
② (가)-충청·전라·경상 지방에서 많이 일어났다.
③ (나)-서북인에 대한 차별이 주요 원인이었다.
④ (나)-진주에서 시작되어 전국으로 확산되었다.
⑤ (가), (나)-청의 내정 간섭이 심화하는 결과를 가져왔다.

서술형

10 다음 정책이 시행된 배경을 서술하시오.

3/4 학문과 예술의 새로운 경향~ 생활과 문화의 새로운 양상

01 문화 교류와 서학의 유입

1. 일본에 통신사 파견

(1) 배경: 에도 막부의 요청, 북방 여진족의 압박 → 일본과 평화 유지 필요

> 임진왜란 이후 급격하게 세력을 확장한 여진족을 견제하기 위해 일본과의 관계 개선을 도모함

(2) 영향: 학문적 교류, 통신사의 서체와 시문이 일본에서 유행, 일본 서적과 외래 작물을 조선에 전래

2. 청에 연행사 파견

(1) 배경: 병자호란 이후 청과 조공·책봉 관계 수립

(2) 활동: 청의 학자나 서양 선교사와 교류 → 청과 서양의 문물 수용, 북학론 제기

> 청을 인정하고 앞선 청의 문물을 적극 수용하고 배워야 한다는 주장

3. 서학의 수용

(1) 배경: 중국에 간 사신들을 통해 서양 문물 전래, 연행사들이 서양 관련 서적과 문물을 정기적으로 들여옴

(2) 영향: 서학 연구 활발, 정두원이 명에서 천리경·자명종·서양식 화포 도입, 홍대용의 혼천의 제작, 지전설 주장, 정약용이 『기기도설』을 참고하여 거중기 제작

> 지구가 둥글고 24시간에 한 바퀴씩 자전한다는 주장

> 실학을 집대성하고 배다리를 설계할 정도로 과학 기술에 대한 이해가 높았음

02 새로운 사상의 등장

1. 실학의 발달

(1) 배경: 임진왜란과 병자호란 이후 양반 중심 신분제 동요, 조세 제도 문란, 소수의 지주가 넓은 토지 소유

> 양반 행세를 하며 군역을 면제받는 사람들이 늘어나면서 농민에게 많은 세금이 집중됨

(2) 특징: 지식인들 중심의 현실 문제를 해결하기 위한 다양한 사회 개혁 방안 모색

(3) 농업 중심 개혁론과 상공업 중심 개혁론

농업 중심 개혁론	• 개혁 방안: 토지 제도 개혁 → 자영농 육성 • 대표 학자: 유형원, 이익, 정약용
상공업 중심 개혁론	• 개혁 방안: 상공업 진흥과 기술 혁신 → 청의 문물 수용, 수레와 선박, 화폐 등 적극 활용 • 대표 학자: 유수원, 홍대용, 박지원, 박제가

> 북학론을 바탕으로 상공업 중심 개혁론을 주장한 사람들로 대표적인 북학파

사이드바

통신사
조선 국왕의 명의로 일본 쇼군에게 보낸 공식적인 외교 사절단이다. 임진왜란을 계기로 통신사 파견이 중단되었다가 1636년 에도 막부의 요청에 따라 파견을 재개하였다.

연행사

▲ 베이징의 유리창
연행사는 청과 서양의 문물을 조선에 전하는 역할을 하였다. 그들은 당대 최고의 시장인 유리창에 들러 청과 서양의 책을 구매하여 조선으로 가지고 왔으며, 이 책들은 조선의 학문과 문화 발전에 많은 영향을 끼쳤다.

거중기

▲ 복원된 거중기
도르래의 원리를 적용하여 작은 힘으로도 무거운 자재를 들어 올릴 수 있는 기기이다. 거중기는 수원 화성 건설에 이용되어 건설 기간을 크게 단축하였다.

자료 이해하기 실학의 발달 ──────────── 교과서 158쪽

> 토지는 국가의 근본이다. 근본이 무너지면 모든 제도가 혼란해진다. …… 그런데 부자들은 한없이 넓은 토지가 서로 맞대어 있고, 가난한 사람은 송곳 꽂을 땅도 없는 지경이 되었다. 부유한 자는 더욱 부유해지고, 가난한 자는 더욱 가난해지게 되었다.
> – 유형원, 『반계수록』

> 재물을 비유하자면 우물과 같다. 우물에서 물을 퍼낼수록 가득 차지만 뚜껑을 덮어 놓으면 말라 버린다. 그러므로 비단옷을 입지 않으면 비단 짜는 사람이 없어질 것이고, 비단을 짜는 여인의 솜씨도 사라질 것이다.
> – 박제가, 『북학의』

| 내용 알기 | 실학자들은 사회 문제를 해결하기 위해 다양한 개혁 방안을 모색하였다. 유형원은 토지를 일부 사람들이 가지고 있는 것이 문제라고 지적하면서 토지를 농민에게 분배하여 자영농을 육성해야 한다고 주장하고 있다. 반면 박제가는 사람들이 소비하면 할수록 생산이 늘어나기 때문에 절약보다는 소비를 권장해야 한다고 보았다.

2. 국학 연구

신라와 발해가 있던 시기를 남북국 시대라고 불러야
한다고 주장하며 최초로 남북국이라는 용어를 사용함

역사	• 안정복:『동사강목』 저술, 단군 조선~고려의 역사를 체계화 • 유득공:『발해고』 저술, 발해를 우리 역사로 인식
지리	• 이중환:『택리지』 저술, 지리적 환경과 풍속 등을 정리 • 정상기:『동국지도』 제작, 최초로 100리척 사용 • 김정호:『대동여지도』 제작, 산맥·하천·포구·도로망을 자세히 표시
국어	『훈민정음운해』,『언문지』 편찬

우리말의 음운을 연구한 책으로 한글의 우수성을
알리고 한글 연구의 수준을 높이는 데 기여함

3. 천주교와 동학의 확산

(1) 천주교

① 확산: 17세기 서학으로 소개 → 18세기 후반 일부 지식인이 신앙으로 수용, 한글로 번역되어 백성에게 전파

② 주요 교리: 평등사상, 내세에서의 영생

③ 탄압: 조상에 대한 제사 거부 등으로 탄압

(2) 동학

① 확산: 19세기 중엽 최제우가 창시 → 삼남 지방 농민을 중심으로 확산

② 주요 교리: 시천주 사상, 후천 개벽 ┐ 낡은 세상이 가고 새로운 세상이 온다는 주장

③ 탄압: 정부가 사교로 규정하고 최제우를 처형

03 예술의 부흥
┌ 조선 전기 사대부들의 정신세계를 그린 것에 반해 조선
후기에는 변화된 백성의 일상과 사회 모습을 그림

진경 산수화	• 배경: 조선 후기 우리 문화에 대한 자부심 고조 • 발전: 우리나라 산천을 독자적 화풍으로 그린 진경 산수화 등장 • 대표작: 정선의『금강전도』,『인왕제색도』
풍속화	• 김홍도: 서민의 일상을 따뜻하고 간결한 필치로 표현 • 신윤복: 양반의 풍류와 남녀 간의 애정을 아름다운 선과 색으로 표현
민화	• 생활 공간 장식으로 활용 • 해, 달, 동물, 식물을 소재로 행복과 장수를 기원하는 서민의 소망 표현

우리나라의 경치를 보고 그
린 산수화로 단순히 자연을
재현하지 않고 작가의 주관
적인 감정도 투영함

○ 대동여지도

전국의 산맥·하천·포구·도로망 등을
자세히 표시하고, 도로에 10리마다 점
을 찍었다. 전국이 22첩의 지도로 나
누어져 있어 평상시에는 필요한 지역
만 책처럼 휴대할 수 있었다.

○ 최제우(1824~1864)

경주 지역의 몰락 양반으로 서학에 대
항하여 동학을 창시하였다. 그는 백성
들을 현혹한다는 죄로 처형되었다.

보충⁺ 풍속화

▲ 김홍도의『무동』

▲ 신윤복의『주유청강』

📖 교과서 161쪽

중단원 핵심 확인하기 풀이

1. 빈칸에 들어갈 알맞은 말을 써 보자.

(1) 조선 후기 지식인들을 중심으로 현실 문제에 관한 다양한 개혁 방안을 연구한 학문적 흐름을 ☐☐(이)라고 한다.

(2) 홍대용은 서양 과학을 참고하여 지구가 둥글고 24시간에 한 바퀴씩 자전한다는 ☐☐☐을/를 주장하였다.

(3) 정선은 우리나라의 산천을 독자적으로 그린 화풍인 ☐☐☐☐☐을/를 발전시켰다.

(1) 실학 (2) 지전설 (3) 진경 산수화

2. 관련 있는 내용을 옳게 연결해 보자.

(1) 이중환 ————— ㉠ 발해고 저술

(2) 유득공 ————— ㉡ 택리지 편찬

(3) 김정호 ————— ㉢ 대동여지도 제작

3. 옳은 내용은 ○표, 틀린 내용은 ×표를 해 보자.

(1) 청에 보낸 연행사를 통해 서양 문물이 들어오면서 서학 연구가 활발해졌다. (○)

(2) 유형원, 이익, 정약용은 청과의 교역을 확대하고 청의 문물을 수용하자고 주장하였다. (×)

4. 제시된 용어를 3개 이상 사용하여 조선 후기 풍속화의 특징을 문장으로 완성해 보자.

김홍도 신윤복 정선 정약용

서민 양반 정신세계 행복

• 풍속화의 대표적인 인물로는 김홍도와 신윤복이 있다. 김홍도가 주로 서민들의 일상생활을 그렸다면 신윤복은 주로 양반들의 풍류를 그렸다.

안동에 있는 하회 마을은 한때 풍산 류씨가 주민의 70 %를 차지하는 동족 마을이었다. 조선 후기에는 성리학적 가족 질서가 정착되면서 아버지 쪽 혈연들만 모여 사는 동족 마을이 늘어났다.

호주
한 집안의 대표자로 가구에 부과된 조세와 역, 가족 구성원이 법을 어겼을 때 책임지는 사람이다. 조선 전기에는 남편이 죽었을 때 아내가 호주를 승계하는 비율이 높았으나, 조선 후기에는 대부분 아들이 어머니를 대신해 승계하였다.

보충+ 탈놀이

조선 후기의 탈놀이는 무능하고 부패한 양반이나 계율을 어기고 문란한 생활을 하는 파계승을 풍자하였다.

04 성리학적 질서의 강화

1. 가부장 중심의 가족 제도 강화
(1) 배경: 서원, 향약 등을 통해 성리학적 규범 확산
(2) 가족 제도의 변화 ┌ 정실이 낳은 맏아들
　① 혈연: 아버지 쪽 혈연만 중시, 외가나 처가 쪽 친척은 족보 배제
　② 제사: 적장자가 제사를 전담, 아들이 없는 경우 양자를 들여와 제사 담당
　③ 상속: 제사를 지내는 적장자에게 재산 집중 상속 ┌ 조선 후기 양반들이 경제적으로 어려워지면서 재산의 집중 상속이 이루어짐
(3) 결속 강화: 동족 마을 발전 → 가문을 중심으로 서원과 사당 건립

2. 여성의 사회적 지위 약화
(1) 족보: 태어난 순서에 관계없이 딸을 아들보다 뒤에 기재
(2) 결혼: 혼인 이후 바로 신랑집에서 생활, 과부의 재가 금지, 정절 강조
(3) 호주: 여성이 호주가 되는 비율 감소 ┌ 조선 후기 성리학적 윤리가 확산되면서 여자가 시집오는 것이 일반적인 형태의 혼인 풍습으로 자리 잡음

05 서민 문화의 발달

1. 서민 문화의 발전 ┌ 전국에 장시가 들어서면서 이곳에서 서민들을 대상으로 한 다양한 공연이 열림
(1) 배경: 상품 화폐 경제 발달로 부를 축적한 농민과 상인 증가, 서당 교육의 확대로 서민들의 의식 향상
(2) 특징: 서민의 솔직한 감정 표현, 양반들의 위선 풍자, 사회의 부정과 비리 고발

2. 한글 소설과 공연 예술의 발달 ┌ 한글 소설이 인기를 얻으면서 장시에서 사람들에게 전문적으로 책을 읽어 주고 보수를 받는 '전기수'와 같은 직업이 나타남

한글 소설	• 『홍길동전』: 허균 저술, 최초의 한글 소설, 이상 세계 제시 • 『춘향전』: 신분 차별의 부당함, 양반에 대한 저항 의식
사설시조	• 형식에 구애받지 않고 자신의 감정을 솔직하게 표현 • 중인을 비롯하여 서민, 몰락 양반 사이에 유행
판소리	소리꾼이 고수의 장단에 맞춰 전개, 춘향가·심청가 등
탈놀이	양반과 승려의 위선 풍자, 황해도 봉산 탈춤·안동 하회 탈춤 등

중단원 핵심 확인하기 풀이　　　　　　　　　　　📖 교과서 166쪽

1. 빈칸에 들어갈 알맞은 말을 써 보자.
(1) 성리학적 규범이 향촌 사회에 정착하면서 자녀들이 돌아가면서 지내던 제사를 □□□이/가 전담하였다.
(2) 아버지 쪽의 혈연이 중시되면서 같은 성끼리 모여 사는 □□ □□이/가 발달하였다.
(1) 적장자　(2) 동족 마을

2. 조선 후기에 서민 문화가 유행했다는 사실을 보여 주는 사례로 적절한 것을 〈보기〉에서 모두 골라 기호를 써 보자.

┌── 보기 ──────────────────────┐
│ ㉠ 판소리　　ㄴ 탈놀이　　ㄷ 가사 문학　　ㄹ 한글 소설 │
│ ㅁ 진경 산수화　　ㅂ 사설시조　　ㅅ 청자 │
└────────────────────────────┘

（ ㉠, ㄴ, ㄹ, ㅂ ）

3. 옳은 내용은 ○표, 틀린 내용은 ×표를 해 보자.
(1) 조선 후기에는 부모의 재산을 자녀들에게 고르게 분배하는 경향이 확산되었다. 　　　　　　　(×)
(2) 사설시조의 주제는 주로 선비들의 이상과 절개였다. (×)
(3) 허균은 최초의 한글 소설로 알려진 홍길동전을 저술하였다. 　　　　　　　　　　　　　(○)

4. 제시된 용어를 3개 이상 사용하여 조선 후기에 서민 문화가 발달하게 된 배경을 문장으로 완성해 보자.

　상품 화폐 경제　　삼정의 문란　　장시　　호주
　가부장적 가족 질서　　서당　　동족 마을　　세도 정치

• 상품 화폐 경제의 발달로 전국에 장시가 생기고, 서민들을 대상으로 다양한 공연이 열렸다. 또한 서민들의 경제력이 향상되고, 서당 교육의 확대로 의식 수준이 향상되면서 서민 문화가 나타났다.

도입 활동 풀이

교과서 156쪽

교과서 도입 01 서양 문물의 유입

이 물건은 서양에서 중국으로 들어온 물건이라네. 그 천리경은 멀리서도 적을 볼 수 있는 장비이고, 여기 있는 자명종은 매시간 종이 저절로 울려 시간을 알 수 있지.

중국에 가서 참으로 신기한 물건을 가지고 왔구먼.

❖ 조선 후기에 서양 문물은 주로 어떤 경로를 통해 조선에 전해졌을까?

도입 예시 답안 | 서양에서 중국으로 들어온 문물이 다시 사절단을 통해 조선에 전해졌다.

| 도입 보충 |

조선은 중국을 오가던 사신을 통해 17세기 초부터 천주교, 서양 문물, 서학을 받아들였다. 사신들은 「곤여만국전도」, 화포, 천리경, 자명종 등을 들여왔고, 병자호란 때 청에 끌려간 소현 세자도 여러 서양 문물을 가지고 귀국하였다. 벨테브레이, 하멜 등의 표류인들도 서양 문물을 전해 주었다.

교과서 158쪽

교과서 도입 02 실학의 등장

우리 농촌 문제를 해결하려면 어떻게 해야 할까요?

토지를 농민에게 나누어 주어야 합니다.

토지 제도 개혁으로 농민 생활 안정!

우리 상공업을 발전시키려면 어떤 방안이 필요할까요?

이웃 나라인 청나라처럼 수레와 선박을 적극적으로 사용해야 합니다.

수레와 선박으로 상공업 발전!

❖ 이와 같은 사회 개혁 방안을 제시한 조선 후기의 사상을 무엇이라고 할까?

도입 예시 답안 | 실학

| 도입 보충 |

두 차례의 전란 이후 사회적·경제적 변화가 나타나면서 조선 사회에 여러 문제가 발생하였다. 이에 실증적인 방법으로 학문을 연구하고 실생활에 활용하여 현실 문제를 해결하고자 실학이 등장하였다. 실학은 크게 농업 중심의 개혁론과 상공업 중심의 개혁론으로 발전하였다.

교과서 160쪽

교과서 도입 03 예술의 부흥

관아에 물품을 공급하는 상인들은/ 자기 물건을 들고 바쁘게/ 가마를 쫓아가는데/ 태수의 행색은 매우 느긋하다./ 시골 사람이 와서 고소를 하고,/ 형리가 받아서 조서를 쓰는데/ 다 같이 술에 취해 있으니/ 혹시 잘못된 판결은 없을지?

❖ 「취중송사」(김홍도, 국립 중앙 박물관)

❖ 「월하정인」(신윤복, 간송 미술관)

| 도입 보충 |

조선 전기의 그림은 주로 사대부들의 내적인 정신세계를 표현했다면, 조선 후기에는 변화된 사회 모습과 일상을 그리는 풍속화가 유행하였다. 대표적인 화가 김홍도는 농촌 서민의 일상생활을 익살스럽게 표현하였고, 신윤복은 주로 양반층의 풍류와 부녀자들의 생활 모습을 그렸다.

❖ 왼쪽 작품을 참고하여 오른쪽 작품에도 어울리는 시를 지어 보자.

도입 예시 답안 | 초승달이 떠 있는 달밤 아래 / 젊은 남녀가 애틋하게 만났도다. /
나눈 정 미흡한데 날이 먼저 새려 하니 / 옷자락 부여잡고 언제 만날까를 묻네.

교과서 도입 04 성리학적 질서의 강화

| 도입 보충 |

조선 후기 향촌 사회에는 성리학적 생활 규범이 정착되면서 혼인, 상속, 제사 등에 변화가 나타났다. 제사는 적장자가 지내야 한다는 인식이 확산되었고, 재산 상속에도 적장자가 우대되었다. 아버지 혈연을 중심으로 집안의 대를 이어야 한다는 인식이 퍼지면서 아들이 없는 경우 같은 성을 쓰는 친족 중에서 양자를 들이는 일이 흔해졌다.

이제까지는 아들과 딸이 돌아가면서 제사를 지냈으나, 이것은 성리학적 규범에 맞지 않다. 앞으로는 *적장자에게만 제사를 맡기겠다.

내가 죽고 나면 네가 우리 집안의 기둥이니라. 네게는 특별히 많은 재산을 물려주니 앞으로 동생들을 잘 보살피며, 집안을 이끌어 가도록 하라.

* 적장자: 정실 부인이 낳은 큰아들

◉ 조선 후기에 적장자를 우대하는 현상이 나타난 까닭은 무엇일까?

도입 예시 답안 | 성리학적 규범이 확산되면서 적장자가 제사를 도맡아 지냈기 때문이다.

교과서 도입⁺ 05 서민 문화의 발달

| 도입 보충 |

조선 후기 상업이 발달하고 장시에 많은 서민이 모이면서 다양한 공연 예술이 펼쳐졌다. 상인의 지원을 받은 광대들은 장터 마당에서 솟대타기, 줄타기 등의 공연을 선보이며 사람들을 모았고, 상인들은 그 옆에서 상품을 판매하였다. 서민들은 이러한 공연에 호응하면서 함께 즐겼다.

◎ 「태평성시도」(국립 중앙 박물관)

한 곳에서 인형을 가진 사람이 등장하자
우리나라에 온 칙사가 손뼉을 치네.
조그만 원숭이는 아녀자를 깜짝 놀라게 해
제 뜻을 채워 주면 절도 예쁘게 하고 꿇어도 앉네.   - 박제가, 「정유집」

박제가는 1792년 서울 거리와 시장의 모습을 그린 「성시전도」를 보고 이 시를 지었다. 「성시전도」는 현재 남아 있지 않지만, 왼쪽의 「태평성시도」에서 비슷한 공연의 모습을 찾아볼 수 있다.

◉ 시장에서 각종 공연을 한 까닭은 무엇이었을까?

도입 예시 답안 | 공연을 통해 사람들을 끌어모아 더 많은 물건을 팔기 위해서이다.

도입 plus⁺ 판소리의 변화

◉ 명창 모흥갑이 판소리하는 장면

　판소리는 한 명의 소리꾼이 고수(북치는 사람)의 북 장단에 맞추어 창(노래)과 아니리(사설) 등으로 연기하는 공연이다. 19세기에 신재효가 여러 종류의 판소리를 여섯 마당으로 정리하였는데, 지금은 「춘향가」, 「심청가」, 「흥부(보)가」, 「수궁가」, 「적벽가」의 다섯 마당만 전해진다.

　판소리에는 서민들의 사회 비판 의식이 잘 나타난다. 판소리의 주인공 모두가 작품 속에서 신분 상승 욕구를 표출하고 있다. 「춘향가」에서 춘향, 「흥보(보)가」에서 흥보, 「수궁가」에서 토끼가 그러하다. 판소리는 광대들이 전승하여 서민들이 즐기던 문화였지만 점차 양반들에게도 큰 인기를 끌면서 그 내용도 변해갔다. 노랫말은 양반들에게 맞는 한문 투의 표현이 많아지고 충, 효, 절개와 같은 양반들이 강조하는 성리학의 윤리 도덕으로 바뀌기도 하였다.

역사 탐구 풀이 및 보충

역사 탐구 진경 산수화의 대표작, 「인왕제색도」

정선이 76세에 그린 그림이다. 자신의 가장 친한 친구인 이병연이 노환으로 몸져눕자 그를 생각하며 그린 것으로 추정된다. 이병연이 사망하기 사흘 전까지 서울에는 비가 내리고 있었다. 정선이 「인왕제색도」를 그 무렵에 그린 것으로 추측해 보면, 이병연이 숨을 거두기 며칠 전까지 정선은 「인왕제색도」를 그리고 있었다. 「인왕제색도」의 인왕산은 비가 내린 후 햇빛을 맞이할 준비를 하고 있지만, 이병연은 결국 숨을 거두고 말았다.

△ 「인왕제색도」(정선, 삼성 미술관 리움)

1. 정선은 인왕제색도를 어떤 심정으로 그렸을지 상상하여 써 보자.

정답 풀이 | 비가 온 뒤에 개는 인왕산처럼 몸져누워 있는 친구가 낫기를 바라는 심정에서 그렸다.

2. 인왕산을 그린 다른 진경 산수화 작품을 찾아보고, 이를 인왕제색도와 비교해 보자.

정답 풀이 | 강희언의 「인왕산도」는 「인왕제색도」와 달리 북쪽에서 포착된 인왕산의 전경을 그렸고, 암벽보다는 계곡의 주름을 좀 더 강조하여 표현하였다.

친절한 활동 길잡이

이 활동의 핵심은 진경 산수화의 의미를 제대로 파악하는 것이다. 이전 회화와 달리 진경 산수화는 우리나라 경관을 소재로 삼아 그린 산수화인데, 경관을 그대로 재현하지 않고 화가의 주관적인 감정이 들어가 있다.

자료 이해 확인 문제

1. 우리 문화에 대한 자부심이 높아지면서 조선 후기에는 진경 산수화가 발달하였다. (○ / ×)

2. 진경 산수화는 이전 회화와 달리 우리나라 경치를 있는 그대로 재현한 화풍이다. (○ / ×)

》》 정답 1. ○ **2.** ×

역사 탐구 열녀를 권하는 조선 사회

영조의 둘째 딸인 화순 옹주는 남편이 38세의 나이로 죽자 식음을 전폐하고 남편의 뒤를 따르려고 결심하였다. 결국 영조의 만류에서도 불구하고 식음을 전폐한 지 14일 만에 세상을 떠났다. 영조는 아버지의 뜻을 저버린 데 대한 아쉬움 때문에 열녀문을 내리지 않았지만, 이후 정조가 화순 옹주를 기리는 열녀문을 내렸다.

『영조실록』에서는 이런 화순 옹주의 모습을 정숙하고 아름답다고 기록하고 있다. 부인이 슬픔이 심해 바로 남편을 따라 자결하는 일은 혹시 쉽게 할 수 있을지도 모르나, 음식을 끊고 열흘 만에 죽는 것은 어려운 일인데 왕실의 고귀한 옹주가 지극히 바른 행실을 보였다는 것이다. 이처럼 조선 후기에는 남편을 따라 극단적인 선택을 하는 여성들을 열녀로 표창하는 경우가 많았고, 이것이 열녀의 본보기로 인식되었다.

△ 화순 옹주 홍문(충남 예산)

1. 정조는 왜 화순 옹주를 기리는 열녀문을 내렸을까?

정답 풀이 | 남편을 따라 죽는 것이 열녀의 모범이라고 여겨졌고, 이와 같은 선택을 한 화순 옹주를 본보기로 삼고 널리 알리고자 했기 때문이다.

2. 정절을 지키는 것 외에 조선 후기의 여성에게 강요된 가치로는 어떤 것이 있었는지 조사해서 발표해 보자.

정답 풀이 | 아들을 많이 낳아야 하고 남편의 말에 순종해야 한다는 가치가 여성에게 강요되었다.

친절한 활동 길잡이

이 활동의 핵심은 사료를 통해 성리학적 규범이 정착되면서 여성의 사회적 지위가 더욱 낮아졌음을 아는 것이다. 조선 후기에는 남편을 따라 죽는 것이 열녀의 모범으로 여겨졌으며, 여성은 재산 상속, 제사, 족보 기재 등에서 차별받았다.

자료 이해 확인 문제

1. 성리학적 규범이 확산되면서 여성의 사회적 지위가 약화되었다.
(○ / ×)

2. 조선 후기에는 자녀들을 족보에 등록할 때 아들, 딸 구별 없이 태어난 순서대로 기재하였다. (○ / ×)

》》 정답 1. ○ **2.** ×

01 다음 행로와 관련된 사절단에 대한 설명으로 옳지 <u>않은</u> 것은?

① 북학론이 일어나는 배경이 되었다.
② 에도 막부의 요청에 따라 파견되었다.
③ 고구마 등 외래 작물을 조선에 전하였다.
④ 조선의 서체, 시문 등을 일본에 전파하였다.
⑤ 조선과 일본의 학자가 교류하는 계기가 되었다.

단답형

02 선생님의 질문에 알맞은 답을 쓰시오.

청과 서양의 서적을 가지고 와서 조선의 문화 발전에 기여한 사절단의 명칭은 무엇일까요?

(   )

03 (가)에 들어갈 인물로 옳은 것은?

조선 후기 실학자 ___(가)___
1. 생몰년도: 1731~1783년
2. 주요 활동
   – 천문 관측기구인 혼천의 제작
   – 지구가 자전한다는 지전설 주장

① 박지원   ② 유득공
③ 정약용   ④ 정상기
⑤ 홍대용

04 다음 주장을 한 인물에 대한 설명으로 옳은 것만을 보기에서 고른 것은?

토지는 국가의 근본이다. 근본이 무너지면 모든 제도가 혼란해진다. …… 그런데 부자들은 한없이 넓은 토지가 서로 맞대어 있고, 가난한 사람은 송곳 꽂을 땅도 없는 지경이 되었다. 부유한 자는 더욱 부유해지고 가난한 자는 더욱 가난해지게 되었다.

보기
ㄱ. 발해고를 저술하였다.
ㄴ. 북학론을 제기하였다.
ㄷ. 자영농 육성을 강조하였다.
ㄹ. 토지 제도 개혁을 주장하였다.

① ㄱ, ㄴ   ② ㄱ, ㄷ   ③ ㄴ, ㄷ
④ ㄴ, ㄹ   ⑤ ㄷ, ㄹ

05 밑줄 친 '이 지도'에 대한 설명으로 옳은 것은?

이 지도는 김정호가 1861년 제작한 것이다. 산맥, 하천 등이 자세하게 표시되어 있으며, 전국을 22첩으로 나누어 평상시에는 필요한 지역만 책처럼 나누어 휴대할 수 있었다.

① 최초로 100리척을 사용하였다.
② 태종 때 만들어진 세계 지도이다.
③ 각 지방의 산천, 인물, 풍속 등을 기록하였다.
④ 현존하는 우리나라에서 가장 오래된 지도이다.
⑤ 10리마다 점을 찍어 거리를 알 수 있게 하였다.

고난도
06 밑줄 친 '이 종교'에 대한 설명으로 옳은 것은?

> 신하: 저의 보잘것없는 생각으로는 신주를 모시지
> 않더라도 자기들 집에서 이 종교를 믿는 것
> 은 결코 국법을 어기는 것이 아닌 듯합니다.
> 국왕: 그렇지 않다. 이 종교는 아비도 없고 임금
> 도 없으며, 인륜을 그르쳐 금수와 다름없
> 다. 어리석은 백성이 여기에 속고 있으니
> 어찌 불쌍하지 않겠느냐? 앞으로 이 사교를
> 믿는 무리가 있으면 죄인으로 다스리겠다.

① 최시형을 중심으로 교리가 체계화되고 교단이
   정비되었다.
② 지배층의 수탈과 외세의 침략에 맞서 대규모로
   봉기하였다.
③ 새로운 세상을 열어줄 진인이 출현할 것이라고
   예언하였다.
④ 내세의 영생과 신 앞에 모든 인간이 평등하다고
   주장하였다.
⑤ 인내천을 주장하며 삼남 지방의 농민들에게 빠
   르게 확산되었다.

07 다음 그림이 그려진 시기에 볼 수 있는 모습으로 옳지 <u>않</u>은 것은?

① 홍길동전을 읽는 여성
② 흥보가를 부르는 소리꾼
③ 국자감에서 공부하는 학생
④ 장시에서 탈춤 공연을 벌이는 광대
⑤ 시사(詩社)를 조직해 활동하는 중인

중요
08 다음 설명에 해당하는 작품으로 옳은 것은?

> 겸재 정선은 진경 산수화를 발전시킨 대표적인
> 인물이다. 그는 우리나라의 아름다운 자연 경관
> 을 묘사하면서도 그 자연을 보면서 느끼는 인간
> 의 주관적인 감정도 표현하려고 하였다. 이후 그
> 의 화풍은 강희언, 김윤겸 등의 화가들에 의해 계
> 승되었다.

①  ②

③  ④

⑤

09 다음 자료를 활용한 탐구 주제로 가장 적절한 것은?

> • 아버지가 사망했을 때 어머니보다는 큰아들이
>   호주를 승계하는 비율이 크게 높아졌다.
> • 족보에 기재할 때 태어난 순서와 상관없이 아
>   들을 먼저 올리고 딸을 그 뒤에 기재하였다.
> • 아들이 없을 경우 친척 중에 양자를 들여 제사
>   를 지내게 하였다.

① 서민 문화의 발전
② 형평 운동의 전개
③ 서양 과학 기술의 수용
④ 양반 중심 신분제의 동요
⑤ 가부장적 가족 질서의 확산

10 다음 주장이 제기된 배경으로 가장 적절한 것은?

> 마을에는 여장(閭長)을 두며 1여의 농토를 마을 주민들이 공동으로 경작하도록 한다. …… 마을 주민들이 농경하는 경우 여장은 매일 개개인의 노동량을 장부에 기록하여 두었다가, 추수할 때에 곡식의 수확을 전부 여장의 집으로 운반해 놓고 그 곡물을 나누되 먼저 나라에 바치는 세금을 떼어 놓고, 그다음은 여장에게 봉급을 주고 그 나머지를 가지고 장부에 기준하여 분배한다.
> – 정약용, 『여유당전서』

① 조선이 건국되었다.
② 이양선이 출몰하였다.
③ 진대법이 시행되었다.
④ 몰락한 농민이 증가하였다.
⑤ 청과의 교역이 확대되었다.

11 다음 자료에 해당하는 책으로 옳은 것은?

> 이중환이 저술한 인문 지리서로 팔도총론, 복거총론, 사민총론, 총론 등으로 구성되었다. 특히 복거 총론에서는 사대부들이 가지고 있던 주거지 선호의 기준을 자세히 설명하고 있다. 사람이 살 만한 곳의 입지 조건으로 지리, 생리, 인심, 산수를 들었다.

① 택리지
② 열하일기
③ 경국대전
④ 동국통감
⑤ 고려사절요

단답형
12 다음 설명에 해당하는 공연을 쓰시오.

> 한 명의 소리꾼이 고수의 북 장단에 맞추어 창과 아니리 등으로 연기하는 공연이다. 여러 종류의 이야기를 19세기 신재효가 여섯 마당으로 정리하였다.

(   )

13 밑줄 친 '이 종교'에 대한 설명으로 옳은 것만을 보기에서 고른 것은?

경주 지역의 몰락 양반이었던 최제우의 동상이다. 그는 서양 세력의 접근으로 위기 의식이 높아지는 사회 분위기에서 이 종교를 만들었다.

보기
ㄱ. 초기에는 서학으로 소개되었다.
ㄴ. 시천주, 후천개벽을 주장하였다.
ㄷ. 조상에 대한 제사를 거부하였다.
ㄹ. 교주가 혹세무민의 죄로 처형되었다.

① ㄱ, ㄴ ② ㄱ, ㄷ ③ ㄴ, ㄷ
④ ㄴ, ㄹ ⑤ ㄷ, ㄹ

중요
14 밑줄 친 '이 학자'의 활동으로 옳은 것은?

이 학자는 강진으로 유배 간 이후 수많은 책을 집필하며 실학을 집대성하였어.

그는 정조가 한강을 건널 때 사용했던 배다리를 설계할 정도로 과학 지식도 뛰어났어.

그의 대표작 목민심서에는 수령이 백성을 다스리는 도리가 적혀있어.

① 측우기를 만들었다.
② 거중기를 제작하였다.
③ 동의보감을 저술하였다.
④ 홍경래의 난에 참여하였다.
⑤ 노론을 대표하는 산림이었다.

중요

15 (가)에 들어갈 내용으로 옳은 것만을 보기에서 고른 것은?

> 조선 후기에 나타난 가족 제도의 변화를 말해 볼까요?
>
> 아버지 쪽 혈연이 중시되면서 동족 마을이 생겨났어요.
>
> (가)

┌─ 보기 ─────────────────────────────┐
ㄱ. 자녀들이 돌아가며 제사를 지냈어요.
ㄴ. 재산 상속에서 적장자를 우대하였어요.
ㄷ. 외가나 처가 쪽 친척도 족보에 기재하였어요.
ㄹ. 신부가 신랑집으로 가는 혼인 풍습이 보편화
　 되었어요.
└──────────────────────────────────┘

① ㄱ, ㄴ　　　② ㄱ, ㄷ　　　③ ㄴ, ㄷ
④ ㄴ, ㄹ　　　⑤ ㄷ, ㄹ

16 ㉠이 활동하던 시기의 문화 현상으로 옳은 것은?

> ㉠전기수(傳奇叟)는 '숙향전', '소대성전' 등과 같은 한글 소설을 장소를 바꿔가며 사람들에게 읽어 주었다. 그들은 책을 읽어 가다가 사람들이 꼭 더 듣고 싶어 할 만한 부분에 이르러 갑자기 읽기를 멈추었다. 그러면 사람들이 그다음 대목을 듣고 싶어서 다투어 돈을 던져 주었다.

① 세종의 주도로 훈민정음이 창제되었다.
② 원의 영향을 받아 몽골풍이 확산되었다.
③ 상감법으로 무늬를 새긴 청자가 제작되었다.
④ 교종과 선종을 통합하려는 운동이 전개되었다.
⑤ 자유롭게 감정을 표현한 사설시조가 유행하였다.

17 다음을 보고 물음에 답하시오.

> 　재물을 비유하자면 우물과 같다. 우물에서 물을 퍼낼수록 가득 차지만 뚜껑을 덮어 놓으면 말라 버린다. 그러므로 비단옷을 입지 않으면 비단 짜는 사람이 없어질 것이고, 비단을 짜는 여인의 솜씨도 사라질 것이다.

⑴ 위 주장을 한 실학자의 이름을 쓰시오.

⑵ 사료를 토대로 실학자가 주장한 내용을 서술하시오.

18 조선 후기에 가부장적 가족 제도가 강화된 배경을 서술하시오.

19 (가) 문화가 발달한 배경을 서술하시오.

> 　조선 후기에는 양반을 중심으로 이루어지던 문예 활동에서 벗어나 중인층과 상민층도 문화를 생산하고 소비하게 되면서 　(가)　 문화가 발달하였다. 　(가)　 문화는 이전 문화와 달리 역동적이며 자신의 감정을 직설적으로 표현하는 경향이 강하였다.

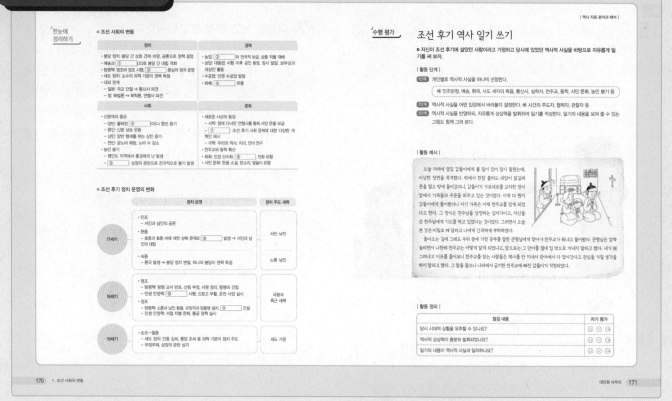

📖 교과서 170~171쪽

한눈에 정리하기

|예시 답안|

① 환국

② 국왕

③ 모내기법

④ 상평통보

⑤ 잔반

⑥ 임술 농민 봉기

⑦ 실학

⑧ 풍속화

⑨ 예송

⑩ 균역법

⑪ 수원 화성

수행 평가

이것이 핵심 | 조선 후기의 역동적인 시대 상황을 보여 주는 큰 흐름을 만들고, 그 속에서 자신의 상상력을 발휘하여 일기 형식의 글을 작성한다. 이를 통해 기존의 자료를 토대로 당시 시대상을 재구성하는 능력을 기를 수 있다.

|예시 답안|

오늘 낮에 장시에 나갔다가 재미있는 공연을 보느라 시간이 가는지도 모르다가, 해가 지고야 집에 들어와 어머니에게 한소리를 들었다.

노래하는 사람이 북 장단에 맞추어 이야기하는 것을 듣다 보면 나도 어느새 "얼~쑤"하고 추임새를 하고 있다.

또 다른 재미는 장터 마당에서 가끔하는 높은 곳에 매달려 있는 줄을 걷는 묘기이다. 부채를 들고 높은 곳에 매달려 있는 줄을 걷는 묘기를 보다 보면 입이 쩍 벌어진다.

오늘은 자기 전에 어제부터 읽기 시작한 춘향전을 읽다가 잠들려고 한다. 저번에 읽은 홍길동전 소설은 영웅 이야기라서 읽고 나니 통쾌했는데, 춘향전은 달달한 사랑 이야기인 것 같아 설렌다.

대단원 마무리 문제

❶ 조선 후기의 정치 변동

01 (가)에 대한 설명으로 옳은 것은?

> 요즘 국가의 큰일부터 작은 일까지 모두 (가) 에서 처리합니다. …… 명목상 기관 역할은 '국경의 방비를 담당하는 곳'이라고 하지만, 과거나 비빈 간택까지 전담합니다.

보기
ㄱ. 왕실 도서관 기능을 담당하였다.
ㄴ. 향촌 사림의 여론을 주도하였다.
ㄷ. 임진왜란 이후 기능이 확대되었다.
ㄹ. 세도 정치 시기 최고 기구로 활용되었다.

① ㄱ, ㄴ　　② ㄱ, ㄷ　　③ ㄴ, ㄷ
④ ㄴ, ㄹ　　⑤ ㄷ, ㄹ

02 (가)에 들어갈 내용으로 가장 적절한 것은?

> 처음에는 동인이 정국을 주도하는 가운데 서인이 함께 정치에 참여하였지만 (가) 등을 계기로 동인이 남인과 북인으로 갈라졌다.

① 환국
② 을사사화
③ 임진왜란
④ 홍경래의 난
⑤ 정여립 사건

03 (가), (나)에 대한 설명으로 옳지 <u>않은</u> 것은?

> 예송 때 가장 큰 쟁점은 효종이 선대 왕의 둘째 아들이라는 것이었다. (가) 은/는 왕도 사대부와 같이 똑같은 예를 적용하여 1년 상을 치러야 한다고 주장하였다. 반면 (나) 은/는 왕을 첫째 아들로서 대우해야 한다고 주장하였다.

① (가)는 주로 이이의 문인들로 구성되었다.
② (가)는 인조반정 이후 정국을 주도하였다.
③ (나)는 국왕 중심의 정치를 지지하였다.
④ 2차 예송에서는 (나)의 주장이 채택되었다.
⑤ 예송 당시 송시열은 (나)의 여론을 주도하였다.

04 밑줄 친 '왕'이 실시한 정책으로 옳은 것은?

> 왕께서 반드시 붕당을 타파하고 치우치지 않는 원칙을 세워 공정하게 다스릴 것을 약속하였으니, 많은 신하가 감격하고 기뻐하였습니다. …… 탕평비를 세우고 교훈을 제시하시니 미천한 사람이나 사물까지도 감동하였습니다.

① 장용영을 창설하였다.
② 대전통편을 편찬하였다.
③ 훈련도감을 설치하였다.
④ 준천 사업을 실시하였다.
⑤ 초계문신제를 시행하였다.

05 다음 문화유산을 건설한 왕에 대한 설명으로 옳은 것은?

① 공노비를 해방하였다.
② 규장각을 강화하였다.
③ 탕평비를 건립하였다.
④ 북벌 운동을 추진하였다.
⑤ 서원을 대폭 정리하였다.

06 (가)가 재위한 시기에 있었던 사실로 옳지 <u>않은</u> 것은?

> (가) 은/는 사도 세자의 후손이었지만 반역으로 집안이 몰락하면서 매우 가난하였다. 하지만 갑작스레 왕이 되면서 한성의 양반과 백성들은 그를 강화 도령이라고 비꼬아 불렀다.

① 삼정의 문란이 심각하였다.
② 관직을 사고파는 일이 성행하였다.
③ 세도 가문이 비변사를 장악하였다.
④ 전국적인 농민 봉기가 발생하였다.
⑤ 환국으로 집권 붕당이 급격하게 교체되었다.

② 사회 변화와 농민의 봉기

07 다음에 나타난 시기에 대한 설명으로 옳은 것만을 보기에서 고른 것은?

> 서울 근교와 각 지방 대도시 주변의 파, 마늘, 배추, 오이밭에서는 10무의 땅으로 수만 전의 수입을 올린다. 서북 지방의 담배, 관북 지방의 삼, 한산의 모시, 전주의 생강, …… 황주의 지황밭은 논농사가 가장 잘 되었을 때의 수입과 비교하더라도 이익이 열 배가 된다.　　　　 － 『경세유표』

보기
- ㄱ. 양반 중심의 신분제가 동요하였다.
- ㄴ. 공인이 대량으로 물품을 구매하였다.
- ㄷ. 민간에서 운영하는 수공업이 위축되었다.
- ㄹ. 만적을 중심으로 신분 해방 운동이 전개되었다.

① ㄱ, ㄴ　　② ㄱ, ㄷ　　③ ㄴ, ㄷ
④ ㄴ, ㄹ　　⑤ ㄷ, ㄹ

08 다음 사건이 일어난 시기를 연표에서 옳게 고른 것은?

1741		1785		1801		1811		1849		1863
	(가)		(나)		(다)		(라)		(마)	
서원 정리		장용영 설치		공노비 해방		홍경래의 난		철종 즉위		흥선 대원군 집권

① (가)　　② (나)　　③ (다)
④ (라)　　⑤ (마)

③ 학문과 예술의 새로운 경향

09 (가)가 조선에 끼친 영향으로 가장 적절한 것은?

> 병자호란 이후 조선은 청과 조공·책봉 관계를 맺고 　(가)　을/를 파견하였다.

① 백운동 서원이 건립되었다.
② 신진 사대부가 성장하였다.
③ 서양 관련 서적이 전해졌다.
④ 통리기무아문이 설치되었다.
⑤ 변발과 호복 풍습이 유행하였다.

10 밑줄 친 ㉠, ㉡에 대한 설명으로 옳지 않은 것은?

> 두 차례의 전란 이후 많은 변화와 다양한 사회 문제가 발생하였다. 이에 실증적인 방법으로 학문을 연구하고 현실 문제를 해결하려는 실학이 등장하였다. 실학은 크게 ㉠농업 중심의 개혁론과 ㉡상공업 중심의 개혁론으로 발전하였다.

① ㉠-북학파라고 불리었다.
② ㉠-토지 제도 개혁을 주장하였다.
③ ㉠-자영농 육성이 중요하다고 보았다.
④ ㉡-청과의 적극적인 교류를 주장하였다.
⑤ ㉡-상공업 발전과 기술 혁신을 강조하였다.

11 (가), (나) 종교에 대한 설명으로 옳은 것은?

> (가) 죽은 사람 앞에 술잔과 음식을 차려 놓은 것은 금하는 바입니다. 살아 있는 동안에도 영혼은 술과 밥을 받아먹을 수 없거늘 하물며 죽은 뒤에는 어떻게 하겠습니까?
>
> (나) 사람은 곧 하늘이라. 사람은 평등하며 차별이 없나니, 사람이 마음대로 귀천을 나눔은 하늘을 거스르는 것이다.

① (가)-초기에 서학으로 소개되었다.
② (가)-시천주, 후천개벽을 주장하였다.
③ (나)-홍경래의 난에 영향을 주었다.
④ (나)-지눌이 통합 운동을 전개하였다.
⑤ (가),(나)-외세의 침략을 배척하였다.

④ 생활과 문화의 새로운 양상

12 (가)~(라)에 해당하는 내용으로 옳은 것만을 **보기**에서 고른 것은?

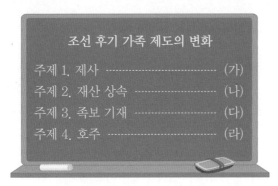

조선 후기 가족 제도의 변화

주제 1. 제사 ------------------- (가)
주제 2. 재산 상속 ------------- (나)
주제 3. 족보 기재 ------------- (다)
주제 4. 호주 ------------------- (라)

ㄱ. (가)-적장자가 제사를 전담하였다.
ㄴ. (나)-자녀에게 재산을 균등하게 상속하였다.
ㄷ. (다)-먼저 태어나도 딸은 아들 뒤에 기재되었다.
ㄹ. (라)-어머니가 호주를 승계하는 비율이 높아졌다.

① ㄱ, ㄴ   ② ㄱ, ㄷ   ③ ㄴ, ㄷ
④ ㄴ, ㄹ   ⑤ ㄷ, ㄹ

13 밑줄 친 ⊙의 사례로 적절하지 않은 것은?

양난 이후 모내기법이 전국적으로 보급되고 각지의 장시를 연결하는 유통망이 생겼다. 농업 생산력이 증대되고 상공업이 발전하면서 서민의 경제적 지위도 향상되었다. 이러한 사회 변화를 반영하여 문화에도 ⊙새로운 양상이 나타났다.

① 양반을 비판하는 탈춤이 성행하였다.
② 춘향전 등 한글 소설이 널리 읽혔다.
③ 생활 공간을 장식하는 민화가 유행하였다.
④ 사군자를 소재로 한 문인화가 많이 그려졌다.
⑤ 형식에 얽매이지 않는 사설시조가 유행하였다.

14 조선 정부가 다음 문서를 발행한 배경을 서술하시오.

이 문서는 이름 쓰는 곳이 비어 있는 관직 임명장이다. 이 문서가 있으면 군역을 면제받을 수 있었기에 주로 부유한 상인이나 농민들이 구매하였다.

15 밑줄 친 '봉기'의 발생 배경과 의의를 서술하시오.

1811년 서북 지역에서 일어난 봉기로 몰락 양반인 홍경래가 주도하였다. 그는 상공업자와 광산업자들을 끌어들여 자금을 확보하고, 가난한 농민들과 광산 노동자들을 군사로 훈련하였다. 이들은 한때 청천강 이북 지역을 장악했으나, 관군의 반격으로 진압되었다.

16 (가), (나) 그림을 그린 화가의 이름을 쓰고, 두 화가의 화풍을 비교하여 서술하시오.

(가)   (나)

01 역사 사전 만들기

● 조선 후기의 주요 사건과 인물을 정리한 역사 사전을 만들어 보자.

1. 교과서 내용을 토대로 조선 후기 정치 · 경제 · 사회 · 문화 영역에서 나타난 변화를 정리해 보자.

정치	
경제	
사회	
문화	

2. 다음 유의 사항을 참고하여 역사 사전을 만들어 보자.

〈유의 사항〉
• 해당 영역의 변화상을 잘 보여 줄 수 있는 단어 또는 인물을 선정한다.
• 각 영역당 인물은 2명 이내, 사건은 4개 이내로 제한한다.
• 관련 사진이나 그림을 넣고 설명을 간단히 작성한다.
• 표지를 만들고 작성한 내용을 파일로 묶어 사전을 완성한다.

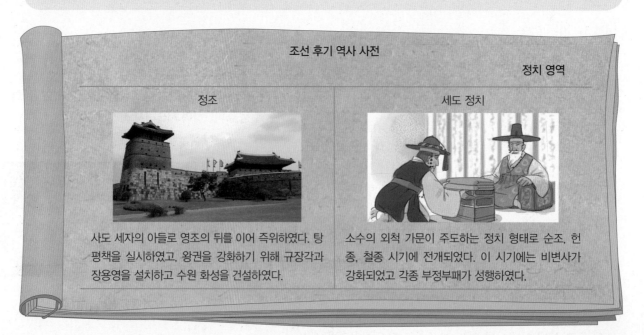

조선 후기 역사 사전

정치 영역

정조

사도 세자의 아들로 영조의 뒤를 이어 즉위하였다. 탕평책을 실시하였고, 왕권을 강화하기 위해 규장각과 장용영을 설치하고 수원 화성을 건설하였다.

세도 정치

소수의 외척 가문이 주도하는 정치 형태로 순조, 헌종, 철종 시기에 전개되었다. 이 시기에는 비변사가 강화되었고 각종 부정부패가 성행하였다.

02 답사 보고서 작성하기

○ 다음 인물의 행적을 살펴볼 수 있는 답사 보고서를 작성해 보자.

> 숙종, 영조, 정선, 정조, 철종, 김정호, 김홍도, 박지원, 송시열, 신윤복, 정약용, 최제우, 홍경래

1. 다음 양식에 따라 답사 계획서를 써 보자.

답사할 인물	
답사지	
답사지까지 가는 경로	

2. 다음 유의 사항에 따라 답사 보고서를 작성해 보자.

〈유의 사항〉
• 답사할 인물과 답사지를 선정한 이유를 밝힌다.
• 당시 인물이 답사지에서 느꼈을 감정을 상상하며 작성한다.
• 답사를 통해 새롭게 알게 된 사실을 적는다.
• 답사 보고서에 관련 사진을 출력하여 붙이고, 간단한 감상평을 적는다.

(1) 답사지를 선정한 이유	(2) 답사지에서 역사적 인물이 되어 느낀 점
(3) 답사를 통해 새롭게 알게 된 사실	(4) 답사지에서 찍은 사진

정조의 꿈이 담겨 있는 도시, 수원

"조선의 역사와 함께한, 수원"

수원에는 조선의 모든 축성 기술이 집약하여 완성된 '수원 화성', 정조가 행차할 때마다 머물렀다는 '화성 행궁', 뒤주 속에서 아버지 영조에 의해 비극적 죽음을 맞이한 사도 세자가 묻혀 있는 '현륭원', 쌀 만 석을 생산할 정도의 저수지가 있는 '축만제'가 있다. 이 밖에도 조선 시대 수원 지역의 학생들이 공부했던 '수원향교', 현륭원을 지키며 제사를 지내는 사찰인 '용주사', 수원의 유구한 역사와 문화를 한눈에 볼 수 있는 수원 박물관 등을 볼 수 있다.

📍 수원 화성

군사적 기능과 상업적 기능을 모두 갖춘 수원 화성은 강력한 국왕 중심의 정치를 실현하려는 정조의 원대한 정치 포부가 담겨 있다. 축성 과정에서는 정약용이 고안한 거중기와 같은 새로운 기계가 이용되기도 하였다. 일제 강점기와 6·25 전쟁을 거치며 많은 부분이 파손되었지만, 다행히 『화성성역의궤』에 상세한 기록이 남아 있어 당시 모습을 복원할 수 있었다. 세계적으로 그 독창성을 인정받아 1997년 유네스코 세계 유산으로 등재되었다.

수원 음식 맛보기

❶ 수원 갈비 옛날 큰 우시장이 있던 수원에는 소를 이용한 다양한 음식이 발전하였다. 특히 1940년대 '화춘옥'이라는 식당에서 해장국에 갈비를 넣어주던 것을 갈비에 양념해 구워 팔았는데, 이때부터 수원 갈비가 유명해지기 시작하였다.

❷ 수원 통닭 팔달문 인근 행궁동에는 통닭 가게들이 늘어서 있는 통닭 거리가 있다. 대부분 가게가 가마솥에 기름을 붓고 난 후에 튀기는 옛날 방식을 고수하고 있다. 가격이 싸면서 양이 많아 수원 지역의 명소로 떠오르고 있다.

📍 현륭원

현륭원은 정조의 아버지 사도 세자와 어머니 혜경궁 홍씨가 묻혀 있는 무덤이다. 정조는 아버지 사도 세자에 대한 명예 회복이 자신의 정통성과 직결된다고 생각하여 아버지에게 극진히 효도하였다. 1789년(정조 13)에 양주에 있던 아버지 묘소를 수원으로 옮겨 '현륭원'이라 하고, 현륭원 북쪽 팔달산 밑에 새로운 성곽 도시로 화성을 건설하였다. 이후 현륭원은 고종 때 사도 세자가 장조로 추존되면서 융릉으로 개칭되었다.

📍 화성 행궁

화성 행궁은 정조가 현륭원에 행차할 때 임시 거처로 사용하던 곳으로 그 어느 행궁보다도 규모가 크고 아름답다. 행궁의 주 건물인 봉수당에서는 정조가 모친 혜경궁 홍씨의 회갑연을 베푼 장소이기도 하다. 일제 강점기 때 행궁의 대부분이 훼손되고 낙남헌만 남았지만, 1996년 수원시가 주도하여 지금의 모습을 갖추게 되었다.

📍 축만제

'천년만년 만석의 생산을 축원한다.'는 의미의 축만제는 여기 산 밑에 있는 저수지로, 수원 화성의 서쪽에 있어 '서호'라고도 불린다. 농업 발전을 위해 정조가 만든 네 개의 호수 중 규모가 가장 크다. 현재는 공원으로 이용되고 있다.

❸ **순대곱창볶음** 수원 지동시장 먹자골목 안에 30~40년 전통을 자랑하는 순대 가게들이 모여 있는 순대 타운이 있다. 신선하고 좋은 재료로 만들어 냄새 없이 깔끔한 맛과 푸짐한 양으로 외지에서도 찾아온다.

❹ **두부 연포탕** 정조가 화성 행차길에 어머니 혜경궁 홍씨에게 올린 음식이다. 본래 연포탕이란 산낙지가 아니라 부드러운 두부와 닭 가슴살, 버섯 등을 넣은 두부탕을 말한다. 연포탕을 올리는 행사는 정조 효 문화제에서 재현하고 있다.

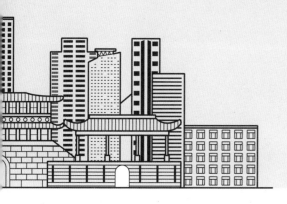

VI

근·현대 사회의 전개

이 단원의 구성

Ⅵ

근·현대
사회의 전개

1. 국민 국가의 수립
2. 자본주의와 사회 변화
3. 민주주의의 발전
4. 평화 통일을 위한 노력

이 단원에서는 개항을 전후한 시기부터 한 재까지의 한국 사회를 주요 주제별로 파악한 다. 이를 위해 국민 국가 수립 운동, 일제 강점 기 민족 운동, 대한민국 정부 수립을 다룬다. 자본주의의 흐름 속에서 개항 이후의 경제적 변화의 특징을 살펴본다. 광복 이후 독재에 맞 선 민주화 운동의 흐름 속에서 민주주의의 확 대 과정을 이해한다. 또한 남과 북의 분단 및 냉전 구조의 심화 과정과 평화 통일을 위한 우 리의 노력에 대해 이해한다.

📍 광화문 광장(서울 종로)

▶ 사진으로 살펴보기

사진은 촛불 집회가 열리고 있는 광화문 광장의 모습입니다. 참여 민주주의와 생활 속 민주주의에 대한 시민의 힘을 느낄 수 있습니다.

▶ 단원 열기

이 단원에서는 개항을 전후한 시기부터 현재까지의 국민 국가 수립 운동, 자본주의와 사회의 변화, 광복 이후 독재에 맞선 민주화 운동, 평화 통일을 위한 남과 북의 노력 등을 다룹니다.

① 국민 국가의 수립

01 문호의 개방과 개혁을 위한 움직임

1. 흥선 대원군의 실권 장악

(1) 배경: 19세기 후반의 농민 봉기와 서양 세력의 접근으로 인한 위기의식, 나이 어린 고종의 즉위 등

(2) 흥선 대원군의 정책
① 왕실의 권위 회복: 비변사 기능 축소, 경복궁 중건 등
② 통상 수교 요구 거부: 천주교 탄압(병인박해, 1866)과 외세의 통상 요구 거부, 병인양요와 신미양요 → 척화비 건립
③ 통상 수교 거부 정책의 성과와 한계: 서양 세력의 침략적 진출 저지, 국제 정세에 대한 능동적 대처 부족

2. 강화도 조약 체결(1876)과 문호 개방
└ '조일 수호 조규'라고도 함

(1) 배경: 일본의 정치 변화, 운요호 사건(1875), 조선 정부의 개항 필요성 인식 등
└ 일본 군함 운요호가 불법으로 강화도에 들어와 초지진에 있던 조선군과 전투를 벌인 사건

(2) 내용: 영사 재판권과 연안 측량권 허용(불평등 조약)
└ 메이지 유신으로 일왕 중심의 새 정부가 들어섬

(3) 의미: 조선이 외국과 맺은 최초의 근대적 조약 → 이후 서양 여러 나라와 조약 체결
└ 조선에서 일본인이 범죄를 저질렀을 경우에 조선 주재 일본 영사가 일본의 법률에 따라 재판을 하는 것

3. 개화를 둘러싼 갈등

(1) 정부의 개혁 노력: 통리기무아문과 별기군 설치, 조사 시찰단과 영선사 파견
└ 근대적 개혁 추진 기관으로 정치와 군사 기밀을 담당함
└ 조선 정부가 구체적인 개화 관련 정보를 얻고자 젊은 개화파 관료들을 일본에 파견함

(2) 개화 반대 움직임: 위정척사 운동, 임오군란(1882)

(3) 갑신정변(1884)
① 배경: 개혁 추진 방법을 둘러싼 온건파와 급진파의 갈등
② 전개: 김옥균, 박영효 등의 급진파가 우정총국 개국 축하연을 이용해 정변
③ 결과: 청군의 개입으로 3일 만에 실패
└ 1884년에 설치된 우리나라 최초의 우편 업무 관청

4. 동학 농민 운동(1894)

(1) 배경: 전라도 고부 농민들에게 부당한 세금 징수

(2) 전개: 고부에서 전봉준을 중심으로 봉기 → 농민군의 전주성 점령 → 청·일본 군대의 개입 → 전주 화약 체결(집강소 설치) → 일본군의 경복궁 점령 → 청일 전쟁 발발 → 농민군의 재봉기 → 농민군이 우금치 전투에서 정부군과 일본군에 패배
└ 농민군이 개혁을 실천하기 위해 만든 기구로, 농민군은 집강소를 통해 지주와 탐관오리를 처벌하고 조세 제도를 개혁함

병인양요와 신미양요의 전개

프랑스군은 1866년 병인박해를 구실로 강화도를 침공하였으나 양헌수, 한성근 부대의 활약으로 물러갔다. 한편 미군은 제너럴 셔먼호 사건을 구실로 1871년 강화도 광성보 등을 공격하였고, 이 과정에서 어재연이 활약하였다.

별기군

기존 5군영에서 신체가 건강한 80명을 선발해 만든 신식 군대로, 급료나 의복 등 대우가 구식 군대보다 월등히 좋았다.

임오군란(1882)

구식 군인들은 별기군이 좋은 대우를 받자 상대적인 박탈감을 느꼈고, 개화 정책에 대한 불만이 커졌다. 이러한 상황에서 1년 넘게 밀린 급료로 받은 쌀에 모래와 겨가 섞여 있자, 구식 군인들은 일본인 군사 교관을 살해하고 정부 고위 관리를 습격하였고, 많은 도시 하층민이 봉기에 합세하였다.

자료 이해하기 갑신정변

📖 교과서 175쪽

· 사료 읽기 ·

갑신정변 개혁 정강

급진파는 갑신정변을 일으키고 14개조의 개혁안을 발표하였다. 그 주요 내용은 다음과 같다.

· 문벌을 폐지하여 인민 평등의 권리를 세워, 능력에 따라 관리를 임명한다.
· 지조법을 개혁하여 관리의 부정을 막고 국가 재정을 확충한다.
· 대신들은 의정부에 모여 정령을 의결하고, 반포한다.

– 김옥균, 『갑신일록』

| 내용 알기 | 개화 세력은 개혁의 추진 방법을 두고 온건파와 급진파로 분화되었다. 김옥균, 박영효 등 급진파는 임오군란 이후 심화된 청의 내정 간섭과 청에 의존하려는 정부 정책에 반대하여 갑신정변을 일으켰다. 자료는 이 과정에서 발표된 개혁 정강의 일부이다. 개화파는 문벌을 폐지하고 인민 평등권을 보장하여 능력만 있으면 누구나 관리가 될 수 있도록 하였다. 또한 정치를 개혁하여 내각 제도를 수립하고, 조세·재정·군사 제도 등을 개혁하여 조선을 힘 있는 국가로 만들려고 하였다.

5. 갑오개혁(1894)

(1) 배경: 일본의 개혁 요구, 조선 정부의 적극적 대응

(2) 내용: 군국기무처 주도 → 과거제 폐지, 신분제 폐지, 조세 금납화 등

(3) 정세 변화: 일본이 청일 전쟁에서 승리 후 랴오둥반도 차지 → 삼국 간섭(1895)으로 랴오둥반도를 청에 반환 → 조선 정부의 친러 정책 → 을미사변(1895) → 의병 운동(을미의병)
　└ 을미사변 이후 단발령이 추진되자 이에 저항하여 전국에서 의병 운동이 일어남
　└ 명성 황후가 러시아를 끌어들여 일본을 견제하려 하자 일본이 명성 황후를 살해하는 만행을 저지름

6. 대한 제국의 수립

(1) 아관 파천(1896): 일본의 침략 가속화 → 고종이 러시아 공사관으로 거처를 옮김 → 열강의 이권 침탈 확대 → 서재필 등이 독립 협회를 설립하여 만민 공동회 개최 (열강의 이권 침탈 비판)
　└ 군주가 법적, 제도적 제한 없이 권력을 행사하는 정치 제도

(2) 대한 제국 수립(1897): 고종이 경운궁(덕수궁)으로 환궁 → 대한 제국 선포, 황제 즉위 → '대한국 국제' 발표(전제 군주제 강화, 황제 중심의 국정 운영)
　└ 국제란 나라의 제도라는 의미로, 고종은 대한 제국의 헌법에 해당하는 '대한국 국제'를 반포함

7. 을사늑약 체결

(1) 배경: 아관 파천으로 세력이 위축된 일본이 러시아 세력을 몰아내고자 러일 전쟁(1904)을 일으킴 → 일본의 승리

(2) 을사늑약 체결(1905): 대한 제국의 외교권 박탈

(3) 일제의 침략에 대한 대응: 전국적인 의병 운동 전개(을사의병), 헤이그에서 열린 만국 평화 회의에 특사 파견(1907) → 고종의 강제 퇴위, 군대 해산 → 의병 운동 전개(정미의병), 『대한매일신보』의 항일 언론 활동, 안중근 의사의 의거 등
　└ 하얼빈역에서 침략에 앞장선 이토 히로부미를 사살함

8. 일본의 독도 침탈 시도와 독도 수호 노력

(1) 일본의 독도 침탈 시도: 1904년 러일 전쟁 당시 독도의 군사·경제적 가치에 주목 → 시마네현 고시 제40호를 통해 자국 영토로 편입 시도
　└ 일본은 1905년 시마네현 고시 제40호에 독도를 다케시마라 칭하며 일방적으로 자국 영토에 편입함

(2) 독도 수호 노력

① 조선 시대 이전: 신라 지증왕 때 우리 영토로 편입, 안용복의 활동(조선 숙종 때 일본에 건너가 독도가 우리 땅임을 확인)

② 대한 제국: 대한 제국 칙령 제41호 공포(독도를 울릉군의 관할로 하여 우리 영토임을 확인)

③ 해방 이후: 이승만 정부의 '인접 해양에 대한 주권에 관한 대통령 선언(1952)' 발표, 독도 의용 수비대의 활동 등

◉ **삼국 간섭**

일본이 청일 전쟁에서 승리하여 랴오둥반도를 차지하자 러시아, 독일, 프랑스가 압력을 가해 이를 청에 돌려 주도록 한 사건이다.

◉ **헤이그 특사 파견**

고종은 을사늑약이 불법적이고 무효임을 국제 사회에 알리기 위해 네덜란드 헤이그에서 열린 만국 평화 회의에 이준, 이상설, 이위종을 특사로 파견하였다. 세 사람은 일본의 반대로 회의장에 입장하지 못하였으나, 영국 출신 언론인의 도움으로 대한 제국의 입장을 언론에 발표하였다.

보충⁺ **대한매일신보**

◐ 베델(1872~1909)

대한 매일 신보는 영국인 베델과 양기탁이 함께 창간한 신문으로 일본의 침략을 비판하는 데 앞장섰다. 대한 매일 신보는 국채 보상 운동을 주도하고 의병 투쟁에 호의적인 기사를 쓰는 등 민족적 색채가 뚜렷하여 대중에게 인기가 있었다.

자료 이해하기 독립 협회와 만민 공동회　　　　　　📖 교과서 177쪽

| 내용 알기 | 1896년 서재필은 관료 및 인사들과 함께 독립 협회를 창립하였다. 독립 협회는 스스로 독립을 지키기 위해 독립문을 건설하였으며, 강연회와 토론회를 개최하여 대중이 자유롭게 정치에 참여할 수 있는 민권 보장을 주장하였다. 특히 대한 제국 수립 후 대중 집회인 만민 공동회를 개최(1898)하여 러시아의 이권 침탈을 비판하고 의회 설립 운동을 전개하여 의회식 중추원 관제가 마련되는 성과를 거두기도 하였다. 그러나 고종은 혼란을 수습한다는 이유로 독립 협회와 만민 공동회 등 모든 단체와 집회를 해산하였다.

◐ 만민 공동회(민족 기록화)

◎ 신흥 무관 학교

1911년 서간도 삼원보에 설립되어 1920년 폐교될 때까지 3,500여 명의 독립군을 길러낸 곳이다. 이 학교 졸업생들은 1920년 봉오동 전투와 청산리 전투 등에서 큰 공을 세우는 등 항일 독립운동에서 큰 역할을 하였다.

◎ 한국 광복군

대한민국 임시 정부는 1940년 항일 무장 투쟁을 본격적으로 전개하기 위해 한국 광복군을 창설하였다. 일본이 태평양 전쟁을 일으키자 인도·미얀마 전선에서 정보 수집 등을 담당하였으며, 미국 전략 정보국(OSS)의 훈련을 받고 국내 진공 작전을 준비하였다. 그러나 일본의 항복으로 작전이 실행되지 못하였다.

보충+ 청산리 전투

⊙ 홍범도(좌)와 김좌진(우)

김좌진이 이끄는 북로 군정서와 홍범도의 대한 독립군을 중심으로 한 독립군 연합 부대는 청산리 일대에서 6일 동안 10여 차례의 전투 끝에 일본군을 크게 격파하였다.

⑫ 민족 운동의 전개와 대한민국 임시 정부

1. 일제의 식민 통치

(1) 무단 통치(1910년대): 대한 제국 강제 병합 후 조선 총독부 설치 → 헌병 경찰제 실시, 조선 태형령 공포, 언론·집회·결사의 자유 박탈, 고등 교육 기회 박탈 등
   - └ 일제는 전국에 경찰 관서와 헌병 기관을 설치하여 헌병이 경찰 업무를 지휘하고 일반 경찰 업무까지 담당하게 함

(2) 문화 정치(1920년대): 보통 경찰제 실시, 『동아일보』, 『조선일보』 등 발행 허용 → 경찰 수 증가, 언론에 대한 검열 강화, 친일 세력을 육성하여 한국인 분열 의도 등

(3) 전시 동원 정책(1930년대 이후): 일제의 침략 전쟁 확대 → 「국가 총동원법」 제정, 인적·물적 자원 약탈, 징용과 징병, 일본군 '위안부' 강제 동원 등
   - └ 일제 강점기에 일본 제국주의자들이 우리 국민을 강제로 끌고가 부리던 일

2. 국민 주권 의식의 확산

(1) 국외 독립운동 기지 건설(1910년대): 신민회의 이회영 등이 신흥 무관 학교 설립, 만주 지역에 무장 투쟁 단체들이 설립되어 독립군 양성

(2) 국민 주권 의식을 담은 선언서 발표: 대동단결 선언(1917), 대한 독립 선언서(1919)

3. 3·1 운동(1919)

(1) 배경: 윌슨의 민족 자결주의 주장, 2·8 독립 선언서 발표
   - └ 윌슨의 민족 자결주의 제창에 자극을 받은 한국인 유학생들이 도쿄에 모여 발표한 독립 선언서

(2) 과정: 1919년 3월 1일 서울에서 기미 독립 선언서 발표 → 서울, 평양, 원산, 선천 등 전국 각지 및 국외에서 만세 시위 전개

(3) 의의: 제국주의 침략 반대, 평화 지향, 국민이 주인 된 나라 건설 지향, 대한민국 임시 정부 수립에 영향 등

4. 대한민국 임시 정부의 항일 운동

(1) 대한민국 임시 정부의 활동: 연통제 실시, 육군 주만 참의부 설치(무장 항일 운동 지원), 구미 위원부 설치(외교 운동) 등
   - ┌ 대한민국 임시 정부와 국내외를 연결하고자 만든 비밀 행정 조직으로, 독립운동 정보를 국내에 전달하고 독립운동 자금 모금, 항일 운동 지휘 연락 등을 담당함

(2) 국민 대표 회의 소집
   - ┌ 1923년 상하이에서 대한민국 임시 정부가 노선과 활동을 재평가하고 분열된 독립운동을 통일하기 위해 열린 회의
   ① 배경: 무장 투쟁론과 외교 운동론 사이의 갈등
   ② 과정: 국민 대표 회의를 통한 독립운동 재정비 노력(1923) → 회의 결렬 후 임시 정부의 활동 침체

(3) 대한민국 임시 정부 강화 노력: 한국 독립당 결성(1940), 한국 광복군 조직(1940), 대한민국 건국 강령 발표(1941) 등
   - 대한민국 임시 정부가 발표한 광복 이후의 국가 건설 계획

5. 국내외의 다양한 항일 운동
┌ 민족 산업을 육성하여 경제적 자립을 도모하자는 분위기 속에서 '조선인이 만든 것을 입고, 먹고, 쓰자', '내 살림 내 것으로' 등의 표어를 내걸고 전개됨

(1) 국내: 실력 양성론과 물산 장려 운동, 신간회의 활동(1927), 광주 학생 항일 운동 전개(1929)
   - └ 민족주의 세력과 사회주의 세력이 연합하여 결성되었고, 광주 학생 항일 운동의 진상 조사단을 파견함

(2) 국외: 무장 항일 운동 전개(1920년 봉오동 전투와 청산리 전투, 1930년대 조선 혁명군과 한국 독립군의 활동 등)

자료 이해하기 광주 학생 항일 운동 ──────────────── 📖 교과서 181쪽

⊙ 광주 학생 항일 운동을 보도한 신문 기사

| 내용 알기 | 1929년 나주역에서 일본인 남학생이 한국인 여학생을 희롱한 사건을 계기로 한일 학생 간의 충돌이 발생하였다. 경찰이 일방적으로 일본 학생 편을 들자 한국 학생들이 분노하였고, 광주 지역 학생을 중심으로 학생 독립운동이 전개되었다. 이후 전국적으로 동맹 휴업과 시위가 벌어졌고, 여러 사회 단체의 지원으로 전국적인 규모의 항일 독립운동으로 확산되었다. 정부는 11월 3일 전개된 광주 학생 항일 운동이 식민지 차별 교육과 민족 차별에 반대하는 항일 운동으로 발전한 것을 기념하여 11월 3일을 '학생 독립운동 기념일'로 제정하였다.

03 광복과 대한민국 정부의 수립

1. 좌우 대립의 전개

(1) 광복 이후 한반도의 상황

① 한반도의 분할: 일본의 항복 후 미국과 소련은 북위 38도선을 경계로 한반도에 진주 → 군정 실시 <u>군대가 나라를 임시로 다스린다는 뜻. 광복 이후 북위 38도선을 경계로 남쪽에는 미국이, 북쪽에는 소련이 군정을 실시함</u>

② 국내 정치 세력의 형성: 조선 건국 준비 위원회 조직, 독립운동가들의 귀국

③ 모스크바 3국 외상 회의: 한반도에 임시 민주 정부 구성, 미소 공동 위원회 개최, 미·영·중·소 4개국에 의한 최고 5년간 신탁 통치 시행 등에 합의 <u>특정 국가가 일정 지역을 대신 통치하는 제도</u>

(2) 좌우 대립과 통일 정부 수립을 위한 노력

① 좌우 대립: 신탁 통치 문제를 두고 반탁 입장의 우익과 회의 결정 내용을 지지하는 좌익 간의 갈등 심화 <u>미국과 소련은 각자에게 유리한 단체를 임시 정부 수립을 위한 협의에 참여할 단체로 주장하면서 대립함</u>

② 미소 공동 위원회 개최: 소련과 미국의 입장 차이로 결렬

③ 좌우 합작 운동 전개: 여운형 등이 좌우 합작 위원회를 만들어 통일 정부 수립 노력 → 미국의 지원 취소와 여운형의 암살로 성과를 거두지 못함

2. 대한민국 정부 수립

(1) 과정: 제2차 미소 공동 위원회 결렬 → 한반도 문제의 국제 연합(유엔) 상정 → 유엔이 남북 총선거를 통한 정부 구성 결정 → 유엔 한국 임시 위원단 파견 → 북측이 위원단의 입북 거부 → 선거가 가능한 지역에서 총선거 실시 결정 → 제주도에서 단독 선거에 반대하는 시위 발생(제주 4·3 사건) <u>김구가 통일 정부를 수립하고자 남북 협상에 나섰으나 실패함</u>

(2) 대한민국 정부 수립(1948. 8. 15)

① 5·10 총선거: 유엔 결의에 따라 최초의 총선거 실시 → 제헌 국회 구성

② 제헌 국회: 제헌 헌법 제정, 국회의 간접 선거로 이승만을 대통령으로 선출

③ 대한민국 정부 수립: 이승만이 내각을 구성하고 대한민국 정부 수립 선포

(3) 반민족 행위자 처벌 노력: 제헌 국회에서 「반민족 행위 처벌법」 제정 → 이승만 정부의 부정적인 태도로 철저하게 처벌하지 못함

◆ 조선 건국 준비 위원회

새로운 국가 수립에 대비하여 여운형과 안재홍 등 민족 운동 지도자들이 조직한 단체이다. 대부분의 지역에 지부를 설치하여 전국적인 조직을 갖추었고, 치안 유지에 노력하며 건국 준비를 하였다.

◆ 제주 4·3 사건

단독 정부 수립을 위한 총선거가 결정되자, 1948년 4월 3일 제주도에서 단독 정부 수립 반대, 미군 철수를 주장하는 무장 봉기가 일어났다. 군인과 경찰, 무장대 간의 충돌로 많은 제주 도민이 희생되었다.

◆ 반민족 행위 처벌법

한일 병합에 협력한 자, 일본 정부로부터 작위를 받은 자, 기타 심각한 반민족 행위를 한 자를 처벌하고자 만든 법으로, 1948년 9월 공포되었다. 이 법에 따라 반민족 행위 특별 조사 위원회(반민 특위)가 설치되어 친일 행위자를 체포하여 조사하려 하였으나, 이승만 대통령의 압박으로 반민 특위가 해체되면서 친일파 청산은 제대로 이루어지지 못하게 되었다.

중단원 핵심 확인하기 풀이

📖 교과서 183쪽

1. 빈칸에 들어갈 알맞은 말을 써 보자.

(1) 조선 정부는 근대 문물을 시찰하기 위해 일본에 ☐☐☐☐을/를 파견하고, 청에는 영선사를 보냈다.

(2) 전주성을 점령한 동학 농민군은 외국 군대의 개입을 우려해 전주에서 정부군과 ☐☐☐☐을/를 맺었다.

(3) 대한 제국은 황제 권력을 강화하는 내용의 ☐☐☐☐을/를 발표하였다.

(1) 조사 시찰단 (2) 전주 화약 (3) 대한국 국제

2. 관련 있는 내용을 옳게 연결해 보자.

(1) 김구 ──── ㉠ 신흥 무관 학교
(2) 여운형 ──── ㉡ 조선 건국 준비 위원회
(3) 이회영 ──── ㉢ 대한민국 임시 정부
(4) 서재필 ──── ㉣ 독립 협회

3. 옳은 내용은 ○표, 틀린 내용은 ×표를 해 보자.

(1) 일제는 1910년대에 문화 통치의 일환으로 헌병 경찰 제도를 폐지하였다. (×)

(2) 1945년에 열린 모스크바 3국 외상 회의에서는 38도선 이남 지역의 단독 총선거를 결정하였다. (×)

4. 제시된 용어를 3개 이상 사용하여 대한민국 임시 정부의 의의를 문장으로 완성해 보자.

입헌 군주제   공화제   3·1 운동

실력 양성 운동   개화파   민족 자결주의

1919년 윌슨의 민족 자결주의에 영향을 받아 3·1 운동이 일어났다. 대한민국 임시 정부는 3·1 운동을 계기로 독립운동의 구심점이 필요하다는 인식이 확산된 결과 만들어졌으며, 우리 역사상 최초로 공화제에 근거한 정부였다.

도입 활동 풀이

교과서 도입 01 서양 세력의 침략과 통상 수교 거부 정책

| 도입 보충 |

흥선 대원군이 서양 세력의 통상 수교 요구를 거부하고 천주교 탄압을 강화하자, 프랑스군은 프랑스 신부 처형에 항의하고자 강화도를 침공하였다(병인양요). 또한 미군은 제너럴 셔먼호 사건을 구실로 강화도에 쳐들어왔다(신미양요). 흥선 대원군은 외세의 침략을 물리친 후 전국 각지에 서양 세력과 화친을 맺지 않겠다는 내용의 척화비를 세웠다.

◆ 강화도를 침략한 '서양 오랑캐'는 어느 나라일까?

도입 예시 답안 | 병인양요를 일으킨 프랑스, 신미양요를 일으킨 미국이다.

교과서 도입 02 3·1 운동

| 도입 보충 |

일본은 1910년 대한 제국을 강제로 병합하였고, 이후 헌병 경찰을 배치하고 언론과 결사의 자유를 박탈하는 등 무단 통치를 실시하였다. 이러한 일본의 억압적인 지배에 맞서 1919년 3월 1일 학생과 시민들은 서울, 평양 등 전국 각지에서 만세 시위를 전개하였다. 이는 제국주의 침략에 반대하고 평화를 지향한 운동이었다.

◆ 유관순이 만세 시위를 벌인 까닭은 무엇일까?

도입 예시 답안 | 우리나라의 독립을 위해 3·1 운동에 참여해 만세 시위를 벌였다.

교과서 도입 03 광복과 대한민국 정부 수립

| 도입 보충 |

1948년 5월, 우리나라 역사상 최초의 민주적 보통 선거인 5·10 총선거가 실시되어 제헌 국회가 구성되었다. 제헌 국회는 국호를 '대한민국'으로 결정하고, 민주 공화제에 기반한 제헌 헌법을 제정하였다. 이후 이승만을 대통령으로 하는 대한민국 정부가 수립되었다.

◆ 8·15 광복(1945. 8. 15.)　　◆ 5·10 총선거(1948. 5. 10.)　　◆ _____(1948. 8. 15.)

◆ 밑줄에 들어갈 알맞은 말은 무엇일까?

도입 예시 답안 | 대한민국 정부 수립

역사 탐구 풀이 및 보충

교과서 177쪽

 역사 탐구 — 대한국 국제와 대한민국 헌법의 차이점

| 자료 1 |

대한국 국제

제1조 대한국은 세계 만국에 공인된 자주독립 제국이다.

제2조 대한 제국의 정치는 만세토록 변하지 않을 전제 정치이다.

제3조 대한국 황제는 무한한 군주권을 지니고 있다.

제5조 대한국 황제는 육해군을 통솔하고 계엄의 시행을 명할 수 있다.

제6조 대한국 황제는 법률을 제정할 수 있고, …… 법률을 개정할 권리를 가진다.

– 『고종실록』

| 자료 2 |

대한민국 헌법

제1조 ① 대한민국은 민주 공화국이다.

② 대한민국의 주권은 국민에게 있고, 모든 권력은 국민으로부터 나온다.

제11조 ① 모든 국민은 법 앞에 평등하다. …….

② 사회적 특수 계급의 제도는 인정되지 아니하며, 어떠한 형태로도 이를 창설할 수 없다.

제40조 입법권은 국회에 속한다.

친절한 활동 길잡이

이 활동의 핵심은 대한국 국제와 대한민국 헌법의 차이점을 파악하는 것이다. 대한국 국제에 나타난 문제점을 대한민국 헌법과 비교하여 이해한다. 또 주권에 주목하여 우리가 지향해야 할 국가는 어떤 모습일지 생각해 본다.

1. | 자료 1 |과 | 자료 2 |를 비교해 보고 차이점을 써 보자.

정답 풀이 | 대한국 국제에는 군주가 주권자라는 내용이 있지만, 대한민국 헌법에는 국민이 주권자라는 내용이 담겨 있다.

2. | 자료 1 |에 나타난 대한 제국 정치 형태의 문제점이 무엇인지 생각해 보자

정답 풀이 | 대한국 국제에는 군주의 권리만 규정되어 있고 국민의 권리에 관한 내용은 없다.

자료 이해 확인 문제

1. 대한국 국제는 국민의 권리를 보장하고, 주권이 국민에게 있음을 밝히고 있다. (○ / ×)

2. 대한민국 헌법은 모든 권력은 국민으로부터 나온다는 국민 주권의 개념을 담고 있다. (○ / ×)

» 정답 1. × 2. ○

교과서 180쪽

 역사 탐구 — 대한 독립 선언서와 기미 독립 선언서

| 자료 1 |

대한 독립 선언서

우리 대한은 완전한 자주독립과 평등 복리의 원리를 우리 자손에게 대대로 전하기 위하여 이민족 독재의 학대와 억압을 벗고 <u>대한 민주의 자립을 선포</u>한다. …… 민족 평등을 전 지구에 널리 시행할 것이니 이것이야말로 우리가 독립을 선포하는 첫 번째 뜻이다. 또 모든 동포에게 동등한 권리와 부(富)를 베풀어 남녀와 빈부를 고르게 하며 …… 평등하게 대하겠다.

| 자료 2 |

기미 독립 선언서

우리 조선이 독립한 나라임과 조선 사람이 자주적인 민족임을 선언한다. …… 낡은 시대의 유물인 침략주의, 강권주의에 희생되어, 우리 역사가 있은 지 몇천 년 만에 처음으로 다른 민족의 압제에 뼈 아픈 괴로움을 당한 지가 10년이 지났으니 …… 우리의 본디부터 지녀 온 자유권을 지켜 왕성한 번영 속에서 삶을 즐겨 마음껏 누릴 것이며, 평화가 넘치는 온 세계에 우리 민족의 빛나는 문화를 맺게 할 것이다.

친절한 활동 길잡이

이 활동은 대한 독립 선언서를 선포한 이유를 알고, 기미 독립 선언서와의 공통점을 이해하는 것이다. 대한 독립 선언서가 발표된 배경을 파악하고, 기미 독립 선언서를 3·1 운동과 연관하여 이해하도록 한다.

1. | 자료 1 |의 밑줄과 같은 선언을 하게 된 이유가 무엇인지 써 보자.

정답 풀이 | 대한 민주라는 표현에서 당시 독립운동가들이 민주주의 국가를 만들어야 한다고 생각했음을 알 수 있다.

2. 두 선언에 공통으로 나타난 내용이 무엇인지 찾아보자.

정답 풀이 | 우리나라가 자주독립한 국가이고, 세계 평화(민족 평등)를 주장한다는 내용이 공통으로 나타난다.

자료 이해 확인 문제

1. 대한 독립 선언서를 발표한 독립운동가들은 민주주의 국가 설립을 주장하였다. (○ / ×)

2. 대한 독립 선언서와 기미 독립 선언서는 세계 평화를 지향하고 있다. (○ / ×)

» 정답 1. ○ 2. ○

중요

01 밑줄 친 '그'에 대한 설명으로 옳은 것만을 **보기**에서 고른 것은?

그는 나이 어린 고종이 왕위에 오르자 아버지로서 권력을 장악하였다. 이어 비변사의 기능을 축소하고 통상 수교 거부 정책을 펼쳤다.

보기
ㄱ. 척화비를 세웠다.
ㄴ. 경복궁을 중건하였다.
ㄷ. 대한국 국제를 발표하였다.
ㄹ. 만국 평화 회의에 특사를 파견하였다.

① ㄱ, ㄴ   ② ㄱ, ㄷ   ③ ㄴ, ㄷ
④ ㄴ, ㄹ   ⑤ ㄷ, ㄹ

단답형

02 (가)에 들어갈 알맞은 말을 쓰시오.

흥선 대원군은 서양 세력의 통상 수교 요구를 거부하고 천주교를 탄압하였다. 이에 프랑스군은 자국 신부의 처형에 항의하고자 강화도를 침공하여 (가) 을/를 일으켰으나 양헌수, 한성근의 활약으로 물러갔다.

(   )

중요

03 (가)에 들어갈 내용으로 적절한 것은?

〈수행 평가 계획서〉
• 탐구 주제: 개항 이후 조선 정부가 추진한 개화 정책을 조사한다.
• 모둠별 활동 주제

모둠	주제
1모둠	통리기무아문 설치
2모둠	조사 시찰단, 영선사 파견
3모둠	(가)

① 별기군 설치   ② 독립 협회 설립
③ 집강소 설치   ④ 강화도 조약 체결
⑤ 위정척사 운동 전개

04 밑줄 친 '사건'의 명칭으로 옳은 것은?

구식 군인들에게 밀린 급료를 주도록 명령했는데, 창고지기가 겨와 모래가 섞인 쌀을 지급하였다. 이에 그동안 별기군과 비교해 차별 대우를 받는다고 생각하던 구식 군인들이 일본인 군사 교관을 살해하고 정부 고관을 습격하는 사건을 일으켰다.

① 병인양요   ② 신미양요
③ 임오군란   ④ 갑신정변
⑤ 갑오개혁

05 다음 개혁 정강과 관련된 설명으로 옳은 것은?

• 문벌을 폐지하여 인민 평등의 권리를 세워, 능력에 따라 관리를 임명한다.
• 지조법을 개혁하여 관리의 부정을 막고 국가 재정을 확충한다.
• 대신들은 의정부에 모여 정령을 의결하고, 반포한다.

① 삼국 간섭 시기에 발표되었다.
② 김옥균 등 급진파가 발표하였다.
③ 정부의 개화 정책에 반대하고 있다.
④ 군국기무처를 중심으로 발표되었다.
⑤ 동학 농민군이 폐정 개혁안에서 요구한 내용이다.

06 다음 사건들을 일어난 순서대로 바르게 나열한 것은?

> ㄱ. 전주 화약   ㄴ. 고부 농민 봉기
> ㄷ. 우금치 전투   ㄹ. 일본의 경복궁 점령

① ㄱ-ㄴ-ㄷ-ㄹ   ② ㄱ-ㄹ-ㄴ-ㄷ
③ ㄴ-ㄱ-ㄹ-ㄷ   ④ ㄴ-ㄷ-ㄱ-ㄹ
⑤ ㄷ-ㄴ-ㄹ-ㄱ

중요
07 밑줄 친 '개혁'에 대한 설명으로 옳은 것은?

> 그림은 군국기무처의 회의 모습이야. 군국기무처는 <u>개혁</u>을 주도하였던 최고 정책 결정 기관으로, 3개월 동안 약 200여 건의 의제를 처리하였어.

① 아관 파천을 결정하였다.
② 흥선 대원군이 주도하였다.
③ 청군의 개입으로 실패하였다.
④ 신분제 폐지 등을 단행하였다.
⑤ 집강소 설치 내용을 담고 있다.

08 (가)에 해당하는 나라로 옳은 것은?

> 삼국 간섭 이후 조선 정부 안에서는 러시아를 끌어들이려는 움직임이 나타났다. [(가)]은/는 이러한 움직임을 차단하고자 궁궐로 난입해 명성 황후를 살해하는 을미사변을 일으켰다.

① 청   ② 일본   ③ 영국
④ 미국   ⑤ 프랑스

고난도
09 (가) 시기에 있었던 사건으로 옳은 것은?

	(가)	
아관 파천		대한 제국 선포

① 정미의병이 일어났다.
② 집강소가 설치되었다.
③ 을사늑약이 체결되었다.
④ 러일 전쟁이 발생하였다.
⑤ 독립 협회가 창립되었다.

단답형
10 다음 문서의 명칭을 쓰시오.

> 제1조 대한국은 세계 만국에 공인된 자주독립 제국이다.
> 제2조 대한 제국의 정치는 만세토록 변하지 않을 전제 정치이다.
> 제3조 대한국 황제는 무한한 군주권을 지니고 있다.
> 제5조 대한국 황제는 육해군을 통솔하고 계엄의 시행을 명할 수 있다.

(   )

중요
11 밑줄 친 '이 조약'의 내용으로 옳은 것은?

자료는 헤이그 특사를 묘사한 부조 작품이다. 고종은 <u>이 조약</u>이 무효임을 알리고자 헤이그에서 열린 만국 평화 회의에 특사를 파견하였다.

① 군대를 해산하였다.
② 외교권을 박탈하였다.
③ 과거제를 폐지하였다.
④ 고종을 강제 퇴위시켰다.
⑤ 대한 제국을 병합하였다.

12 ^{중요} 독도 수호를 위한 우리 민족의 노력을 알아보는 활동으로 적절한 것만을 보기 에서 고른 것은?

┌─ 보기 ─────────────────────────────┐
ㄱ. 강화도 조약의 주요 내용을 분석한다.
ㄴ. 시마네현 고시 제40호 내용을 알아본다.
ㄷ. 조선 숙종 때 안용복의 활동을 조사한다.
ㄹ. 대한 제국 칙령 제41호의 내용을 찾아본다.
└──────────────────────────────────┘

① ㄱ, ㄴ   ② ㄱ, ㄷ   ③ ㄴ, ㄷ
④ ㄴ, ㄹ   ⑤ ㄷ, ㄹ

13 밑줄 친 '이 시기'에 있었던 사실로 옳은 것은?

 사진은 이 시기에 헌병 경찰이 한국인에게 태형을 가할 때 사용한 도구이다. 이 시기에 일제는 전국 각지에 헌병 경찰을 배치하고 언론과 결사의 자유를 박탈하였다.

① 척화비가 세워졌다.
② 단발령이 발표되었다.
③ 중일 전쟁이 일어났다.
④ 동아일보가 발행되었다.
⑤ 무단 통치가 실시되었다.

14 ^{중요} (가) 시기에 있었던 사실로 옳은 것만을 보기 에서 고른 것은?

3·1운동 발생 → (가) → 국가 총동원법 실시

┌─ 보기 ─────────────────────────────┐
ㄱ. 을사의병 봉기
ㄴ. 조선 총독부 설치
ㄷ. 보통 경찰제 실시
ㄹ. 이른바 문화 통치 실시
└──────────────────────────────────┘

① ㄱ, ㄴ   ② ㄱ, ㄷ   ③ ㄴ, ㄷ
④ ㄴ, ㄹ   ⑤ ㄷ, ㄹ

15 (가) 인물의 활동으로 옳은 것은?

┌──────────────────────────────────┐
한국사 인물 카드
• 이름: (가)
• 주요 활동: 전 재산을 팔아 일가족 전체가 만주로 망명하여 항일 독립 운동을 펼친 독립운동가이다. 신민회에서 활동하였으며, 그의 노력으로 만주 지역에 많은 무장 투쟁 단체가 설립되었다.
└──────────────────────────────────┘

① 갑신정변을 일으켰다.
② 한국 독립당을 조직하였다.
③ 대한 독립 선언서를 만들었다.
④ 신흥 무관 학교를 설립하였다.
⑤ 물산 장려 운동을 추진하였다.

16 ^{중요} 다음 선언을 발표한 민족 운동의 배경으로 옳은 것만을 보기 에서 고른 것은?

┌──────────────────────────────────┐
우리 조선이 독립한 나라임과 조선 사람이 자주적인 민족임을 선언한다. …… 낡은 시대의 유물인 침략주의, 강권주의에 희생되어, 우리 역사가 있은 지 몇천 년 만에 처음으로 다른 민족의 압제에 뼈아픈 괴로움을 당한 지가 10년이 지났으니 ……
└──────────────────────────────────┘

┌─ 보기 ─────────────────────────────┐
ㄱ. 일제의 만주 침략
ㄴ. 2·8 독립 선언 발표
ㄷ. 일제의 징용, 징병 실시
ㄹ. 윌슨의 민족 자결주의 제창
└──────────────────────────────────┘

① ㄱ, ㄴ   ② ㄱ, ㄷ   ③ ㄴ, ㄷ
④ ㄴ, ㄹ   ⑤ ㄷ, ㄹ

중요
17 (가) 정부의 활동으로 옳은 것만을 **보기**에서 고른 것은?

> **역사 용어 카드**
>
> (가)
>
> 3·1 운동 이후 상하이에 수립되었으며, 국내외를 연결하고 독립 자금을 모으기 위해 연통제를 실시하였다. 또한 무장 항일 운동을 지원하기 위해 만주에 육군 주만 참의부를 두었다.

보기
ㄱ. 한국 광복군 조직
ㄴ. 구미 위원부 설치
ㄷ. 대한 독립 선언서 발표
ㄹ. 광주 학생 항일 운동 주도

① ㄱ, ㄴ   ② ㄱ, ㄷ   ③ ㄴ, ㄷ
④ ㄴ, ㄹ   ⑤ ㄷ, ㄹ

단답형
18 밑줄 친 '회의'의 명칭을 쓰시오.

> 대한민국 임시 정부는 국내와 연락하면서 외교 활동을 전개하고 무장 항일 운동을 지원하였다. 그러나 외교 활동의 성과가 미비하자 독립운동의 방향을 두고 외교 운동론과 무장 투쟁론 사이에 의견 대립이 발생하였고, 안창호 등의 주장에 따라 독립운동을 재정비하기 위한 <u>회의</u>가 소집되었다.

(   )

19 (가) 군대의 명칭으로 옳은 것은?

사진은 대한민국 임시 정부가 1940년에 조직한 군대인 (가) 이다. 대한민국 임시 정부는 한국 독립당을 구성해 활동을 강화하였고, 군대를 조직하여 인도·미얀마 전선에서 활약하였다.

① 조선 혁명군   ② 한국 독립군
③ 한국 광복군   ④ 대한 독립군
⑤ 북로 군정서

20 다음 설명에 해당하는 인물로 옳은 것은?

> 독립에 필요한 힘을 쌓자는 실력 양성 운동의 일환으로 '내 살림, 내 것으로', '조선 사람 조선 것' 등의 구호를 내세우며 한국인이 생산한 상품을 구입하도록 촉구하는 운동을 주도하였다.

① 김구   ② 이승만   ③ 조만식
④ 여운형   ⑤ 이상재

21 (가) 단체의 활동으로 옳은 것은?

> **한 국 사 신 문**
>
> (가) 가 해소되다
>
> 1927년 광범위한 민족 운동을 추진하기 위해 이상재 등이 사회주의 세력과 연합하여 창립한 (가) 이/가 일제의 탄압으로 인해 활동이 어려워져 해소되었다.

① 무장 투쟁론을 주장하였다.
② 대한민국 건국 강령을 만들었다.
③ 일제의 무단 통치에 저항하였다.
④ 2·8 독립 선언서를 발표하였다.
⑤ 광주 학생 항일 운동에 진상 조사단을 파견하였다.

22 (가), (나) 사이 시기에 있었던 사실로 옳은 것만을 보기 에서 고른 것은?

(가)

△ 8·15 광복

(나)

△ 대한민국 정부 수립

보기
ㄱ. 신간회 창립
ㄴ. 5·10 총선거 실시
ㄷ. 미소 공동 위원회 개최
ㄹ. 기미 독립 선언서 발표

① ㄱ, ㄴ　　　② ㄱ, ㄷ　　　③ ㄴ, ㄷ
④ ㄴ, ㄹ　　　⑤ ㄷ, ㄹ

23 밑줄 친 '국회'에 대한 설명으로 옳은 것은?

사진은 「반민족 행위 처벌법」에 따라 체포되는 사람들의 모습이다. 국회는 법을 제정해 친일 행위자를 처벌하려 하였으나, 이승만 정부의 부정적인 태도로 철저하게 처벌하지는 못하였다.

① 제헌 헌법을 제정하였다.
② 구미 위원부를 설치하였다.
③ 대한국 국제를 반포하였다.
④ 대한민국 건국 강령을 발표하였다.
⑤ 최고 5년의 신탁 통치를 결정하였다.

고난도
24 (가)에 들어갈 내용으로 옳은 것만을 보기 에서 고른 것은?

미국과 소련은 한반도에 임시 민주 정부를 구성하고자 미소 공동 위원회를 처음으로 개최하였다.
↓
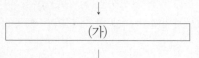
(가)
↓
1948년 5월 우리나라 최초로 총선거가 실시되었다.

보기
ㄱ. 좌우 합작 위원회가 조직되었다.
ㄴ. 이승만이 대통령으로 선출되었다.
ㄷ. 유엔 한국 임시 위원단이 파견되었다.
ㄹ. 조선 건국 준비 위원회가 결성되었다.

① ㄱ, ㄴ　　　② ㄱ, ㄷ　　　③ ㄴ, ㄷ
④ ㄴ, ㄹ　　　⑤ ㄷ, ㄹ

단답형
25 밑줄 친 '사건'의 명칭을 쓰시오.

유엔 소총회는 선거 감시가 가능한 지역에서만 우선 선거를 실시하도록 결정하였고, 이에 따라 남한에서만 5월 총선거를 실시하게 되었다. 제주도에서는 이러한 단독 선거에 반대하는 시위가 일어났는데, 시위를 진압하는 과정에서 무고한 사람들이 희생당하는 사건이 벌어졌다.

(　　　　　　　　　)

26 다음을 읽고 물음에 답하시오.

> 흥선 대원군이 권력에서 물러나고 고종이 직접 정치를 주도하면서 정부 내에서 통상을 주장하는 사람들의 목소리가 커졌다. 마침 일본이 운요호 사건을 일으키고 개항을 요구하자, 개항의 필요성을 느끼던 조선 정부는 이에 응해 <u>조약</u>을 체결하고 부산, 인천 등의 항구를 개항하였다.

(1) 밑줄 친 '조약'의 명칭을 쓰시오.

(2) 이 조약의 불평등 요소를 <u>두 가지</u> 서술하시오.

27 (가)에 들어가기에 적절한 내용을 역사적 근거를 들어 서술하시오.

> 일본은 러일 전쟁 중 독도의 군사적·경제적 가치에 주목하여, 1905년 시마네현 고시 제40호를 통해 독도를 다케시마라 부르며 일방적으로 자국 영토로 편입하였다. 독도가 역사적, 지리적으로 명백히 우리의 땅임에도 불구하고 일본은 현재까지도 독도의 영유권을 주장하고 있다. 그러나 독도는 우리의 땅이 분명하다. 왜냐하면
>
> (가)

28 다음 자료를 보고 물음에 답하시오.

> 자료는 탑골 공원에 있는 [(가)]의 기념 부조이다. 1919년 민족 대표 33인은 태화관에서 독립 선언을 하였고, 탑골 공원에 모여 있던 학생과 시민들은 따로 독립 선언서를 낭독하고 '독립 만세'를 외치며 시위를 벌였다.

(1) (가) 운동의 명칭을 쓰시오.

(2) (가) 운동이 끼친 영향을 서술하시오.

29 다음을 읽고 물음에 답하시오.

> 1945년 말에 미·영·소 3국의 외무 장관은 [(가)]을/를 열고 한반도에 임시 민주 정부를 구성할 것, 이를 위해 미소 공동 위원회를 개최할 것, 미·영·중·소 4개국이 <u>최고 5년간 신탁 통치를 시행</u>할 것 등에 합의하였다.

(1) (가) 회의의 명칭을 쓰시오.

(2) 밑줄 친 '최고 5년간 신탁 통치를 시행'이 우리나라에 끼친 영향을 서술하시오.

② 자본주의와 사회 변화

◉1 외세의 경제적 침탈

1. 개항장 중심의 거류지 무역 전개

(1) 강화도 조약(조일 수호 조규): 부산, 인천, 원산 등을 개항 → 개항장 형성
└ 외국 상인이 거주할 수 있는 거류지를 중심으로 무역이 이루어짐

(2) 조일 무역 규칙(1876): 관세 조항 없음, 쌀의 무제한 유출 허용 → 일본 상인에게 유리

(3) 조일 통상 장정(1883): 방곡령 선포 규정 포함, 일본 수출입 상품에 관세 부과 가능
└ 조미 통상 조약 체결 후 일본에 재협상을 요구하여 체결함
└ 자연재해나 전쟁 등으로 인해 국내 식량이 부족할 경우 지방관이 그 지방에서 생산된 곡식의 유출을 금지할 수 있는 조치임

2. 외세의 이권 침탈과 반대 운동

(1) 이권 침탈 확대: 열강이 광산 개발권, 삼림 채벌권, 철도 부설권 등 차지

(2) 이권 침탈 반대 운동: 독립 협회(러시아의 부산 절영도 조차 요구 저지, 한러 은행 폐쇄), 보안회(일본의 황무지 개간권 요구 반대 운동, 1904)
└ 다른 나라 영토의 일부를 일정 기간 빌려 차지하는 것을 의미함

(3) 일본의 경제적 침탈과 대응: 메가타의 화폐 정리 사업으로 일부 상공업자들 타격, 일본 정부에 거액의 자금을 빌림 → 국채 보상 운동 전개(1907)
└ 일본에게 진 빚을 갚고 국권을 회복하려는 운동으로 대구에서 시작되어 전국으로 확대됨

◉2 일제 강점기의 사회와 경제
└ 제일차 세계 대전을 계기로 일본의 공업화가 빠르게 진행되면서 도시의 쌀 수요가 늘어나 쌀값이 폭등함

1. 토지 조사 사업: 일제가 식민 통치에 필요한 비용 마련을 위해 실시(1910~1918)

(1) 방법: 토지 소유자가 토지 신고, 토지 대장 작성, 토지 가격 산정 후 지세 거둠

(2) 결과: 조선 총독부의 지세 수입 증가, 소유권이 불분명한 토지는 국유지로 편입, 일부 국유지를 동양 척식 주식회사가 차지, 지주들의 토지 소유권만 인정

2. 산미 증식 계획: 일본 내의 식량 부족 문제를 완화하기 위해 실시(1920년대)

(1) 방법: 화학 비료 사용 확대, 밭을 논으로 변경, 수리 조합 조직 → 수리 시설·제방 축조

(2) 결과: 수리 조합비 과다 징수, 지주들이 소작농에게 수리 조합비 전가, 쌀 가격 폭락 → 농민 생활 궁핍, 일부 농민 국외나 도시로 이주
└ 일정한 구역 내에 물을 공급하고자 인위적으로 만든 시설

3. 침략 전쟁과 경제적 수탈(1930년대)
└ 일제가 공업 완료를 확보하고자 한반도 남부에는 면화를 재배하고 북부에는 양을 사육하도록 한 정책

(1) 일본 독점 자본 진출: 한반도 북부에 군수 물자 공장 건립, 남면북양 정책 실시

(2) 침략 전쟁을 위한 수탈: 무기 제조에 필요한 금속 공출 → 물자 부족과 물가 상승, 군량미 확보를 위해 미곡 공출제 시행 → 한국인의 생활 궁핍
└ 미곡의 자유로운 유통을 통제하고, 농민에게 할당받은 일정량의 농산물을 의무적으로 내도록 한 제도

사이드노트 (왼쪽 열)

◉ 화폐 정리 사업
일본인 재정 고문 메가타는 화폐 정리 사업으로 기존의 한국 화폐 대신 일본 제일 은행권을 유통하여 일본인 상공업자가 우리나라 경제에 쉽게 침투하도록 하였다. 이 과정에서 한국 화폐의 가치가 하락하여 한국인 상공업자가 큰 피해를 입었다.

◉ 동양 척식 주식회사
1908년 일제가 조선의 경제 이권을 차지하고자 만든 회사로 식민지 조선의 최대 지주였다. 농민이 돈을 제때 갚지 못할 경우 토지를 빼앗았으며, 소유한 땅을 일본인에게 헐값으로 팔아 농민들의 원성을 샀다.

◉ 산미 증식 계획
일제는 자국의 쌀 부족 문제를 해결하고자 식민지 조선을 일본의 쌀 공급 기지로 만들려는 산미 증식 계획을 시행하였다. 이를 통해 쌀 생산량은 다소 증가하였으나, 늘어난 쌀의 양보다 훨씬 많은 쌀이 일본으로 빠져나갔다.

◉ 금속 공출
일제는 전쟁이 확대되면서 식량뿐 아니라 무기 제조에 필요한 각종 금속을 공출하였다. 놋그릇, 제기, 농기구부터 교회의 종과 절의 불상까지 가리지 않고 모두 빼앗아 갔다.

자료 이해하기 | 열강의 이권 침탈
📖 교과서 185쪽

| 내용 알기 | 아관 파천 이후 열강은 조선에서 자원·산업 부문의 각종 이권을 차지하였다. 러시아는 광산 채굴권, 삼림 채벌권 등을 빼앗아 갔고, 미국은 광산 채굴권, 철도·전기·전차 부설권 등을 차지하였다. 일본은 미국인 모스에게 경인선 부설권을 사들이고 러시아와 경합하여 경부선 철도 부설권을 획득하였다. 특히 철도는 사람들에게 교통의 편리함을 가져다 주었지만, 주로 일제의 침탈과 군사적 목적으로 부설되었고, 그 과정에서 많은 토지가 철도 부지로 강제 수용되어 사람들에게 큰 피해를 주었다.

03 대한민국의 경제 성장과 사회 변화

1. 1960년대 이전의 경제 상황
(1) <u>농지 개혁</u>: 「농지 개혁법」 제정 후 실시(1950) → 자영농 증가, 지주제 소멸
  ┌ 광복 후 급격한 물가 상승, 높은 소작료 등으로 생활이
  └ 어려워진 농민들을 구제하기 위해 실시됨
(2) 원조 경제: 6·25 전쟁 후 외국의 무상 원조로 재정 운영 → 삼백 산업 발달

2. 국가 주도의 경제 성장
(1) 배경: 미국의 무상 원조 감소 → 제1차 경제 개발 5개년 계획 발표(1962)
  ┌ 파병의 대가로 경제 개발에
  └ 필요한 자금을 빌려주기로 함
(2) 경제 개발에 필요한 자금 확보: 미국의 베트남 전쟁 파병 요청 → <u>브라운 각서</u> 체결 (1966), 한일 기본 조약·청구권 및 경제 협력에 관한 협정 체결(1965) → 자금 유입
(3) 특징: 수출 주도산업 육성 → 일부 성과, 철강 등 중화학 공업에 대한 투자 시작
  ┌ 권리가 침해되었을 때 일정한   ┌ 식민 지배에 대한 충분한 사과와 배상을
  └ 요구를 할 수 있는 권리   └ 받지 못했다는 비판을 받음

3. 3저 호황과 경제 성장
(1) 1970년대: 두 차례(1973, 1979)의 석유 파동과 세계 경기 악화로 경제 위기
(2) 1980년대: 3저 호황(저달러, 저유가, 저금리)을 바탕으로 높은 경제 성장률 기록

4. 노동 환경 개선 요구 대두
(1) 노동 운동 전개: 1980년대 중반 임금 현실화와 노동 환경 개선 요구 확산
(2) 노동조합 조직: 민주 노동조합 총연맹(민주 노총)이 조직되어 노동 운동 주도

5. 외환 위기 발생
  ┌ 국가 권력의 시장 개입을 비판하고 시장의 기능과
  └ 민간의 자유로운 활동을 중시하는 이론
(1) 1980년대 후반: <u>신자유주의</u> 대두 → 우루과이 라운드로 농산물 시장 개방 압력 증대
(2) 외환 위기: 무역 적자와 외환 부족 현상 발생, 외채 증가 → 국제 통화 기금(IMF) 에 구제 금융 신청(1997) → 금 모으기 운동 전개, 실업·비정규직 노동자 증가, 계층 간 소득 격차 확대 → 복지 제도 확충 요구 증가, 노사정 위원회 설치
  ┌ 기초 생활 보장 확대·연금 제도 확충·최저
  └ 임금 보장 등을 요구하는 목소리가 증가함

6. 대중문화의 발전과 새로운 사회적 과제
(1) 대중문화 발전: 대중이 문화의 생산과 소비의 중심으로 등장 → 한류 확산
(2) 과제: 출산율 저하, 노령 인구 증가, 외국인 이주 노동자와 탈북자 증가
  ┌ 1990년대 후반 전
  │ 세계적으로 우리
  │ 나라 대중문화에
  └ 관한 관심 증대

◎ 삼백 산업

미국의 원조 물자를 바탕으로 성장한 제분, 제당, 면방직 산업의 생산물인 밀가루, 설탕, 면직물이 모두 흰색이어서 붙여진 이름이다.

보충⁺ 금 모으기 운동

외환 위기를 맞은 정부는 국제 통화 기금(IMF)에 도움을 요청하여 긴급 자금을 지원받았다. 이러한 국가 위기 속에 시민들도 힘을 모았다. 특히 전국적인 금 모으기 운동에 많은 시민들이 자발적으로 참여하여 금 모으기 운동은 '제2의 국채 보상 운동'이라 불리기도 하였다.

중단원 핵심 확인하기 풀이

📖 교과서 191쪽

1. 빈칸에 들어갈 알맞은 말을 써 보자.

(1) ☐☐ ☐☐은/는 러시아의 부산 절영도 조차 요구에 반대하였다.

(2) 1910년대에 일제는 식민 통치에 필요한 재정을 마련하고자 ☐☐☐☐☐☐을/를 실시하였다.

(3) 정부 수립 이후 ☐☐☐☐☐에 따라 지주가 소유한 농지의 상당 부분이 소작인 등에게 분배되었다.

(1) 독립 협회 (2) 토지 조사 사업 (3) 농지 개혁법

2. 관련 있는 내용을 옳게 연결해 보자.

(1) 조일 무역 규칙 ──┐ ┌── ㉠ 백동화 사용 정지

(2) 화폐 정리 사업 ──┼─┤ ── ㉡ 방곡령 실시 허용

(3) 조일 통상 장정 ──┘ └── ㉢ 미곡 무제한 유출 허용

3. 옳은 내용은 ○표, 틀린 내용은 ×표를 해 보자.

(1) 1883년에 체결된 조일 통상 장정으로 일본의 수출입 상품에 관세를 부과하지 않게 되었다. (×)

(2) 보안회는 일본의 황무지 개간 요구 반대 운동을 펼쳐 이를 저지하였다. (○)

(3) 1980년대 중반에 국제 환경의 변화로 저달러, 저유가, 저금리의 3저 호황이 나타났다. (○)

4. 제시된 용어를 3개 이상 사용하여 1990년대 외환 위기의 결과를 문장으로 완성해 보자.

신자유주의 우루과이 라운드 수출 주도 산업

실업자 다문화 사회적 양극화 사회 보장 제도

외환 위기로 <u>실업자</u>가 늘어나고 <u>사회적 양극화</u> 현상이 나타나자 <u>사회 보장 제도</u>의 확충을 요구하는 목소리가 확산되었다.

도입 활동 풀이

교과서 184쪽

교과서 도입 01 일본의 경제적 침탈

| 도입 보충 |

개항 이후 개항장에 외국 상인이 거주할 수 있는 거류지가 만들어졌고, 이곳을 중심으로 무역이 이루어졌다. 강화도 조약(조일 수호 조규)과 함께 체결된 조일 무역 규칙에는 일본이 조선에서 생산한 쌀을 무제한으로 가져갈 수 있게 허용하고 있었다. 이에 따라 막대한 양의 쌀이 일본으로 유출되어 조선에서 쌀값이 폭등하는 일이 벌어졌다.

◆ 개항장에 쌓여 있던 쌀들은 어디로 운반되었을까?

도입 예시 답안 | 개항장에서 활동하던 일본 상인들이 한반도에서 쌀을 대량으로 구매하여 일본으로 가져갔다.

교과서 186쪽

교과서 도입 02 일제 강점기의 사회

| 도입 보충 |

일본이 대한 제국을 강제로 병합한 이후 일본인들이 정착한 경성의 남촌에는 자본주의의 상징인 백화점과 번화한 상점가가 들어섰다. 반면 조선인들은 농촌 경제가 어려워지면서 일자리를 찾아 도시로 몰려들어 도시의 하층민을 형성하였다. 이들은 날품팔이 노동자, 지게꾼, 인력거꾼, 청소부 등이 되어 도시에 노동력을 제공하며 힘겨운 삶을 살았다.

◆ 일본인이 한국인을 바라보는 시선에는 어떤 감정이 담겨 있을까?

도입 예시 답안 | 한국인을 차별적인 존재로 생각하여 이들이 번화가에 나타나는 것을 불편하게 생각하였다.

교과서 188쪽

교과서 도입 03 국가 주도 경제 성장의 장단점

| 도입 보충 |

1960년대 정부는 국가 주도의 수출 정책을 시행하여 기업의 세금 부담을 덜어주고 기업의 수출 활동을 지원하였다. 이에 따라 우리나라는 높은 경제 성장률을 기록하였고, 1인당 국민 소득도 꾸준히 증가하였다. 그러나 수출 정책을 뒷받침하는 저임금 정책으로 인해 노동자들은 장시간 노동 등에 시달려야 했다.

◆ 국가 주도 경제 성장 정책의 장점과 단점을 말해 보자.

도입 예시 답안 | 수출 주도산업이 성장하였으나 노동 환경이 제대로 개선되지 못하는 문제점이 나타났다.

역사 탐구 풀이 및 보충

교과서 190쪽

 역사 탐구 — 노사정 위원회의 구성과 합의 사항

1998년 초에 노동 단체, 기업 대표, 정부는 경제 위기를 극복하기 위한 타협을 위해 노사정 위원회를 구성하였다.

 노사정 위원회가 정리 해고제 도입에 합의했습니다. 이런 내용들이 앞으로 어떤 영향을 미칠 것으로 보시나요?

 합의 내용을 보면 노동계의 대폭 양보가 있었습니다. 이번 합의로 실업자가 많이 생겨날 것으로 예상합니다.

 노동계가 먼저 고통을 짊어지겠다고 나섰으니 정부와 기업도 뼈를 깎는 노력을 해야 합니다. 정부는 앞으로 실업 대책 기금을 마련해야 하고, _____.

친절한 활동 길잡이

이 활동의 핵심은 외환 위기를 극복하는 과정에서 기업과 정부, 노동계가 어떤 노력을 했는지를 파악하는 것이다. 외환 위기 이후 실업자와 비정규직 노동자가 증가하고 소득 격차가 심화된 배경을 이해하고, 이를 해결하기 위해 어떤 노력이 필요한지 생각해 본다.

1. 노사정 위원회에서 노동계가 양보한 내용을 찾아 써 보자.

정답 풀이 | 노동계는 실업자가 많이 생길 수 있는 위험을 감수하고 기업과 금융 기관의 경쟁력을 강화한다는 명분 아래 추진된 정리 해고제에 합의하였다.

2. 밑줄 친 부분에 들어갈 내용을 써 보자.

정답 풀이 | 사회 보장 제도를 확충하여 실업자를 보호해야 합니다. 정리 해고제가 도입되면 실직자와 비정규직이 증가할 것이고, 이는 노동의 질을 떨어뜨려 국가 경쟁력을 약화시키고 빈부 격차를 확대시킬 것이기 때문입니다.

자료 이해 확인 문제

1. 경제 위기를 극복하기 위해 노동 단체, 기업 대표, 정부는 노사정 위원회를 구성하였다. (○ / ×)

2. 외환 위기 이후 비정규직 노동자가 증가하고, 계층 간 소득 격차가 커지는 등의 문제가 나타났다. (○ / ×)

≫ 정답 1. ○ 2. ○

탐구 plus 외환 위기를 극복하기 위한 노력

△ IMF에 구제 금융 요청을 보도한 신문기사

△ 노사정 위원회 출범 당시 모습

　1997년 무역 적자와 외환 부족으로 위기를 맞은 정부는 국제 통화 기금(IMF)에 도움을 요청하여 긴급 자금을 지원받았다. 외환 위기와 함께 시작한 김대중 정부는 위기의 근본 원인으로 지목된 대기업과 금융 기관의 부실화를 해결하고자 강도 높은 구조 조정을 시행하도록 권고하였다. 또한 노사정 위원회를 설치하여 노동자, 기업 대표, 정부가 함께 대화를 통해 문제를 해결하고자 노력하였다. 이러한 국가 위기 속에 시민들도 힘을 모았다. 특히 전국적인 금 모으기 운동에 많은 시민이 자발적으로 참여하였다. 그 결과 우리나라는 정부의 정책과 시민들의 희생으로 외환 부족 사태를 빠르게 극복하였고, 경제 성장률도 회복할 수 있었다.

01 (가)에 대한 설명으로 옳은 것은?

> 조선은 미국 등 다른 나라와 통상 조약을 체결한 이후 일본과 체결한 조약을 개정하려 하였다. 이에 조선은 1883년 일본과 　(가)　을/를 맺어 관세 부과에 관한 사항을 정하였다.

① 조일 통상 장정이라 한다.
② 원산 학사 설립 규정을 담고 있다.
③ 일본에 금광 채굴권을 허용하였다.
④ 부산, 원산, 인천 등을 개항을 포함하고 있다.
⑤ 일본 상인이 조선에서 생산한 쌀을 무제한으로 가져갈 수 있게 하였다.

단답형
02 (가)에 들어갈 알맞은 말을 쓰시오.

> 자연재해, 전쟁 등으로 인해 식량 공급이 어렵고, 곡물 가격의 폭등으로 백성들의 생활이 어려울 것으로 예상되는 때에 지방관이 그 지방에서 생산된 곡식이 다른 지방이나 다른 나라로 유출되는 것을 금지하는 조치를 　(가)　(이)라고 한다.

(　　　　　　　)

03 (가)에 해당하는 국가로 옳은 것은?

사진은 근대 문물의 상징이었던 기차이다. 경인선이 개통된 이후 여러 곳에 철도가 부설되었는데, 　(가)　은/는 경부선, 경의선을 부설해 군사적인 목적으로 사용하기도 하였다.

① 청　　　② 미국　　　③ 일본
④ 독일　　　⑤ 러시아

04 다음 주장을 펼친 단체에 대한 설명으로 옳은 것은?

> 지금 러시아가 우리 대한을 향하여 절영도를 요구하고 있습니다. 지금 황제 폐하께서는 자주 독립의 권리를 세워 만국과 더불어 나란히 서게 되었거늘, 그 신하된 자들이 만약 한 치, 한 자의 땅이라도 다른 나라 사람에게 준다면 이는 황제 폐하에게는 반역하는 신하요, 우리 대한 이천만 동포 형제에게는 원수가 됩니다.

① 갑오개혁을 추진하였다.
② 한러 은행을 폐쇄시켰다.
③ 군국기무처를 설치하였다.
④ 한국 광복군을 조직하였다.
⑤ 국민 대표 회의를 소집하였다.

05 밑줄 친 '사업'에 대한 설명으로 옳은 것만을 **보기**에서 고른 것은?

사진은 화폐 백동화입니다. 일본은 국내에서 사용하던 화폐인 백동화를 사용하지 못하게 하고, 신화폐로 사용하게 하는 사업을 실시하였습니다.

보기
ㄱ. 아관 파천이 일어나는 계기가 되었다.
ㄴ. 재정 고문으로 부임한 메가타가 주도하였다.
ㄷ. 보안회가 반대 운동을 전개하여 저지하였다.
ㄹ. 일본 제일 은행에서 발행한 돈으로 바꾸게 하였다.

① ㄱ, ㄴ　　　② ㄱ, ㄷ　　　③ ㄴ, ㄷ
④ ㄴ, ㄹ　　　⑤ ㄷ, ㄹ

단답형

06 밑줄 친 '운동'의 명칭을 쓰시오.

> 일제는 대한 제국으로 하여금 일본 정부로부터 거액의 돈을 빌려 쓰게 하였다. 이로 인해 대한 제국이 일본에 많은 빚을 지게 되자 1907년에 일본에 진 빚을 갚자는 운동이 전국적으로 일어났다.

(   )

중요

07 다음 사업에 대한 설명으로 옳은 것만을 **보기**에서 고른 것은?

> 제1조 토지의 조사 및 측량은 본령에 의한다.
> 제4조 토지 소유자는 조선 총독이 정하는 기간 내에 주소, 성명, 명칭 및 소유지의 소재, 지목, 자번호, 사표, 등급, 지적, 결수를 임시 토지 조사 국장에게 신고해야 한다.

보기
ㄱ. 일제가 중일 전쟁 이후 실시하였다.
ㄴ. 한국에서 쌀의 생산이 늘어나게 되었다.
ㄷ. 조선 총독부의 지세 수입이 증가하였다.
ㄹ. 주인이 불분명한 토지는 국유지로 편입되었다.

① ㄱ, ㄴ   ② ㄱ, ㄷ   ③ ㄴ, ㄷ
④ ㄴ, ㄹ   ⑤ ㄷ, ㄹ

08 (가)에 들어갈 내용으로 옳은 것은?

> 〈수행 평가 계획서〉
> • 탐구 주제: 1920년대 일제가 실시한 [(가)] 에 대해 조사한다.
> • 모둠별 활동 주제

모둠	주제
1모둠	밭을 논으로 바꾼 배경
2모둠	수리 조합을 설치한 이유
3모둠	소작농의 처지 변화

① 징용제   ② 화폐 정리 사업
③ 국가 총동원법   ④ 산미 증식 계획
⑤ 토지 조사 사업

단답형

09 다음과 관련된 정책을 쓰시오.

> 일제는 공업 원료를 일본인 회사에 안정적으로 공급하고자 한반도 남부에는 면화를 재배하고, 북부에는 양을 사육하도록 하는 정책을 실시하였다.

(   )

10 밑줄 친 '이 시기'에 있었던 사실로 옳은 것은?

이 시기에 일제는 무기 제조에 필요한 금속을 확보하고자 놋그릇, 가마솥 등을 빼앗아 갔다. 일제의 수탈 강화로 생활에 필요한 물자가 부족해지고 물가도 크게 올라 한국인의 생활은 더욱 어려워졌다.

① 신민회가 창립되었다.
② 미곡 공출제가 시행되었다.
③ 산미 증식 계획이 시작되었다.
④ 국채 보상 운동이 전개되었다.
⑤ 동양 척식 주식 회사가 설립되었다.

중요

11 다음 법에 대한 설명으로 옳은 것은?

> 제1조 농가 경제 자립과 농업 생산력 증진을 위해 농지를 농민에게 적정히 분배한다.
> 제5조 농사를 짓지 않는 사람의 농지, 3정보 이상을 초과하는 농지 부분 등은 정부가 지정된 가격에 매수한다.

① 자영농이 증가하게 되었다.
② 미군정이 실시한 조치이다.
③ 6·25 전쟁 이후 제정되었다.
④ 소작료를 수확량의 3분의 1로 하였다.
⑤ 일제가 침략 전쟁 수행을 위해 만들었다.

12 (가)에 들어갈 알맞은 말을 쓰시오.

사진은 무상 원조로 받은 밀가루이다. 전쟁 이후 한국은 외국으로부터 원조 물자를 도입하였다. 이에 따라 원조 물자를 가공해서 판매하는 　(가)　 이/가 발달하였다.

(　　　　　　　)

13 다음 각서가 체결된 배경으로 옳은 것은?

· 한국의 경제 개발을 돕기 위해 차관을 제공한다.
· 베트남에 파병되는 병력이 필요로 하는 장비를 제공한다.
· 수출을 진흥하기 위한 모든 분야에서 한국에 대한 기술 원조를 강화한다.

① 민주 노총이 조직되었다.
② 6·25 전쟁이 발생하였다.
③ 우루과이 라운드 협상이 전개되었다.
④ 경제 개발에 필요한 자금이 부족하였다.
⑤ 제1차 석유 파동으로 경기가 악화되었다.

14 (가) 시기에 있었던 사건으로 옳은 것은?

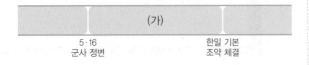

	(가)	
5·16 군사 정변		한일 기본 조약 체결

① 제헌 헌법이 제정되었다.
② 농지 개혁법이 제정되었다.
③ 제주 4·3 사건이 발생하였다.
④ 경제 개발 5개년 계획이 발표되었다.
⑤ 모스크바 3국 외상 회의가 개최되었다.

15 (가)에 들어갈 내용으로 적절한 것은?

1980년대 후반 국제 교역을 더욱 활성화하기 위해 자유 무역을 확대해야 한다는 신자유주의가 대두하였다. 세계 여러 나라는 이를 위해 다자간 무역 협상(우루과이 라운드)을 벌였고, 이 협상으로 우리나라는 　(가)　

① 3저 호황을 맞이하게 되었다.
② 제1차 석유 파동이 발생하였다.
③ 농산물 시장 개방 압력이 커졌다.
④ 수출 주도 정책을 시행하게 되었다.
⑤ 높은 경제 성장률을 보이게 되었다.

16 다음 자료와 관련된 사건 이후 우리나라의 상황으로 옳지 <u>않은</u> 것은?

1980년대 후반 신자유주의가 대두한 가운데 우리나라는 무역 적자와 외환 부족으로 큰 어려움을 겪게 되어 결국 국제 통화 기금에 구제 금융을 신청하였다. 우리 국민은 이를 극복하고자 금 모으기 운동을 전개하기도 하였다.

① 수많은 사람이 일자리를 잃었다.
② 비정규직 노동자의 수가 크게 늘었다.
③ 경제 위기 극복을 위한 노사정 위원회가 구성되었다.
④ 외화를 벌어들이기 위해 베트남 전쟁에 국군을 파병하였다.
⑤ 기초 생활 보장, 최저 임금 보장 등을 요구하는 목소리가 나타났다.

17 다음 사건들을 일어난 순서대로 바르게 나열한 것은?

> ㄱ. 제2차 석유 파동
> ㄴ. 경제 협력 개발 기구 가입
> ㄷ. 제1차 경제 개발 5개년 계획 발표
> ㄹ. 외환 위기로 인해 국제 통화 기금에 금융 지원 요청

① ㄱ-ㄴ-ㄷ-ㄹ
② ㄱ-ㄹ-ㄴ-ㄷ
③ ㄴ-ㄱ-ㄹ-ㄷ
④ ㄴ-ㄷ-ㄱ-ㄹ
⑤ ㄷ-ㄱ-ㄴ-ㄹ

18 다음 과제에 대한 대응책으로 옳은 것만을 보기에서 고른 것은?

> 최근 우리 사회는 출산율이 크게 떨어져 사회 문제가 되고 있고 향상된 생활 수준으로 기대 수명이 높아져 노령 인구의 비율이 증가하고 있다. 또한 국제결혼과 외국인 이주 노동자가 증가하여 다양한 문화 배경을 가진 사람들이 많아졌다.

> **보기**
> ㄱ. 산아 제한 정책을 실시하여야 한다.
> ㄴ. 외국인 이주 노동자의 입국을 막아야 한다.
> ㄷ. 고령자에 대한 사회 보장 제도를 마련해야 한다.
> ㄹ. 사회적 다양성을 존중하는 문화를 만들어야 한다.

① ㄱ, ㄴ   ② ㄱ, ㄷ   ③ ㄴ, ㄷ
④ ㄴ, ㄹ   ⑤ ㄷ, ㄹ

19 밑줄 친 '3저 호황'에 대해 서술하시오.

> 한국은 1980년대 중반에 시작된 <u>3저 호황</u> 현상에 힘입어 10 %대 이상의 높은 경제 성장률을 기록할 수 있었다. 이러한 경제 성장과 함께 산업 구조도 기술 집약 산업을 중심으로 개편되었다.

20 다음을 읽고 물음에 답하시오.

> 1980년대 후반 신자유주의가 대두한 가운데 우리나라는 무역 적자와 외환 부족으로 경제가 크게 어려워져 결국 ___(가)___ 에 구제 금융을 신청하였다. 이후 ㉠<u>부실 회사가 도산하여 많은 사람이 실직하는 등의 문제가 나타났다.</u>

(1) (가)에 들어갈 기구의 명칭을 쓰시오.

(2) ㉠과 같은 경제 위기를 극복하기 위해 정부가 실시한 정책을 <u>세 가지</u> 서술하시오.

3/4 민주주의의 발전~평화 통일을 위한 노력

01 민주주의 발전을 위한 첫걸음

1. 대한민국 임시 정부 헌법

(1) 대한민국 임시 헌장 발표: 대한민국 임시 정부의 임시 의정원이 발표 → 민주 공화제 채택, 평등·국민 주권·국민의 권리와 의무 규정

(2) 대한민국 임시 정부 헌법 공포: 3·1 운동 이후 상하이에 통합된 정부 수립 → 대한민국 임시 헌장을 보강하여 대한민국 임시 정부 헌법 발표
└ 민주 공화제 채택, 평등·국민 주권 원칙

2. 제헌 헌법 └ 국민의 권리와 의무 규정

(1) 제정: 제헌 국회에서 제정 → 대통령 중심제에 기반한 민주 공화정 체제 채택

(2) 내용: 3·1 운동 계승, 균등한 기회 보장, 국제 평화에 동참, 노동자의 권리, 사회적 기본권, 참정권 보장 등 규정 → 9차례 개헌 과정에서 헌법 정신 일부 훼손
└ 1948년 5·10 총선거로 구성됨

02 민주주의의 시련과 발전

1. 이승만 정부의 장기 집권 시도
┌ 당시 대통령 선거는 국회 간접 선거로 실시되었기에 이승만이 2대 대통령에 선출될 가능성이 줄어듦

(1) 발췌 개헌(1952): 제2대 총선거에서 이승만에 반대하는 후보들의 대거 당선 → 대통령 직선제 개헌안 통과(발췌 개헌) → 제2대 대통령에 이승만 당선

(2) 사사오입 개헌(1954): 자유당이 초대 대통령에 한해 중임 제한을 없애겠다는 개헌안 제출 → 사사오입 논리를 내세워 개헌안 통과
└ 모든 국민들이 대통령을 뽑는 데 직접 참여하는 선거 제도

(3) 이승만 정부의 장기 집권 노력: 진보당 사건, 「국가 보안법」 개정 → 야당·언론 탄압

2. 4·19 혁명(1960)
┌ 정·부통령 선거에서 대대적인 선거 부정으로 대통령에 이승만, 부통령에 이기붕을 당선시킴

(1) 배경: 자유당 정부의 독재와 부정부패, 3·15 부정 선거

(2) 전개: 부정 선거 규탄 시위 → 마산에서 실종된 김주열 사망 → 전국적 시위 확산 → 경찰이 시위대에 총격 → 대학교수단의 시국 선언문 발표

(3) 결과: 이승만 대통령 하야, 헌법 개정 → 장면 내각 수립
└ 내각 책임제와 양원제 국회를 주요 내용으로 함

3. 5·16 군사 정변과 박정희 정부

(1) 5·16 군사 정변(1961): 박정희를 중심으로 한 군인들이 정권 장악 → 국회 해산, 국가 재건 최고 회의 구성 → 대통령 중심제 개헌 → 박정희 대통령 당선(1963)

(2) 박정희 정부의 정책과 3선 개헌
① 정책: 반공과 경제 발전 강조 → 한일 국교 정상화 추진, 베트남에 국군 파병
② 3선 개헌(1969): 대통령의 3선을 허용하는 개헌안 통과 → 박정희 대통령 당선

보충+ 대한민국 임시 정부의 통합

3·1 운동 이후 대한 국민 의회(연해주), 대한민국 임시 정부(상하이), 한성 정부(서울) 등이 수립되었다. 이후 임시 정부 통합 운동이 전개되어 상하이에 대한민국 임시 정부가 수립되었다.

사사오입 개헌

헌법 개정에 필요한 정족수는 국회 의원 재적 인원 203명의 2/3인 135.333…로 136명이었다. 개헌이 찬성 135표로 부결되자, 자유당은 소수점 이하는 인격으로 볼 수 없으므로 사사오입하면 의결 정족수는 135명이 되므로 개헌안이 통과되었다고 주장하였다.

진보당 사건

1958년 이승만 정부가 조봉암을 비롯한 진보당의 간부들을 북한의 간첩과 내통하고 북한의 통일 방안을 주장한다는 혐의로 구속한 사건이다. 당시 조봉암은 사형 선고를 받고 처형되었다.

자료 이해하기 4·19 혁명의 도화선이 된 학생 시위 ──────── 📖 교과서 195쪽

| 내용 알기 | 3·15 부정 선거를 규탄하는 학생들의 시위가 마산에서 일어났고, 이 과정에서 경찰이 총격을 가했다. 이후 실종된 김주열 학생이 시신으로 발견되면서 학생 시위가 확산되었다. 학생들은 3·15 부정 선거 반대를 외치며 4·19 혁명에 적극적으로 참여하였고, 학생들의 시위를 지켜보던 시민과 교사들도 시위에 함께 하기 시작하였다. 학생들의 민주주의를 향한 열정이 도화선이 되어 4·19 혁명이 시작되었고, 마침내 이승만 독재 정권은 무너졌다.

4. 유신 체제와 독재 체제 강화

(1) 유신 헌법 제정(1972) ┌ 1970년대 미국과 중국의 화해 모색, 베트남에서의 미군 철수, 주한 미군의 감축 등 박정희 정부의 반공 정책이 위기를 맞게 되면서 제정함

　① 과정: 1972년 10월 전국에 비상계엄 선포 → 국회 해산 → 유신 개헌안 확정

　② 내용: 대통령 임기 6년, 대통령 중임 제한 규정 삭제, 통일 주체 국민 회의에서 대통령 간접 선거, 대통령에게 국회 의원 1/3 후보자 추천권과 긴급 조치권 부여

(2) 유신 반대 운동: 유신 헌법 철폐 운동 전개, 3·1 민주 구국 선언 발표(1976)
　└ 박정희 정부는 대통령의 긴급 조치 발동, 인민 혁명당　└ 재야인사들이 대통령 퇴진을
　　사건 조작 등을 통해 탄압함　　　　　　　　　　　　　요구하며 발표함

　　　　　　　　　　　　　　　　　　　　　└ 국민의 주권을 위임받아 대신 행사
　　　　　　　　　　　　　　　　　　　　　　하는 단체로 대통령을 선출함

03 민주주의의 진전

1. 5·18 민주화 운동

(1) 배경: 박정희 대통령 사망, 유신 체제 붕괴 → 신군부의 정권 장악(12·12 사태) → 전국적인 민주화 시위 발생 → 신군부 세력이 비상계엄 확대

(2) 전개: 광주에서 민주화 시위 → 계엄군의 폭력적 진압 → 계엄군이 시민군 진압

(3) 결과: 전두환이 대통령 취임 → 대통령 간선제로 헌법 개정 후 대통령 당선
　　　　　└ 통일 주체 국민 회의에서 대통령에 선출됨

2. 6월 민주 항쟁 ┌ 전두환 정부의 강압 통치, 대통령 직선제 개헌 등 민주화 요구 증대가 배경임

(1) 전개: 정부가 박종철의 고문 사망 사건 은폐 → 진상 규명과 대통령 직선제 개헌 요구 시위 전개 → 4·13 호헌 조치 발표 → 민주화 시위 전국 확대 → 이한열이 최루탄에 맞아 의식 불명 → 일반 시민이 시위에 합세 → 6·29 민주화 선언 발표

(2) 결과: 5년 단임제, 대통령 직선제를 주요 내용으로 하는 제9차 개헌 시행
　　　　　└ 대통령으로 한 번만 재직하는 것

3. 성숙한 민주주의를 위한 노력
　　　　　　　　　　　　　　　　　　┌ 여당의 국회 의원 수보다 야당의
　　　　　　　　　　　　　　　　　　　국회의원 수가 많은 경우

(1) 제9차 개헌 이후의 상황: 평화적 정권 교체, 여소야대 정부 구성
　　　　　　　　　　　　　┌ 중앙 정부가 행정을 처리하는 것이 아니라, 지방 주민이나
(2) 민주주의의 진전　　　　자치단체가 행정 사무를 자주적으로 처리하는 정치 제도

　① 김영삼 정부: 금융 실명제 법제화, 지방 자치제 전면 확대, 역사 바로 세우기를 통해 전두환과 노태우 전 대통령 반란 및 내란죄로 구속·기소

　③ 김대중 정부: 최초의 평화적 정권 교체, 외환 위기 극복 노력, 인권법 제정

(3) 촛불 집회: 미군 장갑차 사건(2002), 미국산 쇠고기 수입 재개 반대(2008), 박근혜 정부의 국정 농단 사건에 항의(2016) → 성숙한 민주주의 추구, 참여 민주주의 실천

○ 긴급 조치권

국가의 안전 보장 등을 이유로 국민의 자유나 권리를 제한할 수 있는 조치이다. 박정희 정부는 이를 민주화 운동을 탄압하는 데 사용하였다.

보충⁺ YH 무역 사건과 유신 체제의 몰락

1979년 YH 무역 노동자들은 회사의 부당한 폐업 조치에 맞서 농성하였고, 경찰은 이를 강압적으로 진압하였다. 이후 유신 체제의 폭력성을 비판하며 부마 민주 항쟁 등 시위가 발생하였고, 이는 유신 체제의 몰락으로 이어졌다.

정리 전두환 정부의 정책

유화책	야간 통행금지 해제, 학생의 두발 및 교복 자율화
강압책	언론사 통폐합, 민주화 운동 탄압

○ 4·13 호헌 조치

'호헌'은 헌법을 그대로 유지하겠다는 뜻으로, 1987년 4월 13일 전두환 대통령이 대통령 직선제 개헌 등 국민들의 민주화 요구를 거부하고 개헌 논의를 중단시킨 조치이다.

○ 금융 실명제

금융 실명제는 금융 기관에서 가명 혹은 차명 거래를 금지하고 실명임을 확인한 후에만 금융 거래를 하게 하는 제도이다. 이 제도를 통해 부정부패 자금 등의 흐름을 막고 금융 자산 소득을 정확하게 파악할 수 있게 되었다.

중단원 핵심 확인하기 풀이

📖 교과서 199쪽

1. 빈칸에 들어갈 알맞은 말을 써 보자.

(1) 대한민국 제헌 헌법에는 모든 권력이 국민으로부터 나온다는 ☐☐☐☐의 원칙이 잘 나타나 있다.

(2) 1980년 광주 시민이 신군부에 맞서 일으킨 민주화 운동은 ☐·☐☐ 민주화 운동이다.

(3) 1987년 6월 민주 항쟁의 결과 대통령은 ☐☐☐(으)로 선출하게 되었다.

(1) 주권 재민　(2) 5·18　(3) 직선제

2. 관련 있는 내용을 옳게 연결해 보자.

(1) 4·19 혁명　　　　　　　ⓐ 대통령 직선제 실시

(2) 5·18 민주화 운동　　　ⓑ 신군부 퇴진과 계엄령 철폐

(3) 6월 민주 항쟁　　　　　ⓒ 부정 선거 무효와 재선거 실시

3. 옳은 내용은 ○표, 틀린 내용은 ×표를 해 보자.

(1) 1960년 4월 19일에 서울에서 수많은 학생과 시민이 부정 선거에 항의하며 시위를 벌였다.　　(○)

(2) 호헌 철폐와 대통령 직선제 개헌을 주장하며 일어난 민주화 운동은 6월 민주 항쟁이다.　　(○)

4. 제시된 용어를 3개 이상 사용하여 제9차 개헌의 내용을 문장으로 완성해 보자.

> 대통령　5년　단임제　직선제　선출

제9차 개헌은 대통령 선출 방식을 대통령 직선제로, 임기는 5년 단임제를 주요 내용으로 하였다.

정리	6·25 전쟁의 전개 과정
1950. 6. 25.	북한군 기습 남침
▼	
1950. 9. 15.	인천 상륙 작전
▼	
1950. 9. 28.	서울 수복
▼	
1950. 10.	중국군의 전쟁 개입
▼	
1951. 1. 4.	국군과 유엔군 서울에서 후퇴
▼	
1953. 7. 27.	휴전 협정 체결

♀ 닉슨 독트린

1969년에 미국 대통령 닉슨이 발표한 것으로, 앞으로 미국이 베트남 전쟁과 같은 군사 개입을 하지 않겠다는 선언이다. 이 선언에 따라 동아시아 냉전이 완화되는 분위기가 형성되었고, 남북 관계도 변화하였다.

♀ 남북 정상 회담(2000. 6.)

분단 이후 최초로 남북한의 정상이 평양에서 만남을 가졌다. 이후 남북 간의 경제 교류가 확대되고, 이산가족 상봉이 이루어지는 등 한반도에 평화 분위기가 조성되었다.

04 분단과 전쟁

1. 광복 이후의 한반도

(1) 8·15 광복: 연합국의 승리에 따른 결과, 우리 민족 독립운동의 결실

(2) 한반도의 분단: 38도선을 기준으로 남북에 각각 미군과 소련군 주둔 → 통일 국가 형성 노력 실패 → 대한민국 정부 수립, 조선 민주주의 인민 공화국 선포

2. 6·25 전쟁의 전개

(1) 배경: 중국의 공산화, 애치슨 선언 발표〔미국 국무 장관 애치슨이 발표한 것으로, 미국의 지역 방위선에서 타이완과 한국을 제외한다는 내용〕, 북한의 전쟁 준비〔소련의 군사적 지원 약속, 조선인 공산주의자들의 북한군 편입 등〕 등

(2) 전개: 북한의 남침 → 서울 점령 → 유엔 안전 보장 이사회에서 유엔군 파병 결정 → 낙동강 전선 후퇴 → 인천 상륙 작전 성공 → 서울 수복 → 압록강까지 진격 → 중국군 개입 → 1·4 후퇴 → 휴전 협상 실시 → 휴전 협정 체결〔포로 교환 방식, 휴전선 설정 등의 문제를 놓고 대립하여 휴전 회담은 2년간 진행됨〕

(3) 결과: 수많은 사상자 발생, 전쟁 고아·피란민·이산가족 발생, 시설 파괴, 적대감 심화, 분단 고착화, 이승만 정부의 반공 체제 강화, 김일성 독재 체제 확고화 등

05 통일을 위한 남과 북의 노력

1. 남북 관계의 변화

(1) 1950년대: 6·25 전쟁 이후 남북한 간의 대립과 갈등 심화

(2) 1960년대: 4·19 혁명 이후 평화 통일 논의 제기 → 5·16 군사 정변으로 위축

2. 통일을 위한 노력

(1) 7·4 남북 공동 성명(1972): 닉슨 독트린 발표 이후 대화 노력 시작 → 남북 적십자 회담 → 7·4 남북 공동 성명 발표(자주, 평화, 민족적 대단결의 통일 원칙 제시)

(2) 남북 기본 합의서(1991): 동유럽 사회주의 정권 붕괴〔소련의 개혁 개방 정책을 계기로 폴란드, 헝가리, 체코슬로바키아, 루마니아 등지에서 공산당의 권력이 붕괴함〕, 소련·동유럽·중국 등의 국가와 외교 관계 수립 → 남북한 유엔 동시 가입, 남북 고위급 회담 실시 → 남북 기본 합의서 채택(서로의 체제 인정, 상호 불가침 합의)

(3) 6·15 남북 공동 선언(2000): 김대중 정부의 대북 화해 협력 정책→ 남북 정상 회담 개최, 6·15 남북 공동 선언 발표〔남북 간 교류·협력 활성화, 이산가족 상봉, 개성 공단 건설, 경의선 복원 등의 내용이 담김〕

(5) 2000년 이후의 남북 관계: 제2차 남북 정상 회담(2007) → 금강산 관광객 피살, 북한의 핵 실험 강행과 미사일 시험 발사, 개성 공단 운영 중단 → 판문점 회담(2018)

중단원 핵심 확인하기 풀이

📖 교과서 208쪽

1. 빈칸에 들어갈 알맞은 말을 써 보자.

(1) 7·4 남북 공동 성명에는 ▢▢, ▢▢, 민족적 대단결이라는 통일의 3대 원칙이 담겨 있다.

(2) ▢·▢▢▢▢▢▢▢▢(2000) 이후 남북 철도 연결, 개성 공업 지구 조성, 이산가족 상봉 등 교류와 협력이 활발히 전개되었다. (1) 자주, 평화 (2) 6·15 남북 공동 선언

2. 〈보기〉의 내용을 순서대로 나열해 보자.

• 보기 •
ㄱ. 유엔군 참전　　　　ㄴ. 중국군의 개입
ㄷ. 휴전 협정 체결　　　ㄹ. 북한의 기습 남침
ㅁ. 인천 상륙 작전 실시

(ㄹ－ㄱ－ㅁ－ㄴ－ㄷ)

3. 옳은 내용은 ○표, 틀린 내용은 ×표를 해 보자.

(1) 1972년 7월 4일 남과 북의 정상은 처음으로 만나 회담을 개최하였다.　(×)

(2) 1991년 남과 북은 유엔에 동시에 가입하였다.　(○)

4. 제시된 용어를 3개 이상 사용하여 김대중 정부 시기 통일을 위한 노력을 문장으로 완성해 보자.

7·4 남북 공동 성명　　남북 기본 합의서　　햇볕 정책

남북 정상 회담　　개성 공단　　6·15 남북 공동 선언

김대중 정부는 햇볕 정책을 바탕으로 2000년 분단 이후 최초로 열린 남북 정상 회담을 통해 6·15 남북 공동 선언을 발표하여, 개성 공단 설치 등 남북 교류와 협력을 활발히 전개하였다.

도입 활동 풀이

교과서 192쪽

교과서 도입 01 대한민국 정부의 정치 체제

◐ 대한민국 정부 수립을 통해 이루고자 했던 국가의 모습은 어떤 것이었을까?

도입 예시 답안 | • 주권이 국민에게 있는 국가를 이루고자 하였다.
• 민주 공화제를 바탕으로 한 국가를 만들고자 하였다.

| 도입 보충 |

1948년 5·10 총선거로 구성된 제헌 국회는 제헌 헌법을 선포하고 대통령 중심제에 기반한 민주 공화정 체제를 채택하였다. 헌법 전문에는 대한민국이 3·1 운동으로 건립되었고, 독립 정신을 계승해 민주주의 제도를 수립했다는 점이 언급되어 있다. 또한 국제 평화를 유지하기 위한 노력에 동참할 것이라는 결의와 사회적 기본권, 참정권 등을 보장하고 있다.

교과서 194쪽

교과서 도입⁺ 02 4·19 혁명

4·19 혁명 당시 수송 초등학교 학생들이 '부모 형제들에게 총부리를 대지 말라.'라고 적힌 플래카드를 들고 시위에 참여하였다.

1960년 4월 25일에 대학교수들이 '학생의 피에 보답하라.'라고 적힌 플래카드를 들고 피고인들의 처벌을 요구하며 시위를 전개하였다.

◐ 어린 학생들부터 대학교수까지 시위를 전개한 까닭은 무엇일까?

도입 예시 답안 | 3·15 부정 선거가 대대적으로 이루어지자 이에 항의하는 시위가 벌어졌다. 경찰이 폭력적으로 시위대를 진압하고 발포하여 다수의 사상자가 발생하자, 어린 학생들부터 대학교수단까지 시위에 나서게 되었다.

| 도입 보충 |

이승만 정부와 자유당은 1960년에 치러진 정·부통령 선거에서 대대적인 부정 선거를 저질렀다(3·15 부정 선거). 이에 선거 당일부터 부정 선거에 항의하는 학생과 시민들의 시위가 벌어졌다. 특히 4월 11일 실종된 김주열 학생이 시신으로 발견되자 시위가 전국으로 확산되었다. 4월 19일 학생과 시민들이 대규모 시위에 나섰고, 경찰이 시위대를 향해 총을 발포하여 사상자가 발생하면서 시위는 더욱 격화되었다. 결국 이승만은 대통령직에서 물러나게 되었다.

도입 plus⁺ 4·19 혁명 이후 출범한 장면 정부의 정책

▲ 제2공화국(장면 정부) 출범 경축식

4·19 혁명 이후 대통령 중심제를 폐지하고 내각 책임제와 양원제를 내용으로 하는 헌법 개정이 이루어졌다. 새 헌법에 따라 시행된 국회 의원 선거에서 민주당이 크게 승리하였고, 국무총리 장면이 주도하는 새 정부가 출범하였다. 장면 정부는 시민의 민주적 권리를 확보하고, 정치 활동과 표현의 자유를 인정하였다. 또한 경제 불황과 실업 문제를 해결하기 위해 경제 개발 계획을 수립하고, 도로 건설 등 경제 제일주의를 내세웠다. 그러나 3·15 부정 선거 책임자와 이승만 정권과 결탁한 부정 축재자에 대한 처벌에 소극적이었고, 민간 주도의 통일 운동에 반대하는 입장을 취해 시민들의 비판을 받기도 하였다.

교과서 도입 03 6월 민주 항쟁

| 도입 보충 |

1987년 1월 박종철 학생이 경찰의 가혹한 고문으로 사망하고 경찰이 이를 은폐하려 했다는 사실이 알려졌다. 이에 시민들이 사건의 진상 규명, 대통령 직선제 개헌을 요구하며 민주화 시위를 전개하였으나, 전두환 정부가 4·13 호헌 조치로 개헌을 거부하여 시위가 확대되었다(6월 민주 항쟁). 특히 이한열 학생이 시위 도중 경찰이 쏜 최루탄에 맞아 쓰러지자 학생뿐만 아니라 직장인까지 시위에 참여하였다.

…… 40년 독재 정치를 청산하고 희망찬 민주 국가를 건설하기 위한 거보를 전 국민과 함께 내딛는다. 국가의 미래요 소망인 꽃다운 젊은이를 야만적인 고문으로 죽여 놓고 그것도 모자라서 뻔뻔스럽게 국민을 속이려 했던 현 정권에게 국민의 분노가 무엇인지를 분명히 보여 주고, 국민적 여망인 개헌을 일방적으로 파기한 4·13 폭거를 철회시키기 위한 민주 장정을 시작한다. ……
– 6·10 국민 대회 선언

◑ 시민들은 이러한 성명을 통해 무엇을 요구하였을까?

도입 예시 답안 | 1987년 6월 민주 항쟁에서 시민들은 대통령 직선제 개헌과 민주화를 요구하였다.

교과서 도입 04 이산가족 발생

| 도입 보충 |

1950년 6월 25일 북한의 남침으로 시작된 전쟁은 유엔군과 중국군이 참전하면서 국제전이 되었다. 전쟁이 3년간 지속되면서 남과 북에 수많은 인명 피해가 발생하였으며, 가옥과 산업 시설이 파괴되었다. 또한 전쟁 과정에서 이산가족과 전쟁고아가 많이 발생하였다. 남과 북의 사람들은 전쟁을 겪으면서 공포와 상실감을 경험하였고, 서로에 대한 증오심을 키우게 되었다.

어머니가 저를 잠깐 방앗간 집에 맡겨 뒀었어요. 귀 뒤에 사마귀가 있었고.

맞다, 맞다. 내 동생.

1983, 이산가족 찾기 특별 생방송

서울 ●●● 이원 생중계 ●●● 부산

◑ 가족들이 몇십 년간 서로의 생사도 모른 채 살아가야 했던 까닭은 무엇일까?

도입 예시 답안 | 6·25 전쟁이 일어나 가족들이 남과 북으로 흩어져 이별했기 때문이다.

교과서 도입 05 통일을 위한 노력

| 도입 보충 |

분단 이후 남과 북은 통일을 위한 노력을 계속해 왔다. 역대 정부는 대화를 통해 통일이 평화적·민주적 절차를 바탕으로 이루어지는 것에 합의하고, 공동 성명 발표, 남북 정상 회담 등을 통해 남과 북의 갈등을 해결하고자 하였다. 남북 관계의 진전은 정부뿐만 아니라 민간 영역에서도 활발하게 이루어져 북한의 식량난 극복을 위해 쌀과 비료를 지원하고, 학술적 측면에서도 교류가 추진되고 있다.

▲ 남북한 군인들이 무장하고 지켰던 판문점

▲ 남북 정상의 만남이 이루어진 판문점(2018. 4.)

◑ 남북한은 평화적인 관계 회복을 위해 어떤 노력을 전개하고 있을까?

도입 예시 답안 | • 분단 이후 남과 북은 7·4 남북 공동 성명, 남북한 유엔 동시 가입, 남북 기본 합의서 채택, 6·15 남북 공동 선언 등 남과 북의 관계 개선을 위한 노력을 전개하고 있다.
  • 남북 단일 탁구팀 구성, 평창 올림픽 및 2018 아시안 게임 등에 일부 종목 단일팀 구성, 남북 예술인 교환 공연 등 문화·예술·체육 분야에서 교류와 협력을 지속하고 있다.

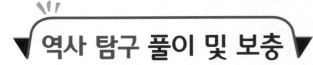

역사 탐구 풀이 및 보충

 6·29 민주화 선언과 제9차 개헌 ———————— 교과서 198쪽

6월 민주 항쟁의 결과 6·29 민주화 선언이 발표되었으며, 뒤이어 제9차 개헌이 이루어졌다. 여야 합의로 만들어진 이 헌법은 6월 민주 항쟁에서 국민이 염원했던 대통령 선출에 관한 조항을 아래와 같이 담고 있고, 현재까지 적용되고 있다.

| 자료 1 |

6·29 민주화 선언

  친애하는 국민 여러분! …… 여야 합의하에 조속히 대통령 직선제 개헌을 하고 새 헌법에 의한 대통령 선거를 통해 88년 2월 평화적 정부 이양을 실현토록 해야 하겠습니다. …….

| 자료 2 |

제9차 개헌 헌법

제67조 ① 대통령은 국민의 보통·평등·직접·비밀 선거에 의하여 선출한다.

제70조 대통령의 임기는 5년으로 하며, 중임할 수 없다.

1. | 자료 1 |에서 국민이 요구한 내용을 찾아보고 왜 이러한 요구를 했는지 말해 보자.

  정답 풀이 | 국민은 대통령 직선제 개헌과 민주화를 요구하였다. 당시 전두환 정부가 4·13 호헌 조치를 통해 국민들의 직선제 개헌 요구를 거부하고 민주화 운동을 탄압하였기 때문이다.

2. | 자료 2 |를 바탕으로 현재 대통령의 선출 방식과 임기가 어떻게 되는지 말해 보자.

  정답 풀이 | 국민이 직접 선출한 대통령이 5년 동안 한 번만 재임한다.

친절한 활동 길잡이

이 활동의 핵심은 1987년 6월 민주 항쟁의 결과 6·29 민주화 선언이 발표되었고, 대통령 직선제 개헌이 제9차 개헌에 반영되었음을 이해하는 것이다. 제9차 개헌 때 바뀐 대통령 선출 조항은 현재까지 이어져 오고 있다.

자료 이해 확인 문제

1. 6월 민주 항쟁의 결과 6·29 민주화 선언이 발표되었다. (○ / ×)

2. 현재 대통령의 선출 방식은 국회에 의한 간접 선거 방식이다.
(○ / ×)

≫ 정답 1. ○ 2. ×

 통일을 위한 남북한의 노력 ———————— 교과서 207쪽

| 자료 1 |

남북 기본 합의서(1991)

제1조 남과 북은 서로 상대방의 체제를 인정하고 존중한다.

제4조 남과 북은 상대방을 파괴·전복하려는 일체 행위를 하지 아니한다.

제9조 남과 북은 상대방에 대하여 무력을 사용하지 않으며 상대방을 무력으로 침략하지 아니한다.

제15조 남과 북은 민족 경제의 통일적이며 균형적인 발전과 민족 전체의 복리 향상을 도모하기 위하여 자원의 공동 개발, 민족 내부 교류로서의 물자 교류, 합작 투자 등 경제 교류와 협력을 실시한다.

| 자료 2 |

6·15 남북 공동 선언(2000)

1. 남과 북은 나라의 통일 문제를 그 주인인 우리 민족끼리 서로 힘을 합쳐 자주적으로 해결해 나가기로 하였다.

2. 남과 북은 나라의 통일을 위한 남측의 연합제 안과 북측의 낮은 단계의 연방제 안이 공통성이 있다고 인정하고 앞으로 이 방향에서 통일을 지향해 나가기로 하였다.

3. 남과 북은 인도적인 문제를 조속히 풀어 나가기로 하였다.

4. 남과 북은 경제 협력을 통하여 민족 경제를 균형적으로 발전시키고, 사회, 문화, 체육, 보건, 환경 등 제반 분야의 협력과 교류를 활성화하여 서로의 신뢰를 다져 나가기로 하였다.

1. | 자료 1 |에서 합의한 내용을 설명해 보자.

  정답 풀이 | 남과 북은 서로의 체제 인정, 남북한 상호 협력 및 상호 불가침 등에 합의하였다.

2. | 자료 2 |에서 합의한 사항을 정리해서 발표해 보자.

  정답 풀이 | 남과 북이 주장하는 통일 방안에 공통점이 있음을 인정하고, 경제 이외의 여러 분야에서 교류와 협력을 활성화한다.

친절한 활동 길잡이

이 활동의 핵심은 남북 기본 합의서와 6·15 남북 공동 선언에서 남과 북이 합의한 내용을 파악하는 것이다. 남과 북의 통일 노력에 대해 이해하고, 통일을 위해 어떤 노력을 더 기울여야 할지 생각해 본다.

자료 이해 확인 문제

1. 남과 북은 서로의 체제 인정 및 상호 불가침에 합의한 남북 기본 합의서를 채택하였다. (○ / ×)

2. 남과 북은 6·15 남북 공동 선언을 통해 남과 북의 통일 방안에 공통성이 있음을 인정하였다.
(○ / ×)

≫ 정답 1. ○ 2. ○

01 다음 헌법에 대한 설명으로 옳은 것만을 [보기]에서 고른 것은?

> 제2조 대한민국의 주권은 대한 인민 전체에 있다.
> 제4조 대한민국의 인민은 일체 평등하다.
> 제5조 대한민국의 입법권은 의정원이, 행정권은 국무원이, 사법권은 법원이 행사한다.

[보기]
ㄱ. 제헌 국회에서 제정하였다.
ㄴ. 입헌 군주제를 채택하였다.
ㄷ. 주권 재민의 원칙을 밝히고 있다.
ㄹ. 대한민국 임시 헌장의 내용이 보강되었다.

① ㄱ, ㄴ　　② ㄱ, ㄷ　　③ ㄴ, ㄷ
④ ㄴ, ㄹ　　⑤ ㄷ, ㄹ

중요
02 밑줄 친 '헌법'에 대한 설명으로 옳은 것은?

사진은 5·10 총선거로 구성된 국회가 제정한 헌법의 공포를 기념하고자 발행한 우표이다. 헌법 전문에는 대한민국이 3·1 운동으로 건립되었다는 점이 언급되어 있다.

① 상하이에서 발표되었다.
② 제헌 국회가 제정하였다.
③ 전제 군주제를 채택하였다.
④ 4·19 혁명의 결과 개정된 헌법이다.
⑤ 대한민국 임시 정부 국무원이 공포하였다.

단답형
03 다음 개헌의 명칭을 쓰시오.

> 이승만을 지지하는 자유당은 장기 집권을 위해 초대 대통령에 한해 중임 제한을 없애겠다는 내용의 개헌안을 제출하였다. 이 개헌안은 찬성표가 모자라 부결되었으나, 자유당은 억지 논리를 내세워 개헌안을 통과시켰다.

(　　　　　　　　)

고난도
04 밑줄 친 '이 혁명'에 대한 설명으로 옳지 않은 것은?

사진은 이 혁명 당시의 시위 모습이다. 실종된 김주열 학생이 시신으로 발견되자 시위가 전국으로 확산되었고, 4월 19일에는 학생과 시민들이 민주주의 사수를 주장하며 경무대 방향으로 진출하였다.

① 대통령 직선제 개헌이 이루어졌다.
② 3·15 부정 선거를 배경으로 일어났다.
③ 이승만 대통령이 물러나는 계기가 되었다.
④ 정부의 탄압으로 다수의 사상자가 발생하였다.
⑤ 학생과 시민이 참여한 대규모 민주화 시위였다.

중요
05 (가)에 들어갈 내용으로 옳은 것만을 [보기]에서 고른 것은?

〈수행 평가 계획서〉
• 탐구 주제: 1960년대 정부가 주도한 주요 정책에 대해 조사한다.
• 모둠별 활동 주제

모둠	주제
1모둠	반공과 경제 발전 정책
2모둠	유신 헌법 제정
3모둠	(가)

[보기]
ㄱ. 언론사 통폐합
ㄴ. 금융 실명제 법제화
ㄷ. 한일 국교 정상화 추진
ㄹ. 대통령 3선 개헌안 통과

① ㄱ, ㄴ　　② ㄱ, ㄷ　　③ ㄴ, ㄷ
④ ㄴ, ㄹ　　⑤ ㄷ, ㄹ

중요
06 (가) 정부 시기에 있었던 사실로 옳은 것은?

사진은 한일 국교 정상화에 반대하는 시위 모습이다.

[(가)]은/는 반공과 경제 발전을 명분으로 한일 국교 정상화를 추진하였으나 국민들의 반발에 직면하였고, 이에 계엄령을 선포하였다.

① 제헌 국회가 구성되었다.
② 장면 내각이 조직되었다.
③ 휴전 협정이 체결되었다.
④ 베트남에 국군이 파병되었다.
⑤ 양원제 국회를 내용으로 하는 개헌이 단행되었다.

07 밑줄 친 '개헌안'에 대한 설명으로 옳지 <u>않은</u> 것은?

사진은 정부의 개헌안 통과에 반대하는 시위 모습이다. 1972년 박정희 정부는 전국에 비상 계엄을 선포하고 국회를 해산하였다. 이러한 가운데 개헌안이 국민 투표를 거쳐 확정되었다.

① 대통령 임기를 6년으로 하였다.
② 대통령에게 긴급 조치권을 부여하였다.
③ 대통령의 중임 제한 규정을 철폐하였다.
④ 5·16 군사 정변이 일어나는 배경이 되었다.
⑤ 개헌안에 반대하여 3·1 민주 구국 선언이 발표되었다.

08 (가) 시기에 있었던 사건으로 옳은 것은?

	(가)	
12·12 사태		전두환 대통령 취임

① 언론사가 통폐합되었다.
② 야간 통행금지가 해제되었다.
③ 신군부 세력이 계엄령을 내렸다.
④ 외환 위기로 구제 금융을 신청하였다.
⑤ 지방 자치제가 전면 확대 시행되었다.

중요
09 다음 주장과 관련 있는 민주화 운동으로 옳은 것은?

우리는 왜 총을 들 수밖에 없었는가? 너무나 무자비한 만행을 더는 보고 있을 수만은 없어서 너도나도 총을 들고 나섰던 것입니다. …… 20일 밤부터 계엄 당국이 발포 명령을 내려 무차별 발포를 시작하였습니다. 민주 시민 여러분! 그런 상황에 우리가 할 수 있는 일은 무엇이겠습니까?

– 광주 시민군 궐기문

① 4·19 혁명
② 6월 민주 항쟁
③ 4·13 호헌 조치
④ 5·18 민주화 운동
⑤ 6·29 민주화 선언

단답형
10 다음 설명에 해당하는 민주화 운동을 쓰시오.

○ 이한열 추모 집회

전두환 정부가 국민의 개헌 요구를 무시하고 탄압하자 민주화를 요구하는 시위는 전국으로 확산하였다. 이한열이 경찰에 쏜 최루탄에 맞아 쓰러지자 시위는 더욱 격렬해졌고, 학생뿐 아니라 일반 시민들까지도 시위에 참여하였다.

( )

11 선생님의 질문에 대한 답변으로 옳은 것만을 **보기**에서 고른 것은?

1998년 최초의 평화적인 여야 정권 교체로 출범한 새로운 정부가 추진한 정책에는 어떤 것들이 있을까요?

┌─ 보기 ─────────────────────────────┐
ㄱ. 금융 실명제 법제화
ㄴ. 역사 바로 세우기 사업 시행
ㄷ. 외환 위기 극복을 위한 구조 조정
ㄹ. 민주주의 발전을 위한 인권법 제정
└──────────────────────────────────┘

① ㄱ, ㄴ   ② ㄱ, ㄹ   ③ ㄴ, ㄷ
④ ㄴ, ㄹ   ⑤ ㄷ, ㄹ

12 (가)에 들어갈 내용으로 적절한 것은?

지도는 미국 국무 장관 애치슨이 발표한 내용을 지도로 표시한 것으로, 미국의 태평양 지역 방위선에서 타이완과 한국을 제외한다는 내용을 담고 있다. 이 발표 이후 한반도를 둘러싼 긴장이 높아져   (가)

① 한반도가 분단되었다.
② 6·25 전쟁이 일어났다.
③ 국가 총동원법이 제정되었다.
④ 대한민국 정부가 수립되었다.
⑤ 미군이 한반도 남쪽에서 군정을 실시하였다.

13 (가) 시기에 있었던 사실만을 **보기**에서 고른 것은?

| 북한군의 서울 점령 | → | (가) | → | 중국군, 전쟁 참전 |

┌─ 보기 ─────────────────────────────┐
ㄱ. 1·4 후퇴
ㄴ. 휴전 회담 시작
ㄷ. 인천 상륙 작전 실시
ㄹ. 국군, 유엔군 서울 수복
└──────────────────────────────────┘

① ㄱ, ㄴ   ② ㄱ, ㄷ   ③ ㄴ, ㄷ
④ ㄴ, ㄹ   ⑤ ㄷ, ㄹ

중요
14 6·25 전쟁의 영향으로 옳지 <u>않은</u> 것은?

① 수많은 사상자와 이산가족이 발생하였다.
② 남북 간 적대감과 대결 구도가 심화되었다.
③ 북쪽에서 김일성 독재 체제가 더욱 확고해졌다.
④ 남쪽에서 이승만 정부의 반공 체제가 약화되었다.
⑤ 남북한의 건물과 산업 시설의 대부분이 파괴되었다.

중요
15 다음 합의에 대한 설명으로 옳은 것은?

┌─────────── 역 사 신 문 ───────────┐
서울과 평양에서 통일 합의 동시 발표!
첫째, 통일은 외세에 의존하거나 외세의 간섭을 받음이 없이 자주적으로 해결하여야 한다.
둘째, 통일은 서로 상대방을 반대하는 무력행사에 의거하지 않고 평화적으로 실현하여야 한다.
셋째, 사상과 이념·제도의 차이를 초월하여 하나의 민족으로서 민족적 대단결을 도모하여야 한다.
└──────────────────────────────────┘

① 김대중 정부 시기 발표되었다.
② 장면 정부의 통일 노력이었다.
③ 모스크바 3국 외상 회의의 결과이다.
④ 두 번째 남북 정상 회담에서 결정되었다.
⑤ 남북한이 최초로 통일 원칙에 합의하였다.

중요

16 (가)에 들어갈 내용으로 옳은 것만을 **보기**에서 고른 것은?

> 동유럽의 사회주의 정권이 붕괴되고 독일이 통일되는 등 냉전 체제가 해체되자, 우리 정부도 북방 외교를 표방하며 러시아, 중국 등 공산권 국가들과 수교하였다. 이러한 국제 정세의 변화는 남북 관계에도 영향을 끼쳐 [(가)]

─ **보기** ─
ㄱ. 남북 기본 합의서가 체결되었다.
ㄴ. 남과 북이 유엔에 동시 가입하였다.
ㄷ. 7·4 남북 공동 성명이 발표되었다.
ㄹ. 남과 북의 정상이 만나 회담을 하였다.

① ㄱ, ㄴ   ② ㄱ, ㄷ   ③ ㄴ, ㄷ
④ ㄴ, ㄹ   ⑤ ㄷ, ㄹ

단답형

17 (가)에 해당하는 정책을 쓰시오.

> 1998년 출범한 김대중 정부가 대북 화해 협력 정책, 이른바 [(가)]을/를 추진하면서 남북 간의 교류가 활발해졌다. 그 결실로 6·15 남북 공동 선언이 발표되어 남과 북은 경제, 문화 등에서 교류와 협력을 강화하였다.

(   )

고난도

18 다음 선언이 발표된 배경으로 옳은 것은?

> 1. 남과 북은 나라의 통일 문제를 그 주인인 우리 민족끼리 서로 힘을 합쳐 자주적으로 해결해 나가기로 하였다.
> 2. 남과 북은 나라의 통일을 위한 남측의 연합제 안과 북측의 낮은 단계의 연방제 안이 공통성이 있다고 인정하고 앞으로 이 방향에서 통일을 지향해 나가기로 하였다.

① 4·19 혁명이 일어났다.
② 닉슨 독트린이 발표되었다.
③ 개성 공단 운영이 시작되었다.
④ 동유럽 사회주의 정권이 붕괴되었다.
⑤ 남북 정상이 평양에서 회담을 가졌다.

정답과 해설 260쪽

19 밑줄 친 '개헌'의 주요 내용을 **두 가지** 서술하시오.

> 사진은 박종철 추모 집회 장면이다. 박종철이 가혹한 고문으로 사망하고, 경찰이 이를 은폐하려 했다는 사실이 알려지자 분노한 학생과 시민들이 사건의 진상 규명 등을 외치며 민주화 시위를 전개하였다. 결국 정부는 국민의 요구에 굴복하였고, 개헌이 이루어졌다.

---

20 다음 회담의 결과 이루어진 남북 교류의 사례를 **두 가지** 서술하시오.

> 남과 북의 정상은 분단 이후 최초로 평양에서 만나 회담을 진행하였다. 두 정상은 남과 북이 경제, 문화 등 교류와 협력을 활성화하는 것에 합의하였다.

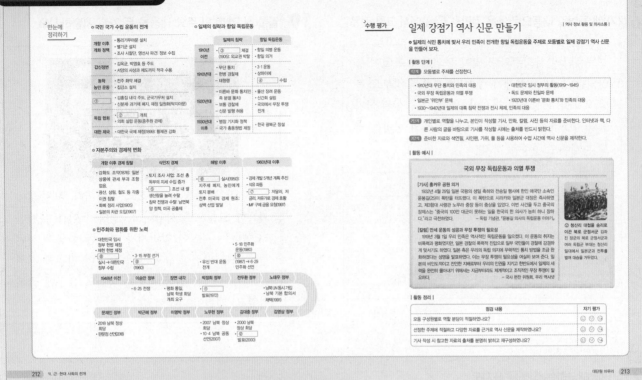

한눈에 정리하기

|예시 답안|

① 갑오개혁

② 만민 공동회

③ 을사늑약

④ 대한민국 임시 정부

⑤ 산미 증식 계획

⑥ 농지 개혁법

⑦ 3저 호황

⑧ 5·10 총선거

⑨ 4·19 혁명

⑩ 6월 민주 항쟁

⑪ 7·4 남북 공동 성명

⑫ 6·15 남북 공동 선언

수행 평가

 이것이 핵심 항일 독립운동을 주제로 신문을 만드는 과정에서 일제의 통치와 수탈에 맞선 우리 민족의 노력을 이해하며 역사 사실에 대한 이해를 높일 수 있다.

|예시 답안|

주제: 1920년대 이른바 '문화 통치'와 민족의 대응

[기사] 문화 통치의 실상

일제는 3·1 운동 이후 무단 통치의 한계를 느끼고 통치 방식을 이른바 '문화 통치'로 바꾸었다. 하지만 실제로 실현된 것은 없었다는 주장이 대두하였다. 문관 총독 임명, 제복 폐지, 언론과 출판의 자유 허용 등을 내세웠지만, 문관 총독은 광복 전까지 단 한 명도 임명되지 않았고 경찰 수는 이전보다 훨씬 많아졌다. 또한 『조선일보』와 『동아일보』가 창간되었지만, 수시로 기사가 삭제되고 발행이 금지되는 등 간섭을 받았다.   – 국사 편찬 위원회, 한국사 콘텐츠

[광고] 조선인 본위 교육을 위한 민립 대학 설립 모금

우리 손으로 대학을 설립하자!
한 민족 1천만이 한 사람당 1원씩!
– 한국 민족 문화 대백과사전

🔺 조선 민립 대학 설립 기성회

1 국민 국가의 수립

01 밑줄 친 '이 사건'의 배경으로 적절한 것은?

사진은 이 사건 당시 미군이 탈취한 어재연 장군의 수자기(帥字旗)이다. 미군이 강화도를 침공하여 광성보를 공격하자 어재연이 이끄는 조선군이 항전을 벌였다.

① 병인박해가 일어났다.
② 강화도 조약이 체결되었다.
③ 통리기무아문이 설치되었다.
④ 운요호가 조선군과 전투를 벌였다.
⑤ 제너럴 셔먼호 사건이 발생하였다.

02 밑줄 친 '이 운동' 중에 있었던 사실로 옳은 것만을 **보기**에서 고른 것은?

사진은 이 운동의 지도자인 전봉준이 재판장으로 이송되는 모습입니다. 전봉준이 이끄는 농민군은 황토현 전투에서 승리하고, 전주성을 점령하였습니다.

보기
ㄱ. 집강소가 설치되었다.
ㄴ. 을미사변이 발생하였다.
ㄷ. 우금치에서 일본군과 전투를 벌였다.
ㄹ. 안중근이 이토 히로부미를 사살하였다.

① ㄱ, ㄴ   ② ㄱ, ㄷ   ③ ㄴ, ㄷ
④ ㄴ, ㄹ   ⑤ ㄷ, ㄹ

03 다음 운동의 영향으로 옳은 것은?

민족 대표들이 태화관에서 독립 선언식을 하였다는 소식을 듣고 탑골 공원에 갔을 때 단 열 발자국도 걷지 못하게 사람이 꽉 차 있었다. 갑자기 깊은 정적이 왔고 조용한 가운데 누군가 독립 선언서를 읽는 것을 보았다. 잠깐 동안의 침묵 이후 그칠 줄 모르는 독립 만세 소리가 하늘을 찔렀다.

① 일본이 을사늑약을 강요하였다.
② 2·8 독립 선언서가 발표되었다.
③ 대한민국 임시 정부가 수립되었다.
④ 일본이 대한 제국의 군대를 해산시켰다.
⑤ 고종이 러시아 공사관으로 거처를 옮겼다.

04 (가) 정부에 대한 설명으로 옳은 것은?

나는 목숨을 걸고 충칭으로 가는 6,000리 장정의 길에 나섰다. 이후 ___(가)___ 이/가 조직한 한국 광복군에 합류하여 특별 훈련을 받았다.

① 갑오개혁을 추진하였다.
② 신흥 무관 학교를 설립하였다.
③ 물산 장려 운동을 주도하였다.
④ 대한민국 건국 강령을 발표하였다.
⑤ 광주 학생 항일 운동에 조사단을 파견하였다.

05 (가), (나) 사이 시기에 있었던 사실로 옳은 것은?

(가) 일본이 연합국에 무조건 항복을 선언하여 우리나라는 광복을 맞이하였다.
(나) 유엔 결의에 따라 우리나라 최초의 총선거가 실시되었다.

① 신간회가 창립되었다.
② 대한민국 정부가 수립되었다.
③ 반민족 행위 처벌법이 만들어졌다.
④ 일제가 국가 총동원법을 실시하였다.
⑤ 모스크바 3국 외상 회의가 개최되었다.

❷ 자본주의와 사회 변화

06 (가)에 들어갈 내용으로 옳은 것은?

> 〈수행 평가 계획서〉
> • 탐구 주제: 서재필 등이 열강의 이권 침탈에 반대하여 설립한 이 단체의 활동을 조사한다.
> • 모둠별 활동 주제
>
> | 모둠 | 주제 |
> |------|------|
> | 1모둠 | 만민 공동회 개최 |
> | 2모둠 | 한러 은행 폐쇄 |
> | 3모둠 | (가) |

① 국채 보상 운동 전개
② 토지 조사 사업 시행
③ 화폐 정리 사업 실시
④ 대한 제국 칙령 제41호 발표
⑤ 절영도 조차 요구 반대 운동 전개

07 밑줄 친 '이 정책'에 대한 설명으로 옳은 것은?

사진은 이 정책으로 인해 늘어난 쌀을 일본으로 가져가기 위해 쌓아둔 모습입니다.

① 메가타가 주도하였다.
② 보안회가 반대 운동을 펼쳤다.
③ 한반도 남부에 면화를 재배하도록 하였다.
④ 조일 통상 장정을 체결하는 배경이 되었다.
⑤ 수리 조합을 만들어 수리 시설이나 제방을 쌓도록 하였다.

❸ 민주주의의 발전

08 (가)에 들어갈 내용으로 가장 적절한 것은?

> 제2대 총선거에서 이승만에 반대하는 성향의 후보들이 대거 국회 의원에 당선되어 이승만은 다음 대통령 선거에서 당선될 가능성이 줄어들게 되었다. 이에 6·25 전쟁 중 부산에서 야당 의원들이 헌병대에 연행되는 공포 분위기 속에서 _____(가)_____

① 제헌 헌법이 제정되었다.
② 조봉암을 간첩 혐의로 체포하였다.
③ 대통령 직선제 개헌안이 통과되었다.
④ 대한민국 임시 의정원이 구성되었다.
⑤ 초대 대통령에 한해 중임 제한을 없앴다.

09 밑줄 친 '정부' 시기의 사실로 옳은 것은?

> 정부는 경제 개발에 필요한 자금을 마련하고자 베트남 전쟁에 군대를 보냈고, 그 대가로 미국으로부터 자금을 지원받기로 한 브라운 각서를 맺었다.

① 3저 호황 현상이 나타났다.
② 농지 개혁법이 제정되었다.
③ 일본과의 국교 정상화가 추진되었다.
④ 무상 원조를 받아 재정을 운영하였다.
⑤ 국제 통화 기금에 구제 금융을 신청하였다.

10 다음 주장이 제기된 민주화 운동에 대한 설명으로 옳은 것은?

> 40년 독재 정치를 청산하고 희망찬 민주 국가를 건설하기 위한 거보를 전 국민과 함께 내딛는다. …… 국민적 여망인 개헌을 일방적으로 파기한 4·13 폭거를 철회시키기 위한 민주 장정을 시작한다. ─ 6·10 국민 대회 선언

① 시민군이 조직되었다.
② 유신 체제에 반대하였다.
③ 대통령의 하야로 이어졌다.
④ 대통령 직선제 개헌을 요구하였다.
⑤ 김주열의 사망으로 시위가 격화되었다.

❹ 평화 통일을 위한 노력

11 (가), (나) 사이 시기에 있었던 사실로 옳은 것은?

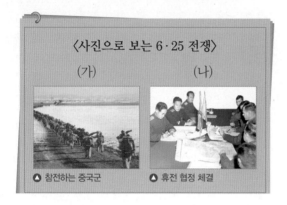

〈사진으로 보는 6·25 전쟁〉

(가)   (나)

▲ 참전하는 중국군   ▲ 휴전 협정 체결

① 1·4 후퇴   ② 서울 수복
③ 애치슨 선언 발표   ④ 북한군 기습 남침
⑤ 인천 상륙 작전 실시

12 다음 성명에 대한 설명으로 옳은 것만을 보기 에서 고른 것은?

> 쌍방은 다음과 같은 조국 통일 원칙들에 합의를 보았다.
> 첫째, 통일은 외세에 의존하거나 외세의 간섭을 받음이 없이 자주적으로 해결하여야 한다.
> 둘째, 통일은 서로 상대방을 반대하는 무력 행사에 의거하지 않고 평화적으로 실현하여야 한다.
> 셋째, 사상과 이념·제도의 차이를 초월하여 하나의 민족으로서 민족적 대단결을 도모하여야 한다.

┌─── 보기 ───
ㄱ. 남북한의 정상이 만나 합의하였다.
ㄴ. 서울과 평양에서 동시에 발표되었다.
ㄷ. 남북한 유엔 동시 가입으로 이어졌다.
ㄹ. 남북한이 합의한 최초의 통일 원칙이다.

① ㄱ, ㄴ   ② ㄱ, ㄷ   ③ ㄴ, ㄷ
④ ㄴ, ㄹ   ⑤ ㄷ, ㄹ

13 밑줄 친 '개혁'의 내용을 **두 가지** 서술하시오.

> 조선에 출병한 일본은 조선의 철병 요구를 거부하고 경복궁을 점령한 후 개혁을 강요하였다. 이에 조선은 군국기무처를 설치하고 김홍집, 어윤중 등 개화파 관료들이 중심이 되어 개혁을 추진하였다.

14 다음 법이 시행되면서 나타난 변화에 대해 서술하시오.

> 제1조 농가의 경제 자립과 농업 생산력 증진을 위해 농지를 농민에게 적정히 분배한다.
> 제11조 정부가 매수한 농지는 현재 그 농지를 경작하고 있는 농민(소작농), 경작하는 농지 규모가 너무 적은 농민 등에게 지정된 가격으로 분배한다.

15 다음 선언이 발표된 배경을 서술하시오.

> 친애하는 국민 여러분! …… 첫째, 여야 합의하에 조속히 대통령 직선제 개헌을 하고 새 헌법에 의한 대통령 선거를 통해 88년 2월 평화적 정부 이양을 실현토록 해야 하겠습니다. …… 둘째, 최대한의 공명정대한 선거 관리가 이루어져야 합니다.
>   – 민주 정의당 대표 노태우

01 역사 신문 만들기

○ 다음 사건 중 하나를 골라 역사 신문을 만들어 보자.

> 강화도 조약, 갑신정변, 동학 농민 운동, 갑오개혁, 대한 제국 수립, 독립 협회 활동, 을사늑약 체결

1. 선택한 사건의 주요 내용을 정리해 보자.

배경	
과정	
결과	
기타	

2. 다음 유의사항을 참고하여 사건을 잘 전달할 수 있는 형식으로 기사를 작성해 보자.

> **유의 사항**
> • 사건의 배경, 과정, 결과 및 영향이 잘 나타나도록 지면을 구성한다.
> • 사건의 내용을 기사로 작성하고, 가능하다면 사진 및 참고 자료를 첨부한다.
> • 사진 기사, 만평, 광고 등 다양한 신문의 구성 요소를 활용하여 지면을 구성한다.

□□ 신문		
[특집]		**[광고]**
[기사]	**[사설]** (예시) **강화도 조약 체결, 우리나라에 생길 변화와 보완점** 정부가 일본과 우리나라 최초의 근대적 조약인 강화도 조약을 체결하였다. 이번 조약의 체결로 우리 조선도 세계 여러 나라와 새로운 외교 관계를 맺고 국제 사회로 나아갈 것이다. 다만 영사 재판권과 해안 측량권 허용 등 우리에게 불평등한 조항들이 이번 조약에 포함되어 있어 앞으로 개정이 필요할 것으로 보인다.	**[만평]**

02 역사적 인물 평가하기

● 다음 인물에 대해 긍정적·부정적 의견을 정리하고 토론해 보자.

1. 다음 인물의 활동 내용을 조사하여 정리해 보자.

이름	이하응
생몰 연도	1820~1898
주요 업적	고종의 아버지로 흥선 대원군으로 봉해짐
활동 내용	

2. 위 인물에 대한 긍정적·부정적 관점 중 하나를 선택하여 평가해 보자.

3. 인물을 평가하는 이야기를 나눈 후 나와 반대되는 의견을 정리해 보자.

대한민국의 수도, 서울

"600년 조선의 수도, 서울"

600년 조선 왕조의 수도였던 서울에는 다양한 문화유산이 남아 있다. 조선 왕조의 법궁이었던 경복궁과 당시 양반층이 주로 거주하였던 북촌 한옥마을 등이 있다. 또한 대한 제국 선포 이후 황궁으로서의 역할을 담당한 덕수궁(경운궁), 독립 협회가 건립한 독립문 등의 근대 유산도 있다. 이외에도 고종이 아관 파천을 단행한 구 러시아 공사관과 황제 즉위식을 올린 황궁우(환구단), 을사늑약과 헤이그 특사 파견이 이루어진 중명전 등도 살펴볼 수 있다.

📍 경복궁

경복궁은 조선 왕조 제일의 법궁으로, 정문인 광화문 앞으로 넓은 육조 거리(지금의 세종로)가 펼쳐져 있었다. 태조 이성계가 창건하였으나 임진왜란으로 불타 없어졌다가 고종 때에 중건되었다. 흥선 대원군이 주도하여 중건된 경복궁은 500여 동의 건물이 빼곡히 들어선 웅장한 모습이었지만, 일제 강점기에 대부분의 건물이 철거되어 현재는 근정전 등 일부 중심 건물만 남아 있다.

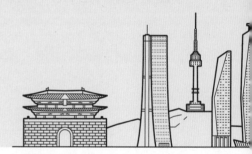

서울 음식 맛보기

❶ 신선로 神仙爐 쇠로 된 화통이 달린 냄비에 불을 지펴 끓이면서 먹는 호화로운 탕의 일종이다. 냄비에 여러 가지 어육과 채소를 넣고, 각종 마른 과일을 장식하여 육수를 붓고 끓이면서 먹는 대표적인 궁중 음식이다.

❷ 전복초 全鰒炒 초(炒)는 재료를 장물에 조려 윤기가 나게 만드는 조리법이다. 전복초는 전복을 갖은 양념을 한 간장에 조려서 만든 요리로 궁중에서 먹던 보양 음식이다. 오늘날에는 폐백 음식으로 사용된다.

북촌 한옥 마을

북촌 한옥 마을은 대한민국을 대표하는 전통 골목이다. 이름처럼 한옥이 곳곳에 자리 잡고 있으며, 사적, 유형 문화재뿐만 아니라 우리나라 최초의 목욕탕인 중앙탕도 자리 잡고 있다. 곳곳에서 장인들이 직접 만든 공예품을 구매할 수 있으며, 궁중 음식, 매듭, 자수, 대금 등의 전통 공예 공방도 개설되어 있어 실제 작업 모습을 볼 수도 있다.

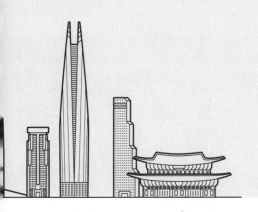

덕수궁(경운궁)

덕수궁은 임진왜란 당시 의주로 피난 갔던 선조가 한양으로 돌아와 행궁으로 삼았던 곳으로, 광해군 즉위 후 경운궁으로 불렸다. 1896년 러시아 공사관으로 거처를 옮겼던 고종이 환궁한 이후 대한 제국이 선포되면서 황궁으로서의 규모와 격식을 갖추게 되었다. 1907년 덕수궁으로 이름이 바뀌었다.

독립문

독립문은 중국 사신을 영접하여 사대 외교의 상징이었던 영은문을 헐고 그 자리에 세운 자주 민권과 자강 운동의 기념물이다. 서재필이 건립을 주장하였고, 고종 황제의 동의를 얻고 많은 애국지사와 국민의 호응을 받아 1897년 완공되었다.

❸ **설렁탕** 소의 머리, 내장, 뼈 등을 푹 삶아서 만든 국이다. 조선 시대에 임금이 직접 농사가 잘되기를 기원하며 선농단에서 제사를 지냈고, 행사 후 만든 국밥을 선농탕이라고 부른 데서 설렁탕이 유래되었다는 설 등이 있다.

❹ **구절판** 구절판은 가운데 밀전병을 놓고, 그 주변에 여덟 가지 음식을 담아 이 음식을 조금씩 집어 밀전병에 싸 먹는 음식이다. 밀전병에 고기나 채소를 올리고 겨자장이나 초장을 찍어 싸 먹는다.

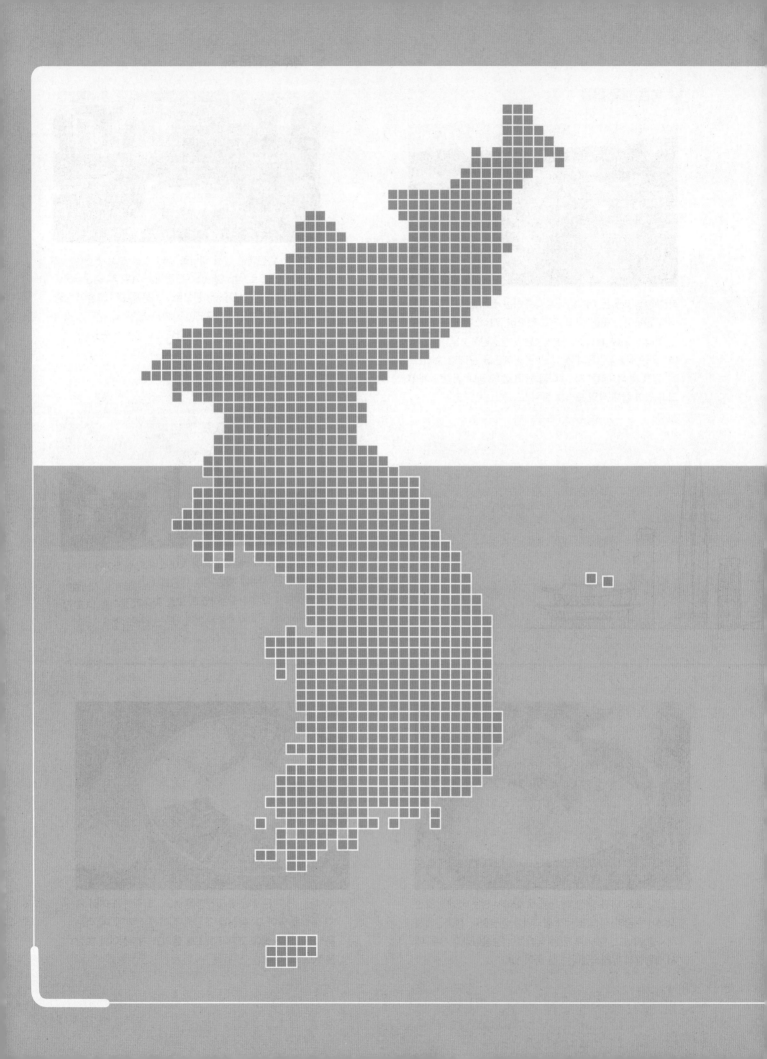

역사 ②
자습서

정답과 해설

1/2 선사 문화와 고조선 ~ 여러 나라의 성장

실력 확인 문제
14~17쪽

01 ③	02 ④	03 ③	04 ②
05 ④	06 ①	07 ④	
08 (가) 세형 동검, (나) 잔무늬 거울			09 ⑤
10 ⑤	11 ④	12 ①	13 ②
14 ③	15 ④	16 (가) 천군, (나) 소도	
17 ④	18~19 해설 참조		

01 |정답 ③| 제시된 유물은 구석기 시대의 주먹도끼와 슴베찌르개이다. 구석기 시대에는 채집과 사냥을 통해 식량을 마련하였고, 동굴이나 강가에서 막집을 짓고 살았다.

오답 피하기

ㄱ. 간석기로 된 농기구를 사용한 것은 신석기 시대 이후이다.
ㄹ. 사유 재산이 발생하면서 계급이 분화된 것은 청동기 시대 이후이다.

02 |정답 ④| 신석기인들은 돌낫, 갈돌과 갈판 등의 농기구를 사용하고, 조리와 저장을 위해 토기를 만들어 사용하였다. 신석기 시대를 대표하는 토기로는 빗살무늬 토기가 있다.

오답 피하기

① 돌 화살촉은 사냥 도구이고, 갈돌과 갈판은 곡식의 열매나 씨앗의 껍질을 벗기거나 가루를 만드는 도구이다
② 반달 돌칼은 청동기 시대에 주로 사용된 농기구이고, 미송리식 토기 역시 청동기 시대의 대표적 유물이다.
③ 명도전은 칼 모양 화폐이고, 가락바퀴는 실을 만들 때 사용한 도구이다.
⑤ 이음낚시는 물고기를 잡을 때 사용한 도구이고, 농경문 청동기는 제사를 지낼 때 사용한 도구로 보고 있다.

03 |정답 ③| 신석기 시대 사람들은 조개 가면이나 흙 인형을 만들기도 하였으며, 강가나 바닷가에 움집을 짓고 살았다.

04 |정답 ②| 반달 돌칼은 주로 청동기 시대에 사용된 농기구로, 당시에는 돌을 이용해 농기구를 만들었다. 비파형 동검은 청동기 시대에 지배자들이 사용했던 검이다. 청동기 시대에 청동기는 주로 지배자들을 위한 용도로 제작되었다.

05 |정답 ④| 고인돌은 많은 사람의 노동력을 동원하여 만들어졌다. 이를 통해 다른 사람들을 동원하여 일을 시킬 수 있는 지배자가 출현했음을 알 수 있다.

06 |정답 ①| 제사장을 뜻하는 단군과 정치적 군장을 뜻하는 왕검이라는 단어를 함께 사용하고 있다는 점에서 제정일치 사회임을 알 수 있다. 더불어 바람, 비, 구름의 기상 현상을 다스리는 풍백·우사·운사를 거느리고 왔다는 점을 통해 기상 현상이 중시되는 농경 사회였음을 알 수 있다.

오답 피하기

ㄷ. 고조선은 계급이 존재하는 사회였다. 계급이 존재하지 않는 평등 사회는 국가 성립 이전 단계의 특징이다.
ㄹ. 고조선은 청동기 문화를 배경으로 성립하였고, 이후 철기 문화를 수용하며 발전해 갔다.

07 |정답 ④| 탁자식 고인돌, 미송리식 토기, 비파형 동검의 분포를 통해 문화권을 추정할 수 있는 나라는 고조선이다.

08 |(가) 세형 동검, (나) 잔무늬 거울| 고조선에서는 기원전 5~기원전 4세기경 중국의 철기 문화를 수용하면서 비파형 동검이 세형 동검으로, 거친무늬 거울이 잔무늬 거울로 바뀌는 등 독자적 청동기 문화가 발전하였다.

09 |정답 ⑤| 위만이 왕이 된 이후 고조선은 한반도 남부의 진과 중국의 한 사이에서 중계 무역을 통해 경제적으로 크게 발전하였다. 그러나 이를 계기로 한과 마찰이 생겨 대립하다가 결국 한 무제의 침략으로 멸망하였다.

오답 피하기

① 한은 고조선을 멸망시킨 이후에 낙랑군 등을 설치하였다.
②, ③, ④ 모두 위만 조선이 성립되기 이전의 사실이다.

10 |정답 ⑤| 사람을 죽인 자는 사형에 처한다는 점에서 생명 중시, 남을 다치게 한 자는 곡물로 갚는다는 점에서 노동력 중시, 도둑질한 사람은 노비로 삼는다는 점에서 사유 재산을 인정했음과 노비가 존재하는 신분제 사회임을 알 수 있다. ⑤ 고조선은 제정이 일치된 사회였다.

11 |정답 ④| 철제 농기구가 사용되면서 농지가 넓어졌고, 철제 무기가 사용되면서 정복 전쟁이 자주 일어났다.

오답 피하기

ㄱ. 고조선은 청동기 문화를 배경으로 등장한 국가이다.
ㄷ. 철기 시대에는 독무덤과 널무덤을 만들었다.

12 |정답 ①| 쑹화강 유역의 평야 지대에 위치하였고, 순장, 형사취수제 등의 풍습이 있었으며, 중국 군현과 우호적 관계를 유지한 나라는 부여이다.

13 |정답②| (가) 부여, (나) 고구려, (다) 옥저, (라) 동예, (마) 삼한이다. 왕이 없어 군장이 나라를 다스렸고, 토지가 비옥하고 해산물이 풍부하였으며, 고구려에 특산물을 바치는 등 압력을 받다가 결국 고구려에 복속된 나라는 옥저와 동예이다.

14 |정답③| 민며느리제의 풍습이 있었던 나라는 (다) 옥저이다.

오답 피하기

①, ④ (나) 고구려, ② (마) 삼한, ⑤ (다) 옥저에 대한 설명이다.

15 |정답④| 각국 제천 행사의 명칭은 부여는 영고, 고구려는 동맹, 동예는 무천이다. 삼한의 경우 명칭은 분명하지 않으나, 5월과 10월에 제사를 지냈다고 한다.

16 |(가) 천군, (나) 소도| 삼한에는 제사장인 천군이 정치적 군장과 달리 별개로 존재하였고, 군장의 권력이 미치지 못하는 신성 구역인 소도가 있었다.

17 |정답④| 책화의 풍습이 있었던 나라는 동예이다. 동예에서는 읍군, 삼로라 불리는 군장이 자기 영역을 다스렸다.

오답 피하기

① 고구려, ②, ③ 진한과 변한, ⑤ 고구려에 대한 설명이다.

18 예시 답안 (1) 명도전

(2) 중국 화폐인 명도전이 고조선의 유적지에서 출토된 것으로 보아 고조선이 중국과 활발히 교역했음을 알 수 있다.

채점 기준	
상	화폐의 명칭과 고조선과 중국의 활발한 교역을 모두 서술한 경우
중	고조선과 중국의 활발한 교역만 서술한 경우
하	화폐의 명칭만 서술한 경우

19 예시 답안 여러 집단의 연맹으로 국가가 성립하여 왕이 존재하였어도 국가의 주요 사안은 집단 대표들의 합의로 결정하였다.

채점 기준	
상	왕의 존재와 더불어 집단 대표의 합의로 정치적 결정을 하였다는 점을 모두 서술한 경우
중	집단 대표의 합의로 정치적 결정을 하였다는 점만 서술한 경우
하	왕의 존재만 서술한 경우

③ 삼국의 성립과 발전

실력 확인 문제   22~25쪽

01 ③	02 ④	03 ⑤	04 ③
05 ③	06 (가) 내물왕, (나) 마립간		07 ⑤
08 ②	09 ④	10 ②	11 ④
12 ④	13 ③	14 ④	15 ②
16 ④	17 (가) 대가야, (나) 신라		
18~19 해설 참조			

01 |정답③| 삼국은 중앙 집권 국가로 성장하면서 여러 집단의 지배자를 귀족으로 흡수하였고, 관등제를 두어 귀족을 서열화하였으며, 율령을 반포하여 국가 체제를 정비하였다.

오답 피하기

ㄱ. 삼국은 불교를 수용하여 사상을 통합하였다.
ㄹ. 연맹 왕국 초기에는 여러 집단에서 왕위를 번갈아가며 차지하였으나 중앙 집권 국가로 발전하면서 한 집단에서 왕위를 독점하게 되었다.

02 |정답④| 5부를 행정 구역으로 바꾸고, 5부의 지배자를 중앙의 귀족으로 편입한 고구려의 왕은 고국천왕이다.

오답 피하기

① 태조왕, ② 미천왕, ③ 유리왕, ⑤ 백제와 관련된 사실이다.

03 |정답⑤| 불교 수용, 태학 설립, 율령 반포는 소수림왕 때의 일이다.

04 |정답③| (가)는 4세기 말 침류왕, (나)는 3세기 중엽 고이왕, (다)는 4세기 후반 근초고왕 때 일이다.

05 |정답③| 호우총 출토 청동 '광개토 대왕'명 호우는 신라의 고분에서 출토된 유물이다. 이를 통해 당시 신라가 고구려의 정치적 영향 아래 있었음을 알 수 있다.

06 |(가) 내물왕, (나) 마립간| 신라에서 김씨가 왕위를 세습하기 시작한 것은 내물왕 때의 일이며, 이때부터 왕호를 대군장을 의미하는 마립간으로 바꾸었다.

07 |정답⑤| 전기 가야 연맹을 주도한 것은 철 생산을 바탕으로 해상 교역을 통해 성장한 금관가야이다. 금관가야는 해상 교역이 쇠퇴하고 고구려의 공격을 받아 세력이 약화되었다.

오답 피하기

ㄱ. 박, 석, 김 3성이 번갈아 가며 왕의 자리를 차지한 나라는 신라이다.
ㄴ. 가야는 중앙 집권 국가를 이루지 못하고 멸망하였다.

08 |정답②| 광개토 대왕은 요동으로 영토를 넓히고 동부여를 병합하였으며, 백제를 공격하여 한강 이북을 차지하였다.

오답 피하기
ㄴ. 고령의 대가야를 정복한 왕은 신라의 진흥왕이다.
ㄹ. 마한의 남은 세력을 정복하여 남해안까지 영토를 확장한 왕은 백제의 근초고왕이다.

09 |정답④| 광개토 대왕의 뒤를 이어 중국이 남조와 북조로 분열된 상황을 이용하여 실리를 추구하는 외교 정책을 펼친 왕은 장수왕이다. 장수왕은 남진 정책을 추진하여 도읍을 대동강 유역의 평양으로 옮겼으며, 한강 이남까지 영토를 확장하였다.

오답 피하기
ㄱ. 신라와 혼인을 통해 동맹을 체결한 왕은 백제의 동성왕이다.
ㄷ. 좌평을 두고 관등제의 기초를 마련한 왕은 백제의 고이왕이다.

10 |정답②| (가) 백제가 한성에서 웅진(공주)으로 천도한 이유는 장수왕의 공격으로 한강 유역을 빼앗겼기 때문이다. (나) 백제가 웅진(공주)에서 사비(부여)로 천도한 까닭은 백제의 중흥을 도모하기 위해서였다.

11 |정답④| (가)는 5세기 전반 고구려의 전성기, (나)는 4세기 후반 백제의 전성기, (다)는 6세기 중엽 신라의 전성기 지도이다. 이를 시기 순으로 나열하면 (나) - (가) - (다)가 된다. 백제는 전성기인 근초고왕 때 해상 교역망을 장악하여 남조 및 가야, 왜 등과 교류하였다.

오답 피하기
ㄱ. (가) - 고구려는 장수왕 때 남진 정책을 추진하여 한강 이남까지 영역을 확장하였다.
ㄷ. (다) - 신라는 진흥왕 때 한강 유역을 장악하여 중국과 직접 교류할 수 있게 되었다.

12 |정답④| 22담로를 설치하였으며, 중국 남조의 양과 외교 관계를 맺고 문물 교류에 힘쓴 백제의 왕은 무령왕이다.

13 |정답③| 중앙과 지방의 행정 조직을 정비하고, 이를 통해 국력을 키워 한강 유역을 일시적으로 되찾은 백제의 왕은 성왕이다. 성왕은 국호를 남부여로 고쳤다.

오답 피하기
① 신라의 진흥왕, ② 신라의 법흥왕, ④ 백제의 문주왕, ⑤ 백제의 고이왕에 대한 설명이다.

14 |정답④| 병부를 설치해 군사권을 장악하고, 불교를 공인하여 사상의 통일을 꾀한 신라의 왕은 법흥왕이다. 법흥왕은 금관가야를 병합하였고, 율령을 반포하여 체제를 정비하였다.

오답 피하기
ㄱ. 진흥왕, ㄷ. 지증왕에 대한 설명이다.

15 |정답②| 진흥왕이 국가적인 조직으로 개편한 청소년 수련 단체는 화랑도이다.

16 |정답④| 신라는 진흥왕 때 한강 유역을 차지하여 이 시기 삼국 중에서 우위를 차지할 수 있었다. 신라는 한강 유역을 차지한 후 북한산에 순수비를 세웠다.

오답 피하기
① 황초령비, ② 마운령비를 통해 진흥왕 때 함경도 지역으로 진출했음을 알 수 있다.
③ 충주 고구려비를 통해 고구려 장수왕 때 고구려가 남한강 유역까지 장악했음을 알 수 있다.
⑤ 창녕 신라 진흥왕 척경비를 통해 진흥왕 때 대가야를 정복했음을 알 수 있다.

17 |(가) 대가야, (나) 신라| 대가야는 금관가야를 대신하여 후기 가야 연맹의 중심이 되었으나 신라의 공격으로 멸망하였다.

18 예시 답안 (1) 칠지도
(2) 칠지도에는 백제 왕이 왜 왕에게 선물했다는 기록이 있어 백제와 왜가 정치적으로 긴밀한 관계였음을 알 수 있다.

|채점 기준|

상	유물의 명칭을 쓰고, 칠지도의 기록을 근거로 백제와 왜가 정치적으로 긴밀한 관계를 유지했음을 서술한 경우
중	유물의 명칭을 썼으나 백제와 왜가 가까웠다(교류했다)라고 서술한 경우
하	유물의 명칭만 서술한 경우

20 |예시 답안| (1) 충주 고구려비
(2) 고구려가 신라보다 정치적으로 우위였음을 알 수 있다.

|채점 기준|

상	비석의 명칭을 쓰고, 고구려가 신라보다 정치적으로 우위에 있었음을 서술한 경우
중	비석의 명칭을 썼으나 고구려가 신라에 영향을 주었다라는 의미로 서술한 경우
하	비석의 명칭만 쓴 경우

❹ 삼국의 문화와 대외 교류

실력 확인 문제   30~31쪽

01 ④	**02** ①	**03** ①	**04** ③
05 백제	**06** ②	**07** ③	
08~09 해설 참조			

01 |정답 ④| 백제 초기의 계단식 돌무지무덤은 고구려의 영향을 받은 것이다. 백제는 고구려에서 남하한 이주민과 한강 유역의 토착 세력이 결합하여 세운 국가로, 이를 뒷받침하는 근거로는 초기 고분 양식의 유사성과 백제의 시조 온조가 고구려에서 남하하여 백제를 건국했다는 건국 신화의 내용을 꼽을 수 있다.

02 |정답 ①| 굴식 돌방무덤에는 널방에 벽화가 많이 남아 있으며, 모줄임천장의 형태도 보인다.

오답 피하기

ㄷ. 돌무지덧널무덤에 대한 설명이다.
ㄹ. 삼국과 가야 모두에서 굴식 돌방무덤 구조의 고분을 만들었다.

03 |정답 ①| 무령왕릉은 중국 남조의 영향을 받은 벽돌무덤 양식을 대표하는 고분이다.

오답 피하기

② 송산리 6호분과 같이 벽돌무덤이면서 사신도 등의 벽화가 그려져 있는 경우가 일부 있으나 무령왕릉에는 벽화가 그려져 있지 않다.
③ 무령왕릉은 중국 남조의 영향을 받아 만든 벽돌무덤 양식이다.
④ 무령왕릉은 벽돌무덤 양식이다.
⑤ 무령왕릉은 도굴되지 않아 많은 유물이 발굴되었다.

04 |정답 ③| 고구려의 고분 벽화는 고구려인의 생활 모습, 종교, 사상을 보여 준다. 부엌과 푸줏간의 모습을 통해 고구려의 주거 문화 또는 고구려의 식생활을 알 수 있다.

오답 피하기

① 신분제와 관련된 벽화는 고분의 주인공과 시종의 크기가 다른 벽화를 제시하는 것이 적절하다.
② 천문학과 관련된 벽화는 천체도가 적절하다.
④ 불교 수용과 관련된 벽화로는 부처님께 절을 하는 주인공 부부가 그려진 벽화를 제시하는 것이 적절하다.
⑤ 무예 숭상과 관련된 벽화로는 사냥 그림이 적절하다.

05 |백제| 삼국 가운데 일본에 불교를 전파하고, 가야, 왜를 연결하는 해상 왕국으로 성장한 나라는 백제이다.

06 |정답 ②| 「양직공도」의 백제 사신은 백제와 중국 남조의 교류, 아프라시아브 궁전 벽화는 고구려와 서역의 교류, 경주 계림로 보검은 신라와 서역의 교류를 보여 준다. 따라서 '삼국, 여러 나라와 문화를 교류하다.'가 가장 적절한 제목이다.

07 |정답 ③| 고구려 수산리 고분 벽화와 일본 다카마쓰 고분 벽화에 그려진 귀부인의 유사한 차림새를 통해 고구려와 일본의 교류가 활발했음을 알 수 있다.

08 **예시 답안** (1) 돌무지덧널무덤
(2) 도굴이 어려워 많은 유물이 남아 있다.

|채점 기준|

상	고분 양식의 명칭과 특징을 모두 서술한 경우
중	고분 양식의 명칭과 특징 중 한 가지만 서술한 경우
하	고분 양식의 명칭과 특징을 서술하지 못한 경우

09 **예시 답안** 사신도와 백제 금동 대향로를 통해 도교가 유행했음을 알 수 있다. 사신도의 현무는 도교에서 북쪽을 지키는 방위신이며, 백제 금동 대향로의 뚜껑 부분에는 도교의 신선이 산다는 이상향이 표현되어 있다.

|채점 기준|

상	도교가 유행했음을 쓰고, 사신이 도교의 방위신임과 금동 대향로에 신선이 산다는 이상향이 표현되었음을 근거로 논리적으로 서술한 경우
중	도교가 유행했음을 썼으나, 유물과 도교의 연관성을 한 가지만 서술한 경우
하	도교가 유행했음만 쓴 경우

대단원 마무리 문제   33~35쪽

01 ③	**02** ①	**03** ④	**04** ②	**05** ①
06 ④	**07** ⑤	**08** ③	**09** ③	**10** ④
11 ②	**12** ⑤	**13~14** 해설 참조		

01 |정답 ③| (가)는 주먹도끼로 구석기 시대의 유물이며, (나)는 빗살무늬 토기로 신석기 시대의 유물이다. 구석기 시대 사람들은 동굴이나 강가에서 막집을 짓고 살았으며, 신석기 시대 사람들은 농사를 지어 곡식을 재배하였다.

오답 피하기

ㄱ. 농경이 시작되어 정착 생활을 한 것은 신석기 시대의 일이다.
ㄹ. 집단 간의 정복 전쟁이 활발해지면서 국가가 발생한 것은 청동기 시대의 일이다.

02 |정답①| 사진은 비파형 동검으로 청동기 시대를 대표하는 유물이다. 청동기는 재료가 귀하고 만들기가 어려워 주로 지배자들이 사용하였다. 비파형 동검은 탁자식 고인돌, 미송리식 토기와 더불어 고조선의 문화권을 추정할 수 있는 유물이다.

오답 피하기

ㄷ. 칼 모양의 화폐로 고조선의 교역 활동을 보여 주는 것은 명도전이다.
ㄹ. 한반도에 독자적인 청동기 문화가 발전했음을 보여 주는 유물은 세형 동검과 잔무늬 거울이다.

03 |정답④| 고조선의 8조법을 통해 고조선 사회는 생명과 노동력을 중시하고, 사유 재산이 인정되었으며, 노비가 존재하는 신분제 사회였음을 알 수 있다.

오답 피하기

ㄱ. 고조선은 제정일치 사회였다.
ㄷ. 채집과 수렵 위주의 사회는 구석기 시대의 특징이다. 곡물로 변상한다는 점에서 농경 사회였음을 알 수 있다.

04 |정답②| (가) 부여, (나) 고구려, (다) 옥저, (라) 동예, (마) 삼한이다. 고구려는 제가 회의를 통해 국가의 중대사를 결정하였다.

오답 피하기

① 부여에는 왕이 있었다.
③ 동예, ④ 삼한, ⑤ 옥저에 대한 설명이다.

05 |정답①| 쑹화강 유역의 평야 지대에서 성장하고 중국 군현과 활발히 교류한 나라는 부여이다. 부여에는 형사취수제의 풍습이 있었다.

오답 피하기

② 고구려, ③ 옥저, ④ 진한과 변한, ⑤ 동예에 대한 설명이다.

06 |정답④| 연맹 국가가 중앙 집권 국가로 성장하는 과정에서 관등제를 설치하고 율령을 반포하였으며, 불교를 수용하였다.

07 |정답⑤| 광개토 대왕은 소수림왕의 체제 정비를 바탕으로 정복 활동에 나섰다. 소수림왕은 태학 설립, 불교 수용, 율령 반포 등을 하여 체제를 정비하였다.

08 |정답③| (가)는 칠지도, (나)는 호우총 출토 청동 '광개토 대왕'명 호우이다. 칠지도를 통해 백제와 왜가 활발히 교류했음을 알 수 있고, 호우총 출토 청동 '광개토 대왕'명 호우를 통해 신라가 고구려의 정치적 영향 아래 있었음을 알 수 있다.

09 |정답③| (가)는 6세기 초반, (나)는 5세기 후반, (다)는 4세기 후반, (라)는 6세기 중엽의 일이다.

10 |정답④| (가)는 굴식 돌방무덤, (나)는 돌무지덧널무덤이다. 굴식 돌방무덤의 널방에는 벽화가 많이 남아 있고, 돌무지덧널무덤은 도굴이 어려워 많은 유물이 남아 있다.

오답 피하기

ㄱ. 굴식 돌방무덤은 삼국과 가야 모두 만들었다.
ㄷ. 중국 남조의 영향을 받은 것은 벽돌무덤이다.

11 |정답②| 삼국 시대에는 조나 보리를 주식으로 이용하였으며, 쌀은 소수의 지배층만이 먹을 수 있었다.

12 |정답⑤| 백제는 일본에 불교를 전파하고 학자와 기술자를 파견하는 등 가장 활발히 교류하였다. 고구려는 종이와 먹 만드는 기술을 전파하였고, 신라는 배를 만드는 기술과 불상 등을 전하였으며, 가야는 철기와 토기를 전해 주었다.

13 예시 답안 갈판과 갈돌은 곡물의 껍질을 벗기고 가루로 만드는 용도로 사용하였다. 이를 통해 당시 곡물이 재배되었음을 알 수 있다.

|채점 기준|

상	용도와 생활 모습을 모두 서술한 경우
중	용도와 생활 모습 중 하나만 서술한 경우
하	용도와 생활 모습을 모두 서술하지 못한 경우

14 예시 답안 무덤 주인공은 크게 그리고, 시중드는 사람은 작게 표현하여 신분제 사회였음을 알 수 있다.

|채점 기준|

상	인물의 크기 차이를 토대로 사회의 특징을 서술한 경우
중	인물의 크기 차이만 서술한 경우
하	인물의 크기 차이의 의미를 이해하지 못해 사회의 특징을 서술하지 못한 경우

01 삼국 시대 왕들의 정책 알아보기

1 예시 답안 소수림왕, 불교 수용, 태학 설립, 율령 반포

2 예시 답안
• 기자: 불교를 수용한 이유는 무엇입니까?
• 소수림왕: 부족마다 다른 수호신을 믿는다면 한 나라의 백성으로 통합할 수가 없소. 국가의 정신적 통합을 위해 불교를 수용한 것이오.
• 기자: 태학은 어떤 역할을 합니까?
• 소수림왕: 귀족의 자제를 대상으로 한 교육 기관으로, 유교적 정치 이념에 충실한 인재를 양성하고자 하였소.
• 기자: 율령을 반포하셨다고 하는데, 율령은 무엇인가요?
• 소수림왕: 율은 죄인들에 대한 처벌을 규정한 것이고, 영은 국가의 행정 기구와 그 역할 등을 규정한 것이오. 율령을 반포하여 국가 체제를 정비하고자 하였소.

02 삼국 시대 대외 교류와 관련된 유물 알아보기

예시 답안
• 양직공도의 백제 사신: 백제 – 중국 남조(중국 남조의 양에 온 사신을 그린 사신도에 백제 사신이 그려진 점으로 보아 백제와 중국 남조가 교류했음을 알 수 있다.)
• 아프라시아브 궁전 벽화: 고구려 – 서역(아프라시아브 궁전은 우즈베키스탄 사마르칸트에 있는데, 오른쪽 두 인물은 조우관을 쓰고 고리자루칼을 차고 있어 고구려 사신으로 보이므로 고구려가 서역과 교류했음을 알 수 있다.)
• 경주 계림로 보검: 신라 – 서역(신라의 고분에서 출토된 서역의 보검 장식을 통해 신라와 서역이 교류했음을 알 수 있다.
• 바람개비 꾸미개: 가야 – 일본(가야에서 방패를 꾸미던 청동 제품인데, 일본에서 많이 발견되는 것으로 보아 가야와 일본이 교류했음을 알 수 있다.)
• 수산리 벽화와 일본 다카마쓰 고분 벽화: 고구려 – 일본(고구려와 일본의 고분 벽화에서 주름치마와 저고리를 입은 차림새가 유사한 점으로 보아 고구려와 일본이 교류했음을 알 수 있다.)

II 남북국 시대의 전개

❶ 신라의 삼국 통일과 발해의 건국

실력 확인 문제   48~51쪽

01 ④	**02** ②	**03** 천리장성	**04** ②
05 ④	**06** ⑤	**07** ③	**08** ③
09 ②	**10** ④	**11** 안동도호부	**12** ③
13 ⑤	**14** ①	**15** ③	**16** ②
17 ①	**18** ⑤	**19~20** 해설 참조	

01 |정답 ④| 수가 중국을 통일한 후 수의 압력에 위협을 느낀 고구려는 돌궐과 연합하였다. 한편 고구려와 백제의 공격에 시달리던 신라는 수에 도움을 요청하였다.

오답 피하기

ㄱ. 고구려는 당의 침입에 대비하여 천리장성을 쌓았다.
ㄷ. 신라는 당시 수의 침략의 위협을 받지 않았다.

02 |정답 ②| 고구려는 여러 차례에 걸친 수의 침략을 막아냈다. 그 과정에서 살수 대첩이 일어났고 당시 활약한 장군은 을지문덕이다.

오답 피하기

ㄴ. 연개소문과 ㄹ. 안시성 전투는 당의 침략과 관련이 있다.

03 |천리장성| 고구려가 당의 침입에 대비하여 국경 지대인 부여성에서 비사성까지 쌓은 성은 천리장성이다.

04 |정답 ②| 당이 건국되고 당 태종의 즉위 이후 고구려에 대한 압박이 강해지는 가운데 고구려에서는 연개소문의 정변이 일어났다. 당은 연개소문을 징벌한다는 구실로 고구려를 침략했으나 안시성 전투에서 패배하여 퇴각하였다. 따라서 (가) 당의 건국 – (다) 연개소문의 정변 – (나) 안시성 전투 순으로 발생하였다.

05 |정답 ④| 고구려의 지형을 이용한 성의 축조 및 '치'를 활용한 방어, 적이 이용할 수 있는 농작물과 우물을 없애 버리는 청야 전술에 관한 내용이다. 이는 고구려가 중국 통일 왕조인 수와 당의 침략을 격퇴할 수 있었던 요인인 방어 체제에 대해 설명하고 있다.

06 |정답 ⑤| 계백의 백제군이 김유신의 신라군과 맞선 전투는 황산벌 전투이다. 이 전투에서 백제군이 신라군에 패하면서 백제는 멸망의 길로 접어들었다.

07 |정답 ③| 고구려 부흥 운동과 관련된 인물은 검모잠, 고연무, 안승 등이 있다.

오답 피하기

ㄱ. 백제 부흥 운동과 관련된 인물이다
ㄹ. 발해를 건국한 인물이다.

08 |정답 ③| 복신, 도침, 흑치상지, 부여풍은 백제의 부흥 운동과 관련된 인물들이다.

09 |정답 ②| (가) 백제 멸망은 660년, (나) 고구려 멸망은 668년, (다) 백강 전투는 663년 (라) 검모잠의 안승 추대는 670년이다. 따라서 (가)-(다)-(나)-(라) 순이다.

10 |정답 ④| 나당 동맹의 체결 과정에서 신라는 고구려와 백제 중 당시 신라의 직접적 위협 대상인 백제를 먼저 공격할 것을 제안하였다. 당 역시 고구려의 우방이 될 수 있는 백제를 미리 제거하는 것이 좋겠다고 판단하였으나 당이 정벌하고자 하는 주요 대상은 고구려였다.

11 |안동도호부| 당은 고구려 멸망 이후 평양에 안동도호부를 설치하여 점령 지역을 지배하고자 하였다. 이는 신라를 포함한 한반도 전체를 모두 지배하려는 당나라의 야심을 보여 준다.

12 |정답 ③| 나당 전쟁에서 신라가 크게 승리를 거둔 곳은 매소성과 기벌포이다.

오답 피하기

ㄱ. 고연무의 고구려 부흥 운동 중심지이다.
ㄹ. 고구려 유민의 나라 보덕국이 세워졌던 곳이다.

13 |정답 ⑤| 나당 전쟁을 통해 신라는 대동강 이남에서 당의 세력을 몰아내고 삼국 통일을 완성하였다.

14 |정답 ①| 당에 군사 원조를 요청하여 나당 동맹을 이룬 왕은 무열왕이다.

15 |정답 ③| 신라가 삼국 통일 과정에서 평정한 두 나라는 백제와 고구려이다.

16 |정답 ②| 윗글은 신라의 삼국 통일을 긍정적으로 평가하는 글이다. 이에 반박하여 삼국 통일을 부정적으로 평가하는 근거로는 당이라는 외세의 도움을 받았고 대동강 이북의 고구려 땅을 상실했다는 점이다.

오답 피하기

ㄴ. 민족 문화 발전의 토대 마련과 ㄹ. 전쟁의 종결에 따른 평화 구축은 신라의 삼국 통일을 긍정적으로 평가하는 내용이다.

17 |정답 ①| (가)에 들어갈 인물은 고구려 유민을 이끌고 동모산 기슭에 국가를 건설한 대조영이다.

18 |정답 ⑤| (나)에 들어갈 나라는 발해이다. 발해의 건국으로 남쪽의 통일 신라와 공존하면서 남북국 시대가 성립되었고, 발해는 일본에 보낸 국서에 '고려(고구려) 국왕'이라는 명칭을 사용하여 고구려 계승 의식을 내세웠다.

오답 피하기

ㄱ. 발해는 고구려 유민과 말갈족이 중심이 되어 세운 국가이다.
ㄴ. 발해는 거란족의 침입으로 멸망하였다.

19 예시 답안 신라는 백제와 고구려가 멸망한 이후 한반도 전체를 지배하려는 당과 대립하였다. 고구려 옛 땅에 주둔하고 있는 당과 맞서는 고구려 부흥 운동을 지원하여 신라에 주둔한 당의 군사력을 약화하고자 하였다.

|채점기준|

상	신라와 당이 대립하였으며 고구려 부흥 운동 지원을 통해 당군을 약화하고자 하였음을 모두 서술한 경우
중	신라가 당과 대립한 것만 서술하고 고구려 부흥 운동 지원을 통해 당군을 약화하고자 한 것은 서술하지 못한 경우
하	신라와 당이 대립하고 있었음을 서술하지 못한 경우

20 예시 답안 고구려 유민이 중심이 되어 발해를 건국하였고 고구려 계승 의식을 내세웠다

|채점기준|

상	고구려 유민 중심의 건국과 고구려 계승 의식 표방을 모두 서술한 경우
중	고구려 유민 중심의 건국만 서술하고 고구려 계승 의식 표방을 서술하지 못한 경우
하	고구려 유민 중심의 건국과 고구려 계승 의식 표방을 모두 서술하지 못한 경우

❷ 남북국의 발전과 변화

01 |정답③| 문무왕은 나당 전쟁을 승리로 이끌어 삼국 통일을 완성하였다.

오답 피하기

① 화백 회의가 설치된 시기는 알 수 없다.
② 나당 동맹은 진덕여왕 때 체결되었다.
④ 독서삼품과는 원성왕 때 실시되었다.
⑤ 김흠돌의 난은 신문왕 때 진압되었다.

02 |정답④| 신문왕은 국왕 중심의 통치 체제를 수립하는 과정에서 국학을 설립하여 유교적 소양을 갖춘 인재를 양성하였다. 또한, 관료전을 지급하고 녹읍을 폐지하여 귀족들의 경제적 기반을 약화시켰다.

오답 피하기

ㄱ. 불교는 신라 법흥왕 때 공인되었다.
ㄷ. 상대등은 화백 회의의 수장으로 상대등의 역할 강화는 국왕 중심의 정치 체제 수립에 상반되므로 신문왕 때의 일이 아니다.

03 |집사부| 신라의 중앙 정치 기구 가운데 왕명을 받들어 행정을 총괄하고 시중(중시)이 장관인 기구는 집사부이다.

04 |정답④| 지도의 ㉠은 5소경이며, 신라는 수도가 동남쪽에 치우친 것을 보완하고자 5소경을 설치하였다. 5소경은 신라의 지방 정치와 문화의 중심지 역할을 하였다.

오답 피하기

ㄱ. 서당은 신라의 중앙군의 부대로 9개가 있었다.
ㄷ. 5소경의 최고 관리는 사신이다. 촌주는 말단 행정 구역인 촌을 관리하는 토착 세력이다.

05 |정답④| 신라가 삼국의 옛 땅에 각각 3개의 주를 대등하게 설치하여 9주를 두고, 중앙군인 9서당에 신라인뿐만 아니라 고구려인, 백제인, 말갈인까지 포함하여 편성한 것은 삼국을 통합하기 위한 정책이라고 볼 수 있다.

06 |정답③| 발해의 무왕이 당의 압박에 맞서 장문휴를 보내 공격한 곳은 당의 산둥 지방이다.

07 |정답③| 발해의 문왕은 당, 신라와 친선 관계를 유지하며 체제 정비에 힘썼다. 그는 당의 문물과 제도를 받아들였으며, 신라와 상설 교통로를 개설하고 사신을 교환하였다.

08 |해동성국| 발해가 전성기를 맞이하여 그 세력을 크게 떨친 시기에 당에서 발해를 가리켜 '해동성국'이라고 불렀다.

09 |정답②| 도표는 발해의 3성 6부이다. 발해의 3성 6부는 당의 제도를 수용하였고 6부의 명칭은 충, 인, 의, 지, 예, 신으로 유교에서 강조하는 덕목을 사용하였다.

오답 피하기

ㄴ. 통일 신라의 중앙 정치 기구는 집사부를 중심으로 10여 개의 관청이 있었다.
ㄹ. 발해는 정당성의 장관인 대내상이 국정을 총괄하였다.

10 |정답③| 한반도 중남부에 신라가 있고 중국에 당이 있는 것으로 보아 지도의 (가)는 발해의 영역이다. 발해는 중앙 통치 기구로 3성 6부가 있었고 군사 조직으로는 중앙에 10위를 두었다.

오답 피하기

ㄱ. 집사부를 중심으로 정국을 운영한 나라는 통일 신라이다.
ㄹ. 지방 행정 구역을 9주 5소경으로 정비한 나라는 통일 신라이다.

11 |정답⑤| 혜공왕 대에 계속되는 반란과 혜공왕의 피살, 아버지의 왕위 계승 실패에 불만을 품고 일어난 김헌창의 난을 통해 귀족들 간에 왕위 쟁탈전이 일어났음을 알 수 있다.

12 |정답①| 첫 번째 자료는 생계가 어려운 농민이 노비로 몰락하는 모습을, 두 번째 자료는 흉년 등 자연재해로 생계가 어려워지는 상황을 보여 준다. 따라서 두 자료를 통해 당시 농민들이 자연재해 등으로 삶이 어려워졌고 이에 따라 노비로 몰락하기도 하였음을 알 수 있다.

오답 피하기

ㄷ. 당에 유학하거나 학문 활동으로 이름을 떨친 이들은 6두품이다.
ㄹ. 중앙 정부의 통제력이 약화된 틈을 타 지방을 독자적으로 지배한 세력은 호족이다.

13 |정답①| 진성여왕 시기 사벌주(상주)를 중심으로 농민 봉기를 일으킨 주역은 원종과 애노이다.

14 |정답②| (가)는 호족이다. 호족은 경주 중심의 지리 인식을 거부하고 지방의 중요성을 강조한 풍수지리설을 환영하였다. 또한, 이들은 성을 쌓고 군대를 거느려 스스로 성주, 장군이라고 불렀다.

오답 피하기

ㄴ. 호족은 지방의 선종 사찰 건립을 지원하였다. 불국사와 석굴암은 경주에 있는 사찰로 국가 주도하에 세워졌을 가능성이 크다.

ㄹ. 전세·공물을 부담하며 각종 노동에 동원된 계층은 농민이다.

15 |(가) 선종, (나) 풍수지리설| 일상의 있는 그대로의 마음이 곧 도이고 그 마음이 곧 부처임을 내세운 불교 종파는 선종이다. 신라 말 도선에 의해 널리 보급되기 시작하여 경주 중심의 지리 인식을 거부한 사상은 풍수지리설이다.

16 |정답②| (가)는 후백제, (나)는 후고구려이다. 후백제는 최승우와 같은 6두품 세력을 포섭하고 후당, 오월, 거란, 일본과의 외교에 주력하였다. 후고구려는 지금의 경기도와 강원도 일대에서 세력을 확대해 나갔으며 이후 나라 이름을 마진, 태봉으로 바꾸었다.

17 예시 답안 신문왕은 국왕 중심의 통치 체제를 수립하기 위해 국학을 설립하였으며 관료전을 지급하고 녹읍을 폐지하여 귀족들의 경제 기반을 약화하였다.

|채점기준|

상	귀족들의 경제 기반 약화를 토대로 국왕 중심의 통치 체제 수립의 목표를 서술한 경우
중	귀족 세력의 경제 기반 약화만 서술한 경우
하	왕권 강화 및 귀족 세력 약화를 서술하지 못한 경우

18 예시 답안 발해가 당과 다른 독자적 연호를 사용하고, 발해왕을 황제를 이르는 '황상'이라고 표현한 점을 통해 스스로 황제국임을 표방했음을 알 수 있다.

|채점기준|

상	독자적 연호 사용, 황상의 의미를 토대로 스스로 황제국임을 표방했다고 서술한 경우
중	황제국이라는 표현 없이 국력이 강했다고만 서술한 경우
하	왕권이 강했다고만 서술한 경우

❸ 남북국의 문화와 대외 관계

실력 확인 문제   66~67쪽

01 독서삼품과 **02** ②   **03** ③   **04** ⑤
05 ⑤   **06** ⑤   **07** ④   **08~09** 해설 참조

01 |독서삼품과| 원성왕 때 관리 등용을 위해 실시한 제도로 국학 학생들의 유교 경전 이해 능력을 시험하여 상·중·하로 등급을 나눈 것은 독서삼품과이다.

02 |정답②| 신라 화엄종을 열고 부석사 등 여러 사찰을 건립하였으며 관음 신앙을 전파한 승려는 의상이다.

03 |정답③| 신라 촌락 문서는 토지의 종류와 면적, 노비의 수, 3년간 인구 변동 내용, 소와 말의 수, 과실 수 등 촌락의 경제 상황을 기록한 문서이다. 통일 신라에서는 세금을 징수할 때 신라 촌락 문서를 이용하였다.

04 |정답⑤| 신라 말 선종의 확산되면서 지방 곳곳에 선종 사찰이 세워져 신앙과 문화의 중심지가 되었고 승려의 사리를 넣은 승탑과 승려의 생애를 적은 탑비가 유행하였다.

오답 피하기

ㄱ. 불국사와 석굴암의 건축과 ㄴ. 이중 기단 위에 3층으로 탑신을 쌓은 석탑 양식의 완성은 신라 말기의 일이 아니며 선종의 확산과 상관이 없다.

05 |정답⑤| 발해의 주자감 설치는 유학의 발달을 보여 주며, 문왕이 사용한 '금륜', '성법'이라는 명칭은 불교의 발달을 보여 준다. 따라서 보고서의 제목으로는 발해의 유학과 불교 발달이 가장 적절하다.

06 |정답⑤| 통일 신라 시기 대외 교역이 활발해지면서 당항성과 울산항이 국제적인 무역항으로 번성하였다. 또 신라는 일본과 활발히 교류하며 당과 일본 사이의 중계 무역으로 이익을 얻었다.

오답 피하기

ㄱ. 신라와 발해는 발해 성립 초기에는 갈등 상태였으나 이후 사신이 왕래하는 등 교류하였다.

ㄴ. 신라는 삼국 통일 과정에서 나당 전쟁으로 갈등을 빚기도 하였다.

07 |정답 ④| 발해는 5개의 도로망을 통해 주변 국가와 활발히 교류하였다. 발해 중대성첩 사본에는 일본에 파견된 대사, 통역, 서기 등 100명이 넘는 사절단이 이름이 적혀 있어 일본과 활발히 교류했음을 알 수 있다.

오답 피하기

ㄱ. 청해진은 해적을 소탕할 목적으로 설치되어 당~신라~일본을 연결하는 해상 무역을 주도하였다.

ㄷ. 당의 산둥반도에 세워진 법화원은 신라인의 신앙 거점인 동시에 신라와의 연락하는 역할을 하였다.

08 예시 답안 (1) 무덤은 굴식 돌방무덤 양식에 모줄임천장 구조를 하고 있다.

(2) 당의 장안성을 모방하여 주작대로를 만들었다.

|채점기준|

상	굴식 돌방무덤 양식과 장안성 모방을 모두 서술한 경우
중	굴식 돌방무덤 양식과 장안성 모방 중 한 가지만 서술한 경우
하	굴식 돌방무덤 양식과 장안성 모방을 모두 서술하지 못한 경우

09 예시 답안 신라도를 통해 사신이 오가며 활발히 교류하였다. 또 발해의 동경 용원부에서 신라 국경까지 가는 길에 역이 설치되었다.

|채점기준|

상	신라도 또는 역의 설치 등을 제시하면서 사신의 왕래 또는 물자 교환을 서술한 경우
중	신라도 또는 역의 설치 등을 제시하지 못하고 사신의 왕래 또는 물자 교환만 서술한 경우
하	신라도 또는 역의 설치와 사신의 왕래 또는 물자 교환을 모두 서술하지 못한 경우

대단원 마무리 문제

69~71쪽

01 ⑤	02 ④	03 ①	04 ④	05 ④
06 ②	07 ③	08 ①	09 ④	10 ①

11~12 해설 참조

01 |정답 ⑤| 김춘추가 당 태종에게 나당 동맹을 제안하는 장면이다. 당은 여러 차례에 걸친 고구려 정벌에 실패하였고, 신라는 백제의 공격으로 대야성을 비롯한 40여 성을 빼앗겼다. 당은 고구려를 치기 위해 한반도 내에서 지원할 군사적 동맹 세력이 필요하였다.

오답 피하기

ㄱ. 당이 평양에 안동 도호부를 설치한 것은 고구려 멸망 이후이다.

ㄴ. 계백이 이끄는 결사대가 황산벌에서 신라군을 맞아 싸운 것은 나당 동맹 결성 이후의 일이다.

02 |정답 ④| 백제 부흥 운동과 관련된 인물은 복신, 도침, 흑치상지, 부여풍 등이 있다.

오답 피하기

ㄱ. 안승과 ㄷ. 검모잠은 고구려 부흥 운동과 관련된 인물들이다.

03 |정답 ①| 신라의 삼국 통일의 한계는 외세인 당을 끌어들였다는 점과 대동강 이북의 영토를 상실했다는 점이다.

오답 피하기

ㄷ, ㄹ. 신라 삼국 통일의 의의이다.

04 |정답 ④| 발해는 일본에 보낸 국서에 '고려(고구려) 국왕'이라는 명칭을 사용하여 고구려 계승 의식을 내세웠다. 정혜 공주 무덤은 고구려와 같은 굴식 돌방무덤 양식에 모줄임천장 구조를 하고 있어 발해가 고구려를 계승했음을 알 수 있다.

오답 피하기

ㄱ. 발해의 수도인 상경성은 당의 장안성을 본뜬 형태로, 발해는 고구려 문화의 전통 위에 당의 문화를 받아들였다.

ㄷ. 발해의 중앙 정치 조직은 당의 3성 6부제를 수용한 한편 명칭과 운영은 독자성을 유지하였다.

05 |정답 ④| 김흠돌의 난을 진압하여 진골 귀족들을 숙청하고 국왕 중심의 정치 체제를 수립한 신라의 왕은 신문왕이다. 당, 신라와 친선 관계를 유지하며 체제 정비에 힘쓴 발해의 왕은 문왕이다.

06 |정답 ②| 신라 말 대표적인 농민 봉기로는 원종과 애노의 봉기, 양길, 기훤의 봉기 등이 있다. 한편 신라 말 새로운 사상의 유행으로는 선종과 풍수지리설의 유행을 들 수 있다.

오답 피하기

ㄴ. 양길과 기훤이 농민 봉기와 관련된 인물이나 후고구려를 건국한 인물은 궁예이다.

ㄹ. 신라 말에는 경전 연구를 중시한 교종과 달리 누구나 불성을 갖고 있음을 내세운 선종이 유행하였다.

07 |정답 ③| (가)에 들어간 나라는 후백제이다. 후백제는 최승우와 같은 6두품 세력을 포섭하였고 후당, 오월, 거란 일본과의 외교에 주력하였다.

오답 피하기

ㄱ. 국호를 마진, 태봉으로 바꾼 나라는 후고구려이다.
ㄹ. 경기도와 강원도 일대에서 세력을 확대해 간 나라는 후고구려이다.

08 |정답 ①| 통일 신라 불교 사상의 발달과 관련된 인물은 원효와 의상이다. 원효는 아미타 신앙을, 의상은 관음 신앙을 전파하였다.

09 |정답 ④| 자료에서 발해 문화가 고구려를 계승한 요소, 당의 문화를 수용한 요소, 말갈의 전통이 남아 있는 요소를 모두 다루고 있다. 이를 종합해 볼 때 발해 문화의 특징은 국제적이면서 독자적인 문화의 발전이라고 할 수 있다.

10 |정답 ①| 발해관은 당의 산둥반도에 있는 발해인의 숙소이고, 신라도는 발해에서 신라로 가는 도로망이며, 발해 중대성첩 사본에는 발해가 일본에 파견된 사절단 명칭이 들어있다. 따라서 이 자료들을 토대로 작성하는 보고서의 제목으로는 발해의 대외 교류가 가장 적절하다.

11 예시 답안 삼국의 옛 땅에 각각 3개의 주를 설치하고 전국을 9주로 나누어 삼국을 대등하게 대하였고, 중앙군인 9서당에 각각의 유민을 포용하여 국가적 단결을 도모하였다.

|채점기준|

상	9주와 9서당 설치의 내용을 바탕으로 통합책의 의미를 서술한 경우
중	9주 설치의 통합적 측면과 9서당 정비의 통합적 측면 중 한 가지만 서술한 경우
하	9주와 9서당의 명칭만 쓴 경우

12 예시 답안 발해의 중앙 통치 제도는 당의 3성 6부제를 수용한 한편 6부의 명칭의 유교적 덕목을 사용하여 명칭과 운영은 발해의 독자성을 유지하였다.

|채점기준|

상	당의 제도 수용과 명칭의 특징을 모두 서술한 경우
중	당의 제도 수용과 명칭의 특징 중 한 가지만 서술한 경우
하	당의 제도 수용과 명칭의 특징을 모두 서술하지 못한 경우

01 남북국 시대의 주요 사건 알아보기

1 예시 답안

2 예시 답안

백제의 공격으로 위기에 처한 신라는 김춘추를 고구려에 보내 군사 지원을 요청하였으나, 고구려는 거절하였다. 이에 김춘추는 당 태종을 만나 백제를 치기 위해 군사적 원조가 필요하다며 도움을 요청하였다. 당 역시 여러 차례 고구려 정벌에 번번이 실패하였고 한반도 내에서 지원할 군사적 동맹이 필요하였다. 이로써 신라와 당 간의 나당 동맹이 체결되었다.

02 남북국 시대의 문화재 소개하기

예시 답안

🔊 정효 공주 무덤 벽화(중국 지린성 허룽)

• 명칭: 정효 공주 무덤
• 소재지: 중국 지린성 허룽
• 소개: 정효 공주 무덤은 고구려 문화 계승, 당 문화 수용 및 독창적인 문화 발달의 요소를 잘 보여준다. 무덤 칸을 벽돌로 쌓는 것은 당의 양식, 돌로 공간을 줄여 나가며 천장을 쌓은 평행고임 천정은 고구려 양식, 무덤 위에 탑을 쌓는 것은 발해의 독창적인 양식이다. 널길과 널방에 그려진 벽화의 인물의 뺨이 둥글고 얼굴이 통통하게 표현된 것은 당나라 화풍의 영향을 받은 것이다.

❶ 고려의 건국과 정치 변화

실력 확인 문제			84~87쪽
01 왕건	**02** ①	**03** ②	**04** 노비안검법
05 ③	**06** ④	**07** ③	**08** ①
09 음서	**10** ①	**11** ②	**12** ⑤
13 ⑤	**14** ①	**15** ②	**16** ③
17 ②	**18** ①	**19~20** 해설 참조	

01 |왕건| 901년 후고구려를 건국한 궁예가 폭압적 정치를 펼치자 신하들이 이에 반발하여 왕위에서 몰아내고 왕건을 국왕으로 추대하였다. 왕건은 고려를 계승한다는 의미로 나라 이름을 고려라 하고 연호를 천수라고 하였다.

02 |정답①| 고려의 후삼국 통일 과정을 살펴보면, 고려의 군대가 후백제의 군대를 격파한 고창 전투는 930년, 신라 경순왕의 항복으로 신라가 멸망한 것은 935년, 왕건의 군대가 신검의 군대를 격파함으로써 후백제의 멸망을 가져 온 일리천 전투는 936년의 일이다.

03 |정답②| 제시된 자료는 기인 제도에 대한 설명이다. 기인 제도는 지방 호족의 자제를 볼모로 삼아 수도에 두고 출신지의 일에 대하여 자문하게 한 제도로, 신라의 상수리 제도에서 비롯되었다. 태조 왕건은 호족을 통제하고자 기인 제도와 사심관 제도를 시행하였다. ② 사심관 제도는 중앙의 관리를 출신 지역의 사심관으로 임명하여 지방을 통제하도록 한 제도였다.

오답 피하기
① 고려 광종 때 과거제가 처음 시행되었다.
③ 고려 성종은 최승로의 건의를 받아들여 12목을 설치하고 지방관을 파견하였다.
④ 고려 광종은 광덕, 준풍이라는 독자적인 연호를 사용하였다.
⑤ 고려 성종은 최승로의 시무 28조를 수용하여 유교 정치 이념을 바탕으로 통치 체제를 정비하였다.

04 |노비안검법| 고려 광종은 불법으로 노비가 된 자를 다시 양민으로 돌아가게 하는 노비안검법을 실시하여, 공신 및 호족 세력의 경제력과 군사력을 약화시키고 국가의 재정 기반을 강화하고자 하였다.

05 |정답③| 신라 6두품 출신인 최승로는 유교적 정치 이념을 체계화하여 유교의 진흥과 지방관 파견 등의 내용을 담은 시무 28조를 임금에게 올렸다. 성종은 최승로의 시무 28조를 받아들여 유교 정치 이념을 바탕으로 통치 체제를 정비하였다.

오답 피하기
① 고려 광종은 후주 출신 쌍기의 건의를 받아들여 과거제를 시행하였다.
② 고려 시대에는 12개의 사립 교육 기관(사학 12도)이 융성하였는데 그 중에서도 최충이 세운 문헌공도가 가장 유명하였다.
④ 안동 태사묘는 고창 전투에서 왕건을 도운 안동 호족 3명의 위패를 모신 사당이다.
⑤ 망이·망소이의 난, 김사미·효심의 난, 만적의 난 등이 일어났던 12~13세기는 무신들이 집권하고 있었다.

자료 분석하기

○최승로가 글을 지어 ○국왕께 올렸는데 …… 우리나라는 봄에 연등회를 열고 겨울에 팔관회를 개최하여 사람들을 널리 징발해 노역이 대단히 번거로우니, 원컨대 이를 대폭 줄여 백성의 수고를 덜어 주십시오.
→ 이후 불교 행사인 연등회와 팔관회가 한동안 폐지되었으며 국가 의례·제사 등 유교적 예제가 갖추어졌다.
불교를 믿는 것은 자기 자신을 닦는 근본이고, 유교를 행하는 것은 나라를 다스리는 근원입니다. 자기 자신을 닦는 것은 실로 다음 생을 위한 바탕이며, 나라를 다스리는 일은 오늘의 급선무입니다.
→ 최승로는 불교를 비판하면서 치국의 근원이 되는 유교를 행해야 한다고 강조하였다. 그의 건의로 유교는 고려의 통치 이념으로 굳건히 자리 잡았다.

06 |정답④| 최승로의 건의를 수용하여 개혁 정책에 반영한 고려의 국왕은 성종이다. 성종은 중앙의 5품 이상 관리들에게 정책 건의서 제출을 요구하며 개혁 정책을 펴고자 하였다. 이후 최승로의 건의에 따라 유교 정치의 이념을 바탕으로 통치 체제를 정비하고 중앙 집권화를 완성해 갔다. 특히 중앙은 당의 3성 6부을 기반으로 2성 6부제로 개편하고 태봉과 신라의 제도를 참작하여 독자적인 모습으로 중앙 관제를 정비하였다.

07 |정답③| 제시된 자료는 고려의 중앙 행정 조직도이다. 중추원은 왕명 출납과 군사 기밀을 담당하였다.

오답 피하기
① (가) 도병마사는 국방·외교 업무를 담당하였다.
② (나) 상서성은 정책의 집행을 맡았다.
④ (라) 어사대는 관리 감찰을 담당하였다.
⑤ (마) 삼사는 회계 담당 기구였다.

08 | 정답 ① | 고려는 전국을 일반 행정 구역인 5도와 군사 행정 구역인 양계(북계와 동계)로 나누었다. 지방의 군·현에는 지방관을 파견하였지만, 지방관이 파견되지 못한 곳도 많았다. 지방관이 파견된 곳을 주현, 파견되지 못한 곳은 속현이라 하였다. 주현은 여러 개의 속현을 관할하였고, 군현의 실제 행정은 향리들이 담당하였다. 향·부곡·소 등의 특수 행정 구역도 존재하였다. 향과 부곡의 주민들은 주로 농업에 종사하였고, 소는 국가가 필요로 하는 물품을 생산하였다.

09 | 음서 | 고려 시대에는 과거제와 음서로 관리를 선발하였다. 시험을 통해 관리를 뽑는 과거제와는 달리 음서는 왕족의 후손, 공신, 5품 이상 관리의 자손을 과거 합격 여부와 관계없이 관직에 임명하는 제도였다. 그러나 음서의 혜택을 받은 사람들도 과거 급제를 명예로 생각하였기 때문에 음서로 관직에 나아가더라도 과거에 응시하는 경우가 있었다.

10 | 정답 ① | 고려 시대 과거 시험은 문관을 선발하는 제술과와 명경과, 기술관을 뽑는 잡과가 있었다. 무과는 거의 실시되지 않았으며, 승과에서 합격한 승려에게는 승계를 부여하였다. 과거 응시는 법적으로 양인이면 가능하였으나, 실제로는 귀족이나 향리 자제가 제술과와 명경과에 응시하였고, 잡과에는 일반 백성도 지원하였다.

11 | 정답 ② | 김부식은 고려 중기 개경 문벌 출신 문신이자 문인이다. 묘청 등의 서경 천도 세력이 난을 일으키자 총지휘관으로서 관군을 지휘하여 난을 제압하였다. 관직에서 물러난 후 인종이 8인의 젊은 관료를 보내며 역사서의 편찬을 명하자, 김부식은 50권의 『삼국사기(三國史記)』를 편찬하였다.

오답 피하기

① 고려 시대의 대표적 유학자인 최충은 관직에서 물러난 후 문헌공도를 설립하여 제자를 양성하였고 이를 계기로 사학 12도가 성행하였다.
③ 신숭겸은 후삼국 시기 공산 전투(927)에서 왕건을 위해 싸우다가 전사한 고려의 장군이다.
④ 정지상은 서경 출신의 고려 문신으로 묘청의 서경 천도 운동에 동참하였다.
⑤ 정중부는 무신을 차별하는 데에 불만을 품고 정변을 일으켜, 의종을 폐하고 정권을 잡은 후 무단 정치를 행하다가 경대승에게 피살되었다.

12 | 정답 ⑤ | 나라에서는 관리들에게 관직을 수행하는 대가로 전시과의 혜택을 주고 녹봉을 지급하였다. 전시과는 관리, 직업 군인 등에게 토지의 수조권을 지급하는 제도이며, 녹봉은 나라에서 봉급의 명목으로 관리들에게 직접 지급한 곡식 등의 물품이다.

13 | 정답 ⑤ | 제시된 자료에서 예종, 인종 등 왕실과 대를 이어 혼인 관계를 맺고 있는 (가) 인물은 이자겸이다. 이자겸은 인종의 장인이자 외할아버지로서 막강한 권력을 행사하였다. 인종이 측근 세력을 동원하여 이자겸을 공격하자 이자겸은 척준경과 손을 잡고 반란을 일으켰다. 이후 인종 측은 척준경을 포섭하여 이자겸을 제거하였다.

14 | 정답 ① | 고려 시대에 묘청 등은 풍수지리설에 입각하여 서경 길지설을 내세우면서 서경 천도 운동을 전개하였다. 또한 당시 고려가 금과 군신 관계를 맺고 있었기 때문에 이에 반발하여 금 정벌을 주장하였다.

15 | 정답 ② | 문신 위주의 정치로 차별 대우를 받고 있는 무신들의 불만이 커진 상황에서 정중부, 이의방 등은 의종의 보현원 행차 때 정변을 일으켜 많은 문신들을 죽이고 정권을 장악하였다.

16 | 정답 ③ | 최충헌은 최씨 정권의 반대 세력을 제거하고, 국정을 총괄하는 최고 정치 기구로 교정도감을 설치·운영하였다.

오답 피하기

① 도방은 고려 최씨 무신 정권의 군사적 기반이었다.
② 고려 무신 정변 이후 최충헌이 교정도감을 설치하기 전까지 중방을 중심으로 권력을 행사하였다.
④ 고려 전기에 중서문하성과 중추원의 고위 관료인 재신과 추밀은 회의 기구였던 도병마사에서 국방과 군사 문제를 논의하였다.
⑤ 고려의 중서문하성은 중앙 행정 조직 중 최고 관서였으며, 그 장관인 문하시중이 국정을 총괄하였다.

17 | 정답 ② | (가) 이자겸은 외손자이자 사위인 인종을 몰아내고 왕이 되려고 하다가 제거되었다(1126). (다) 묘청이 고려 인종 때에 서경에서 반란을 일으켰으나, 김부식이 이끈 관군에 의해 진압되었다(1135). (나) 최충헌이 집권하며 전개된 최씨 무신 정권기에 최우는 자신의 집에 인사 기구인 정방을 두어 인사권을 장악하였다(1225).

18 | 정답 ① | 제시된 사료는 12세기 후반에 망이·망소이, 만적 등이 봉기를 일으킨 사실을 보여준다. 이 시기는 1170년 무신들이 정변을 일으킨 이후부터 무신 정권이 이어진 때였다. 무신 집권자들은 농장을 확대하며 농민에 대한 수탈을 강화하였다. 이에 가혹한 수탈을 견딜 수 없었던 공주 명학소의 망이, 망소이 등 백성들이 봉기를 일으켰다. 특히 최충헌의 사노비 만적은 노비들의 신분 해방을 도모하였다.

19 예시 답안 • 제4조, 제5조: 북진 정책을 추진하였다.

• 제6조: 불교 행사를 중시하였다.

• 제7조: 민생을 안정시키고자 하였다.

|채점기준|

상	태조의 정책 방향 세 가지를 사료를 바탕으로 정확하게 서술한 경우
중	태조의 정책 방향 두 가지를 사료를 바탕으로 서술한 경우
하	태조의 정책을 한 가지만 서술한 경우

자료 분석하기

제4조 중국의 풍속만을 무조건 따르지 말고, 거란을 경계할 것
→ 고구려 계승 의식을 가지고 거란을 배척하고자 하였다.

제5조 서경을 중요시할 것
→ 고구려의 수도였던 평양을 서경으로 삼아 북진 정책의 근거지로 삼았다.

제6조 연등회와 팔관회를 성실하게 열 것
→ 부처를 섬기는 연등회와 팔관회를 중시하였다. 특히 팔관회는 삼국 시대 이래의 전통적인 민간 신앙과 조상 및 하늘의 신령에게 제사하는 도교 의식을 함께 계승한 것으로 다양한 사상과 의례를 용인한 것을 알 수 있다.

제7조 신하의 충고를 따르고 농업을 장려하되, 세금을 가볍게 하여 백성들의 신망을 얻을 것
→ 농업 장려, 세금 감면 등 민생 안정을 위한 정책을 펼쳤다.

– 『고려사』

20 예시 답안 음서를 받은 사람보다 과거 급제자가 더 인정받았던 고려 사회는 신분을 중시하는 신라와는 달리 개인의 실력을 높이 평가하였다.

|채점기준|

상	사료를 근거로 신라와 다른 고려 사회의 특징을 정확하게 서술한 경우
중	근거 없이 신라와 고려 사회를 비교하여 서술한 경우
하	고려 사회의 특징만 나열한 경우

실력 확인 문제   94~97쪽

01 ②	**02** ③	**03** ②	**04** ①
05 ③	**06** 벽란도	**07** ①	**08** ③
09 ③	**10** ①	**11** 성균관	**12** ⑤
13 ②	**14** ④	**15** ⑤	**16** ①
17~18 해설 참조			

01 |정답②| 제시된 지도에서 (가)는 거란이다. 고려는 거란의 3차 침입을 격퇴한 후 천리장성을 축조하여 북방 민족의 침입에 대비하였다.

오답 피하기

① 완옌부의 아구다가 여진 부족을 통합하여 1115년 금을 건국하였다.
③ 고려 시대에는 벽란도가 국제 무역항으로 번성하였는데, 이곳을 왕래하며 무역하던 아라비아 상인들이 고려를 '코리아'라는 이름으로 서방 세계에 알렸다.
④ 송은 고려에 서적, 약재, 비단 등을 수출하고 고려로부터 종이, 인삼 등을 수입하였다.
⑤ 몽골은 사신 저고여가 국경에서 피살된 사건을 구실로 고려에 침입하였다.

02 |정답③| 제시된 자료에서 고려와 송의 교류를 비난하는 소손녕과 여진의 방해 때문임을 설명하는 서희를 통해 거란의 1차 침입 당시에 벌어진 서희의 외교 담판임을 알 수 있다. 외교 담판의 결과 고려는 강동 6주를 확보하였다.

03 |정답②| 제시된 자료에 나타난 사건은 강감찬이 귀주에서 거란을 크게 물리친 귀주 대첩이다. 고려는 1019년 귀주에서 거란을 크게 격파하였다(귀주 대첩). 후백제의 멸망은 936년, 천리장성은 귀주 대첩 이후에 축조되었다.

04 |정답①| 교사는 윤관이 여진을 몰아내고 고려의 국경이라고 새긴 비석을 세우는 모습을 그린 척경입비도를 소개하고 있다. 윤관은 별무반을 이끌고 여진을 정벌한 후 동북 9성을 축조하였다.

오답 피하기

② 삼별초는 최우에 의해 치안 유지를 목적으로 설치되었으며, 최씨 무신 정권의 군사적 기반이었다.
③ 거란의 1차 침입 시기 서희는 소손녕과의 외교 담판을 통해 서북 지역의 강동 6주를 확보하였다.
④ 고려 말인 1388년에 요동 정벌에 나섰던 이성계가 압록강의 위화도에서 군사를 돌리는 위화도 회군을 단행하여 권력을 장악하였다.
⑤ 귀주 대첩은 거란의 3차 침입 당시 강감찬이 이끈 고려군이 거란을 물리친 전투이다.

05 |정답③| 고려 숙종은 1104년에 윤관의 건의를 받아들여 기병으로 이루어진 여진의 침입에 대처하기 위해 별무반을 편성하였다. 별무반은 기병인 신기군, 보병인 신보군, 승병인 항마군으로 구성되었다.

오답 피하기

① 진도, 제주도에서 몽골에 저항한 부대는 삼별초이다.
② 박서가 지휘하는 고려군이 귀주성에서 몽골군을 격퇴하였다.
④ 처인성에서 살리타를 사살한 사람은 김윤후이다.
⑤ 고려는 거란의 3차 침입을 물리친 후에 천리장성을 쌓아 외적의 침략에 대비하였다.

06 |벽란도| 벽란도는 예성강 하구에 있었던 항구로, 개경으로 들어가기 위해서는 반드시 거쳐야 하는 교통의 요지에 위치하고 있었다. 고려 시대에는 벽란도가 국제 무역항으로 번성하였으며, 이곳을 통해 송과 아라비아의 상인들이 고려와 무역하였다.

07 |정답①| 제시된 자료에서 처인성 전투, 살리타 사살, 김윤후 등을 통해 고려 후기 몽골의 침입 당시의 상황임을 알 수 있다. 고려 시대에 부처의 힘으로 거란의 침입을 물리치고자 초조대장경을 간행하였으나 몽골군의 침입으로 소실되었다.

오답 피하기

② 여진은 세력을 키워 금을 건국하고 12세기 초 송을 공격하여 남쪽으로 밀어내고 화북 지역을 장악하였다.
③ 홍건적은 원 말기에 일어난 한족의 농민 반란군으로, 원의 공격에 밀려 공민왕 때 고려에 두 차례 침입하였다.
④ 태조 왕건은 훈요 10조에서 '특히 거란은 짐승의 나라이니 거란의 제도를 본받지 말라'고 하며 거란을 경계하였다.
⑤ 12세기 초 여진 부족 중 하나인 완옌부는 여러 여진 부족을 통합하고 고려를 위협하였다.

08 |정답③| 제시된 자료에서 개경으로 환도, 배중손, 진도 등을 통해 밑줄 친 '이 부대'는 삼별초임을 알 수 있다. 삼별초는 고려 정부가 개경으로 환도하자 이에 반발하여 배중손과 김통정 등의 지도 하에 진도와 제주도로 근거지를 옮기며 저항하였으나 고려와 몽골 연합군의 공격으로 진압되었다.

오답 피하기

① 고려 숙종은 1104년에 윤관의 건의를 받아들여 여진 정벌을 위해 별무반을 편성하였다.
② 고려 말 홍건적이 침입하였으나 이성계 등 신흥 무인 세력의 활약으로 격퇴되었다.
⑤ 최충헌은 자신의 신변 보호를 위해 도방을 운영하였다.

09 |정답③| (가)는 팔만대장경으로, 최씨 무신 정권이 중심이 되어 불교의 힘으로 몽골의 침입을 막아 내고자 만들었다. 8만 매가 넘는 목판이 모두 경남 합천 해인사에 보관되어 있다. 팔만대장경을 보관하기 위한 목판 건축물인 장경판전은 과학적으로 설계되어 대장경판이 오늘날까지 온전하게 보존될 수 있었다.

10 |정답①| 제시된 자료에서 중서문하성이 첨의부로 격하되고 6부는 4사로 축소되는 내용을 통해 밑줄 친 '이 시기'는 원 간섭기임을 알 수 있다. 원 간섭기에는 세자가 원의 공주와 혼인하였고, 다루가치가 내정을 간섭하였다. 원은 고려의 북방 지역에 쌍성총관부와 동녕부를 두고, 제주도에는 탐라총관부를 두어 지배하였다. 한편, 고려와 원의 교류가 늘어 고려에서는 몽골풍이, 원에서는 고려양이 유행하였다.

11 |성균관| 공민왕은 자신의 반원 자주 개혁 정치를 뒷받침할 신진 세력을 키우기 위해 성균관을 개편하였다. 이색을 책임자로 하여 성균관을 확충하고 저명한 성리학자인 정몽주, 이숭인 등을 발탁하여 학생들을 가르쳤다.

12 |정답⑤| 최영은 홍산 전투에서 왜적을 크게 무찔렀다(1376). 이성계 등 신흥 무인 세력과 신진 사대부는 위화도 회군(1388)을 통하여 정치적 실권을 장악하고 조선을 건국하였다.

오답 피하기

ㄱ. 몽골(원)은 일본 원정을 위해 1280년 고려에 정동행성을 설치하였다.
ㄴ. 부처의 힘으로 거란의 침입을 물리치려는 염원에서 만들어진 초조대장경은 몽골 침입 때 소실되었다.

13 |정답②| 밑줄 친 '권세가'는 권문세족이다. 고려 후기 권문세족은 농장을 확대하면서 국가 재정을 약화시키고 농민 생활을 파탄에 빠뜨렸다. 이에 공민왕은 전민변정도감을 설치하여 권문세족이 부당하게 빼앗은 토지와 노비를 원래 주인에게 돌려주고, 불법으로 노비가 된 자를 양민 신분으로 회복시켜 주고자 하였다.

자료 분석하기

신돈이 전민변정도감을 두기를 청하고, 스스로 판사가 되어 전
→ 권문세족이 부당하게 빼앗은 토지와 노비를 원래 주인에게 돌려주고, 불법으로 노비가 된 자를 양민 신분으로 회복시켜 주기 위해 설치된 임시 기구이다.

국에 알렸다. "백성이 대대로 농사를 지어온 땅을 권세가들이
→ 원과의 관계를 배경으로 권력을 장악한 권력층으로 대농장을 경영하였다.

거의 다 빼앗았다. …(중략)…

14 |정답④| 제시된 자료에서 원에서 세자 시절, 원의 간섭에서 벗어나고자 했던 개혁 군주라는 설명을 통해 (가)는 공민왕임을 알 수 있다. 공민왕은 무력으로 쌍성총관부를 공격하여 원에 빼앗겼던 철령 이북의 영토를 되찾았다.

15 |정답⑤| 제시된 자료에서 이제현과 같은 뛰어난 유학자, 이색의 가르침, 정몽주, 정도전 등의 내용을 통해 밑줄 친 '오늘날'은 고려 말 신진 사대부들의 활동 시기임을 알 수 있다. 고려 말 신진 사대부는 원과의 교류를 통해 성리학을 수용하여 불교의 폐단과 권문세족의 횡포를 비판하고 사회 개혁을 주장하였다.

16 |정답①| 제시된 자료는 이성계의 요동 정벌 '4 불가론'이다. 명이 철령위 설치를 통보하자 최영과 우왕은 명의 철령위 설치 주장에 반발하며 요동 지역 정벌을 단행하였다. 이에 지휘관으로 임명된 이성계는 '4 불가론'을 지어 올리며 반대하였으나 추진되어 1388년에 요동 정벌에 나섰다. 결국 이성계는 압록강의 위화도에서 회군하여 우왕을 폐위하고 권력을 장악하였다.

오답 피하기

② 신돈이 공민왕에게 숙청당하고 공민왕도 측근에게 살해되면서 공민왕의 개혁은 실패로 돌아갔다.
③ 고려 충목왕 시기 원 황제의 명령을 받아 고려 내정 개혁 기구로 정치도감이 설치되었다.
④ 고려 말 창왕 때 박위가 왜구의 근거지인 쓰시마섬을 토벌하였다.
⑤ 권문세족은 친원 외교를 고수하였으며, 이성계는 요동 정벌을 반대하며 친명 외교 정책을 내세웠다.

17 **예시 답안** (가)의 이자겸과 척준경 등 문벌 세력은 대국으로 성장한 금에 사대해야 한다고 주장하고 있다. 반면 (나)의 묘청 등 서경 세력은 금을 정벌해야 한다고 주장하고 있다.

|채점기준|

상	(가), (나) 대외 정책을 모두 정확하게 서술한 경우
중	(가), (나) 대외 정책 중 한 가지만 서술한 경우
하	(가), (나) 구분 없이 대외 정책을 서술한 경우

18 **예시 답안** 밑줄 친 '나'는 공민왕이다. 공민왕은 원에 의하여 낮추어진 국가 제도를 복구하고, 원의 내정 간섭 기구였던 정동행성을 폐지하였다. 또한, 쌍성총관부를 공격하여 철령 이북의 땅을 되찾았다.

|채점기준|

상	공민왕의 반원 정책 두 가지를 모두 서술한 경우
중	공민왕의 반원 정책 중 한 가지만 서술한 경우
하	공민왕의 반원 정책을 서술하지 못한 경우

❹ 고려의 생활과 문화

실력 확인 문제　　　102~103쪽

01 중류층	02 ①	03 ③	04 ②
05 ①	06 ④	07 ①	08~09 해설 참조

01 |중류층| 고려 시대의 신분은 크게 양인과 천인으로 나뉘었다. 양인 중 서리, 향리, 남반 등 하급 지배층이 중류층에 해당한다.

02 |정답①| 고려 시대의 백정은 관직이나 군역과 같은 국가의 공공 업무가 없는 일반 농민으로, 양민에 해당한다. 한편, 조선 시대에는 가죽 도살이나 유기 제조를 담당하는 사람을 백정이라 불렀으며 이들은 천인에 해당하였다.

03 |정답③| 제시된 자료는 고려 시대 문필가 이규보가 여성 중심의 혼인 풍습에 대해 밝힌 『동국이상국집』의 일부이다. 고려 시대의 여성과 남성은 친족 관계에서 권리와 의무가 사실상 동등하였으나, 사회 활동에서 여성은 관직에 진출할 수 없는 등 많은 제약과 차별이 있었다.

04 |정답②| 제시된 자료는 고려의 혼인 예법을 보여주고 있다. 고려 시대에 여성의 지위가 다른 시대보다 높아 가정, 경제 생활 등 일상생활에서 남성과 거의 대등한 지위에 있었다.

고려의 옛 풍습에 혼인 예법은 남자가 여자 집에 가서 자손을 낳으면 외가에서 자라므로, 외친의 은혜가 무거웠다. 이에 외조부모와 처부모의 장례 시에는 모두 30일 동안 휴가를 주었다.
— 『태종실록』

→ 사위가 처가살이하는 경우가 많았고, 장례가 있을 때 애도 기간에도 친가와 외가의 차이를 두지 않았다.

충선왕비 순비 허씨는 일찍이 평양공 왕현에게 시집가서 3남 4녀를 낳았다. 왕현이 죽은 뒤 충렬왕 34년 충선왕이 그녀를 맞아들였다. 왕위에 오르자 책봉하여 순비로 삼았다.
— 『고려사』

→ 고려 시대 여성들은 비교적 자유롭게 재혼하였다. 재혼하여 왕비가 되는 경우도 있었다.

05 |정답 ①| 화면 속 인물은 불교 통합 운동에 앞장섰던 대각국사 의천이다. 그는 천태종을 세워 교종 입장에서 선종을 흡수·통합하고자 하였다.

오답 피하기

② 의상은 부석사를 비롯한 여러 사원을 건립하여 불교문화의 폭을 확대하였다.

③ 묘청 등 서경 세력은 풍수지리설을 근거로 내세워 서경 천도를 주장하였다.

④ 원효는 누구든지 '나무아미타불'을 열심히 외면 극락에 갈 수 있다는 아미타 신앙을 전파하였다.

⑤ 지눌은 승려 본연의 자세로 돌아가 참선과 노동에 고루 힘써야 한다는 개혁 운동으로 수선사 결사를 제창하였다.

06 |정답 ④| 봉정사 극락전은 고려 후기 13세기에 건립된 것으로 추정되는 우리나라에서 가장 오래된 목조 건축물이다. 주심포 양식과 배흘림기둥 양식을 채택하여 안정감이 뛰어나다.

07 |정답 ①| 충렬왕 때의 문신, 성리학을 고려에 소개 등을 통해 (가) 인물을 안향임을 알 수 있다. 또한 고려 말의 무관, 화약 제조 기술 연구, 화통도감의 설치 등을 통해 (나) 인물은 최무선임을 알 수 있다.

08 예시 답안 고려 시대 여성의 지위는 다른 시대보다 높았다. 여성이 호주가 될 수 있었고, 호적에도 아들 딸 구분 없이 나이순으로 기록하였으며, 부모의 유산도 자녀에게 골고루 분배되었다. 사위가 처가의 호적에 오르는 경우가 많았고, 음서의 혜택이 사위나 외손자에게도 적용되었다.

상	고려 시대 여성의 지위를 사료를 근거로 서술한 경우
중	고려 시대 여성의 지위를 사료의 근거 없이 서술한 경우
하	고려 시대 여성의 지위가 높은 편이었다고만 서술한 경우

09 예시 답안 (가) 의천은 교종의 입장에서 선종을 흡수·통합하고자 한 반면, (나) 지눌은 선종의 관점에서 교종을 포용하고자 하였다.

상	(가), (나) 불교 통합 방식의 차이점을 정확하게 드러내며 각각 서술한 경우
중	(가), (나) 중 하나의 불교 통합 방식만 서술한 경우
하	불교 통합이라고 일반적으로 서술만 한 경우

대단원 마무리 문제　　105~107쪽

| 01 ④ | 02 ② | 03 ③ | 04 ② | 05 ① |
| 06 ② | 07 ⑤ | 08 ② | 09 ⑤ | 10 ④ |

11~13 해설 참조

01 |정답 ④| 최승로, 시무 28조 등을 통해 밑줄 친 '왕'은 성종임을 알 수 있다. 성종은 당의 3성 6부제를 고려 실정에 맞게 고쳐 2성 6부를 중심으로 중앙 행정 조직을 마련하였다.

오답 피하기

① 고려 태조는 후대의 왕에게 정책 방향을 제시하는 훈요 10조를 남겼다.

② 공민왕은 고려 말에 반원 자주 정책을 추진하면서 원의 내정 간섭 기구인 정동행성 이문소를 폐지하였다.

③ 고려 시대의 대표 유학자 최충은 관직에서 물러난 후 문헌공도를 설립하여 제자를 양성하였고, 이를 계기로 사학 12도가 성행하였다.

⑤ 고려 광종은 광덕, 준풍이라는 독자적인 연호를 사용하였다.

02 |정답 ②| (가)는 이자겸, (나)는 최충헌이다.

오답 피하기

① 신돈, ③ 최승로, ④ 이의방, 정중부 등의 무신 세력, ⑤ 무신 집권기 최씨 정권에 해당하는 설명이다.

> [(나)]은/는 병진년 4월에 아우와 함께 이의민 등을 제거하였고,
> → 최충헌과 최충수 형제가 1196년 당시 집권자였던 이의민을
>   제거하고 집권하였다.
>
> 5월에 여러 조목의 개혁안을 왕에게 올렸다. 경신년에 변고에
> → 최충헌이 올린 '봉사 10조'를 가리킨다. 최충헌이 이의민을
>   제거하고 권력을 잡은 후 국왕에게 봉사 10조를 올려 정치를
>   바로잡도록 건의하였으나 실제 최충헌의 정치는 탐학과 횡포
>   로 전개되었다.
>
> 대비하여 힘센 자들을 모아 날마다 번갈아 숙직시키고 도방이라
> 이름하였다.

03 |정답 ③| 제시된 자료는 고려의 중앙 통치 조직이다. 고려는 당의 3성 6부 제도를 고려의 실정에 맞게 고쳤으며, 고려의 독자성을 보여 주는 최고 회의 기구인 도병마사와 식목도감도 갖추었다. 중추원은 군사 기밀과 왕명 출납을 담당하는 기구였다.

오답 피하기

① 도병마사는 국방과 군사 문제를 논의하였다.
② 상서성은 이부, 호부 등 6부를 통하여 정책을 집행하였다.
④ 어사대는 관리의 잘못을 감찰하는 기구였다.
⑤ 삼사는 화폐와 곡식의 출납을 담당하는 기구였다.

04 |정답 ②| 제시된 자료의 '일천년래 제일 대사건'은 묘청의 서경 천도 운동을 가리킨다. 묘청과 정지상 등 서경 세력은 풍수지리설을 내세워 서경 천도를 추진하고, 칭제건원(황제 칭호와 연호 사용)을 주장하였다. 또한 당시 고려가 금과 군신 관계를 맺고 있었던 것에 반발하여 금 정벌을 주장하였다. 서경 천도가 좌절되자 묘청 등은 서경을 근거지로 삼아 난을 일으켰으나 김부식이 이끄는 관군에 의해 진압되었다.

자료 분석하기

> 서경 전투는 낭·불 양가 대 유가 싸움이며
> → 묘청 등 서경파   → 김부식 등 개경파
> 국풍파 대 한학파의 싸움이며,
> → 묘청 등 서경파   → 김부식 등 개경파
> 진취 사상 대 보수 사상의 싸움이니 …… 김부식이 승리하였으
> → 묘청 등 서경파   → 김부식 등 개경파
> 므로 조선 역사가 사대적, 보수적, 속박적인 유교 사상에 정복
> 되었으니, 이 전쟁을 어찌 ⊙일천년래 제일 대사건이라 하지 아
> 니하랴.

05 |정답 ①| 제시된 자료는 거란의 장수 소손녕과 고려의 서희가 벌인 외교 담판이다. 서희는 거란의 1차 침입 당시 적장 소손녕과 외교 담판을 벌여 강동 6주를 확보하였다. 고려는 거란의 3차 침입을 격퇴한 후 천리장성을 축조하여 북방 민족의 침입에 대비하였다.

06 |정답 ②| (가) 윤관의 동북 9성 축조는 12세기 초의 상황이고, (나) 김윤후의 살리타 사살은 몽골 침략 시기인 12세기 후반의 상황이다. 동북 9성을 돌려받은 여진은 세력을 키워 금을 건국하고 고려에 사대 관계를 요구하였다. 많은 이들이 반대하였지만 이자겸의 주장으로 고려는 군신 관계를 수용하였다.

07 |정답 ⑤| 자료에 나타난 시기는 고려 사람들은 딸을 낳으면 바로 숨기고, 공녀 등의 내용을 통해 원의 인적·물적 수탈이 이루어진 원 간섭기임을 알 수 있다. 원 간섭기에 권문세족은 농장을 확대하면서 국가 재정을 약화시키고 농민 생활을 파탄에 빠뜨렸다.

08 |정답 ②| 제시된 자료에서 공민왕의 개혁 과정에서 정계에 진출, 지방 향리 출신, 중소 지주, 성리학 공부 등을 통해 밑줄 친 '이들'은 신진 사대부임을 알 수 있다. 신진 사대부는 성리학을 수용하여 불교의 폐단과 권문세족의 횡포를 비판하고 사회 개혁을 주장하였다.

09 |정답 ⑤| 제시된 자료에서 선종 중심의 교종 포용은 지눌의 불교 교단 통합 관점이므로 (가)에는 지눌의 활동이 들어가야 한다. 지눌은 승려 본연의 자세로 돌아가 참선과 노동에 고루 힘써야 한다는 개혁 운동인 수선사 결사를 제창하였다.

오답 피하기

① 신라의 의상은 부석사를 비롯한 여러 사원을 건립하여 불교문화의 폭을 확대하였다.
② 일연이 편찬한 『삼국유사』는 단군을 우리 민족의 시조로 내세운 고려 후기의 대표적인 역사서이다.
③ 7세기에 활동하였던 신라의 의상은 화엄 사상을 바탕으로 불교 교단을 형성하여 많은 제자를 양성하였다.
④ 원효는 '나무아미타불'을 외우면 극락에 갈 수 있다는 아미타 신앙을 전파하며 불교 대중화의 길을 열었다.

10 | 정답 ④ | 직지는 1377년 청주 흥덕사에서 간행한 것으로 현존하는 세계에서 가장 오래된 금속 활자본이다. 세계 최초의 금속 활자본은 1234년에 인쇄한 『상정고금예문』이나 현재 전해지지 않는다.

11 예시 답안 광종은 과거제를 시행하여 능력에 따라 관리를 선발하였으며, 노비안검법을 실시하여 호족의 사병을 감소시킴으로써 호족 세력을 약화하였다.

| 채점기준 |

상	광종의 왕권 강화책 두 가지를 모두 정확하게 서술한 경우
중	광종의 왕권 강화책을 한 가지만 서술한 경우
하	왕권 강화에 관한 일반 서술을 한 경우

12 예시 답안 공민왕은 왕권을 강화시키고자 권문세족의 경제 기반을 약화시키는 전민변정도감을 설치하였다. 또한 개혁을 뒷받침하고자 신진 사대부를 등용하였다.

| 채점기준 |

상	공민왕이 권문세족을 약화시키기 위해 추진한 정책 두 가지를 모두 정확하게 서술한 경우
중	공민왕이 권문세족을 약화시키기 위한 정책 중 한 가지만 서술한 경우
하	공민왕의 일반적인 개혁 정책을 서술한 경우

13 예시 답안 안동 봉정사 극락전에는 주심포 양식과 배흘림기둥 양식이 적용되었다.

| 채점기준 |

상	건축 양식 두 가지를 모두 정확하게 서술한 경우
중	두 가지 건축 양식 중 한 가지만 서술한 경우
하	봉정사 극락전에 관한 일반 서술을 한 경우

01 고려의 대외 정책 비교하기

1 예시 답안
'형편상 섬기지 아니 할 수 없고'라는 부분을 통해 ㉠이 금에 사대해야 한다는 입장임을 알 수 있다. 한편 '금을 협공하여 멸망시키자고 하였다.'라는 부분을 통해 ㉡이 금을 정벌해야 한다는 입장임을 알 수 있다.

2 예시 답안
'작은 나라로서 큰 나라를 섬기는 것은 옛날 제왕의 취한 도리이니'라는 부분을 통해 ㉠을 뒷받침하는 사상적 배경이 유교임을 알 수 있다. 한편 '서경 임원역의 지세는 음양가들이 말하는 대화세에 해당합니다.'라는 부분을 통해 ㉡을 뒷받침하는 사상적 배경이 풍수지리설임을 알 수 있다.

02 문화유산 홍보 책갈피 제작하기

1 예시 답안

문화유산	팔만대장경
선정 이유	세계 최고의 목판 인쇄본과 세계 최초의 금속 활자본을 보유하고 있는 우리나라의 뛰어난 인쇄술을 널리 알리고 싶었다.
조사 항목	• 제작 동기(시대적 배경)와 내용 • 기술적 우수성과 역사적 의미 • 국보, 세계 기록 유산 등재 상황

2 예시 답안

앞면	뒷면
팔만대장경판	몽골 침략 때 부처의 힘으로 몽골군을 물리치기 위해 만든 대장경으로, 경판 수가 81,258장이므로 팔만대장경이라고 불린다. 팔만대장경은 분량이 방대할뿐 아니라 질적으로 매우 우수하다. 오자나 탈자가 거의 없으며 마치 숙달된 한 사람이 모든 경판을 새긴 것처럼 판각 수준이 일정하고 아름답다. 현재 합천 해인사에 보존되어 있으며, 1962년 국보 32호로 지정되었고 2007년 세계 기록 유산으로 등재되었다.

① 통치 체제와 대외 관계

실력 확인 문제
120~123쪽

01 ④	02 ④	03 경연	04 ①
05 ①	06 호패	07 ④	08 ①
09 ⑤	10 의정부	11 ①	12 ④
13 ④	14 ④	15 ⑤	16 ⑤
17 ①	18 ③	19 사민	

20~21 해설 참조

01 |정답 ④| ㄱ. 조선 건국 1392년, ㄴ. 한양 천도 1394년, ㄷ. 위화도 회군 1388년, ㄹ. 과전법 시행 1391년의 일이다. 일어난 순서대로 정리하면 ㄷ → ㄹ → ㄱ → ㄴ 순이다.

02 |정답 ④| 정도전은 조선의 건국을 주도한 인물로 능력있고 현명한 재상이 정치를 주도해야 한다고 주장하였다. 또 『조선경국전』을 편찬하여 유교적 통치 규범을 종합적으로 제시하였다. 민본과 덕치에 기반을 둔 유교적 통치 체제를 만들고자 노력하였다.

03 |경연| 경연은 임금이 신하들과 더불어 유교 경전과 역사 등 학문을 연마하고 국정을 협의하던 자리였다. 왕권의 행사를 규제하는 역할을 하여 세조와 연산군 시기에는 폐지되었다.

04 |정답 ①| 『경국대전』은 조선 건국 전후부터 1484년(성종 15)까지의 왕명·교지 등에서 중요한 것을 모아 6전으로 만든 조선의 기본 법전이다. 세조 대에 편찬이 시작되어 성종 대에 완성 및 반포되었다. 따라서 (가)는 『경국대전』의 편찬을 시작한 세조이다. 세조는 집현전과 경연을 폐지하고 의정부의 권한을 축소하는 등 국왕 중심의 정치를 운영하였다.

오답 피하기
② 태종, ③ 성종, ④, ⑤ 세종 대의 사실이다.

05 |정답 ①| 자료에서 밑줄 친 '임금'은 성종이다. 성종은 집현전을 계승한 홍문관을 설치하였다.

오답 피하기
② 세종, ③ 고려 공양왕, ④ 태조, ⑤ 세종 대의 일이다.

06 |호패| 태종 때 호패법이 실시되면서 조선 시대에 16세 이상 모든 남성은 신분을 증명하기 위해 호패를 차고 다녔다.

07 |정답 ④| 조선 왕조의 기본 법전으로 6전으로 구성되었다는 내용을 통해 이 법전은 『경국대전』임을 알 수 있다. 『경국대전』은 세조 때 편찬되기 시작하여 성종 때 완성되었으며 유교적 통치 체제 마련에 기여하였다.

08 |정답 ①| 집현전 설치는 세종 대, 경국대전 완성은 성종 대의 사실이므로 (가)는 세조(수양 대군)대에 해당한다. 세종의 둘째 아들 수양 대군은 정변을 통해 왕위에 올랐으며 이후 집현전과 경연을 폐지하고 의정부의 권한을 축소하는 등 국왕 중심의 정치를 운영하였다.

오답 피하기
ㄷ은 태종, ㄹ은 태조 대의 사실이다.

09 |정답 ⑤| 집현전 설치, 경연을 활성화, 신권과 왕권의 균형 등을 통해 밑줄 친 '왕'은 세종임을 알 수 있다. 세종은 왜구의 약탈로 민생이 불안해지자 이종무로 하여금 왜구의 근거지인 쓰시마섬을 토벌하도록 하였다.

오답 피하기
①, ② 태종, ③ 성종, ④ 세조에 대한 설명이다.

10 |의정부| 조선의 최고 통치 기구인 의정부에서 영의정, 좌의정, 우의정이 모여 합의를 통해 나라의 중요한 정책을 결정하였다.

11 |정답 ①| 자료는 6조에서 올라오는 모든 일을 의정부에서 논의한 뒤 국왕에게 올라가게 한 의정부 서사제에 대한 설명이다. 태종 대에는 의정부의 권한을 약화시키고 6조 중심의 정치 제도(6조 직계제)를 시행하면서 국왕 중심의 정치가 시행되었으나 세종 대에 이르러 재상의 역할을 강화하여 의정부 서사제를 실시하였다. 한편, 인사와 군사에 관한 일은 국왕이 직접 처리하여 왕권과 신권의 조화를 꾀하였다.

자료 분석하기

6조는 각기 모든 직무를 의정부에 품의하고 의정부는 가부를 헤아린 뒤 왕에게 아뢰어 (왕의) 전지를 받아 6조에 내려 시행한다.
→ 6조의 소관 사무를 의정부에 보고하여 세 명 재상(영의정, 좌의정, 우의정)의 의결 과정을 거쳐 왕에게 이르도록 하고, 왕의 전지도 의정부를 거쳐 시행하도록 함으로써 신하(재상)의 권한을 보장해 주었다.

다만 이조·병조의 제수, 병조의 군사 업무, 형조의 사형수를 제외한 판결 등은 종래와 같이 각 조에서 직접 아뢰어 시행하고 곧바로 의정부에 보고한다.
→ 왕이 직접 관장하는 사항도 따로 확보하여 왕권과 신권의 조화를 꾀하였다.

12 |정답④| 홍문관은 성종 대에 집현전을 계승하여 설치한 기구로 왕의 정치 자문과 중요 문서 작성을 담당하였다.

① 의정부는 3정승(영의정, 좌의정, 우의정) 합의제로 나라의 중요한 정책을 결정하였다.
② 승정원은 왕명의 출납을 담당한 비서 기관이었다.
③ 의금부는 왕명에 따라 나라의 큰 죄인을 다스리는 특별 사법 기구로 승정원과 더불어 왕권을 뒷받침하였다.
⑤ 춘추관은 역사서의 편찬과 보관을 담당하였다.

13 |정답④| 언론 기능을 담당하는 3사는 사간원, 사헌부, 홍문관이다. 이들은 왕의 잘잘못을 논하는 간쟁, 잘못된 왕명을 시행하지 않고 되돌려 보내는 봉박, 관리의 임명이나 법령을 개폐할 때 동의하는 서경을 담당하였다.

14 |정답④| 조선 시대에는 전국을 8도로 나누고, 도 아래에 부·목·군·현을 두고 지방관(수령)을 파견하였다. 수령은 지방의 행정, 사법, 군사권을 장악하였다. ④ 군현에 파견된 수령은 국왕의 대리인으로 지방의 행정권·사법권·군사권을 모두 가지고 있었다.

① 조선 시대에는 8도에 관찰사가 파견되어 수령을 지휘·감독하였다.
② 조선 시대에는 모든 군현에 수령이 파견되어 향리는 수령을 보좌하는 역할로 고려 시대에 비해 지위가 낮아졌다.
③ 고려 시대에는 수령이 파견되지 않은 속현이 많은 반면 조선 시대에는 모든 군현에 수령을 파견하였다.
⑤ 특수 행정 구역이었던 향·부곡·소는 일반 군현으로 승격되면서 소멸하였다.

15 |정답⑤| (가)는 수령이다. 수령은 조선 시대 전국 대부분의 군현에 파견되어 지방의 행정, 사법, 군사권을 장악하였다.

① (가)는 수령이다.
② 관찰사에 대한 설명이다.
③ 관찰사는 각 도에, 수령은 모든 군현에 파견되었다.
④ 향리에 대한 설명이다.

16 |정답⑤| (가)는 과거제이다. 진사과는 시와 문장 등의 능력을 시험하였다. 유교 경전에 관한 지식을 시험하는 시험은 생원과이다.

17 |정답①| 조선은 여진과 일본에 대해 교린 정책을 펴면서 회유책과 강경책을 활용하여 외교 관계에 대처하였다. 여진과는 국경 지역에 무역소를 두고 교역하였고, 일본에는 3포를 개항하여 제한적인 교역을 허용하였다.

ㄷ. 세종 대에 쓰시마섬을 토벌하였다.
ㄹ. 명과의 조공·책봉 관계는 형식적인 것이었으며 조선은 명의 내정 간섭을 받지 않았다.

18 |정답③| 지도에서 (가) 지역은 4군이 설치된 곳이다. 여진족이 국경을 침범하여 약탈하는 등 문제를 일으키자 세종은 최윤덕으로 하여금 여진족을 몰아내고 국경을 개척하도록 하였다.

19 |사민| 세종 때에 4군 6진 개척으로 압록강·두만강 유역을 차지하고 충청도, 전라도, 경상도의 일부 백성들을 북쪽으로 이주시키는 사민 정책을 실시하였다.

20 예시 답안 태종은 의정부의 권한을 약화시키고 6조 중심의 정치 제도를 실시하여 재상들의 권한을 약화시키고 왕권을 강화하고자 하였다.

|채점기준|

상	태종의 정책과 실시 목적 두 가지를 모두 정확하게 서술한 경우
중	태종의 정책과 실시 목적 중 한 가지만 정확하게 서술한 경우
하	태종의 정책과 실시 목적에 대한 내용을 서술하지 못한 경우

21 예시 답안 1. 농업을 발전시킬 것, 2. 백성의 호구를 늘릴 것, 3. 학교 교육을 진흥할 것, 4. 군사 훈련을 실시하고 군기를 엄정히 할 것, 5. 부역을 공평하고 균등하게 부과할 것, 6. 소송의 다툼을 적게 할 것, 7. 간사하고 교활한 무리를 제거할 것 중 세 가지

|채점기준|

상	수령의 임무 일곱 가지 중 세 가지를 정확하게 서술한 경우
중	수령의 임무 일곱 가지 중 두 가지를 서술한 경우
하	수령의 임무 일곱 가지 중 한 가지만 서술한 경우

01 |정답①| (가) 사건은 계유정난이다. 세종 사후 문종을 거쳐 어린 단종이 즉위하자 정치의 실권이 김종서 등의 재상에게 집중되며 왕권이 약화되었다. 이에 수양 대군이 정변을 일으켜 반대파를 제거하고 단종을 몰아낸 후 왕위에 올랐다(세조 즉위).

02 |정답③| 자료의 밑줄 친 '이들'은 사림이다. 사림은 고려 말 조선 건국에 협력하지 않고 지방으로 물러나 학문 연구와 교육에 힘쓴 세력이다. 이들은 길재의 학풍을 계승하였고 성리학 연구와 교육에 힘쓰고 의리와 도덕을 중시하였다. 성종은 훈구 세력을 견제하고자 사림을 등용하였다. ③ 계유정난에 참여하여 공을 세우고 주요 관직과 많은 토지와 노비를 소유한 이들은 훈구 세력이다.

03 |정답①| 갑자사화는 연산군 때인 1504년, 을사사화는 명종 때인 1545년의 일이다. 연산군 이후 즉위한 중종 대에 등용된 조광조가 현량과 실시, 위훈 삭제 등 개혁 정치를 실시하자, 이에 반발한 훈구 세력이 공격하면서 기묘사화가 발생하였다. 중종 이후 명종이 즉위한 뒤에는 사림이 외척 세력 간의 권력 다툼에 가담하면서 큰 피해를 보는 을사사화가 발생하였다.

오답 피하기

ㄷ. 성종은 훈구 세력을 견제하기 위해 김종직 등 지방의 사림을 대거 등용하였다.
ㄹ. 한명회는 계유정난에 참여하여 공신으로 인정받아 세조 시기에 집권하였다.

04 |조의제문| 조의제문은 항우가 폐위한 중국 초의 마지막 왕인 의제의 죽음을 애도하는 김종직의 글이다. 세조가 단종을 죽인 사실을 항우가 의제를 죽인 것에 비유하여 세조의 왕위 승계가 유교적 명분에 어긋난다는 사림의 의식을 반영하였다. 이로 인해 연산군 때에는 김종직뿐 아니라 많은 문인이 피해를 입었다.

05 |정답④| (가)는 조광조이다. 중종반정에서 공을 세운 훈구 세력의 정국 주도를 견제하고자 중종 때 등용된 조광조는 현량과 실시, 3사의 언론 활동 활성화, 일부 반정 공신의 공훈 삭제, 『소학』과 향약 보급 등 급진적인 개혁을 추진하였다.

자료 분석하기

경연에서 조광조가 중종에게 아뢰기를, "국가에서 사람을 등용할 때 과거 시험에 합격한 사람을 중요하게 여깁니다. 그러나 매우 현명한 사람이 있다면 어찌 꼭 과거 시험에만 국한하여 등용할 수 있겠습니까. 중국 한을 본받아 현량과를 실시하여 덕행이 있는 사람을 천거하여 인재를 찾으십시오.   - 『중종실록』
→ 조광조는 전국 각지의 유능한 선비를 천거로 등용하자고 주장하며 사림의 관직 진출에 큰 도움을 주었다.

06 |정답③| ㄴ. 계유정난 1453년, ㄷ. 백운동 서원 건립 1543년, ㄱ. 선조의 즉위 1567년, ㄹ. 동·서인 붕당 형성은 선조 때의 일이다.

07 |정답②| (가)는 『소학』이다. 『소학』은 일상생활의 예의범절과 옛 성현들의 교훈과 선인들의 착한 행실 등을 기록하여 아이들이 유교 윤리를 익힐 수 있도록 만든 책으로 성리학적 생활 규범 보급에 기여하였다.

오답 피하기

ㄴ. 고려 말에 보급되기 시작한 『소학』은 조선 초부터 사학, 향교, 서원 등 당시의 모든 학교에서 필수 과목이 되었다.
ㄹ. 성종 때 국가 행사에 필요한 의례를 유교 예법에 따라 정리한 책은 『국조오례의』이다.

08 |정답③| (가)는 서원으로 선현의 제사와 유교 교육을 담당하고 숭의재, 진덕재와 같은 기숙사가 있었다. ③ 서원은 주로 사림이 주도하여 세운 사립 교육 기관이다.

09 |사액 서원| 사액 서원은 국왕으로부터 편액, 토지, 서적, 노비 등을 하사받아 그 권위를 인정받은 서원을 말한다. 중종 때 풍기 군수 주세붕이 성리학을 도입한 안향을 기리기 위해 세운 백운동 서원은 우리나라 최초의 사액 서원이다.

10 |정답④| (가)는 서원, (나)는 향약에 대한 설명이다. 조선 시대의 사림은 향촌의 자치 기능을 맡았던 향약과 선현 제사와 학문 연구 등을 담당하였던 서원을 통해 지위를 강화하였다.

① 명종 때의 외척 정치 세력의 청산 문제와 이조 전랑 임명 문제를 둘러싸고 사림 내부에서 갈등이 심화되어 붕당이 형성되었다.

② 계유정난은 수양 대군이 왕이 되고자 반대파를 제거하고 정권을 장악한 사건이다. 이때 수양 대군을 도와준 세력은 세조 즉위 이후 공신으로 책봉되어 훈구 세력을 형성하였다.

③ 사림 세력과 훈구 세력의 대립으로 연산군부터 명종 때까지 네 차례의 사화가 발생하였다.

⑤ 명종 때 일어난 을사사화는 왕위 계승을 둘러싸고 외척 세력 사이에서 발생한 권력 다툼이었다.

11 |환난상휼| 향약은 향촌 사회의 공동 조직에 유교적 이념이 결합한 자치 조직으로, 덕업상권(좋은 일은 서로 권한다.), 과실상규(잘못된 것은 서로 규제한다.), 예속상교(예의 바른 풍속으로 서로 교제한다.), 환난상휼(어려운 일은 서로 돕는다.)의 4대 덕목을 중심으로 전파되었다. 삽화는 환난상휼을 그림으로 나타낸 것이다.

12 |정답①| 자료에는 동인과 서인의 기원이 나타나 있다. 명종 때부터 중앙 정계에 진출하였던 기성 사림은 외척 세력과 훈구 세력에 대해 온건한 입장인 한편, 선조 때 새로 등장한 신진 사림은 강경한 입장이었다. 이 갈등은 이조 전랑의 임명 문제를 둘러싸고 더욱 심해져 동인과 서인으로 붕당이 형성되는 결과로 이어졌다.

② 조선 전기에 훈구 세력이 권력을 장악하고 있던 중 중앙 정계에 진출한 사림이 훈구 세력을 강하게 비판하자, 이에 반발한 훈구 세력에 의해 사림이 화를 입은 사화가 발생하였다.

③ 훈구는 조선 건국, 왕자의 난, 계유정난 등에서 공을 세워 지배 세력으로 성장한 세력이다.

④ 조선의 건국을 주도한 정도전 등 급진 개혁파는 재상 중심의 정국 운영을 주장하며 민본과 덕치에 기반을 둔 유교 통치 체제를 만들고자 하였다.

⑤ 고려 말 신진 사대부는 고려 왕조를 유지하며 점진적인 개혁을 주장한 이색, 정몽주 등의 온건 개혁파와 역성혁명을 통한 새 왕조 수립을 주장한 정도전, 조준 등의 급진 개혁파로 분열되었다.

13 |정답③| 조선은 성리학을 통치 이념으로 삼고 건국 초기부터 유교 윤리를 보급하기 위해 노력하였다. 세종 때에는 군신, 부자, 부부간에 유교 윤리를 실천한 인물들의 행적을 설명한 『삼강행실도』를, 성종 때는 국가나 왕실의 여러 행사에 필요한 의례를 유교 예법에 따라 정리한 『국조오례의』를 편찬하였다. 16세기에는 연장자와 연소자, 친구 사이의 윤리를 내용으로 한 『이륜행실도』와 가정에서 지켜야 할 관혼상제의 예법을 성리학적으로 정리한 『주자가례』가 편찬되고 조선 사회에 보급되었다.

14 |주자가례| 주자가례는 송의 성리학자인 주자가 가정에서 지켜야 할 관혼상제에 대한 예법을 정리한 책으로, 주요 행사에서 이전까지의 불교 예법 대신 유교적 예법으로 전환하는 데 크게 기여하였다.

15 |정답①| 성리학적 통치 질서에 따라 가족과 친족의 혈통 가계를 밝혀 주는 족보가 중요시되었고, 양반들은 유교식으로 장례를 치르고 집안에 가묘(사당)를 세워 제사를 지내면서 장자 및 친가 중심의 가족 질서를 확립하였다.

ㄷ. 조선 시대에는 장자 및 친가 중심의 가족 질서와 의례가 보급되었다.

ㄹ. 조선 전기에는 혼인 후에 남자가 여자 집에서 생활하는 것이 일반적이었으나, 성리학적 유교 질서가 보급되면서 퍼진 유교식 혼례는 여자가 남자의 집으로 시집 오는 것이었다. 이 과정에는 『주자가례』에 따라 신랑이 신부의 집에 가서 신부를 직접 맞이하는 친영이 포함되어 있었다.

16 |정답③| 조선은 왕조의 정통성에 대한 명분을 내세우기 위해 건국 초부터 역사서를 편찬하는 데 힘썼다. 『동국통감』은 고조선부터 고려 말까지의 역사를 정리한 책이다.

17 |정답④| 밑줄 친 책은 『용비어천가』로 이성계의 조상인 목조에서 태종에 이르는 여섯 대의 행적을 노래한 서사시이다. 세종 대에 훈민정음으로 지어졌으며 조선 건국의 정당성과 역사성을 강조하는 목적으로 편찬되었다.

18 |정답③| 제시된 지도는 「혼일강리역대국도지도」이다. 태종 대에 제작된 이 지도는 중국과 인도, 아라비아, 유럽, 아프리카까지 그려진 세계 지도로, 조선이 실제보다 훨씬 크게 그려져 있어 조선 왕조의 개창을 알리고 있다. 뿐만 아니라 태종 대에는 주자소를 설치하고 활자를 개량하여 계미자를 만들기도 하였다.

① 세종, ② 16세기, ④ 태조, ⑤ 세조 대의 사실이다.

19 예시 답안 조광조는 현량과를 시행하고 『소학』과 향약을 보급하였다.

|채점기준|

상	조광조의 개혁 정책 두 가지를 모두 정확하게 서술한 경우
중	조광조의 개혁 정책 중 한 가지만 서술한 경우
하	조광조의 개혁 정책과 무관한 내용을 서술한 경우

20 예시 답안 향약은 향촌의 자치 규약으로 마을의 풍속과 유교와 윤리가 결합한 것이다. 향약은 향촌 사회의 풍속을 교화하고 질서를 유지하였다.

채점기준	
상	향약이 향촌 사회에서 담당한 역할을 모두 정확하게 서술한 경우
중	향약의 개념과 역할 중 한 가지만 정확하게 서술한 경우
하	향약이 향촌의 약속이라고만 서술한 경우

21 예시 답안 칠정산을 편찬하고 간의와 혼천의 등 천체 관측기구를 제작하였다.

채점기준	
상	세종 때 천문학 발달 사례를 정확하게 서술한 경우
중	세종 때의 과학 기술이나 유사한 시대에 천문학이 발달한 내용을 서술한 경우
하	세종 때의 과학 기술이나 천문학의 발달과 관련 없는 내용을 서술한 경우

❹ 왜란·호란의 발발과 영향

실력 확인 문제

138~139쪽

01 ③	02 의병	03 ④	04 광해군
05 ④	06 ②	07 ③	08 ④

09~10 해설 참조

01 | 정답③ | 이순신이 활약했다는 내용을 통해 밑줄 친 '전쟁'은 임진왜란임을 알 수 있다. ③ 인조는 병자호란 때 조선을 침입한 청을 피해 남한산성으로 피신하여 항전하였다.

02 | 의병 | 임진왜란 때 일본군이 무차별적으로 국토와 백성을 짓밟자 유생, 승려, 농민들이 자발적으로 모이고 의병을 조직하여 향토 지리에 밝은 이점을 이용해 왜군에 타격을 주며 임진왜란을 승리로 이끌었다.

03 | 정답④ | 자료에서 을묘왜변은 1555년, 인조반정은 1623년의 일이다. 그 사이 임진왜란이 일어나서 일본에서는 도요토미 정권이 무너지고 에도 막부가 개창되었으며(1603), 만

주에서는 명의 국력이 약해진 틈을 이용하여 누르하치가 여진족을 통일하고 후금을 건국하였다(1616).

04 | 광해군 | 임진왜란이 끝난 이후 선조의 뒤를 이어 왕위에 오른 광해군은 전후 복구를 위해 노력하였다. 토지를 개간하고 토지 대장과 호적 정리를 통해 국가 재정을 확충하고, 군사 훈련으로 국방력을 강화하였다. 또 광해군 때는 임진왜란 중에 허준이 편찬하기 시작한 의학 서적인 『동의보감』이 완성되었다. 또 성장하고 있는 후금과 국력이 약해지는 명 사이에서 조선의 안정을 위해 적절히 대처하여 실리를 추구하는 중립 외교를 추진하였다.

05 | 정답④ | 자료의 '이 사건'은 병자호란으로, 윤휴는 여진족의 세운 청에게 당한 수치를 씻고자 정벌을 주장하고 있다. 병자호란 이후 조선은 표면상 청과 군신 관계를 맺고 평화를 유지하면서 경제적·문화적 교류를 이어 갔다. 한편에서는 오랑캐에게 당한 치욕을 씻고 명에 대한 의리를 지키자는 북벌 운동이 일어났다. 북벌 운동은 효종 때에 가장 왕성하게 전개되었으며, 효종은 송시열, 이완 등을 등용해 무기를 개량하고 군대를 양성하는 등 북벌을 준비하였다.

자료 분석하기

윤휴가 은밀히 상소를 올려, "이 사건은 하늘이 우리를 돌봐 주
→ 병자호란
지 않아 일어난 것입니다. 짐승 같은 오랑캐들이 핍박해 와 우
→ 여진족이 세운 청
리를 남한산성으로 몰아넣고 삼전도의 치욕을 주었으며, 백성을
→ 인조가 청 태종에게 굴욕적인 항복한 장소
죽였습니다. …… 수치를 씻어 군부(君父)에게 보답하며, 지난
→ 명나라
날의 허물을 지우려면 오랑캐를 정벌해야만 합니다."라고 하였
→ 북벌
다. 오지 않은 권위를 행사할 수 없다.

06 | 정답② | ㄱ. 선조의 의주 피난은 1592년, ㄴ. 인조의 항복은 1637년, ㄷ. 후금과 조선이 형제 관계를 맺는 정묘호란은 1627년, ㄹ. 이순신의 수군은 명량에서 1597년에 승전하였다.

07 | 정답③ | 자료에서 청 태종의 조선 침입, 인조, 남한산성에서 항전 등을 통해 지도에 나타난 전쟁은 '병자호란'임을 알 수 있다. 1636년에 일어난 병자호란이 청에 대한 굴욕적인 항복으로 끝나면서 소현 세자와 봉림 대군, 백성 등이 청으로 끌려갔다.

① 인조반정은 1623년에 일어났다.

②, ④, ⑤는 임진왜란의 영향과 관련 있는 내용이다.

08 |정답④| 제시된 자료에서 (가)는 윤집의 척화론이고, (나)는 최명길의 주화론이다. 후금이 정묘호란 이후 조선에 군신 관계를 요구하자, 조선에서는 주화론과 척화론이 대립하였다. 척화론자는 명과의 전통적인 관계와 임진왜란 때 받은 도움을 근거로 명에 대한 의리를 지키고 청과의 화의를 거부할 것을 주장하였다. 반면 주화론자는 백성과 종묘사직의 안위를 위하여 청과의 강화를 주장하였다. 척화론이 우세하였으나 결국 청에 항복하는 굴욕을 당하고 청과 군신 관계를 맺었다. 이후 효종 즉위 후 오랑캐에게 당한 치욕을 씻고 명에 대한 의리를 지키자고 주장하는 북벌론이 등장하였다.

자료 분석하기

(가) <u>중국</u>은 우리나라에 있어서 부모의 나라이고, 청은 부모의

→ 명나라

원수입니다. <u>부모의 원수</u>와 형제의 의를 맺어 부모의 은혜

→ 청나라가 성장하면서 명나라를 위협하였다.

를 저버려서야 되겠습니까. 더구나 <u>임진년의 일은 조그만</u>

<u>것까지도 모두 황제의 힘입니다.</u>

→ 임진왜란 당시 명나라 신종이 조선에 지원군을 보내어 조명 연합군이 결성되었다.

(나) 자기의 힘을 헤아리지 않고 경망하게 큰 소리를 쳐서 <u>오랑</u>

<u>캐들의 노여움을 도발하여, 마침내 백성이 도탄에 빠지고</u>

→ 청나라가 군신 관계를 요구하며 침입하였다.

종묘와 사직에 제사를 지내지 못하게 된다면, 그 허물이 이보다 클 수 있겠습니까?

09 |예시 답안| 임진왜란, 임진왜란의 영향으로 명이 쇠퇴하고 후금이 건국되었다. 일본에는 도쿠가와 이에야스가 에도에 막부를 수립하였다.

|채점기준|

상	임진왜란이라 쓰고, 임진왜란의 영향으로 국제 정세 측면에 나타난 변화 두 가지를 모두 정확하게 서술한 경우
중	임진왜란이라 쓰고, 임진왜란의 영향으로 나타난 국제 정세의 변화를 한 가지만 서술한 경우
하	임진왜란이라고만 서술한 경우

10 |예시 답안| 광해군은 후금과 명이 대립하는 상황에서 중립 외교를 추진하였으나, 광해군을 몰아내고 즉위한 인조는 친명 정책을 내세우며 후금을 배척하였다.

|채점기준|

상	광해군과 인조의 대외 정책을 정확하게 서술하고 비교한 경우
중	광해군과 인조 중 한 명의 대외 정책만 정확하게 서술한 경우
하	광해군과 인조가 반대 입장이었다고만 서술한 경우

대단원 마무리 문제　　　　141~145쪽

01 ②	02 ②	03 ③	04 ④	05 ④
06 ④	07 ⑤	08 ④	09 ①	10 ①
11 ①	12~13 해설 참조			

01 |정답②| 제시된 자료에서 조선의 정치 기구로 왕명 출납의 기능을 맡았던 국왕의 비서 기관은 승정원이다.

오답 피하기

① 사헌부는 관리의 잘못을 감찰하는 기관이다.

③ 의금부는 국왕 직속의 특별 사법 기구이다.

④ 의정부는 3정승 합의제로 운영된 최고 통치 기구이다.

⑤ 춘추관에서는 역사의 편찬과 보존 업무를 담당하였다.

02 |정답②| 두 차례의 왕자의 난을 거쳐 즉위하여 국왕 중심의 통치 체제를 정비하면서 사병을 혁파하고 사간원을 독립시킨 왕은 태종이다. 따라서 (가)에는 태종 때의 사실이 들어가야 한다. 태종은 16세 이상의 모든 남자에게 일종의 신분증인 호패를 발급하여 조세 징수와 군역 부과에 이용하였다.

오답 피하기

① 세조, ③ 성종, ④ 세종, ⑤ 고려 우왕 때 이성계의 활동에 해당한다.

03 |정답③| 제시된 자료에서 호패법의 도입은 태종 때 경국대전의 완성은 성종 때의 사실이다. 태종의 뒤를 이어 즉위한 세종은 집현전을 설치하고 정책 연구 기관으로 확대·개편하였다.

① 선조 초 사림은 외척 정치 청산에 적극적이었던 신진 사림을 중심으로 한 동인과 외척 정치 청산에 소극적이었던 기성 사림을 중심으로 한 서인으로 분화되었다.

② 조선 건국 후 태조 이성계는 수도를 개경에서 한양으로 옮겼다.

④ 중종 때 등용된 조광조를 비롯한 사림은 현량과 실시, 위훈 삭제 등을 추진하였다.

⑤ 중종 때 주세붕이 세운 백운동 서원을 시작으로 지방 양반들이 선현에 대한 제사와 유학 교육을 위해 각지에 서원을 건립하였다.

04 |정답④| 제시된 지도에서 (가)는 명, (나)는 여진, (다)는 일본이다. ④ 여진과는 국경 지역인 경원과 경성에 무역소를 설치하여 쌀, 콩, 면직물 등과 바꾸어 가도록 허락하였다.

① 조선은 왕권 확립과 국가 안정을 위해 명과 조공·책봉 관계를 맺었다.

② 조선은 여진에 대해 회유책과 강경책을 적절하게 활용하는 교린 정책을 실시하였다. 여진이 국경 지방을 침입해 약탈하면 조선은 군대를 동원해 여진을 토벌하기도 하였다. 세종 대에는 최윤덕과 김종서가 여진 정벌에 나서 4군 6진 지역을 개척하였다.

③ 일본과는 회유책으로 3포(부산포, 제포, 염포)를 개방하여 제한적인 무역을 허용하였다.

⑤ 조선은 명에 대해서는 사대를 원칙으로, 그 밖에 여진과 일본 등에 대해서는 교린을 원칙으로 삼았다.

05 |정답④| 제시된 자료는 사림의 계보이다. 조선 성종은 훈구 세력을 견제하기 위해 김종직을 비롯한 사림을 적극적으로 등용하였다. 이를 계기로 중앙 정치에 본격적으로 진출한 사림은 주로 3사에서 언론과 학술을 담당하며 훈구 세력의 독주와 비리를 견제하였다. 사림은 향촌의 자치 기능을 맡았던 향약과 선현 제사와 학문 연구 등을 담당하였던 서원을 통해 지위를 강화하였다.

06 |정답④| ㄱ. 현량과는 중종 대 조광조의 개혁으로 시행되었으며, ㄴ. 갑자사화의 발생은 연산군 대인 1504년, ㄷ. 김종직의 조의제문은 세조 대인 1457년, ㄹ. 동인과 서인의 등장은 선조 대의 사실이다.

07 |정답⑤| (가) 『조선왕조실록』은 태조부터 철종 때까지 25대 472년간의 사실들을 기록한 역사서로, 방대한 규모와 내용의 정확성을 인정받아 유네스코의 세계 기록 유산으로 등록되었다. (나) 『몽유도원도』는 전문 화원인 안견이 무릉도원을 그린 산수화로 안견이 안평 대군이 꿈속에서 본 모습을 그린 것이다. ⑤ 『몽유도원도』는 강희안의 '고사관수도'와 더불어 15세기를 대표하는 그림이다.

08 |정답④| 조선은 건국 초기부터 유교의 민본 사상에 따라 민생 안정과 부국강병을 위해 과학 기술을 중시하였다. 특히 세종 대에는 천문학이 발전하여 간의, 혼천의 등의 천체 관측 기구와 자격루, 앙부일구와 같은 시계를 제작하였다. 또 한양을 기준으로 천체를 관측한 역법서인 『칠정산』이 편찬되었다. 또 우리나라에서 나는 약초로 처방전을 기록한 『향약집성방』과 한방 백과사전에 해당하는 『의방유취』 등이 편찬되며 의학도 발달하였다. 이외에도 신기전, 화차 등의 화약 무기도 개발되었다.

ㄱ. 측우기는 강수량을 측정하는 기구이다.

ㄷ. 『향약구급방』은 고려 시대에 출간된 한의서이다.

09 |정답①| 제시된 자료에서 (가)는 1623년 인조반정 때의 상황을, (나)는 1649년 효종 즉위 이후의 상황을 보여주고 있다. 인조반정을 통해 정권을 장악한 서인은 친명배금 정책을 추진하여 후금을 자극하였고, 후금이 조선을 침략하여 정묘호란이 일어났다. 이후 후금은 국호를 청으로 바꾼 후에 조선을 재차 침략하였다(병자호란). 병자호란 이후 청으로 끌려갔던 봉림 대군이 돌아와 왕위에 오르자 오랑캐에게 당한 치욕을 씻고 명에 대한 의리를 지키자는 북벌론이 등장하였다.

② 정유재란은 1597년, ④ 누르하치의 여진족 통일과 후금 건국은 1616년에 일어났다. ⑤ 한산도 대첩은 1592년, ③ 훈련도감 설치는 1593년으로 임진왜란 중의 사실이다.

10 |정답①| 제시된 지도에서 (가)는 의주, (나)는 울돌목(명량), (다)는 부산, (라)는 경원이다.

ㄷ. 최윤덕이 4군을 개척한 곳은 압록강 상류 지역인 여연, 우예, 지성, 무창이다.

ㄹ. 임진왜란 당시 왜군이 처음 상륙한 곳은 부산 앞바다 동래이다.

11 |정답①| 제시된 자료에서 『야연사준도』의 '외적'은 여진이고, 『부산진 순절도』에서 '외적'은 왜, 일본이다. 세종 대에 최윤덕과 김종서가 여진 정벌에 나서 4군 6진 지역을 개척하였다. 1592년 4월 15일에는 고니시 유키나가가 이끄는 2만의 왜군이 부산을 함락하고 진격하였다. 왜군이 쳐들어오자 부산 동래 부사 송상현은 주민과 함께 마지막까지 왜군과 싸우다 순국하였다.

12 예시답안 (가)는 사간원, (나)는 홍문관, (다)는 사헌부이며 이 기관들은 모두 권력의 독점과 부정을 방지하는 역할을 하였다.

| 채점기준 |

상	세 기구의 명칭과 공통점을 모두 정확하게 서술한 경우
중	세 기구의 명칭과 공통점 중 한 가지만 서술한 경우
하	세 기구의 명칭은 썼으나, 공통점은 서술하지 못한 경우

13 예시답안 여진이 나라를 세우고 조선에 명과 관계를 단절하고 자신과 군신 관계 맺기를 요구해 오자, 송시열은 여진의 요구에 굴복하지 말자는 척화론을 주장하였다.

| 채점기준 |

상	척화론의 배경과 핵심을 모두 서술한 경우
중	척화론의 배경과 핵심 중 한 가지만 서술한 경우
하	척화론에 대한 내용을 서술하지 못한 경우

핵심 수행 평가 예시 답안 144~145쪽

01 광해군과 인조 시기의 대외 인식

1 예시답안 임진왜란 이후 즉위한 광해군은 전쟁을 뒷수습하는 정책을 실시하면서 쇠퇴해가는 명과 성장하는 여진족의 후금 사이에서 신중한 중립 외교 정책을 추진하였다. 임진왜란 때 명의 도움을 받은 조선은 명의 파병 요구에 응하면서도 후금을 자극하지 않아 전쟁을 피하여 실리를 추구하는 외교 정책을 펼쳤다.

2 예시답안 광해군의 중립 외교에 반대한 서인은 인조반정으로 정권을 잡은 후 친명 배금 정책을 시행하였다. 기존에 사대의 예를 취하던 명과 화친하고 오랑캐 후금을 배척하는 성리학적 세계관에 입각한 외교 정책으로 후금을 자극하였다. 이후 후금이 광해군을 위해 보복한다는 이유로 침입하였고, 이들의 군대가 황해도 지역까지 내려오는 정묘호란이 발생하였다.

02 역사적 인물을 모델로 가상 화폐 만들기

1 예시답안

선정 인물	장영실
선정 이유	관노비 출신임에도 자신의 재능을 발휘하여 천인을 면할 기회를 잡았으며 나아가 세종에 의해 상의원 별좌에 임명되어 궁중 기술자로 활약하여 우리나라 천문 기기 발전에 큰 역할을 하였다.
인물과 관련된 키워드	자격루, 옥루, 간의, 혼천의, 앙부일구

2 예시답안

조선 후기의 정치 변동

실력 확인 문제
154~155쪽

01 비변사	**02** ②	**03** ②	**04** ①
05 ①	**06** ②	**07** ③	**08** ①
09 ⑤	**10** 해설 참조		

01 |비변사| 비변사는 본래 변경의 방비를 위해 설치된 임시 기구였다. 그러나 임진왜란을 계기로 기능이 대폭 강화되어 조선 후기에는 의정부와 6조를 대신하여 국가 최고 기구로 발전하였다.

02 |정답②| 17세기 중반까지 붕당 정치의 원칙이 잘 지켜졌으나 현종 때 예송, 숙종 때 환국을 거치면서 붕당 간의 대립이 격화되었다.

오답 피하기
ㄴ. 사화는 훈구와 사림 간의 정치적 대립으로 발생하였다.
ㄹ. 인조반정은 광해군과 북인의 외교 정책에 불만을 가진 서인이 주도하였다.

03 |정답②| 숙종 때 발생한 환국과 관련된 설명이다. 숙종 때 총 세 차례 환국이 발생하였는데 이는 붕당의 세력을 약화시키고 왕권을 강화하기 위해 숙종이 의도적으로 일으킨 것이다.

자료 분석하기
- 1689년, 숙종은 낳은 지 두 달 된 왕자를 원자로 정하고자 하였다. 서인이 이에 반대하자 숙종은 송시열을 비롯한 서인을 정리하고 남인을 집권시켰다. → 기사환국, 희빈 장씨 아들의 원자 책봉 문제로 발생하였다.
- 1694년, 남인이 옥사를 일으키자 숙종은 남인의 관작을 삭탈하고 서인을 대거 등용하였다. → 갑술환국, 인현왕후 복위를 남인이 반대하면서 발생하였다.

04 |정답①| (가)는 서인, (나)는 남인이다. 예송 당시 서인은 왕에게도 사대부와 같은 예법을 적용해야 한다고, 남인은 왕에게는 특별한 예법을 적용해야 한다고 주장하였다. 서인은 광해군을 몰아낸 인조반정을 주도한 계기로 집권하였다.

오답 피하기
② 동인, ③ 노론, ④ 서인, ⑤ 북인에 대한 설명이다.

05 |정답①| 영조는 『경국대전』 이후 시행된 법령 중에 시행할 수 없는 법을 바꾸거나 증보하여 『속대전』을 편찬하였다.

06 |정답②| 여러 사람과 두루 친해야 한다는 탕평의 정신을 담은 탕평비를 세운 왕은 영조이다. ② 화성 건설은 정조의 대표적인 업적이다.

07 |정답③| 정조는 즉위 이후 정책 연구 기관으로 규장각을 설치하고 기존의 관료들을 규장각에서 재교육하는 초계문신제를 시행하였다. 정조는 젊은 관료들을 왕권을 뒷받침하는 세력으로 육성하고자 하였다.

08 |정답①| 아버지 사도 세자의 묘를 옮기고 어머니 혜경궁 홍씨의 회갑연을 화성행궁에서 치른 왕은 정조이다. 정조는 즉위 이후 왕권을 강화하기 위해 친위 부대인 장용영을 설치하고, 왕실 도서관으로 설치된 규장각을 강화하여 자신의 정책 연구 기관으로 삼았다.

오답 피하기
ㄷ, ㄹ은 모두 영조가 시행한 정책이다.

09 |정답⑤| 안동 김씨, 풍양 조씨 등 소수의 가문이 비변사를 장악한 때는 세도 정치 시기이다. 정조 사후 어린 국왕들이 잇달아 즉위하면서 소수의 외척 가문이 정치를 주도하였다.

오답 피하기
① 임진왜란 때 소실된 경복궁은 1865~1868년에 흥선대원군이 왕권 강화를 위해 중건한다.
② 임진왜란은 1592년(선조25년)~1598(선조 31년)년에 도요토미 정권이 조선을 침략하면서 발발하였다.
③ 북벌 운동은 효종 때 인조의 굴욕을 갚자는 움직임에서 일어났다.
④ 태종은 왕권 강화를 위해 6조의 업무를 국왕에게 직접 보고하는 6조 직계제를 시행하였다.

10 예시 답안 (1) 탕평책
(2) 영조와 정조의 탕평책으로 붕당 세력이 약화되었으나, 정치권력이 국왕과 소수의 집권층에게 과도하게 집중되면서 세도 정치가 출현하게 되었다.

|채점기준|

상	탕평책이라 쓰고, 붕당의 약화, 국왕과 소수의 집권층에게 권력 집중, 세도 정치의 출현을 모두 서술한 경우
중	탕평책이라 쓰고, 세도 정치의 출현을 가져왔다고만 서술한 경우
하	탕평책이라고만 쓴 경우

❷ 사회 변화와 농민의 봉기

실력 확인 문제   160~161쪽

01 ⑤	02 ⑤	03 상평통보	04 ④
05 ④	06 ①	07 ③	08 ④
09 ④	10 해설 참조		

01 |정답⑤| 사진은 공명첩으로 이름 쓰는 곳이 비어 있는 명예직 임명장이다. 조선 정부는 양난 이후 부족한 재정을 채우기 위해 공명첩을 발행하였고, 이를 산 부유한 상민은 군역을 면제받을 수 있었다.

02 |정답⑤| 모내기법이 전국적으로 확대된 것은 임진왜란 이후이다. 조선 후기에는 담배와 같은 상품 작물이 재배되고, 만상과 같은 대상인과 보부상이 활발하게 활동하였다. 또한 부유한 농민과 상인이 생기면서 양반 중심 신분제가 동요하기 시작하였다.

> **자료 분석하기**
>
> 이앙(모내기)은 본래 그 금령이 지극히 엄한데, 근래 농민들이 농사를 게을리하고 이익을 탐하여 광작을 하며, 그 형세가 매해 늘어 지금은 여러 도(道)에 두루 퍼져 있으니 모두 금하기 어렵다.
> → 모내기법은 고려 시대부터 시작된 농법이지만 수리 시설의 미비로 조선 전기까지 일부 지방에서만 시행되었고, 전국적으로 확대된 것은 조선 후기이다.

03 |상평통보| 조선 후기의 대표적인 화폐로 1633년(인조 11)에 처음 발행되었으나 사용이 미미하여 유통이 중지되었다가 1678년(숙종 4)에 재발행되었다. 이후 전국적으로 유통되면서 조선 말기에 현대식 화폐가 나올 때까지 통용되었다.

04 |정답④| 특산물 대신 쌀, 옷감, 동전으로 납부하는 법은 대동법이다. 대동법은 방납의 문제를 해결하기 위해 광해군 때 실시되었고, 시행 이후 정부는 필요한 물품을 공인에게 조달하도록 하였다.

> **오답 피하기**
>
> ㄱ, ㄷ은 균역법과 관련된 설명이다.

05 |정답④| 자료를 통해 양반 중심 신분제가 동요했음을 알 수 있다. 조선 후기에는 향반이나 잔반 같이 몰락한 양반들이 생겼고, 부유한 상인이나 상민이 양반 행세를 하고 다녔다. 또한 중인이나 서얼은 신분 상승 운동을 전개하였다.

> **자료 분석하기**
>
> • 옷차림은 신분의 귀천을 나타내는 것이다. 근래 이것이 문란해져 상민과 천민이 갓을 쓰고 도포를 입는 것이 마치 조정의 관리나 선비와 같다. 심지어는 시전 상인들이나 군역을 지는 상민들까지도 서로 양반이라고 부른다.
> → 부유한 상인이나 상민들이 양반 행세를 하고 있다는 것을 알 수 있다.
> • 중인과 서얼의 벼슬길이 막혀 원통하고 답답함을 품은 지 이미 몇백 년이 되었다. 근래 서얼은 조정의 은혜를 입어 문관
> → 이제까지 차별받았던 서얼들도 주요 관직에 진출한 것을 알 수 있다.
> 은 승문원, 무관은 선전관에 임용되고 있는데, 우리 중인만은 함께 은혜를 입지 못하니 어찌 그냥 있을 수 있겠는가.

06 |정답①| 조선 후기에는 양반 중심의 신분제가 동요하였다. 순조 때 상민의 수를 늘리기 위해 공노비를 해방하기도 하였지만, 노비 제도가 완전히 폐지된 것은 갑오개혁(1894) 때이다.

07 |정답③| 군포를 어린아이나 죽은 사람에게까지 부과하면서 농민들이 부담은 더욱 커졌다. 환곡의 문란으로 관청이 강제로 곡식을 대여하는 일이 빈번해졌다.

> **오답 피하기**
>
> ㄱ. 전세가 문란해지면서 지주들이 자신에게 부과된 세금을 소작농에게 떠넘기는 일이 많아졌고 농민들의 부담이 크게 증가하였다.
> ㄹ. 삼정의 문란으로 일어난 대표적인 농민 봉기는 임술 농민 봉기이다. 원종과 애노의 봉기는 통일 신라 시대 말기에 일어난 농민 봉기이다.

08 |정답④| 조선 후기에는 삼정의 문란으로 사회가 불안해지면서 각종 비기와 예언 사상이 유행하였다. 특히 한성에 있는 이씨 왕조가 망하고 계룡산에 정씨 왕조가 들어설 것이라는 예언이 적힌 『정감록』이 백성들 사이에 확산되었다.

09 |정답④| (가)는 홍경래의 난, (나)는 임술 농민 봉기이다. 진주에서 시작된 임술 농민 봉기가 전국으로 확산되자, 조선 정부는 이를 진정시키기 위해 삼정이정청을 설치하였다. 그러나 삼정이정청은 제 기능을 하지 못한 채 결국 폐지되었다.

> **오답 피하기**
>
> ① 묘청의 난, ② 임술 농민 봉기, ③ 홍경래의 난과 관련된 설명이다.

10 |예시 답안| 공명첩, 납속 등으로 조세와 군역을 부담하는 상민층이 크게 감소하여 국가 재정이 어려워지자, 순조 때 공노비를 해방하여 노비를 줄이고 상민을 늘리고자 하였다.

채점기준	
상	공명첩과 납속, 상민층 감소, 국가 재정 악화를 모두 포함하여 서술한 경우
중	공명첩과 납속, 상민층 감소, 국가 재정 악화 중 두 가지를 포함하여 서술한 경우
하	공명첩과 납속, 상민층 감소, 국가 재정 악화 중 한 가지만 포함하여 서술한 경우

③/④ 학문과 예술의 새로운 경향~생활과 문화의 새로운 양상

실력 확인 문제
168~171쪽

01 ①	02 연행사	03 ⑤	04 ⑤
05 ⑤	06 ④	07 ③	08 ①
09 ⑤	10 ④	11 ①	12 판소리
13 ④	14 ②	15 ④	16 ⑤
17~19 해설 참조			

01 |정답①| 지도에는 조선에서 일본으로 보낸 사절단인 통신사의 행로가 나타나 있다. 임진왜란 이후 에도 막부의 요청으로 통신사 파견을 재개하였으며 이들은 문화 교류에 중요한 역할을 하였다. ① 북학론은 연행사 파견을 계기로 일어난 학문적인 움직임이다.

02 |연행사| 병자호란을 계기로 조선과 청 사이에 조공·책봉 관계가 맺어지고 조선은 청에 연행사를 파견하였다. 연행사는 베이징의 유리창 거리를 돌며 청과 서양의 서적을 조선에 가지고와 조선의 문화 발전에 기여하였다.

03 |정답⑤| (가)에 들어갈 인물은 홍대용이다. 그는 일찍부터 과학 기술에 관심에 많아 혼천의를 제작했으며, 연행사의 일원으로 베이징에 가서 서양 과학 기술을 접한 후 지구가 둥글며 24시간에 한 바퀴씩 자전한다는 지전설을 주장하였다.

04 |정답⑤| 자료와 같은 주장을 한 인물은 유형원이다. 유형원은 농민 생활의 안정을 조선의 가장 큰 과제로 생각하고 토지 제도 개혁을 주장하였다.

오답 피하기
ㄱ. 발해의 역사를 정리한 발해고를 저술한 인물은 유득공이다.
ㄴ. 북학론은 주로 상공업 중심 개혁론을 주장한 실학자에 의해 제기되었다.

자료 분석하기
토지는 국가의 근본이다. 근본이 무너지면 모든 제도가 혼란해진다. …… 그런데 부자들은 한없이 넓은 토지가 서로 맞대어 있고, 가난한 사람은 송곳 꽂을 땅도 없는 지경이 되었다. 부유
→ 토지 문제를 주로 말한다는 점에서 유형원은 농업 중심 개혁론을 주장한 실학자임을 알 수 있다.
한 자는 더욱 부유해지고, 가난한 자는 더욱 가난해지게 되었다.

05 |정답⑤| 밑줄 친 '이 지도'는 김정호가 만든 「대동여지도」이다. 조선 시대 제작된 지도 중에 가장 정밀하게 만들어졌으며, 도로에 10리마다 점을 찍어 거리를 알 수 있게 하였다.

오답 피하기
① 동국지도, ②, ④ 혼일강리역대국도지도, ③ 택리지와 관련된 설명이다.

06 |정답④| 밑줄 친 '이 종교'는 천주교이다. 17세기 서학으로 소개된 천주교는 죽은 후 천당에 갈 수 있다는 내세의 영생에 대한 믿음과 모든 사람이 평등하다는 사상으로 백성들 사이에 널리 퍼졌다.

자료 분석하기
신하 : 저의 보잘것없는 생각으로는 신주를 모시지 않더라도 자
→ 천주교는 우상 숭배라고 하여 조상의 신주를 모시지 않았다.
기들 집에서 이 종교를 믿는 것은 결코 국법을 어기는 것이 아닌 듯합니다.
국왕 : 그렇지 않다. 이 종교는 아비도 없고 임금도 없다. 그리고 인륜을 그르치기 때문에 금수와 다름없다. 어리석은 백성이 여기에 속고 있으니 어찌 불쌍하지 않겠느냐? 앞으로 이 사교를 믿는 무리가 있으면 죄인으로 다스리겠다. → 조선 후기 사교로 규정된 종교는 동학과 천주교이다.

07 |정답③| 자료와 같은 풍속화가 그려진 시기는 조선 후기이다. 조선 후기에는 서민 문화가 발달하면서 한글 소설, 판소리, 탈춤 등이 큰 인기를 끌었다. ③ 국자감은 고려 시대에 있었던 관학이었다.

08 |정답①| 조선 후기에는 우리 문화에 대한 자부심이 높아졌고 정선은 우리나라의 경관을 그린 진경산수화를 발전시켰다. 정선의 대표작으로는 「인왕제색도」, 「금강전도」 등이 있다.

09 |정답⑤| 조선 후기에는 서원, 향약 등을 통해 가부장적 가족 질서가 향촌 사회에 정착되었다. 이에 따라 아버지쪽 혈연만 중시되고 적장자가 제사와 재산 상속을 독점하였으며 여성의 사회적 지위는 더욱 낮아졌다.

오답 피하기

② 형평 운동은 일제 강점기인 1920년대 백정들에 대한 차별 개선을 요구하며 전개된 운동이다.

10 |정답④| 정약용이 주장한 토지 제도 개혁 방안이다. 조선 후기 몰락 농민이 증가하자 정약용은 농민 생활을 안정시키기 위하여 일종의 공동 생산, 공동 분배 방식의 여전론을 주장하였다.

11 |정답①| 『택리지』는 한반도에 대한 종합 정보가 담긴 인문 지리서이다. 책에서는 사람이 살기 좋은 곳을 소개하고 있으며 그 조건으로 풍수가 좋은 곳, 생산물이 풍부하고 유통이 편한 곳, 인심과 풍속이 좋은 곳, 산과 물이 있는 곳 등을 제시한다.

12 |판소리| 서민 문화의 하나로 한 명의 소리꾼이 고수의 장단에 맞춰 전개된 공연은 판소리이다. 신재효가 여러 종류의 판소리를 여섯 마당으로 정리했으나 현재는 다섯 마당만 전해지고 있다.

13 |정답④| 경주 지역의 몰락 양반인 최제우가 창시한 종교는 동학이다. 동학은 시천주 사상과 후천 개벽 사상을 토대로 삼남 지방의 농민에게 빠르게 전파되었다. 이에 조선 정부는 동학을 사교로 규정하고 교조 최제우를 혹세무민의 죄로 처형하였다.

오답 피하기

ㄱ, ㄷ 천주교에 대한 설명이다.

14 |정답②| 실학을 집대성하고 배다리를 설계할 정도 과학 기술에 대한 이해가 높았던 실학자는 정약용이다. 정약용은 서양 과학을 참고하여 설계한 거중기는 수원 화성 건설에 이용되었다.

오답 피하기

① 장영실, ③ 허준, ⑤ 송시열에 대한 설명이다.

15 |정답④| 조선 후기 가부장적 가족 질서가 확산되면서 제사나 재산 상속에서 적장자를 우대하였으며, 외가나 처가 쪽

친척은 족보에 기재하지 않았다. 또한 신부가 혼인하면 바로 신랑집으로 가는 혼인 풍습이 보편화되었다.

16 |정답⑤| 한글 소설을 읽어주며 보수를 받는 전기수가 활동한 시기는 조선 후기이다. 이 시기에는 기존의 엄격한 형식에서 벗어나 자유롭게 자신의 생각을 표현하는 사설시조가 유행하였다.

오답 피하기

①은 조선 전기와 ②, ③, ④는 고려 시대와 관련 있는 설명이다.

17 예시 답안 (1) 박제가
(2) 상공업 발전과 기술 혁신으로 국가를 부강하게 만들 수 있다고 주장하였다.

|채점기준|

상	상공업 발전, 기술 혁신을 모두 서술한 경우
하	상공업 발전, 기술 혁신 중 한 가지만 바르게 서술한 경우

18 예시 답안 서원과 향약을 통해 성리학적 규범이 향촌 사회에 널리 보급되면서 가부장적 가족 질서가 확산되었다.

|채점기준|

상	서원과 향약, 성리학적 규범, 향촌 사회 보급 등을 모두 포함하여 서술한 경우
중	서원과 향약, 성리학적 규범, 향촌 사회 보급 중 두 가지만 서술한 경우
하	서원과 향약, 성리학적 규범, 향촌 사회 보급 중 한 가지만 서술한 경우

19 예시 답안 상품 화폐 경제가 발달하면서 부를 축적한 농민과 상인들이 늘어났다. 서당 교육의 확대로 서민들의 의식 수준이 향상되면서 문화를 즐기고자 하는 욕구가 커졌고, 중민층과 상민층도 문화를 생산하고 소비하면서 서민 문화가 등장하였다.

|채점기준|

상	상품 화폐 경제 발달, 부유한 농민과 상인 출현, 서당 교육의 확대를 모두 포함하여 서술한 경우
중	상품 화폐 경제 발달, 부유한 농민과 상인 출현, 서당 교육의 확대 중 두 가지만 서술한 경우
하	상품 화폐 경제 발달, 부유한 농민과 상인 출현, 서당 교육의 확대 중 한 가지만 서술한 경우

대단원 마무리 문제   173~175쪽

01 ⑤	02 ⑤	03 ⑤	04 ④	05 ②
06 ⑤	07 ①	08 ⑤	09 ③	10 ①
11 ①	12 ②	13 ④	14~16 해설 참조	

01 ㅣ정답⑤ㅣ (가)는 조선 후기 국가 최고 기구로 떠오른 비변사이다. 임진왜란을 계기로 비변사는 국방뿐만 아니라 국정 전반을 총괄하는 최고 기구로 발전하였다. 세도 정치 시기에는 외척 가문이 비변사를 장악하고 국정을 좌우하였다.

오답 피하기

ㄱ. 규장각, ㄴ. 산림에 대한 설명이다.

자료 분석하기

요즘 국가의 큰일부터 작은 일까지 모두 [(가)]에서 처리합니다. …… 명목상 기관 역할은 '국경의 방비를 담당하는 곳'이라고 하지만, 과거나 비빈 간택까지 전담합니다. → 조선 후기에는 비변사가 모든 일을 처리하면서 의정부와 6조가 유명무실화되었다.

02 ㅣ정답⑤ㅣ 선조 때 정여립 사건이 발생하면서 동인이 대거 쫓겨났다. 이 사건으로 서인에 대해 반감을 갖게 된 동인은 이후 세자 건의 문제로 서인이 쫓겨날 때 강경파인 북인과 온건파인 남인으로 갈라지게 되었다.

03 ㅣ정답⑤ㅣ (가)는 서인, (나)는 남인이다. 서인은 주로 이이의 문인들로 구성되었으며, 인조반정을 주도하였다. 남인은 국왕을 특별한 존재로 대우해야 한다고 주장한 것으로 봤을 때 서인에 비해 상대적으로 국왕 중심의 정치를 지지했음을 알 수 있다. ⑤ 송시열은 서인의 여론을 주도한 산림이었다.

04 ㅣ정답④ㅣ 탕평책을 실시하고, 탕평비를 건립했다는 내용으로 보아 밑줄 친 왕이 영조임을 알 수 있다. 영조는 홍수 피해를 방지하고자 청계천의 바닥을 퍼내는 준천 사업을 실시하였다.

오답 피하기

①, ②, ⑤ 정조, ③ 선조와 관련된 설명이다.

05 ㅣ정답②ㅣ 수원 화성을 건설한 국왕은 정조이다. 정조는 아버지의 무덤이 있는 현륭원 부근에 수원 화성을 건설하고 이곳이 자신의 정치적 이상을 실현할 수 있는 중심지로 삼고자 하였다. 정조는 즉위 초반부터 적극적으로 탕평책을 실시하였고 규장각의 기능을 강화하였다.

06 ㅣ정답⑤ㅣ 강화도의 농사꾼이었지만, 세도 가문에 의해 왕으로 옹립된 인물은 철종이다. 철종 대에는 세도 정치가 극에 달하고 매관매직과 삼정의 문란이 심각하였다. 이에 전국적으로 농민 봉기가 발생하였다. ⑤ 환국은 숙종 때 일어났다.

07 ㅣ정답①ㅣ 조선 후기에는 부유한 상인이나 농민이 양반 행세를 하면서 양반 중심의 신분제가 동요하였다. 또한 대동법의 실시로 공인이 등장하였다.

오답 피하기

ㄷ. 조선 후기에는 민간 수공업이 발전하였다.

ㄹ. 만적의 봉기는 고려 시대에 발생하였다.

자료 분석하기

서울 근교와 각 지방 대도시 주변의 파, 마늘, 배추, 오이밭에서는 10무의 땅으로 수만 전의 수입을 올린다. 서북 지방의 담배, 관북 지방의 삼, 한산의 모시, 전주의 생강, …… 황주의 지황밭은 논농사가 가장 잘 되었을 때의 수입과 비교하더라도 이익이 열 배가 된다.   -『경세유표』

→ 조선 후기에는 상품 작물이 활발하게 재배되었으며, 부를 축적한 상인과 농민들이 등장하였다.

08 ㅣ정답⑤ㅣ 백낙신의 횡포에 반발하여 일어난 봉기는 철종 재위 시기에 발생한 진주 농민 봉기이다. 진주 지역의 소식이 알려지면서 삼정의 문란으로 고통받던 많은 농민들이 봉기를 일으켰고 전국으로 확대되었다.

09 ㅣ정답③ㅣ 병자호란 이후 조선은 청과 조공·책봉 관계를 맺고 연행사를 파견하였다. 연행사는 베이징에 가서 서양 선교사와 교류하거나 유리창 거리에서 서양 관련 서적을 국내로 가지고 왔다.

10 ㅣ정답①ㅣ 실학은 크게 농업 중심 개혁론과 상공업 중심 개혁론으로 나뉜다. 농업 중심 개혁론을 주장한 학자들은 자영농 육성이 중요하다고 보고 토지 제도 개혁을 주장하였다. 한편, 상공업 중심 개혁론을 주장한 학자들은 기술 혁신과 청의 문물 수용 등을 주장하였다. 이 때문에 상공업 중심 개혁론을 주장한 학자들을 북학파라고도 부른다.

11 ㅣ정답①ㅣ (가)는 천주교, (나)는 동학이다. 천주교는 초기에 서학의 하나로 국내에 소개되었으나, 점차 신앙으로 받아들이는 사람들이 늘어났다.

②, ⑤ 동학, ③ 정감록 ④ 불교에 대한 설명이다.

자료 분석하기

(가) 죽은 사람 앞에 술잔과 음식을 차려 놓은 것은 금하는 바입니다. 살아 있는 동안에도 영혼은 술과 밥을 받아 먹을 수 없거늘 하물며 죽은 뒤에는 어떻게 하겠습니까? → 천주교는 조상에 제사 지내는 것을 우상 숭배로 보고 금하였다.
(나) 사람은 곧 하늘이라. 사람은 평등하며 차별이 없나니, 사람이 마음대로 귀천을 나눔은 하늘을 거스르는 것이다. → 사람이 곧 하늘이라는 인내천 사상은 동학의 대표적인 교리이다.

12 |정답②| 조선 후기에는 제사를 적장자가 전담하였고, 재산 상속도 대체로 적장자가 상당량을 가져가게 되었다. 족보 기재에서는 태어난 순서와 상관없이 딸은 아들 뒤에 등록되었다. 또한 아버지가 돌아가셨을 때 대부분 어머니보다 아들이 호주를 승계하였다.

13 |정답④| 조선 후기에는 서민들이 문화를 생산하고 즐기는 서민 문화가 발달하였다. 탈놀이, 판소리 등의 공연 예술이 발전하였고, 한글 소설과 사설시조가 유행하였다. 문인화는 주로 조선 전기에 유행하였고, 조선 후기에는 회화에서 진경 산수화, 풍속화 등이 발전하였다.

14 예시 답안 임진왜란으로 많은 사람들이 죽고 토지가 황폐해져 재정이 부족해지자 조선 정부는 공명첩을 발행하였다.

|채점기준|

상	인구 감소, 토지 황폐화, 재정 부족을 모두 포함하여 서술한 경우
중	인구 감소, 토지 황폐화, 재정 부족 중 두 가지만 포함하여 서술한 경우
하	인구 감소, 토지 황폐화, 재정 부족 중 한 가지만 포함하여 서술한 경우

15 예시 답안 홍경래의 난은 세도 정권의 수탈과 서북인에 대한 차별로 발생하였다. 홍경래의 난은 이후 농민 봉기에 영향을 주었다.

|채점기준|

상	세도 정권의 수탈, 서북인에 대한 차별, 이후 농민 봉기에 영향을 모두 포함하여 서술한 경우
중	세도 정권의 수탈, 서북인에 대한 차별, 이후 농민 봉기에 영향 중 두 가지만 포함하여 서술한 경우
하	세도 정권의 수탈, 서북인에 대한 차별, 이후 농민 봉기에 영향 중 한 가지만 포함하여 서술한 경우

16 예시 답안 (가)는 김홍도, (나)는 신윤복이다. 김홍도는 농민의 일상을 비교적 담백하게 표현하였고, 신윤복은 양반의 풍류와 남녀 간의 애정을 아름다운 색과 선으로 표현하였다.

|채점기준|

상	화가의 이름을 정확하게 쓰고, 화풍을 대상과 표현 방식 측면에서 모두 정확하게 비교해서 서술한 경우
중	화가의 이름을 정확하게 쓰고, 화풍을 대상, 표현 방식 중 하나만 정확하게 서술한 경우
하	화가의 이름만 정확하게 서술한 경우

01 역사 사전 만들기

1 예시 답안

정치	비변사의 기능 강화, 예송과 환국을 계기로 붕당 정치 변질, 영조와 정조의 탕평책, 세도 정치의 출현
경제	모내기법의 보급, 상품 작물 재배, 대동법 시행, 보부상과 대상인 활동, 상평통보 유통
사회	양반 중심 신분제 동요, 공명첩, 공노비 해방, 삼정의 문란, 비기와 예언 사상 유행, 홍경래의 난, 임술 농민 봉기
문화	통신사와 연행사의 파견, 서학 수용, 실학의 발달, 국학 연구, 천주교와 동학의 확산, 진경 산수화의 등장, 서민 문화의 발달

2 예시 답안

조선 후기 역사 사전
정치 영역

예송

예송은 의례를 둘러싼 논쟁이다. 서인은 효종이 둘째이므로 사대부의 예법을 적용하여 1년 상을 주장한 한편, 남인은 효종이 왕이므로 장자로 대우해야 한다며 3년상을 주장하였다.

문화 영역

정선

우리나라의 산천을 독자적인 화풍으로 그린 진경 산수화를 발전시켰다. 대표작으로는 「인왕제색도」와 「금강전도」가 있다.

02 답사 보고서 작성하기

1 예시 답안

답사할 인물	정약용
답사지	다산 정약용 유적지
답사지까지 가는 경로	집 앞 정류장에서 261번 버스를 타고 회기역으로 가서 지하철을 탄다. 운길산 역에서 내려서 56번 버스를 타면 다산 정약용 유적지에 도착할 수 있다.

2 예시 답안

〈답사 보고서〉

(1) 답사지를 선정한 이유

　조선 후기에는 사회 불안이 심화되고, 많은 백성들의 삶이 어려워졌다. 정약용은 백성들의 삶을 개선하기 위해 끊임없이 고민하고 책을 쓰기도 하였다. 정약용의 삶과 죽음에 대해 알고 싶어 그가 태어난 곳이자 묘지가 있는 다산 정약용 유적지를 선택하였다.

(2) 답사지에서 역사적 인물이 되어 느낀 점

　정약용은 모든 것을 다 끝내고 이곳에 돌아와 삶을 정리했을 것 같다. 세상을 바꾸고 싶었지만, 정부에게 외면받아 뜻을 펼치지 못해 아쉬움이 많이 남았을 것 같다. 한편으로는 자신을 유일하게 알아주고 아껴준 정조를 생각하며 그리워 했을 것이다.

(3) 답사를 통해 새롭게 알게 된 사실

　정약용이 쓴 책 대부분이 관직에 있을 때가 아니라 강진으로 유배 간 이후에 썼다는 사실을 알게 되었다. 또한 녹로라는 무거운 물건을 들어 올리는 데 쓰이는 물건도 새롭게 알 수 있었다.

(4) 답사지에서 찍은 사진

VI 근·현대 사회의 전개

❶ 국민 국가의 수립

실력 확인 문제　188~193쪽

01 ①	02 병인양요	03 ①	04 ③
05 ②	06 ③	07 ④	08 ②
09 ⑤	10 대한국 국제	11 ②	12 ⑤
13 ⑤	14 ⑤	15 ④	16 ④
17 ①	18 국민 대표 회의		19 ③
20 ③	21 ⑤	22 ③	23 ①
24 ②	25 제주 4·3 사건		26~29 해설참조

01 | 정답①| 고종의 아버지인 흥선 대원군은 외세의 침략을 물리친 후 전국 각지에 서양 세력과 화친을 맺지 않겠다는 내용의 척화비를 세웠다. 또한 왕실의 권위를 세우기 위해 경복궁을 중건하였다.

오답 피하기

ㄷ. 고종이 전제 군주제를 강화하는 내용의 대한국 국제를 반포하고, 황제 중심의 국정 운영 방침을 표방하였다.

ㄹ. 고종이 을사늑약 체결이 무효라고 주장하려고 만국 평화 회의에 특사를 파견하였다.

02 | 병인양요 | 1866년 프랑스군은 병인박해 당시 프랑스 신부가 처형된 것을 구실로 강화도를 침공하였다(병인양요). 그러나 양헌수, 한성근의 활약으로 프랑스군의 침략을 물리칠 수 있었다.

03 | 정답①| 개항 이후 조선 정부는 근대적 개혁 추진 기관인 통리기무아문과 신식 군대인 별기군을 설치하였다. 또한 일본과 청에 사절단을 파견하여 근대 문물에 대한 정보를 수집하려 하였다.

04 | 정답③| 별기군에 비해 차별을 받는다고 생각한 구식 군인들은 밀린 급료로 받은 쌀에 모래와 겨가 섞여 있자 봉기하여 일본인 교관을 살해하고 개화 정책을 추진하던 고위 관리를 습격하였다(임오군란).

05 | 정답②| 김옥균, 박영효 등의 급진파는 우정총국 개국 축하연을 이용해 갑신정변을 일으키고 14개조의 개혁안을 발표하였다.

자료 분석하기

- 문벌을 폐지하여 인민 평등의 권리를 세워, 능력에 따라 관리를 임명한다. → 신분제 폐지 주장
- 지조법을 개혁하여 관리의 부정을 막고 국가 재정을 확충한다. → 조세 제도의 개혁
- 대신들은 의정부에 모여 정령을 의결하고, 반포한다. → 입헌 군주제 주장

06 | 정답③| 고부 봉기를 일으킨 농민군은 전주성을 점령하였다. 이에 정부는 청에 파병을 요청하였고, 뒤이어 일본도 군대를 보내자 농민군은 정부와 전주 화약을 체결하였다. 이후 일본이 경복궁을 점령하자, 농민군이 재봉기하였으나 공주 우금치에서 정부군과 일본군에 패하였다.

07 | 정답④| 갑오개혁은 군국기무처를 중심으로 단행되었다. 군국기무처는 과거제와 신분제를 폐지하고, 국가의 모든 재정 사무를 탁지아문이 맡도록 하는 등 조선을 근대 국가로 변화시키는 개혁을 실시하였다.

08 | 정답②| 조선 정부가 러시아에 접근하려 하자, 위기의식을 느낀 일본은 친러 정책의 핵심 인물이 명성 황후라 판단하고 경복궁에 난입하여 명성 황후를 시해하였다(을미사변).

09 | 정답⑤| 아관 파천은 1896년, 대한 제국 선포는 1897년의 일이다. 아관 파천으로 고종이 러시아 공사관에 머무르면서 열강의 이권 침탈이 심해지자, 서재필 등이 독립 협회를 창립하고 이를 비판하였다.

10 | 대한국 국제 | 고종은 대한 제국의 헌법에 해당하는 대한국 국제를 반포하였다. 대한국 국제는 황제에게 입법권, 행정권, 사법권, 군 통수권 등의 권한을 집중시킨 법이다.

11 | 정답②| 일본은 을사늑약을 통해 대한 제국의 외교권을 박탈하였다. 고종은 을사늑약이 불법적이고 무효임을 국제 사회에 호소하기 위해 헤이그에서 열린 만국 평화 회의에 이준, 이상설, 이위종을 특사로 파견하였다.

오답 피하기

① 일본은 1907년 한일 신협약을 강요하고, 이어 대한 제국의 군대를 해산시켰다.

③ 과거제가 폐지된 것은 1894년 갑오개혁 때이다.

④ 일본은 헤이그 특사 파견을 계기로 고종을 강제로 퇴위시켰다.

⑤ 1910년 일본은 한일 병합 조약 체결을 강요하고 대한 제국을 병합하였다.

12 |정답⑤| 조선 숙종 때 안용복이 일본에 건너가 독도가 우리 고유의 영토임을 확인받았다. 대한 제국의 고종은 1900년 대한 제국 칙령 제41호를 공포하여 독도를 울릉군의 관할로 하였다.

13 |정답⑤| 1910년대 일제는 강압적 통치 방식인 무단 통치를 실시하였다. 헌병 경찰은 한국인의 일상생활을 감시하였으며, 재판 없이 우리 국민에게 태형을 가할 수 있었다.

사진은 이 시기에 헌병 경찰이 한국인에게 태형을 가할 때 사용
　　　→ 무단 통치 시기
한 도구이다. 이 시기에 일제는 전국 각지에 헌병 경찰을 배치
　→ 일제는 헌병 사령관을 경찰 최고 책임자로 임명하였고, 헌병
　　은 일반 경찰 업무까지 관장하였음
하고 언론과 결사의 자유를 박탈하였다.

14 |정답⑤| 1919년 3월 1일 일제의 가혹한 무단 통치에 반발하여 3·1 운동이 일어나자, 일제는 1920년대에 이른바 문화 통치로 방침을 바꾸어 보통 경찰제를 실시하였다. 1930년대 일제는 침략 전쟁을 확대하여 중일 전쟁(1937)을 일으키고, 「국가 총동원법」을 실시해 인적·물적 자원을 수탈하였다.

ㄱ은 1905년, ㄴ은 1910년의 일이다.

15 |정답④| 신민회의 이회영 등은 만주로 이주하여 무장 투쟁을 준비하였다. 특히 만주에 신흥 무관 학교를 세워 많은 독립군을 배출하였다.

16 |정답④| 자료의 선언은 3·1 운동 시기 발표된 기미 독립 선언서이다. 3·1 운동은 윌슨의 민족 자결주의 주장과 재일 한국인 유학생이 발표한 2·8 독립 선언의 영향을 받아 전개되었다.

17 |정답①| 대한민국 임시 정부는 국내외를 연결하기 위하여 연통제를 실시하였다. 또한 외교 활동을 전개하기 위해 구미 위원부를 두었으며, 1940년에는 한국 광복군을 창설하였다.

18 |국민 대표 회의| 대한민국 임시 정부는 독립운동의 방향을 두고 외교 운동론과 무장 투쟁론 사이에 대립이 발생하자, 이를 재정비하기 위해 국민 대표 회의를 개최하였으나 성과를 거두지는 못하였다.

대한민국 임시 정부는 국내와 연락하면서 외교 활동을 전개하고 무장 항일 운동을 지원하였다. 그러나 외교 활동의 성과가 미비
　→ 제1차 세계 대전 이후 열린 평화 회담에서 열강이 일본의 식
　　민지인 한국 문제에 관심이 없어 외교 활동의 성과가 미비함
하자 독립운동의 방향을 두고 외교 운동론과 무장 투쟁론 사이에 의견 대립이 발생하였고, 안창호 등의 주장에 따라 독립운동
　→ 대한민국 임시 정부를 완전히 해체하고 새로운 정부를 수립
　　하자는 세력과 독립운동의 실정에 맞게 대한민국 임시 정부
　　를 개조하자는 세력으로 나뉨
을 재정비하기 위한 회의가 소집되었다.

19 |정답③| 1940년 대한민국 임시 정부의 군사 조직으로 창설된 한국 광복군은 연합군의 일원으로 인도·미얀마 전선에서 활약하였다.

① 조선 혁명군은 양세봉을 총사령관으로 하여 1930년대 남만주 지역에서 활약한 군대이다.
② 한국 독립군은 1930년대 북만주 일대에서 활약한 군대이다.
④ 홍범도가 이끄는 대한 독립군은 봉오동 전투에서 일본군을 물리쳤다.
⑤ 김좌진이 이끄는 북로 군정서는 대한 독립군과 함께 청산리 전투에서 일본군에 크게 승리하였다.

20 |정답③| 조만식 등은 평양에서 조선 물산 장려회를 조직하고 물산 장려 운동을 일으켰다. 물산 장려 운동은 '내 살림, 내 것으로', '조선 사람 조선 것' 등의 구호를 내세우며 한국인이 생산한 상품을 구입하도록 촉구하였다.

21 |정답⑤| 1927년 비타협 민족주의 세력과 사회주의 세력이 연합하여 신간회가 창설되었다. 신간회는 일제 강점기에 결성된 최대 사회 단체로 광주 학생 항일 운동이 일어났을 때 조사단을 파견하였다. 그러나 일제의 탄압으로 활동이 어려워져 1931년에 해소되었다.

22 |정답③| (가)는 1945년 8월 15일 광복이고, (나)는 1948년 8월 15일 대한민국 정부 수립이다. 모스크바 3국 외상 회의에 따라 개최된 미소 공동 위원회가 성과를 거두지 못하자, 한반도 문제는 유엔의 결정에 따르게 되었다. 이후 유엔 결의에 따라 5·10 총선거가 실시되었다.

23 |정답①| 제헌 국회는 「반민족 행위 처벌법」을 제정하여 친일 행위자를 처벌하려 하였다. 그러나 이승만 대통령의 부정적인 태도로 철저하게 처벌하지 못하였다.

24 |정답 ②| 미소 공동 위원회의 성과가 미미하자 여운형 등은 좌우 합작 위원회를 조직하여 통일 정부 수립을 위해 노력하였으나 역시 성과를 거두지 못하였다. 이후 유엔이 남북 총선거를 통해 정부를 구성하기로 하여 유엔 한국 임시 위원단이 파견되었으며, 1948년 5월 10일 최초의 총선거가 실시되었다.

25 |제주 4·3 사건| 유엔의 결정에 따라 1948년 5월 10일 남한만의 단독 선거가 결정되었다. 이에 제주도에서는 단독 선거에 반대하는 시위(제주 4·3 사건)가 발생하였고, 이 과정에서 많은 사람이 희생되었다.

26 예시 답안 (1) 강화도 조약

(2) 강화도 조약은 영사 재판권과 연안 측량권이 허용된 불평등 조약이다.

|채점기준|

상	강화도 조약의 명칭을 쓰고, 영사 재판권과 연안 측량권 허용을 모두 서술한 경우
중	강화도 조약의 명칭을 쓰고, 영사 재판권과 연안 측량권 허용 중 한 가지만 서술한 경우
하	강화도 조약의 명칭만 쓴 경우

27 예시 답안 조선 숙종 때 안용복이 일본에 건너가 독도가 우리 땅임을 확인 받았다. 고종도 대한 제국 칙령 제41호를 공포해 독도를 울릉군의 관할로 하였다. 또한 일본을 비롯한 외국 자료에 독도가 조선의 영토로 표시되어 있다.

|채점기준|

상	안용복, 대한 제국 칙령 41호 등을 제시하여 독도가 우리 땅임을 서술한 경우
중	안용복, 대한 제국 칙령 41호 중 한 가지만 제시하여 독도가 우리 땅임을 서술한 경우
하	독도가 우리 땅임을 근거를 들어 제시하지 못한 경우

28 예시 답안 (1) 3·1 운동

(2) 3·1 운동을 계기로 우리나라 역사상 최초의 공화정 정부인 대한민국 임시 정부가 수립되었다.

|채점기준|

상	3·1 운동의 명칭을 쓰고, 이를 계기로 대한민국 임시 정부가 수립되었다는 내용을 서술한 경우
중	3·1 운동의 명칭과 이를 계기로 대한민국 임시 정부가 수립되었다는 내용 중 한 가지만 서술한 경우
하	3·1 운동의 명칭을 제시하지 못하고, 이를 계기로 대한민국 임시 정부가 수립되었다는 내용을 서술하지 못한 경우

29 예시 답안 (1) 모스크바 3국 외상 회의

(2) 회의 결과에 따라 우익 세력은 신탁 통치 반대 운동을 전개하였고, 좌익 세력은 모스크바 3국 외상 회의 결정 지지하여 좌익과 우익의 갈등이 심해졌다.

|채점기준|

상	모스크바 3국 외상 회의의 명칭을 쓰고, 이로 인한 좌익 세력과 우익 세력의 갈등 내용을 서술한 경우
중	모스크바 3국 외상 회의의 명칭과 이로 인한 좌익 세력과 우익 세력의 갈등 내용 중 한 가지만 서술한 경우
하	모스크바 3국 외상 회의의 명칭을 쓰지 못하고, 이로 인한 좌익 세력과 우익 세력의 갈등 내용을 서술하지 못한 경우

❷ 자본주의와 사회 변화

실력 확인 문제   198~201쪽

01 ①	02 방곡령	03 ③	04 ②
05 ④	06 국채 보상 운동		07 ⑤
08 ④	09 남면 북양 정책		10 ②
11 ①	12 삼백 산업	13 ④	14 ④
15 ③	16 ④	17 ⑤	18 ⑤
19~20 해설 참조			

01 |정답 ①| 강화도 조약(조일 수호 조규)과 함께 체결된 조일 무역 규칙에는 개항장으로 들어오는 물품에 관세를 물린다는 조항이 없었다. 이에 조선은 조미 통상 조약 등에 관세 부과 조항을 넣은 후 일본에 조약 개정을 요구해 조일 통상 장정을 체결하였고, 이 장정에 따라 일본 상인의 수출입 상품에 관세를 부과할 수 있게 되었다.

02 |방곡령| 조일 통상 장정(1883)에 따라 지방관은 방곡령을 내려 곡물 수출을 금지할 수 있었다. 이에 따라 함경도와 항해도에서 방곡령이 내려지기도 하였으나, 일본은 1개월 전

에 미리 방곡령 선포 사실을 알리지 않았다는 이유를 들어 방곡령을 철회시켰다.

03 |**정답③**| 철도 부설은 이권 침탈 과정에서 대부분 일본에 의해 이루어졌다. 일본은 경인선을 시작으로 경부선과 경의선을 부설하고 그 운영권을 가졌다.

04 |**정답②**| 아관 파천 이후 열강의 이권 침탈이 심화되자 독립 협회를 중심으로 이권 수호 운동이 전개되었다. 독립 협회는 만민 공동회를 통해 러시아의 절영도 조차 요구를 좌절시키고, 한러 은행을 폐쇄하는 등 성과를 거두었다.

05 |**정답④**| 재정 고문 메가타의 주도로 실시된 화폐 정리 사업은 한국인이 사용하던 상평통보와 백동화의 사용을 중지하는 동시에 일본 제일 은행권을 유통하는 것이었다.

오답 피하기

ㄱ. 을미사변으로 신변의 위협을 느낀 고종은 러시아 공사관으로 거처를 옮기는 아관 파천을 단행하였다.

ㄷ. 일제가 황무지 개간권을 요구하자 보안회가 조직되었고, 보안회는 지속적인 반대 운동을 전개하여 일제의 요구를 철회시켰다.

06 |**국채 보상 운동**| 1907년 대구에서 금주, 금연, 패물 모으기 등을 통해 나라의 빚을 갚자는 국채 보상 운동이 시작되어 전국으로 확산되었다.

07 |**정답⑤**| 일제는 식민 통치에 필요한 비용을 마련하고자 토지 조사 사업을 실시하였다. 그 결과 조선 총독부의 지세 수입이 증가하였고, 주인이 불분명한 토지는 국유지로 편입되었으며, 국유지의 일부는 동양 척식 주식회사로 넘어갔다.

자료 분석하기

제1조 토지의 조사 및 측량은 본령에 의한다.
제4조 토지 소유자는 조선 총독이 정하는 기간 내에 주소, 성명, 명칭 및 소유지의 소재, 지목, 자번호, 사표, 등급, 지적, 결수를 임시 토지 조사 국장에게 <u>신고해야 한다.</u>
→ 토지 조사 사업은 토지 소유자가 조선 총독이 정한 기간에 자신의 소유지를 신고하면, 토지 조사국에서 이를 관련 문서와 대조해 신고인을 토지의 소유주로 인정하는 방식으로 진행되었다.

08 |**정답④**| 일제는 자국의 식량난을 해결하고자 한국에서 쌀을 증산하는 산미 증식 계획을 실시하였다. 이를 위해 밭을 논으로 만들고, 수리 조합을 만들어 수리 시설이나 제방을 쌓도록 하였다. 그러나 일부 지주들이 조합비를 소작농에게 넘기기도 하면서 소작농의 처지는 더욱 악화되었다.

09 |**남면 북양 정책**| 1930년대에 일본의 독점 자본이 한국에 대거 진출하였다. 이 회사들은 한반도 북부 지방에 공장을 만들고 전쟁 수행에 필요한 물건들을 생산하였고, 일제는 공업 원료를 안정적으로 확보하고자 남면 북양 정책을 실시하였다.

10 |**정답②**| 1930년대 후반 전쟁이 확대되면서 식량이 부족해지자 일제는 군량미 확보를 위해 미곡 공출제를 시행하였다. 또한 무기 제조에 필요한 금속을 확보하기 위해 놋그릇, 제기 등을 빼앗아 갔다.

11 |**정답①**| 대한민국 정부 수립 이후 「농지 개혁법」이 제정되었다. 이 법에 따라 농지 개혁이 실시되어 자영농이 늘어나고 지주제가 없어지게 되었다.

12 |**삼백 산업**| 6·25 전쟁이 끝나고 경제를 복구하려는 노력에서 정부는 외국으로부터 무상 원조를 받아 재정을 운영하였다. 원조 물자가 국내에 유입되자, 이 원조 물자를 가공하여 판매하는 삼백 산업이 발달하였다.

13 |**정답④**| 박정희 정부는 경제 개발에 필요한 자금이 부족하자 이를 외국으로부터 빌려 해결하려 하였다. 베트남 전쟁이 시작된 후 미국이 한국군의 파병을 요청하자, 박정희 정부는 미국과 브라운 각서를 체결하고 파병의 대가로 미국으로부터 한국군의 현대화를 위한 장비와 경제 개발에 필요한 기술 및 차관을 지원받기로 하였다.

14 |**정답④**| 5·16 군사 정변으로 정권을 장악한 박정희는 1962년 제1차 경제 개발 5개년 계획을 발표하였다.

15 |**정답③**| 정부의 시장에 대한 개입을 최소화하고 규제를 완화하여 상품과 자본을 개방하는 신자유주의가 대두하면서 선진 자본주의 국가들이 주변국들에게 개방 압력을 가하였다. 이와 함께 다자간 무역 협상(우루과이 라운드)이 이루어지면서 우리나라는 농산물 시장 개방의 압력을 크게 받게 되었다.

16 |**정답④**| 자료는 1997년 12월 외화 부족 문제를 해결하고자 대한민국 정부가 국제 금융 기구에 구제 금융을 신청한 후 이를 극복하는 과정에서 우리 국민이 전개한 금 모으기 운동과 관련된 사진이다. 한편 베트남 전쟁에 국군을 파병한 것은 1964년의 일이다.

17 |정답 ⑤| ㄷ. 제1차 경제 개발 5개년 계획은 1962년 발표, ㄱ. 제2차 석유 파동은 1979년, ㄴ. 경제 협력 개발 기구 가입은 1996년, ㄹ. 외환 위기로 인한 국제 통화 기금에 금융 지원 요청은 1997년의 일이다.

18 |정답 ⑤| 최근 출산율 저하로 인한 인구 감소와 노령 인구 증가의 문제를 해결하기 위해서는 출산 장려 정책을 펴고 고령자에 대한 사회 보장 제도를 확충해야 한다. 또한 다양한 문화 배경을 가진 사람이 증가하고 있는 다문화 현상에 적대감보다는 사회적 다양성을 존중하는 인식이 필요하다.

19 예시 답안 3저 호황은 저달러, 저유가, 저금리 현상으로, 이러한 상황에 힘입어 우리나라는 높은 경제 성장률을 기록하게 되었다.

|채점기준|

상	저금리, 저유가, 저달러의 3저 호황을 모두 서술한 경우
중	저금리, 저유가, 저달러의 3저 호황 중 한 가지만 서술한 경우
하	저금리, 저유가, 저달러의 3저 호황 내용을 모두 서술하지 못한 경우

20 예시 답안 (1) 국제 통화 기금(IMF)
(2) 노사정 위원회를 구성하였으며, 기초 생활 보장 확대, 최저 임금 보장 등 다양한 복지 제도를 마련하였다.

|채점기준|

상	국제 통화 기금(IMF)의 명칭과 노사정 위원회 구성, 복지 제도의 확충을 내용과 함께 서술한 경우
중	국제 통화 기금(IMF)의 명칭을 쓰고, 노사정 위원회 구성과 복지 제도의 확충을 부분적으로만 서술한 경우
하	국제 통화 기금(IMF)의 명칭은 썼으나 정부의 경제 위기 극복 노력을 제대로 서술하지 못한 경우

3/4 민주주의의 발전 ~ 평화 통일을 위한 노력

실력 확인 문제   208~211쪽

01 ⑤	02 ②	03 사사오입 개헌	
04 ①	05 ⑤	06 ④	07 ④
08 ③	09 ④	10 6월 민주 항쟁	
11 ⑤	12 ②	13 ⑤	14 ④
15 ⑤	16 ①	17 햇볕 정책	18 ⑤
19~20 해설 참조			

01 |정답 ⑤| 제시된 헌법은 대한민국 임시 헌장의 내용을 보강하여 공포한 대한민국 임시 정부 헌법이다. 주권 재민, 평등권, 삼권 분립 등이 규정되었다.

02 |정답 ②| 5·10 총선거로 구성된 제헌 국회는 제헌 헌법을 제정하였다. 제헌 헌법은 대통령 중심제에 기반한 민주 공화정 체제를 채택하였으며, 대한민국이 3·1 운동으로 건립되었고 독립 정신을 계승해 민주주의 제도를 수립했다는 점이 언급되어 있다.

오답 피하기

① 상하이에서 발표된 헌법은 대한민국 임시 정부 헌법이다.
③ 제헌 헌법은 민주 공화정 체제를 채택하였다.
④ 4·19 혁명의 결과 내각 책임제와 양원제 국회를 주요 내용으로 하는 헌법이 만들어졌다.
⑤ 대한민국 임시 정부 국무원이 대한민국 임시 헌장을 발표하였다.

03 |사사오입 개헌| 자유당은 장기 집권을 위해 초대 대통령에 한해 중임 제한을 없애는 개헌안을 통과시켰다.

자료 분석하기

이승만을 지지하는 자유당은 장기 집권을 위해 **초대 대통령에 한해 중임 제한을 없애겠다는 내용의 개헌안을 제출하였다.** 이
→ 당시에는 헌법에 따라 대통령이 3선을 할 수 없었음
개헌안은 찬성표가 모자라 부결되었으나 자유당은 **억지 논리를 내세워 개헌안을 통과시켰다.**
→ 표결 결과 재적 의원 수인 203명 중 2/3에 한 명 부족한 135명이 찬성하여 개헌안이 부결되자, 자유당은 사사오입의 논리를 내세워 개헌안을 통과시킴

04 |정답 ①| 1960년 치러진 정·부통령 선거에서 대대적인 선거 부정이 일어나자, 이에 항의하여 4·19 혁명이 일어났다. 시위는 전국으로 확산되어 이승만이 대통령에서 물러나게 되었으며, 혁명 이후 내각 책임제와 양원제 국회를 내용으로 하는 헌법 개정이 이루어져 장면 내각이 출범하였다.

05 |정답 ⑤| 박정희 정부는 반공과 경제 개발을 명분으로 한일 국교 정상화를 추진하였으며, 베트남에 국군을 파병하였다. 이후 박정희는 장기 집권을 위해 대통령의 3선을 허용하는 개헌안을 통과시켰다.

오답 피하기

ㄱ은 전두환 정부, ㄴ은 김영삼 정부 때의 일이다.

06 |정답④| 박정희 정부가 한일 국교 정상화를 추진하자 학생과 시민들의 반대 시위가 전국적으로 확산되었다. 이에 박정희 정부는 계엄령을 내리고 시위를 탄압하였다. 박정희 정부 시기에 미국의 요청으로 베트남에 파병하였다.

① 광복 이후 5·10 총선거에 의해 제헌 국회가 구성되었다.
② 4·19 혁명으로 이승만 대통령이 물러나고 장면 내각이 들어섰다.
③ 이승만 정부 시기에 휴전 협정이 체결되었다.
⑤ 4·19 혁명으로 양원제 국회와 내각 책임제를 주요 내용으로 하는 개헌이 단행되었다.

07 |정답④| 밑줄 친 '개헌안'은 유신 헌법이다. 1972년 박정희 대통령은 유신 개헌안을 국민 투표를 통해 확정하였다. 유신 헌법은 대통령 임기를 6년으로 하고 중임 제한 규정을 없앴으며, 대통령에게 긴급 조치권을 주었다. 이러한 유신 헌법에 반대하여 3·1 민주 구국 선언 등이 발표되었다.

08 |정답③| 전두환 등의 신군부 세력이 12·12 사태를 일으켜 정권을 장악하자, 이에 항의하는 시위가 전국적으로 일어났다. 신군부 세력은 이를 탄압하고자 계엄령을 내렸고, 이 과정에서 광주에서 비상계엄 해제와 민주화를 요구하는 시위가 발생하자 신군부는 계엄군을 투입하여 시민들을 진압하였다(5·18 민주화 운동). 이후 전두환은 대통령에 취임하였다.

①, ② 전두환 정부, ④, ⑤ 김영삼 정부 때의 일이다.

09 |정답④| 신군부가 광주의 시위를 진압하려고 계엄군을 투입하여 폭력을 행사하고 시민들에게 총을 쏘아 많은 사상자가 발생하자, 광주의 시민들은 시민군을 조직하였다.

10 |6월 민주 항쟁| 박종철이 고문으로 사망한 사건을 경찰이 은폐하려 했다는 사실이 알려지면서 분노한 학생과 시민들이 벌인 6월 민주 항쟁은 이한열이 경찰이 쏜 최루탄에 맞아 쓰러진 이후 더욱 격렬하게 전국으로 확산되었다.

11 |정답⑤| 1998년 치러진 선거를 통해 최초의 평화적 여야 정권 교체가 이루어져 김대중 정부가 출범하였다. 김대중 정부 시기에는 외환 위기를 극복하고자 부실기업 정리, 구조 조정 등이 시행되었고, 「인권법」이 제정되었다.

ㄱ, ㄴ은 김영삼 정부가 추진한 정책들이다.

12 |정답②| 1950년 미국 국무 장관 애치슨이 타이완과 한국을 태평양 방어선에서 제외한다고 발표하였다. 이후 북한이 기습 남침을 하여 6·25 전쟁이 시작되었다.

① 1948년 남한에 대한민국 정부가 수립되고, 북한에 조선 민주주의 인민 공화국이 선포되면서 한반도가 분단되었다.
③ 「국가 총동원법」은 일제가 한국의 인적·물적 자원을 약탈하기 위해 제정하였다.
④ 1948년 8월 15일 대한민국 정부가 수립되었다.
⑤ 광복 이후 미군이 한반도 남쪽에서 군정을 실시하였다.

13 |정답⑤| 북한군이 전쟁 시작 3일 만에 서울을 점령한 이후 낙동강까지 후퇴했던 국군과 유엔군은 인천 상륙 작전으로 서울을 되찾고 압록강까지 진격하였다. 그러나 중국군의 개입으로 국군과 유엔군은 다시 후퇴하였고(1·4 후퇴), 이후 치열한 공방전 속에서 휴전 회담이 시작되었다.

14 |정답④| 6·25 전쟁으로 수많은 사상자가 발생하였고, 전쟁 고아와 이산가족이 생겨났으며, 대부분의 시설이 파괴되었다. 또한 남과 북의 적대감과 대결 구도가 심화되었다. 한편 남쪽의 이승만 정부는 반공 체제를 더욱 강화하였고, 북쪽의 김일성도 독재 체제를 확고히 하였다.

15 |정답⑤| 1972년 서울과 평양에서 분단 이후 최초로 통일 원칙에 합의하여 7·4 남북 공동 성명을 발표하였다. 이 성명에는 자주, 평화, 민족 대단결의 통일 원칙이 담겨 있다.

16 |정답①| 냉전의 종식은 남북 관계에 영향을 미쳐 1991년 남과 북은 유엔에 동시 가입하였으며, 이어 남북 기본 합의서를 체결하였다.

17 |햇볕 정책| 김대중 정부는 햇볕 정책이라는 대북 화해 협력 정책을 추진하였고, 그 결과 정주영의 소 떼 방문, 금강산 관광 등 남북 간의 교류가 활발해졌다.

18 |정답⑤| 김대중 정부는 대북 화해 협력 정책을 적극적으로 추진하였다. 이에 2000년 분단 이후 처음으로 남북 정상 회담이 개최되었고, 두 정상은 남과 북의 경제·문화 협력을 강화하는 6·15 남북 공동 선언을 발표하였다.

① 4·19 혁명은 1960년에 일어났으며, 이후 평화 통일에 대한 논의가 진행되기도 하였지만 5·16 군사 정변으로 이러한 논의는 위축되었다.

② 닉슨 독트린이 발표되면서 미국과 중국 간에 긴장이 완화되었고, 이는 7·4 남북 공동 성명의 발표로 이어졌다.

③ 개성 공단 운영은 2000년 제1차 남북 정상 회담 이후 이루어졌다.

④ 동유럽 사회주의 정권의 붕괴는 남북 기본 합의서 체결의 배경이다.

19 **예시 답안** 6월 민주 항쟁의 결과 5년 단임제, 대통령 직선제를 주요 내용으로 하는 개헌이 단행되었다.

채점기준	
상	5년 단임제와 대통령 직선제를 모두 서술한 경우
중	5년 단임제와 대통령 직선제 중 한 가지만 서술한 경우
하	5년 단임제와 대통령 직선제를 모두 서술하지 못한 경우

20 **예시 답안** 김대중 대통령과 김정일 국방 위원장의 남북 정상 회담 이후 남북 교류는 이산가족 상봉, 비료와 식량 지원, 경의선 복원, 개성 공단 건설 등을 통해 활발히 전개되었다.

채점기준	
상	남북 교류의 사례를 두 가지 이상 서술한 경우
중	남북 교류의 사례 중 한 가지만 서술한 경우
하	남북 교류의 사례를 서술하지 못한 경우

대단원 마무리 문제

213~215쪽

01 ⑤	**02** ②	**03** ③	**04** ④	**05** ⑤
06 ⑤	**07** ⑤	**08** ③	**09** ③	**10** ④
11 ①	**12** ④	**13~15** 해설 참조		

01 |**정답** ⑤| 밑줄 친 '이 사건'은 신미양요이다. 미군은 제너럴 셔먼호 사건을 구실로 강화도에 침입하였고, 이때 어재연이 이끄는 조선군이 광성보에서 항전하였다.

02 |**정답** ②| 전봉준 등이 이끄는 동학 농민군이 황토현 전투에서 관군에 승리하고 전주성을 점령하자 조선 정부는 농민군과 전주 화약을 맺어 폐정 개혁 및 집강소 설치에 합의하였다. 이후 일본이 경복궁을 점령하자 농민군이 재봉기하였으나 공주 우금치에서 패하였다.

03 |**정답** ③| 1919년 3월 1일 서울 태화관에서 민족 대표가 독립 선언식을 하였고, 학생과 시민들은 탑골 공원에서 독립 선언서를 낭독한 후 만세 시위를 전개하였다(3·1 운동). 3·1 운동은 대한민국 임시 정부 수립에 영향을 주었다.

<u>민족 대표들이 태화관에서 독립 선언식을 하였다는 소식을 듣고</u>
→ 민족 대표는 총 33명으로 천도교, 크리스트교, 불교 등 종교별로 대표자를 선정했다.

탑골 공원에 갔을 때 단 열 발자국도 걷지 못하게 사람이 꽉 차 있었다. 갑자기 깊은 정적이 왔고 조용한 가운데 누군가 독립 선언서를 읽는 것을 보았다. 잠깐 동안의 침묵 이후 그칠 줄 모르는 독립 만세 소리가 하늘을 찔렀다.
→ 탑골 공원에 모여 있던 학생과 시민들은 따로 독립 선언서를 낭독하고 시위를 벌였다. 때마침 고종의 장례식에 참석하기 위해 전국 각지에서 모인 사람들도 시위에 합류하였다.

04 |**정답** ④| 대한민국 임시 정부는 군사 조직으로 한국 광복군을 창설하였으며, 대한민국 건국 강령을 발표하는 등 활발히 활동하였다.

① 갑오개혁은 1894년에 실시되었다.

② 신민회의 이회영 등은 국외에 신흥 무관 학교를 건립하여 무장 투쟁을 준비하였다.

③ 1920년대 조만식 등은 한국인이 생산한 상품의 구입을 촉구하는 물산 장려 운동을 전개하였다.

⑤ 신간회는 광주 학생 항일 운동에 진상 조사단을 파견하는 등의 활동을 전개하였다.

05 |**정답** ⑤| (가)는 1945년 8월 15일 광복, (나)는 1948년 5월 10일에 열린 우리나라 최초의 선거인 5·10 총선거이다. 1945년 12월 미국·영국·소련의 외무 장관이 모스크바에 모여 회의를 열었고(모스크바 3국 외상 회의), 이 회의에서 한반도에 임시 민주 정부 구성, 미소 공동 위원회 개최, 최고 5년간 신탁 통치 시행 등을 결정하였다.

06 |**정답** ⑤| 아관 파천 이후 제국주의 열강의 이권 침탈이 확대되자, 독립 협회는 이권 침탈 반대 운동에 나섰다. 독립 협회는 만민 공동회를 개최하여 러시아의 절영도 조차 요구를 철회시키고, 한러 은행을 폐쇄하는 데 앞장섰다.

07 |**정답** ⑤| 1920년대 일본은 자국의 식량 문제를 완화하고자 한국에서 쌀을 증산하게 하는 산미 증식 계획을 실시하였다. 이 계획에 따라 화학 비료 사용을 확대하고, 밭을 논으

로 만드는 정책을 시행하였으며, 수리 조합을 만들어 수리 시설이나 제방을 쌓게 하였다.

오답 피하기

① 메가타의 주도 아래 화폐 정리 사업이 실시되었다.
② 보안회는 일제의 황무지 개간권 요구 반대 운동을 펼쳤다.
③ 일제는 한반도 남부에 면화를 재배하고, 북부에는 양을 사육하도록 한 남면북양 정책을 실시하였다.
④ 조선은 일본과 일본 상인의 수출입 상품에 관세를 부과할 수 있고, 방곡령 규정 등을 담은 조일 통상 장정을 체결하였다.

---

08 |정답③| 제2대 총선거에서 이승만에 반대하는 성향의 후보들이 국회 의원에 대거 당선되자, 이승만이 다음 대통령에 당선될 가능성이 줄어들었다. 이에 6·25 전쟁 중 부산에서 대통령 직선제 개헌안이 국회를 통과하게 되었고(발췌 개헌), 대통령 선거에서 이승만이 당선되어 재집권하였다.

---

09 |정답③| 박정희 정부는 경제 개발에 필요한 자금을 마련하고자 베트남 전쟁에 군대를 파견하였고, 그 대가로 미국과 경제 개발에 필요한 자금을 빌리는 브라운 각서를 맺었다. 또한 이 시기에는 일본과 한일 국교 정상화를 추진하였다.

---

10 |정답④| 박종철 학생이 경찰의 가혹한 고문으로 사망하자, 학생과 시민들은 사건의 진상 규명, 대통령 직선제 개헌을 요구하며 민주화 시위를 전개하였다. 그러나 전두환 정부가 4·13 호헌 조치로 개헌을 거부하자, 민주화를 요구하는 시위가 전국으로 확대되었다.

오답 피하기

① 5·18 민주화 운동 당시 광주 시민들이 계엄군에 맞서 시민군을 조직하였다.
② 1979년 박정희 대통령이 사망하면서 유신 체제가 막을 내렸다.
③ 이승만 대통령은 4·19 혁명으로 인해 대통령에서 물러나게 되었다.
⑤ 4·19 혁명 당시 실종된 김주열 학생이 시신으로 발견되면서 시위가 전국으로 확산되었다.

자료 분석하기

40년 독재 정치를 청산하고 희망찬 민주 국가를 건설하기 위한 거보를 전 국민과 함께 내딛는다. …… 국민적 여망인 개헌을
→ 당시 학생과 시민들은 대통령 직선제 개헌을 요구하였다.

일방적으로 파기한 4·13 폭거를 철회시키기 위한 민주 장정을 시작한다.
→ 전두환 정부는 시민들의 민주화 요구를 받아들이지 않고, 대통령 직선제 개헌 요구를 거부하는 4·13 호헌 조치를 발표하였다.

---

11 |정답①| (가)는 1950년 10월 전쟁에 개입하는 중국군, (나)는 1953년 7월 휴전 협정이 체결되는 모습이다. 중국군의 개입으로 국군과 유엔군은 서울을 다시 빼앗기고 후퇴하였다(1·4 후퇴).

---

12 |정답④| 1972년 서울과 평양에서 동시에 발표된 7·4 남북 공동 성명에는 자주, 평화, 민족적 대단결이라는 통일 원칙이 담겨 있다.

오답 피하기

ㄱ. 남북한의 정상이 처음 만난 것은 2000년 제1차 남북 정상 회담이다.
ㄷ. 1991년 남과 북이 유엔에 동시 가입하였으며, 서울과 평양을 오가는 고위급 회담 이후 남북 기본 합의서가 체결되었다.

---

13 예시답안 갑오개혁으로 인해 신분제 폐지, 조세 금납화, 과거제 폐지 등의 개혁 조치가 단행되었다.

|채점기준|

상	갑오개혁의 주요 내용을 두 가지 이상 서술한 경우
중	갑오개혁의 주요 내용을 한 가지만 서술한 경우
하	갑오개혁의 주요 내용을 서술하지 못한 경우

---

14 예시답안 농지 개혁법이 실시되어 자영농이 늘어나고 지주제가 없어지게 되었다.

|채점기준|

상	자영농의 증가와 지주제의 폐지를 모두 서술한 경우
중	자영농의 증가와 지주제의 폐지 중 한 가지만 서술한 경우
하	자영농의 증가와 지주제의 폐지를 제대로 서술하지 못한 경우

---

15 예시답안 학생과 시민들이 대통령 직선제 개헌과 민주화를 요구하는 6월 민주 항쟁을 전개하였다.

|채점기준|

상	6월 민주 항쟁의 명칭과 학생, 시민들의 주요 요구 사항인 대통령 직선제 개헌 내용을 모두 서술한 경우
중	6월 민주 항쟁의 명칭과 학생, 시민들의 주요 요구 사항인 대통령 직선제 개헌 내용 중 일부만을 서술한 경우
하	6월 민주 항쟁의 명칭과 학생, 시민들의 주요 요구 사항인 대통령 직선제 개헌 내용을 서술하지 못한 경우

01 역사 신문 만들기

1 예시 답안

사건	갑신정변
배경	• 김옥균, 박영효 등 개화 세력의 성장 • 온건파와 급진파의 갈등 • 조선에 대한 청의 간섭
과정	• 우정총국 개국 축하연을 이용해 정변 • 14개조 개혁 정강 발표 • 청군의 개입으로 실패
결과	• 개화 세력의 위축 • 한반도를 둘러싼 청, 일의 갈등 심화

2 예시 답안

[특집] 개혁 정강 14개조 발표

 김옥균, 박영효 등 급진파는 국가 체제 전반에 관한 개혁안을 발표하였다. 급진파는 조선의 자주독립을 선포하였으며, 문벌을 폐지하고 인민 평등권을 보장하여 능력만 있으면 누구나 관리가 될 수 있다고 발표하였다. 또한 기존의 국왕 중심 정치를 개혁하여 신하들이 협의하여 국가를 운영하도록 하였으며, 조세·재정·군사·경찰 제도 등의 개혁을 통해 조선을 근대 국가로 만들겠다는 포부를 밝혔다.

02 역사적 인물 평가하기

1 예시 답안

활동 내용	• 삼정의 문란을 해결하고자 함 • 공평하게 세금을 부과하고자 숨은 토지를 찾고 호포제를 실시함 • 국가 재정 확보와 민생 안정을 위해 서원을 철폐함 • 왕실의 권위를 회복하고자 경복궁을 중건함 • 통상 수교 거부 정책을 펼치고 척화비를 세움

2 예시 답안

• 흥선 대원군은 삼정을 개혁하여 민생을 안정시키려 한 인물이었다. 삼정의 문란 중 가장 문제가 심했던 환곡을 지역민이 운영하도록 하여 관리의 중간 수탈을 막았으며, 토지를 조사하여 숨은 토지를 찾아내 공평하게 세금을 부과하였다. 또한 양반에게도 군포를 부과하는 호포제를 실시하여 조세 부담을 공평하게 하였다. 나아가 백성들을 수탈하고 면세 혜택을 누리던 서원을 과감히 철폐하여 국가 재정을 확충하고 민생 안정에 기여하였다. 이처럼 흥선 대원군은 백성들의 삶에 공감하고 새로운 조선을 만들려고 했던 인물이다.

3 예시 답안

• 물론 흥선 대원군이 삼정의 문란을 해결하기 위해 노력한 것은 사실이다. 하지만 경복궁 중건을 위해 백성들을 강제로 동원하고, 고액 화폐를 발행하여 물가가 폭등한 사실을 볼 때 흥선 대원군에게 중요한 것은 백성들의 삶이 아니라 왕실의 권위 회복과 왕권 강화였다. 또한 주변 나라인 청과 일본이 개항하고 외국의 앞선 문물을 받아들이는 데 반해, 다른 나라와의 통상 수교를 거부하는 정책을 시행하여 조선이 국제 정세의 변화에 능동적으로 대처하지 못하게 한 것도 흥선 대원군의 실책이다.